Sonya Gauthier

Le cahier de la réussite

2e cycle

Sites Internet : www.cyberechos.creteil.iufm.fr
www.csdm.qc.ca
www.hww.ca
www.csteq.com
www.voyagesphotosmanu.com
www.thecanadianencyclopedia.com
www.bestioles.ca
www.touslesfelins.free.fr
www.cecej.xooit.fr
www2.ac-toulouse.fr
www-ipst.u-strasbg.fr
www.geocities.com
www.home.nordnet.fr
www.pagesperso-orange.fr
www.usagers.umontreal.ca
www.romm.ca
www.petitmonde.com
www.etudiant.univ-mlv.fr
www.geneve.ch
www.santepub-mtl.qc.ca
www.airbreizh.asso.fr

Illustrations: Agathe Bray-Bourret, Julien Del Busso, Hugo Desrosiers, Alexandre Bélisle et Daniel Rainville.
Conception de la couverture : Bruno Paradis
Illustrations de la couverture : gettyimages.com
Mise en pages : André Vallée – Atelier Typo Jane
Révision : Jacinthe Boivin-Moffet
Correction d'épreuves : Sabine Cerboni et François Morin

Imprimé au Canada

ISBN : 978-2-89642-071-1
Dépôt légal – Bibliothèque et Archives nationales du Québec, 2008

Nous reconnaissons l'aide financière du gouvernement du Canada par l'entremise du Programme d'aide au développement de l'industrie de l'édition (PADIÉ) pour nos activités d'édition.

Canada

Visitez le site des Éditions Caractère
editionscaractere.com

Table des matières

Mot aux parents

Le cahier de la réussite – 2e cycle est un cahier d'activités spécialement conçu pour les enfants de troisième et quatrième année en adaptation scolaire. Il s'adresse aux enfants du deuxième cycle qui ont des difficultés ou des troubles d'apprentissage. Que votre enfant soit dans une classe spéciale ou qu'il soit intégré dans une classe régulière, ce matériel lui convient parfaitement.

Il est important, comme parent, de connaître la différence entre une difficulté et un trouble d'apprentissage. Je vous résume, ici, très brièvement cette différence.

Les difficultés d'apprentissage se manifestent par un retard ou un déséquilibre ponctuel dans les apprentissages; elles sont passagères. Elles peuvent survenir à la suite d'un déménagement, d'un divorce, d'un décès, d'une maladie, etc. Le dépistage et l'intervention précoce corrigent habituellement ces difficultés.

Les troubles d'apprentissage découlent de facteurs génétiques, neurobiologiques ou d'un dommage cérébral. Ces troubles affectent le fonctionnement du cerveau, modifiant ainsi un ou plusieurs processus reliés à l'apprentissage. Ils sont généralement permanents. Dans nos écoles, nous retrouvons le plus souvent les troubles suivants : l'hyperactivité, le trouble déficitaire de l'attention, la dyslexie, la dysphasie et l'autisme. Il est essentiel pour une rééducation adéquate que ces troubles soient dépistés très tôt et que les enfants soient soumis à des évaluations régulières faites par des professionnels. Ces élèves ne pourront pas suivre un programme scolaire régulier, d'où l'importance d'accepter, de comprendre et d'adapter le programme enseigné. C'est pourquoi il est essentiel de demander les services auxquels vous avez droit afin d'établir un plan d'intervention personnalisé pour votre enfant. Les meilleurs alliés des parents dans cette situation sont les enseignants, la direction et les services professionnels de l'école.

Si votre enfant éprouve des difficultés ou des troubles d'apprentissage, il a besoin de votre suppport et de votre accompagnement, prenez le temps de l'écouter et de l'encourager à fournir les efforts nécessaires pour sa réussite personnelle. Son estime de soi, sa soif d'apprendre et sa force vous remercieront inévitablement. Surtout, ne sous-estimez jamais votre enfant, vous serez le premier surpris de le voir atteindre des sommets que vous aviez crus inaccessibles.

Les exercices développés dans Le cahier de la réussite – 2e cycle sont conformes au programme de formation de l'école québécoise du **M**inistère de l'**É**ducation, du **L**oisir et du **S**port. Les savoirs essentiels proposés dans ce cahier d'activités, en français comme en mathématique, sont adaptés pour les besoins spécifiques des enfant qui éprouvent des difficultés ou des troubles d'apprentissage. Ce cahier d'activités est divisé en deux parties :

Mathématique (181 pages) : Les activités proposées sont graduées à l'intérieur de la compétence développée. Chaque compétence peut être travaillée dans l'ordre de votre choix. Cependant, il est préférable de suivre l'ordre proposé pour la section de l'arithmétique.

Français (183 pages) : Les activités proposées sont graduées à l'intérieur de la compétence développée. Chaque compétence peut être travaillée dans l'ordre de votre choix. Cependant, il est vraiment conseillé de suivre l'ordre proposé pour la partie des connaissances liées à la phrase (les voyelles, les consonnes et les sons et les syllabes inverses). Dans cette partie, chaque exercice présente la voyelle, la consonne ou le son étudié dans l'activité précédente.

Les **corrigés** de tous les exercices sont à la fin du cahier, à l'exception de ceux dont la consigne n'est pas précédée d'un numéro d'activité.

Comme vous le savez, ce cahier d'activités est très volumineux et il peut faire peur à un enfant en difficulté d'apprentissage. Voici donc des petits trucs qui vous aideront à présenter positivement cette démarche d'aide à votre enfant :

- Présenter ce cahier d'activités comme un cahier magique qui l'aidera à lire, à écrire et à compter.
- Faire un calendrier et marquer d'une étoile les jours où l'enfant utilisera son cahier magique. Respecter cet horaire établi à l'avance.
- Utiliser un système de renforcement positif, comme des autocollants, une récompense surprise, un temps privilégié avec un parent, etc.
- Commencer par des activités plus faciles pour lui, de cette façon il vivra des réussites et il sera encouragé à poursuivre.
- Présenter un numéro à la fois, cacher les autres avec une feuille blanche. De cette façon, l'enfant reste motivé et concentré.
- Provoquer votre enfant en duel contre vous. Une compétition d'addition amicale contre un parent, c'est toujours amusant. Vous pouvez même faire semblant de vous tromper pour qu'il voit que l'adulte aussi fait des erreurs.

Rien n'est plus agréable pour un enfant que d'apprendre en s'amusant. Alors ayez du plaisir avec votre enfant, cette sensation stimulera son intellect et éloignera les tensions du quotidien !

Mathématique

Lecture des nombres de 0 à 1999

Lis les nombres inscrits sur les chandails de soccer.

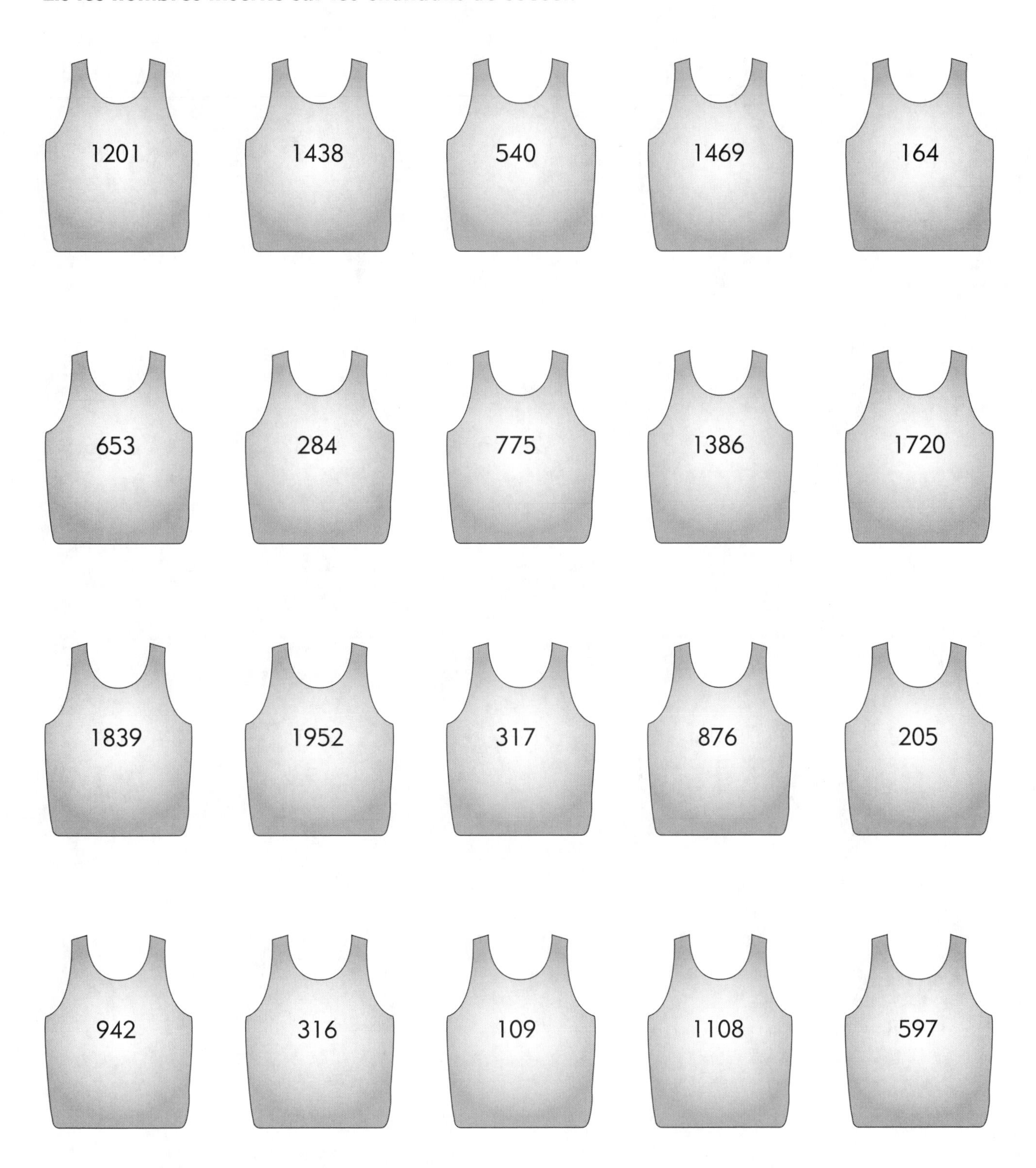

Lecture des nombres de 0 à 3999

Lis les nombres inscrits sur les chandails de soccer.

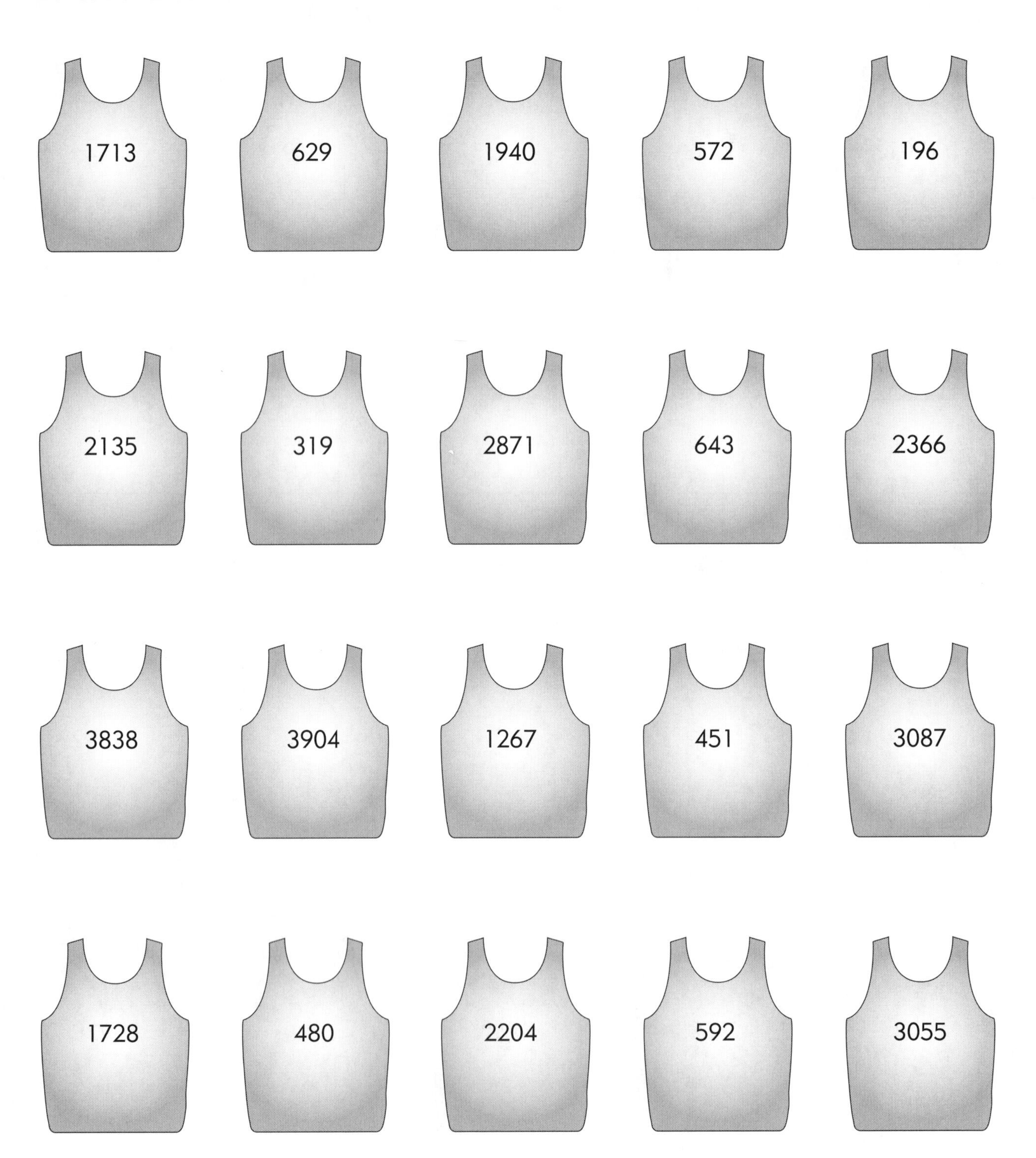

Lecture des nombres de 0 à 5999

Lis les nombres inscrits sur les chandails de soccer.

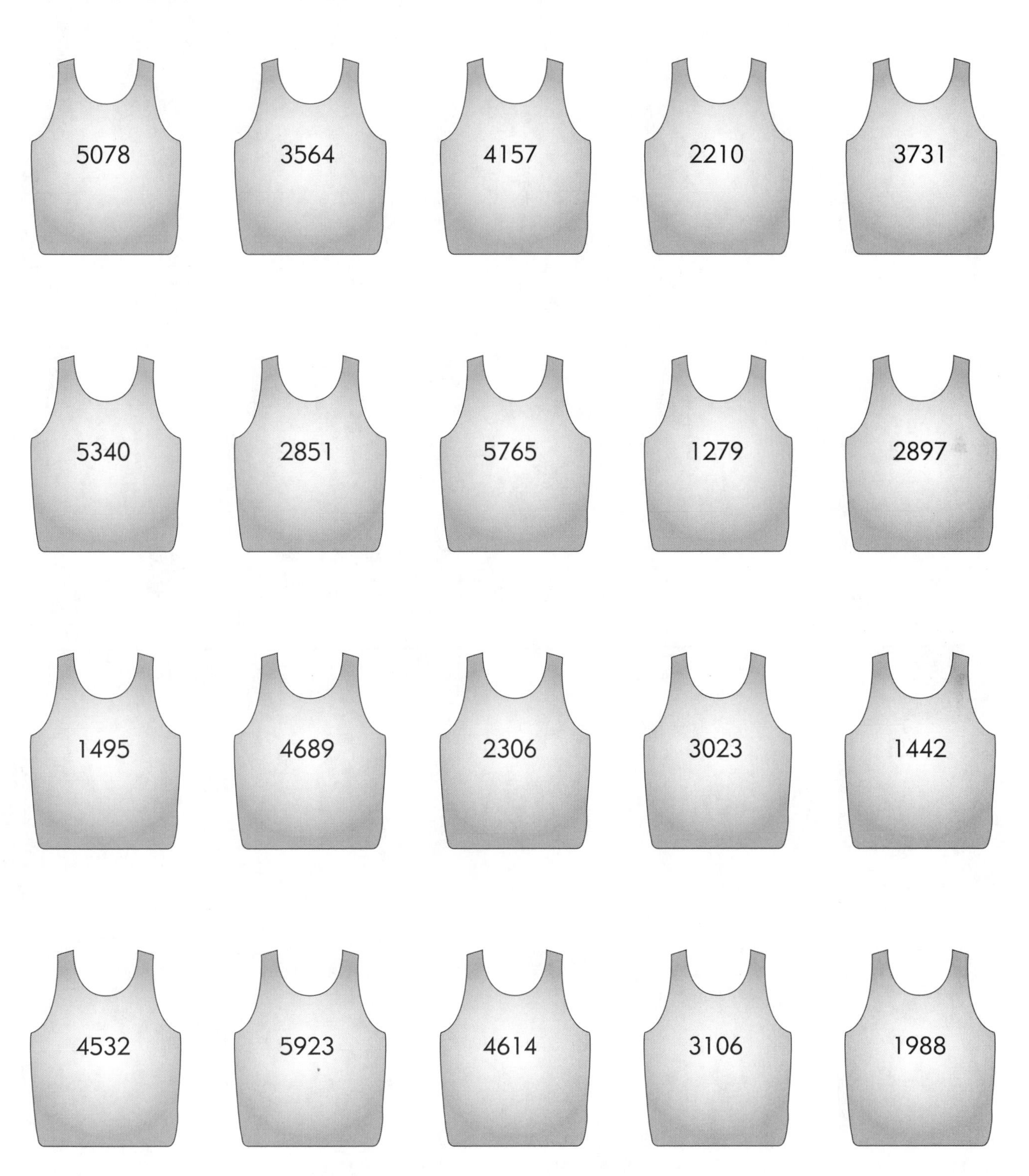

Lecture des nombres de 0 à 7999

Lis les nombres inscrits sur les chandails de soccer.

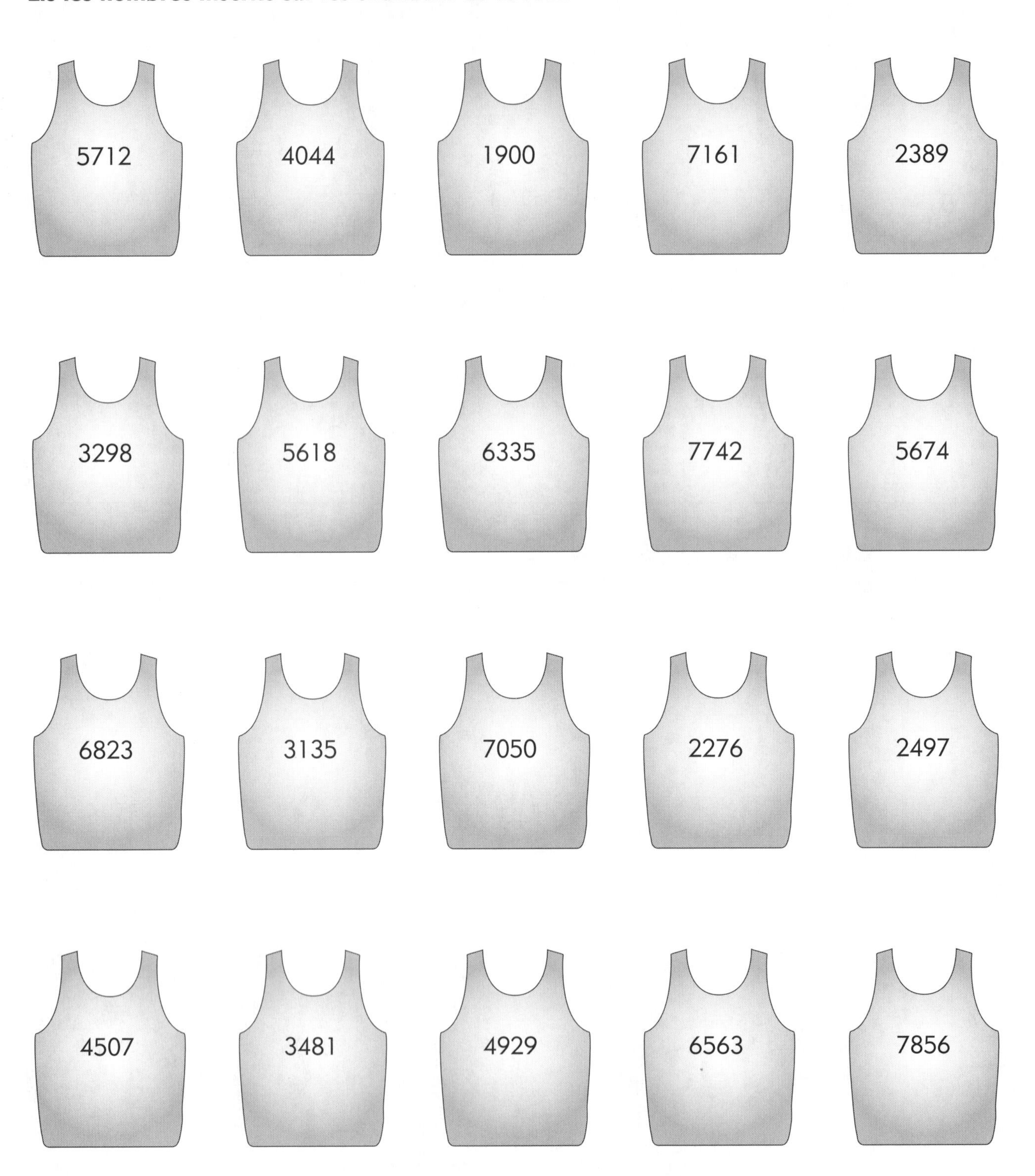

Lecture des nombres de 0 à 9999

Lis les nombres inscrits sur les chandails de soccer.

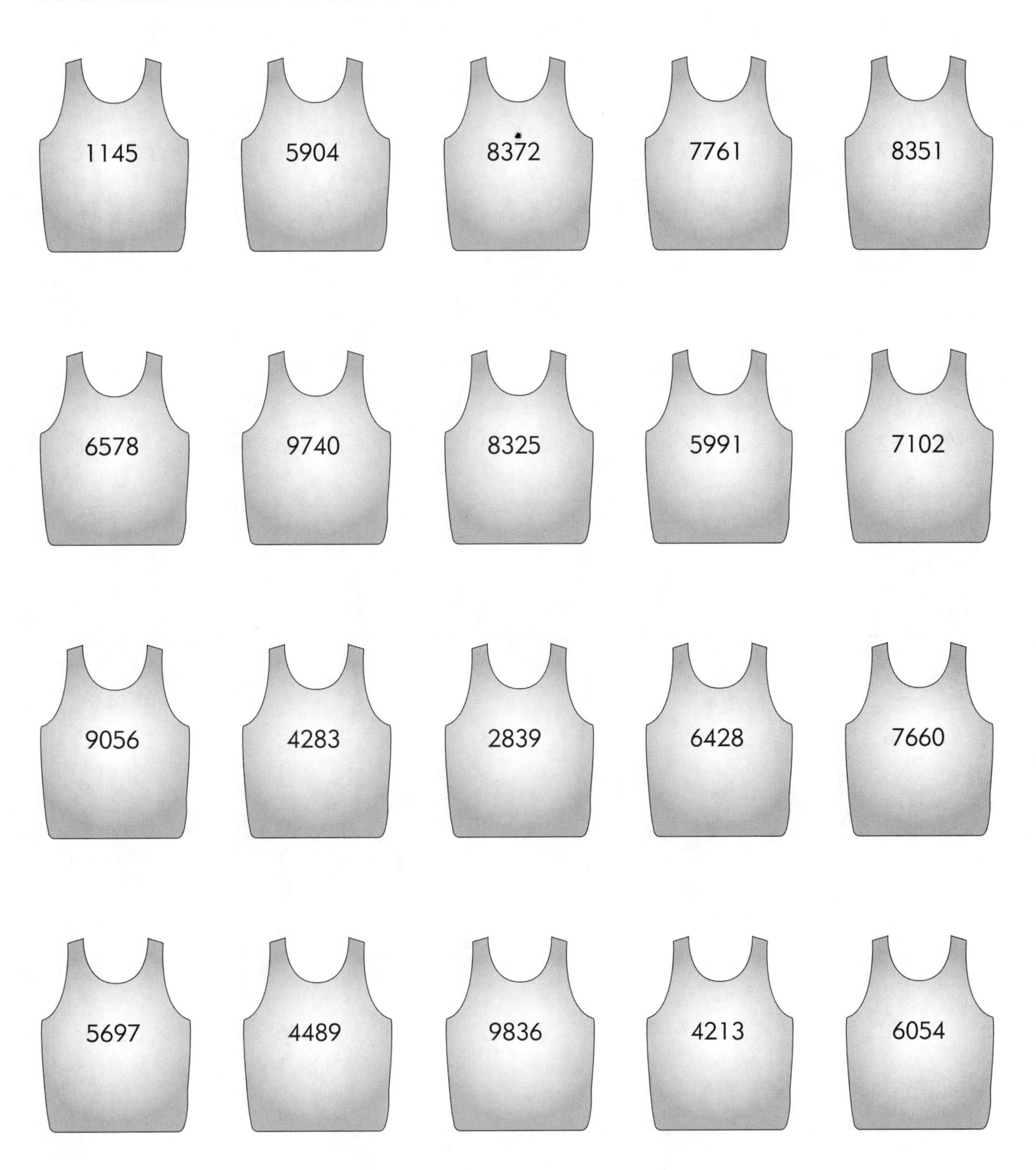

Lecture des nombres de 0 à 39 999

Lis les nombres inscrits sur les chandails de soccer.

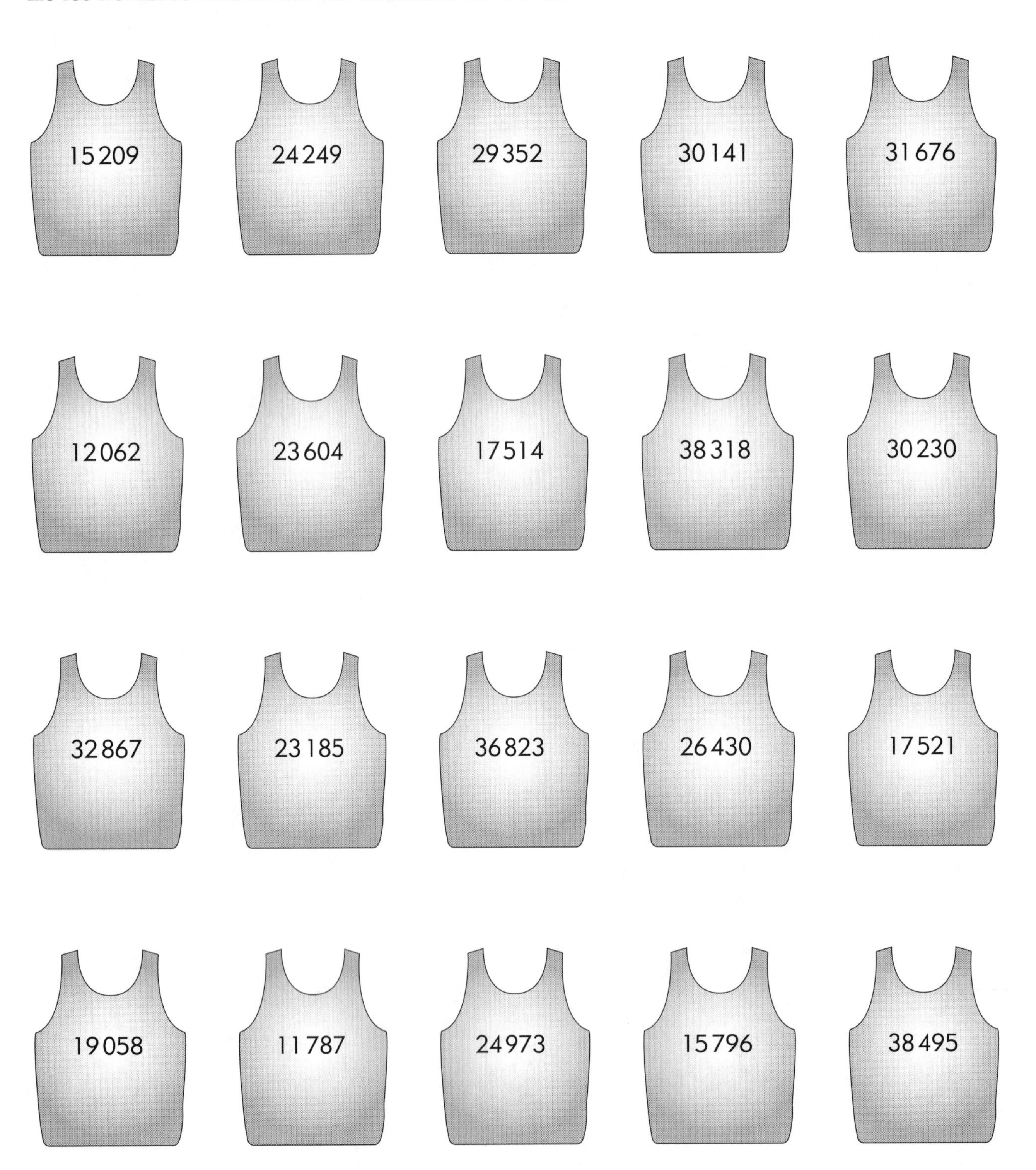

Lecture des nombres de 0 à 59 999

Lis les nombres inscrits sur les billets de spectacle.

50 160 ADMISSION	54 216 ADMISSION	35 284 ADMISSION	26 388 ADMISSION	13 893 ADMISSION
11 059 ADMISSION	43 027 ADMISSION	32 705 ADMISSION	27 197 ADMISSION	38 661 ADMISSION
59 509 ADMISSION	22 938 ADMISSION	36 341 ADMISSION	11 074 ADMISSION	10 856 ADMISSION
45 710 ADMISSION	49 432 ADMISSION	27 543 ADMISSION	48 925 ADMISSION	54 472 ADMISSION

Lecture des nombres de 0 à 79 999

Lis les nombres inscrits sur les billets de spectacle.

75731 ADMISSION	68820 ADMISSION	30394 ADMISSION	71274 ADMISSION	62292 ADMISSION
54738 ADMISSION	10827 ADMISSION	73651 ADMISSION	74385 ADMISSION	41506 ADMISSION
35417 ADMISSION	46548 ADMISSION	29652 ADMISSION	57469 ADMISSION	43073 ADMISSION
32163 ADMISSION	56986 ADMISSION	69910 ADMISSION	57105 ADMISSION	68049 ADMISSION

Lecture des nombres de 0 à 99 999

Lis les nombres inscrits sur les billets de spectacle.

60 825 ADMISSION	85 304 ADMISSION	92 272 ADMISSION	69 794 ADMISSION	68 150 ADMISSION
36 829 ADMISSION	44 241 ADMISSION	96 416 ADMISSION	81 193 ADMISSION	13 681 ADMISSION
20 785 ADMISSION	59 013 ADMISSION	57 932 ADMISSION	75 350 ADMISSION	57 037 ADMISSION
78 479 ADMISSION	94 568 ADMISSION	71 606 ADMISSION	92 570 ADMISSION	83 468 ADMISSION

Écriture des nombres de 0 à 9999

Les chiffres (0, 1, 2, 3, 4, 5, 6, 7, 8, 9) sont des symboles.
Ils servent à écrire les nombres.
Un nombre est composé de deux chiffres ou plus.
La suite des nombres naturels (0, 1, 2, 3, 4, 5, 6, 7, 8, 9, 10, 11...) est infinie.

1. Écris le montant sur chaque chèque.

a) **CHÈQUE**
cinq mille six cent quatre-vingt-six

b) **CHÈQUE**
quatre mille cent sept

c) **CHÈQUE**
huit mille soixante-dix-neuf

d) **CHÈQUE**
sept mille huit cent cinquante-deux

e) **CHÈQUE**
huit mille deux cent onze

f) **CHÈQUE**
deux mille neuf cent quatre-vingt-treize

g) **CHÈQUE**
mille quatre cent trente et un

h) **CHÈQUE**
neuf mille seize

i) **CHÈQUE**
quatre mille deux cent quatre-vingt-sept

j) **CHÈQUE**
trois mille cent quarante-huit

Écriture des nombres de 0 à 9999

1. Écris le montant sur chaque chèque.

a) **CHÈQUE**
cinq mille sept cent soixante

b) **CHÈQUE**
trois mille trois cent cinq

c) **CHÈQUE**
sept mille trois cent vingt-quatre

d) **CHÈQUE**
mille cinq cent quarante

e) **CHÈQUE**
deux mille quatre cent vingt-cinq

f) **CHÈQUE**
six mille neuf cent trente-quatre

g) **CHÈQUE**
mille cinq cent soixante-trois

h) **CHÈQUE**
six mille huit cent soixante-dix-huit

i) **CHÈQUE**
neuf mille six cent quatre-vingt-neuf

j) **CHÈQUE**
deux mille sept cent cinquante-deux

Écriture des nombres de 0 à 99 999

1. Écris le montant sur chaque chèque.

a) **CHÈQUE**
trente et un mille neuf cent soixante-treize

b) **CHÈQUE**
soixante-cinq mille quatre cent trente-quatre

c) **CHÈQUE**
cinquante-trois mille quatre cent soixante-trois

d) **CHÈQUE**
vingt-neuf mille deux cent quarante-deux

e) **CHÈQUE**
trente-cinq mille trois cent un

f) **CHÈQUE**
quatre-vingt-deux mille cent quatre-vingt-dix-huit

g) **CHÈQUE**
quatre-vingt-sept mille dix-sept

h) **CHÈQUE**
seize mille huit cent quatorze

i) **CHÈQUE**
cinquante-deux mille cinq cent soixante-cinq

j) **CHÈQUE**
soixante-sept mille six cent quarante-deux

Écriture des nombres de 0 à 99 999

1. Écris le montant sur chaque chèque.

a) **CHÈQUE**
quarante-quatre mille trois cent cinquante

b) **CHÈQUE**
soixante-dix-huit mille deux cent neuf

c) **CHÈQUE**
vingt-six mille neuf cent quatre-vingt-dix-neuf

d) **CHÈQUE**
quatorze mille cinq cent quatre-vingt

e) **CHÈQUE**
vingt-huit mille vingt-six

f) **CHÈQUE**
quarante-neuf mille sept cent cinquante-cinq

g) **CHÈQUE**
dix mille cent quatre-vingt-six

h) **CHÈQUE**
quatre-vingt-treize mille huit cent soixante-dix-sept

i) **CHÈQUE**
quatre-vingt-dix mille sept cent vingt-huit

j) **CHÈQUE**
soixante et onze mille six cent trente et un

La représentation

Représente ces nombres sur les abaques.

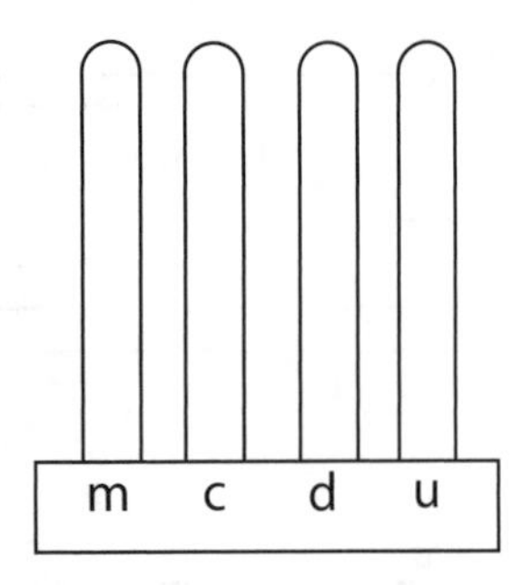

6518

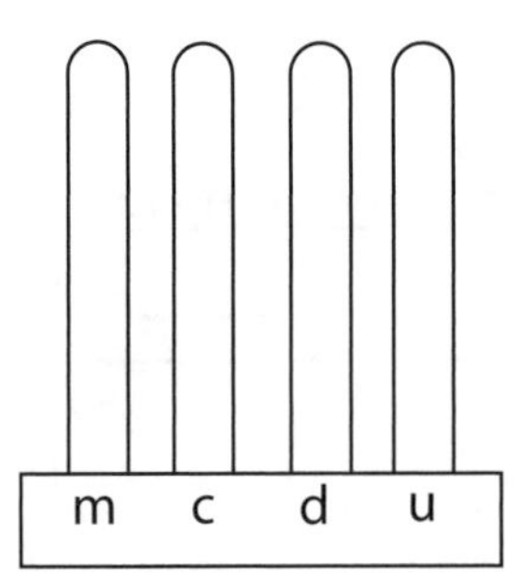

4067

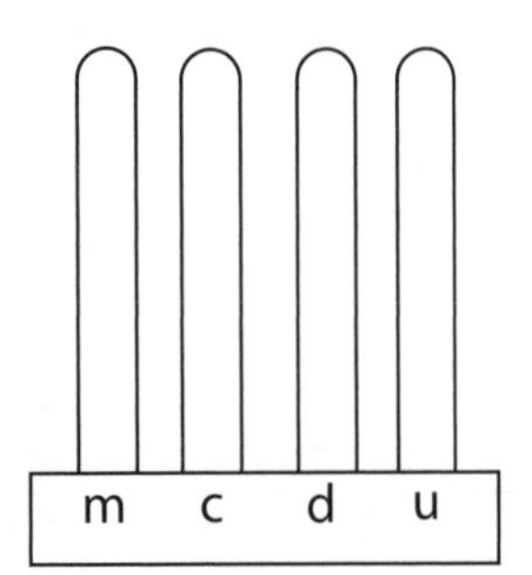

1376

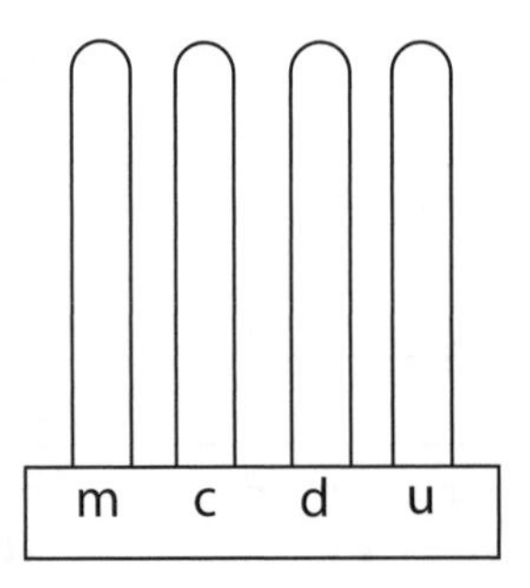

2899

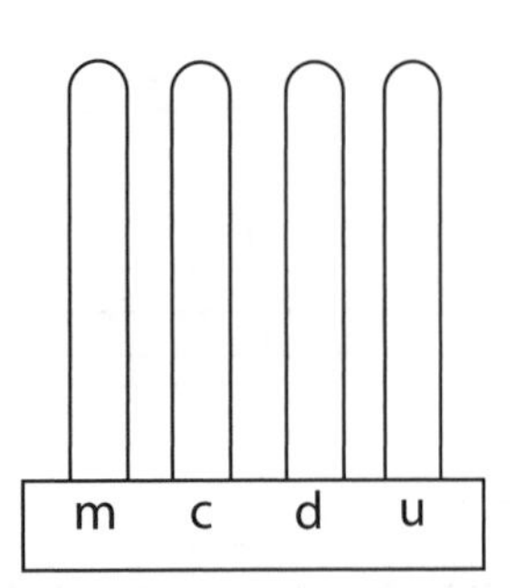

3285

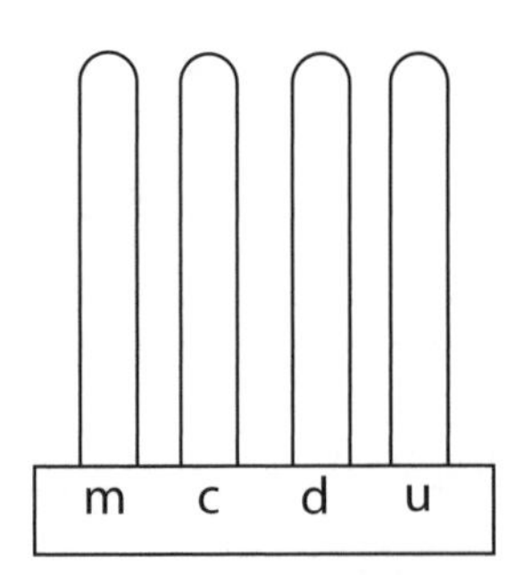

4101

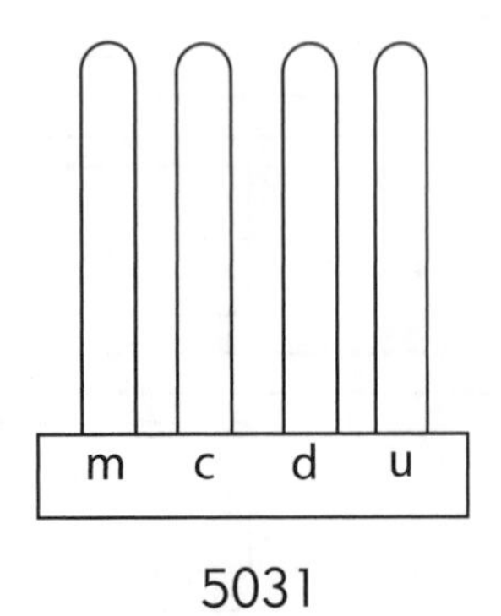

5031

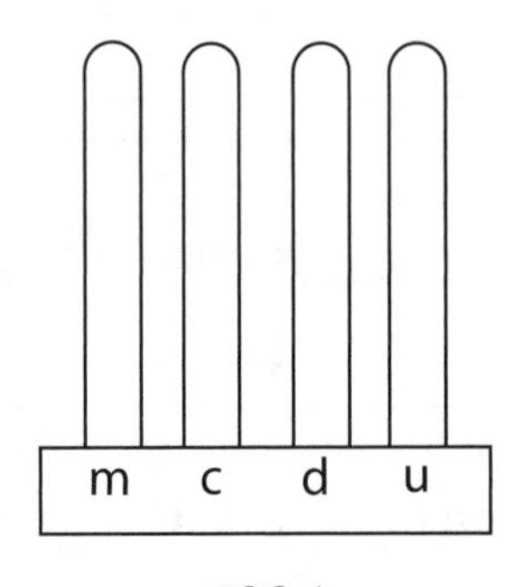

7924

La représentation

Représente ces nombres sur les abaques.

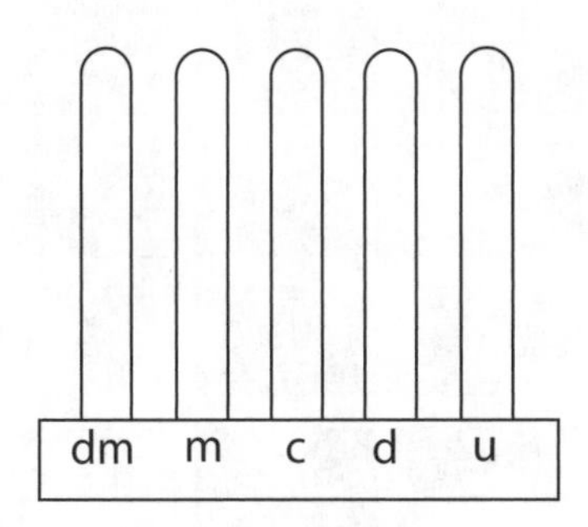

84 236

dm m c d u

67 127

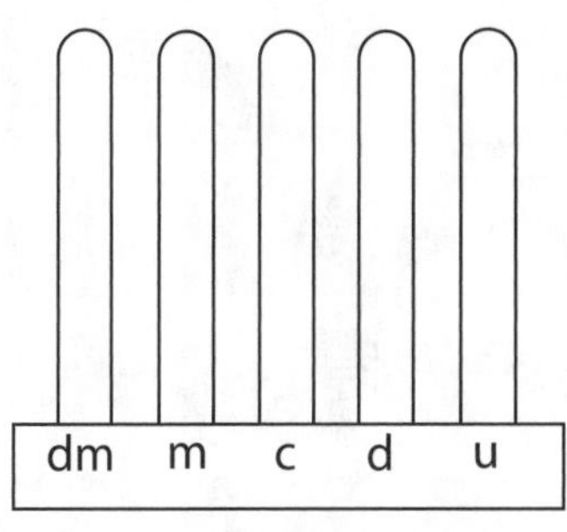

75 358

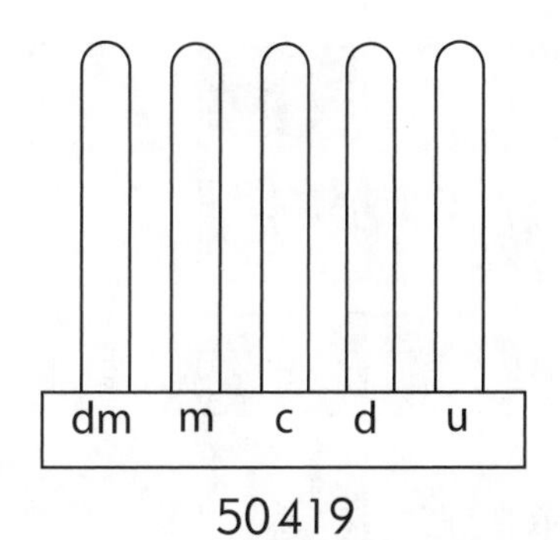

50 419

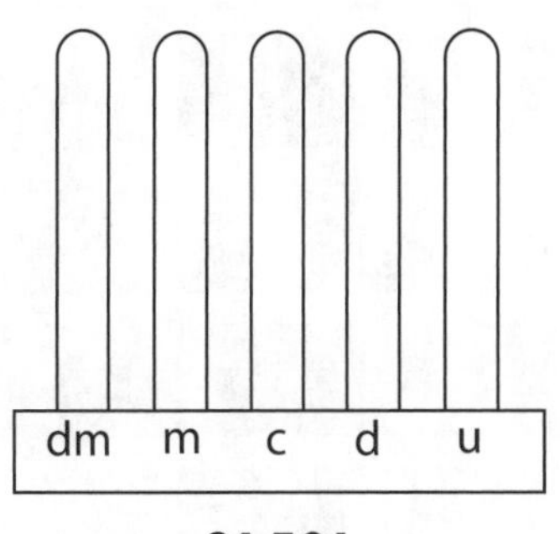

31 501

dm m c d u

46 092

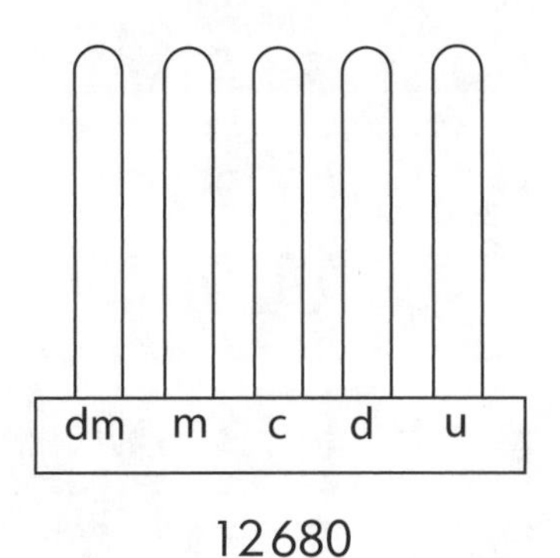

12 680

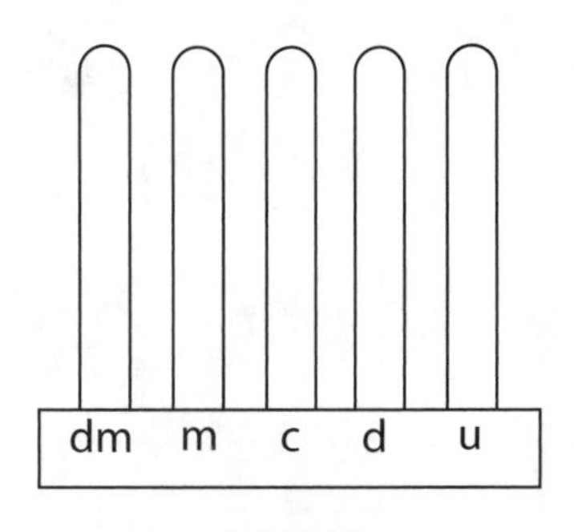

23 743

La représentation

Colorie l'argent que tu dois utiliser pour représenter cette somme.

6298 $

1000$ 1000$	100$ 100$	10$ 10$	1$ 1$
1000$ 1000$	100$ 100$	10$ 10$	1$ 1$
1000$ 1000$	100$ 100$	10$ 10$	1$ 1$
1000$ 1000$	100$ 100$	10$ 10$	1$ 1$
1000$ 1000$	100$ 100$	10$ 10$	1$ 1$
1000$ 1000$	100$ 100$	10$ 10$	1$ 1$
1000$ 1000$	100$ 100$	10$ 10$	1$ 1$
1000$ 1000$	100$ 100$	10$ 10$	1$ 1$
1000$ 1000$	100$ 100$	10$ 10$	1$ 1$

5389 $

1000$ 1000$	100$ 100$	10$ 10$	1$ 1$
1000$ 1000$	100$ 100$	10$ 10$	1$ 1$
1000$ 1000$	100$ 100$	10$ 10$	1$ 1$
1000$ 1000$	100$ 100$	10$ 10$	1$ 1$
1000$ 1000$	100$ 100$	10$ 10$	1$ 1$
1000$ 1000$	100$ 100$	10$ 10$	1$ 1$
1000$ 1000$	100$ 100$	10$ 10$	1$ 1$
1000$ 1000$	100$ 100$	10$ 10$	1$ 1$
1000$ 1000$	100$ 100$	10$ 10$	1$ 1$

3754 $

1000$ 1000$	100$ 100$	10$ 10$	1$ 1$
1000$ 1000$	100$ 100$	10$ 10$	1$ 1$
1000$ 1000$	100$ 100$	10$ 10$	1$ 1$
1000$ 1000$	100$ 100$	10$ 10$	1$ 1$
1000$ 1000$	100$ 100$	10$ 10$	1$ 1$
1000$ 1000$	100$ 100$	10$ 10$	1$ 1$
1000$ 1000$	100$ 100$	10$ 10$	1$ 1$
1000$ 1000$	100$ 100$	10$ 10$	1$ 1$
1000$ 1000$	100$ 100$	10$ 10$	1$ 1$

6849 $

1000$ 1000$	100$ 100$	10$ 10$	1$ 1$
1000$ 1000$	100$ 100$	10$ 10$	1$ 1$
1000$ 1000$	100$ 100$	10$ 10$	1$ 1$
1000$ 1000$	100$ 100$	10$ 10$	1$ 1$
1000$ 1000$	100$ 100$	10$ 10$	1$ 1$
1000$ 1000$	100$ 100$	10$ 10$	1$ 1$
1000$ 1000$	100$ 100$	10$ 10$	1$ 1$
1000$ 1000$	100$ 100$	10$ 10$	1$ 1$
1000$ 1000$	100$ 100$	10$ 10$	1$ 1$

La représentation

Colorie l'argent que tu dois utiliser pour représenter cette somme.

4503 $

1000$ 1000$	100$ 100$	10$ 10$	1$ 1$
1000$ 1000$	100$ 100$	10$ 10$	1$ 1$
1000$ 1000$	100$ 100$	10$ 10$	1$ 1$
1000$ 1000$	100$ 100$	10$ 10$	1$ 1$
1000$ 1000$	100$ 100$	10$ 10$	1$ 1$
1000$ 1000$	100$ 100$	10$ 10$	1$ 1$
1000$ 1000$	100$ 100$	10$ 10$	1$ 1$
1000$ 1000$	100$ 100$	10$ 10$	1$ 1$
1000$ 1000$	100$ 100$	10$ 10$	1$ 1$

3140 $

1000$ 1000$	100$ 100$	10$ 10$	1$ 1$
1000$ 1000$	100$ 100$	10$ 10$	1$ 1$
1000$ 1000$	100$ 100$	10$ 10$	1$ 1$
1000$ 1000$	100$ 100$	10$ 10$	1$ 1$
1000$ 1000$	100$ 100$	10$ 10$	1$ 1$
1000$ 1000$	100$ 100$	10$ 10$	1$ 1$
1000$ 1000$	100$ 100$	10$ 10$	1$ 1$
1000$ 1000$	100$ 100$	10$ 10$	1$ 1$
1000$ 1000$	100$ 100$	10$ 10$	1$ 1$

7651 $

1000$ 1000$	100$ 100$	10$ 10$	1$ 1$
1000$ 1000$	100$ 100$	10$ 10$	1$ 1$
1000$ 1000$	100$ 100$	10$ 10$	1$ 1$
1000$ 1000$	100$ 100$	10$ 10$	1$ 1$
1000$ 1000$	100$ 100$	10$ 10$	1$ 1$
1000$ 1000$	100$ 100$	10$ 10$	1$ 1$
1000$ 1000$	100$ 100$	10$ 10$	1$ 1$
1000$ 1000$	100$ 100$	10$ 10$	1$ 1$
1000$ 1000$	100$ 100$	10$ 10$	1$ 1$

2462 $

1000$ 1000$	100$ 100$	10$ 10$	1$ 1$
1000$ 1000$	100$ 100$	10$ 10$	1$ 1$
1000$ 1000$	100$ 100$	10$ 10$	1$ 1$
1000$ 1000$	100$ 100$	10$ 10$	1$ 1$
1000$ 1000$	100$ 100$	10$ 10$	1$ 1$
1000$ 1000$	100$ 100$	10$ 10$	1$ 1$
1000$ 1000$	100$ 100$	10$ 10$	1$ 1$
1000$ 1000$	100$ 100$	10$ 10$	1$ 1$
1000$ 1000$	100$ 100$	10$ 10$	1$ 1$

La décomposition

Séparer les éléments qui constituent un tout.

Observe chaque décomposition et réponds aux questions.

1. 8 groupements de 1000 + 6 groupements de 100 + 5 groupements de 10 + 2 unités

   a) Combien as-tu de groupements de 100? ______________

   b) Combien as-tu de groupements de 10? ______________

   c) Combien as-tu de groupements de 1000? ______________

   d) Combien as-tu d'éléments seuls? ______________

   e) Quel est ce nombre? ______________

2. 2 groupements de 10 + 3 groupements de 100 + 6 groupements de 1000

   a) Combien as-tu de groupements de 1000? ______________

   b) Combien as-tu de groupements de 100? ______________

   c) Combien as-tu de groupements de 10? ______________

   d) Combien as-tu d'éléments seuls? ______________

   e) Quel est ce nombre? ______________

3. 1000 + 100 + 10 + 10 + 10 + 10 + 1 + 1 + 1 + 1 + 1 + 1 + 1 + 1 + 1

   a) Combien as-tu de groupements de 10? ______________

   b) Combien as-tu de groupements de 100? ______________

   c) Combien as-tu de groupements de 1000? ______________

   d) Combien as-tu d'éléments seuls? ______________

   e) Quel est ce nombre? ______________

4. 1000 + 1000 + 1000 + 10 + 10 + 10 + 10 + 10 + 10 + 10 + 1 + 1 + 1 + 1 + 1

   a) Combien as-tu de groupements de 1000? ______________

   b) Combien as-tu de groupements de 10? ______________

   c) Combien as-tu de groupements de 100? ______________

   d) Combien as-tu d'éléments seuls? ______________

   e) Quel est ce nombre? ______________

La décomposition

Séparer les éléments qui constituent un tout.

Observe chaque décomposition et réponds aux questions.

1. 1000 + 1000 + 1000 + 1000 + 1000 + 1000 + 1000

   a) Combien as-tu de groupements de 10 ? ____________

   b) Combien as-tu de groupements de 1000 ? ____________

   c) Combien as-tu de groupements de 100 ? ____________

   d) Combien as-tu d'éléments seuls ? ____________

   e) Quel est ce nombre ? ____________

2. 9 groupements de 1000 + 8 groupements de 100 + 3 unités

   a) Combien as-tu de groupements de 10 ? ____________

   b) Combien as-tu de groupements de 100 ? ____________

   c) Combien as-tu de groupements de 1000 ? ____________

   d) Combien as-tu d'éléments seuls ? ____________

   e) Quel est ce nombre ? ____________

3. 1 unité + 5 groupements de 10 + 6 groupements de 100 + 2 groupements de 1000

   a) Combien as-tu de groupements de 100 ? ____________

   b) Combien as-tu de groupements de 10 ? ____________

   c) Combien as-tu de groupements de 1000 ? ____________

   d) Combien as-tu d'éléments seuls ? ____________

   e) Quel est ce nombre ? ____________

4. 1000 + 1000 + 1000 + 1000 + 100 + 100 + 100 + 10 + 10 + 1 + 1 + 1 + 1 + 1 + 1 + 1 + 1

   a) Combien as-tu de groupements de 100 ? ____________

   b) Combien as-tu de groupements de 1000 ? ____________

   c) Combien as-tu de groupements de 10 ? ____________

   d) Combien as-tu d'éléments seuls ? ____________

   e) Quel est ce nombre ? ____________

La décomposition

Séparer les éléments qui constituent un tout.

Observe chaque décomposition et réponds aux questions.

1. 10000 + 10000 + 1000 + 1000 + 1000 + 1000 + 1000 + 1000 + 1000 + 1000 + 100 + 100 + 100 + 100 + 100 + 10 + 1 + 1 + 1 + 1 + 1 + 1
   a) Combien as-tu de groupements de 10 ? ____________
   b) Combien as-tu de groupements de 1000 ? ____________
   c) Combien as-tu de groupements de 100 ? ____________
   d) Combien as-tu de groupements de 10 000 ? ____________
   e) Combien as-tu d'éléments seuls ? ____________
   f) Quel est ce nombre ? ____________
2. 4 groupements de 10000 + 7 groupements de 1000 + 4 groupements de 100 + 3 unités
   a) Combien as-tu de groupements de 10 ? ____________
   b) Combien as-tu de groupements de 10000 ? ____________
   c) Combien as-tu de groupements de 100 ? ____________
   d) Combien as-tu de groupements de 1000 ? ____________
   e) Combien as-tu d'éléments seuls ? ____________
   f) Quel est ce nombre ? ____________
3. 10000 + 10000 + 10000 + 1000 + 1000 + 1000 + 1000 + 1000 + 1000 + 100 + 100 + 100 + 100 + 100 + 100 + 100 + 100 + 10 + 10 + 1 + 1
   a) Combien as-tu de groupements de 100 ? ____________
   b) Combien as-tu de groupements de 10 ? ____________
   c) Combien as-tu de groupements de 10000 ? ____________
   d) Combien as-tu de groupements de 1000 ? ____________
   e) Combien as-tu d'éléments seuls ? ____________
   f) Quel est ce nombre ? ____________
4. 7 unités + 9 groupements de 10 + 2 groupements de 1000 + 6 groupements de 10000
   a) Combien as-tu de groupements de 10000 ? ____________
   b) Combien as-tu de groupements de 100 ? ____________
   c) Combien as-tu de groupements de 1000 ? ____________
   d) Combien as-tu de groupements de 10 ? ____________
   e) Combien as-tu d'éléments seuls ? ____________
   f) Quel est ce nombre ? ____________

La décomposition

Séparer les éléments qui constituent un tout.

Observe chaque décomposition et réponds aux questions.

1. 5 groupements de 10 000 + 3 groupements de 100 +
1 groupement de 100 + 7 groupements de 10 + 8 unités
   a) Combien as-tu de groupements de 10 ? ____________
   b) Combien as-tu de groupements de 100 ? ____________
   c) Combien as-tu de groupements de 1000 ? ____________
   d) Combien as-tu de groupements de 10 000 ? ____________
   e) Combien as-tu d'éléments seuls ? ____________
   f) Quel est ce nombre ? ____________

2. 10 000 + 1000 + 1000 + 1000 + 1000 + 1000 + 100 + 100 + 100 + 10 +
10 + 10 + 10 + 10 + 1 + 1
   a) Combien as-tu de groupements de 10 000 ? ____________
   b) Combien as-tu de groupements de 1000 ? ____________
   c) Combien as-tu de groupements de 100 ? ____________
   d) Combien as-tu de groupements de 10 ? ____________
   e) Combien as-tu d'éléments seuls ? ____________
   f) Quel est ce nombre ? ____________

3. 9 unités + 3 groupements 10 + 2 groupements de 100 +
4 groupements de 1000 + 2 groupements de 10 000
   a) Combien as-tu de groupements de 100 ? ____________
   b) Combien as-tu de groupements de 10 ? ____________
   c) Combien as-tu de groupements de 1000 ? ____________
   d) Combien as-tu de groupements de 10 000 ? ____________
   e) Combien as-tu d'éléments seuls ? ____________
   f) Quel est ce nombre ? ____________

4. 10 000 + 10 000 + 10 000 + 1000 + 100 + 100 + 100 + 100 + 100 + 100 + 10 +
10 + 10 + 10
   a) Combien as-tu de groupements de 10 ?
   b) Combien as-tu de groupements de 1000 ?
   c) Combien as-tu de groupements de 100 ?
   d) Combien as-tu de groupements de 10 000 ?
   e) Combien as-tu d'éléments seuls ?
   f) Quel est ce nombre ?

La décomposition

La décomposition se fait de plusieurs manières, mais les deux méthodes les plus faciles et rapides sont les suivantes :

1. 4135 = 1000 + 1000 + 1000 + 1000 + 100 + 10 + 10 + 10 + 1 + 1 + 1 + 1 + 1
2. 4135 = 4 groupements de 1000 + 1 groupement de 100 + 3 groupements de 10 + 5 unités

Décompose les nombres suivants en utilisant la méthode de ton choix.

9401

24 589

75 198

96 293

La décomposition

Décompose les nombres suivants en utilisant la méthode de ton choix.

4932

3520

33 619

8146

10 812

La décomposition

Décompose les nombres suivants en utilisant la méthode de ton choix.

5841

52 655

41 223

2734

17 106

La décomposition

Décompose les nombres suivants en utilisant la méthode de ton choix.

9401

24 589

75 198

7477

6364

La position

Chaque unité = 1 unité
Un groupement de 10 unités = 1 dizaine
Un groupement de 100 unités = 1 centaine
Un groupement de 1000 unités = 1 millier ou 1 unité de mille
Un groupement de 10000 unités = 1 dizaine de mille
Dans le nombre 62138 : 8 est à la position des unités
3 est à la position des dizaines
1 est à la position des centaines
2 est à la position des unités de mille
6 est à la position des dizaines de mille

Observe chaque décomposition et réponds aux questions.

1. 8 groupements de 1000 + 6 groupements de 100 + 2 groupements de 10 + 4 unités

   a) Quel chiffre est à la position des centaines? ______

   b) Quel chiffre est à la position des unités? ______

   c) Quel chiffre est à la position des dizaines? ______

   d) Quel chiffre est à la position des unités de mille? ______

   e) Quel est ce nombre? ______

2. 1 + 100 + 100 + 100 + 1000

   a) Quel chiffre est à la position des unités? ______

   b) Quel chiffre est à la position des dizaines? ______

   c) Quel chiffre est à la position des centaines? ______

   d) Quel chiffre est à la position des unités de mille? ______

   e) Quel est ce nombre? ______

3. 900 unités + 5 groupements de 1000

   a) Quel chiffre est à la position des dizaines? ______

   b) Quel chiffre est à la position des centaines? ______

   c) Quel chiffre est à la position des unités? ______

   d) Quel chiffre est à la position des unités de mille? ______

   e) Quel est ce nombre? ______

La position

Observe chaque décomposition et réponds aux questions.

1. 2 groupements de 1000 + 9 groupements de 100 + 6 groupements de 10 + 8 unités

   a) Quel chiffre est à la position des centaines? ______________

   b) Quel chiffre est à la position des unités? ______________

   c) Quel chiffre est à la position des dizaines? ______________

   d) Quel chiffre est à la position des unités de mille? ______________

   e) Quel est ce nombre? ______________

2. 1000 + 1000 + 1000 + 1000 + 100 + 100 + 100 + 100 + 100 + 100 + 10 + 10

   a) Quel chiffre est à la position des unités? ______________

   b) Quel chiffre est à la position des dizaines? ______________

   c) Quel chiffre est à la position des centaines? ______________

   d) Quel chiffre est à la position des unités de mille? ______________

   e) Quel est ce nombre? ______________

3. 5 unités et 7 groupements de 1000

   a) Quel chiffre est à la position des dizaines? ______________

   b) Quel chiffre est à la position des centaines? ______________

   c) Quel chiffre est à la position des unités? ______________

   d) Quel chiffre est à la position des unités de mille? ______________

   e) Quel est ce nombre? ______________

4. 3 groupements de 1000 + 7 groupements de 100 + 1 unité

   a) Quel chiffre est à la position des unités de mille? ______________

   b) Quel chiffre est à la position des centaines? ______________

   c) Quel chiffre est à la position des dizaines? ______________

   d) Quel chiffre est à la position des unités? ______________

   e) Quel est ce nombre? ______________

La position

Observe chaque décomposition et réponds aux questions.

1. 10 000 + 10 000 + 10 000 + 100 + 100 + 100 + 100 + 100 + 100 + 100 + 100

   a) Quel chiffre est à la position des centaines? ________________

   b) Quel chiffre est à la position des unités? ________________

   c) Quel chiffre est à la position des dizaines? ________________

   d) Quel chiffre est à la position des unités de mille? ________________

   e) Quel chiffre est à la position des dizaines de mille? ________________

   f) Quel est ce nombre? ________________

2. 3 unités + 8 groupements de 10 + 6 groupements de 100 + 5 groupements de 1000 + 6 groupements de 10 000

   a) Quel chiffre est à la position des unités? ________________

   b) Quel chiffre est à la position des dizaines? ________________

   c) Quel chiffre est à la position des centaines? ________________

   d) Quel chiffre est à la position des unités de mille? ________________

   e) Quel chiffre est à la position des dizaines de mille? ________________

   f) Quel est ce nombre? ________________

3. 7 groupements de 10 000 + 1 groupement de 1000 + 9 unités

   a) Quel chiffre est à la position des dizaines? ________________

   b) Quel chiffre est à la position des centaines? ________________

   c) Quel chiffre est à la position des dizaines de mille? ________________

   d) Quel chiffre est à la position des unités? ________________

   e) Quel chiffre est à la position des unités de mille? ________________

   f) Quel est ce nombre? ________________

4. 10 + 100 + 100 + 100 + 1000 + 1000 + 1000 + 1000 + 10 000 + 10 000

   a) Quel chiffre est à la position des dizaines de mille? ________________

   b) Quel chiffre est à la position des unités de mille? ________________

   c) Quel chiffre est à la position des centaines? ________________

   d) Quel chiffre est à la position des dizaines? ________________

   e) Quel chiffre est à la position des unités? ________________

   f) Quel est ce nombre? ________________

La position

Observe chaque décomposition et réponds aux questions.

1. 9 groupements de 10 000 + 3 groupements de 1000 + 7 groupements de 100 + 8 unités

   a) Quel chiffre est à la position des centaines ? ______

   b) Quel chiffre est à la position des unités ? ______

   c) Quel chiffre est à la position des dizaines ? ______

   d) Quel chiffre est à la position des unités de mille ? ______

   e) Quel chiffre est à la position des dizaines de mille ? ______

   f) Quel est ce nombre ? ______

2. 3 unités + 6 groupements de 10 + 8 groupements de 100 + 5 groupements de 10 000

   a) Quel chiffre est à la position des unités ? ______

   b) Quel chiffre est à la position des dizaines ? ______

   c) Quel chiffre est à la position des centaines ? ______

   d) Quel chiffre est à la position des unités de mille ? ______

   e) Quel chiffre est à la position des dizaines de mille ? ______

   f) Quel est ce nombre ? ______

3. 10 000 + 10 000 + 10 000 + 1000 + 1000 + 1 + 1 + 1 + 1 + 1 + 1 + 1 + 1 + 1

   a) Quel chiffre est à la position des dizaines ? ______

   b) Quel chiffre est à la position des centaines ? ______

   c) Quel chiffre est à la position des dizaines de mille ? ______

   d) Quel chiffre est à la position des unités ? ______

   e) Quel chiffre est à la position des unités de mille ? ______

   f) Quel est ce nombre ? ______

4. 1 + 1 + 1 + 1 + 100 + 100 + 100 + 100 + 100 + 100 + 1000 + 1000 + 1000 + 1000 + 1000 + 1000 + 1000 + 1000 + 10 000 + 10 000 + 10 000 + 10 000

   a) Quel chiffre est à la position des dizaines de mille ? ______

   b) Quel chiffre est à la position des unités de mille ? ______

   c) Quel chiffre est à la position des centaines ? ______

   d) Quel chiffre est à la position des dizaines ? ______

   e) Quel chiffre est à la position des unités ? ______

   f) Quel est ce nombre ? ______

La position

1. Remplis le tableau en inscrivant le chiffre qui est à la position des...

nombres	unités	dizaines	centaines	unités de milles	dizaines de mille
a) 23 400					
b) 689					
c) 6534					
d) 53					
e) 3280					
f) 7352					
g) 89 753					
h) 724					
i) 5123					
j) 6000					
k) 57 900					
l) 21 379					
m) 3968					

La position

1. Remplis le tableau en inscrivant le chiffre qui est à la position des...

nombres	dizaines de mille	centaines	unités de mille	unités	dizaines
a) 781					
b) 90					
c) 50 356					
d) 8924					
e) 1597					
f) 37					
g) 69 854					
h) 724					
i) 1397					
j) 5684					
k) 46 825					
l) 97 351					
m) 9531					

La valeur

La valeur d'un chiffre dans un nombre s'exprime toujours en unités.

Dans le nombre **62 138**

La valeur du chiffre 8 = 8 unités

La valeur du chiffre 3 = 30 unités

La valeur du chiffre 1 = 100 unités

La valeur du chiffre 2 = 2000 unités

La valeur du chiffre 6 = 60 000 unités

1. Remplis le tableau et réponds à la question.

a) 5 dizaines de mille, 8 unités de mille, 3 centaines, 5 dizaines et 1 unité

dizaines de mille	unités de mille	centaines	dizaines	unités
		___		

b) Quelle est la valeur du chiffre souligné ? ____________

c) 10 000 + 10 000 + 1000 + 1000 + 1000 + 1000 + 100 + 100

dizaines de mille	unités de mille	centaines	dizaines	unités
___				

d) Quelle est la valeur du chiffre souligné ? ____________

e) 7 groupements de 10 000 + 6 groupements de 1000

dizaines de mille	unités de mille	centaines	dizaines	unités
			___	

f) Quelle est la valeur du chiffre souligné ? ____________

La valeur

1. Remplis le tableau et réponds à la question.

a) 6 unités, 2 dizaines, 3 centaines, 6 unités de mille, 8 dizaines de mille

dizaines de mille	unités de mille	centaines	dizaines	unités
				____

b) Quelle est la valeur du chiffre souligné ? ______________

c) 10 000 + 10 000 + 10 000 + 10 000 + 10 000 + 1000 + 1000 + 100 + 1 + 1 + 1

dizaines de mille	unités de mille	centaines	dizaines	unités
	____			

d) Quelle est la valeur du chiffre souligné ? ______________

e) 7 groupements de 10 000 + 1 groupement de 1000 +
3 groupements de 100 + 3 groupements de 10 + 6 unités

dizaines de mille	unités de mille	centaines	dizaines	unités
		____		

f) Quelle est la valeur du chiffre souligné ? ______________

g) 6 dizaines de mille, 2 unités de mille, 7 centaines et 7 unités

dizaines de mille	unités de mille	centaines	dizaines	unités
____				

h) Quelle est la valeur du chiffre souligné ? ______________

La valeur

1. Remplis le tableau et réponds à la question.

a) 9 unités, 8 centaines, 2 unités de mille, 6 dizaines de mille

dizaines de mille	unités de mille	centaines	dizaines	unités
		___		

b) Quelle est la valeur du chiffre souligné? ____________

c) 10000 + 1000 + 1000 + 100 + 10 + 10 + 10 + 1 + 1 + 1 + 1

dizaines de mille	unités de mille	centaines	dizaines	unités
			___	

d) Quelle est la valeur du chiffre souligné? ____________

e) 4 groupements de 10000 + 5 groupement de 1000 +
9 groupements de 100 + 3 groupements de 10

dizaines de mille	unités de mille	centaines	dizaines	unités
	___			

f) Quelle est la valeur du chiffre souligné? ____________

e) 8 dizaines de mille, 8 centaines, 5 dizaines et 2 unités

dizaines de mille	unités de mille	centaines	dizaines	unités
				___

f) Quelle est la valeur du chiffre souligné? ____________

La valeur

1. Remplis le tableau et réponds à la question.

a) 2 unités, 1 dizaine, 5 centaines, 9 unités de mille, 6 dizaines de mille

dizaines de mille	unités de mille	centaines	dizaines	unités
____				

b) Quelle est la valeur du chiffre souligné ? ____________

c) 10 000 + 10 000 + 10 000 + 10 000 + 1000 + 1000 + 100 + 100 + 100 + 100 + 100

dizaines de mille	unités de mille	centaines	dizaines	unités
		____		

d) Quelle est la valeur du chiffre souligné ? ____________

e) 7 groupements de 10 000 + 8 groupement de 1000 +
9 groupements de 100 + 8 groupements de 10 + 6 unités

dizaines de mille	unités de mille	centaines	dizaines	unités
			____	

f) Quelle est la valeur du chiffre souligné ? ____________

e) 9 dizaines de mille, 2 centaines, 5 dizaines et 4 unités

dizaines de mille	unités de mille	centaines	dizaines	unités
	____			

f) Quelle est la valeur du chiffre souligné ? ____________

La valeur

1. Remplis le tableau en inscrivant la valeur de la dizaine, de la centaine et de l'unité de mille.

nombres	la dizaine	la centaine	l'unité
a) 9753			
b) 1598			
c) 6541			
d) 4423			
e) 6531			
f) 5231			
g) 5762			
h) 5031			
i) 6044			
j) 9803			
k) 8958			
l) 9839			
m) 9986			

La valeur

1. Remplis le tableau en inscrivant la valeur de l'unité, de la centaine et de la dizaine de mille.

nombres	l'unité	la centaines	la dizaine de mille
a) 98 560			
b) 32 025			
c) 60 224			
d) 45 325			
e) 64 003			
f) 41 214			
g) 76 320			
h) 61 999			
i) 87 003			
j) 96 563			
k) 85 214			
l) 96 007			
m) 54 622			

La comparaison

< est inférieur à, > est supérieur à, = est égal à

1. Compare les nombres, écris le symbole <, > ou = dans le rectangle.

a) 25 234		36 854	b) 15 677		28 011
c) 5874		5698	d) 7189		1932
e) 90 332		79 052	f) 8728		8728
g) 12 036		7899	h) 2636		3365
i) 6339		9336	j) 60 044		60 440
k) 3025		2059	l) 64 546		9445
m) 97 844		43 625	n) 58 275		55 767
o) 7463		10 745	p) 9913		89 916
q) 9586		52 874	r) 33 100		33 001
s) 6997		79 135	t) 42 912		42 912

La comparaison

1. Lis l'énoncé, écris les nombres sur les lignes et le symbole <, > ou = dans le rectangle.

a) vingt mille trois cent quatre-vingt-six est supérieur à 1298.

_______________ ☐ _______________

b) 19 204 est inférieur à vingt-six mille un.

_______________ ☐ _______________

c) 87 513 est inférieur à 87 713.

_______________ ☐ _______________

d) cinquante-six mille neuf cent un est supérieur à 16 843.

_______________ ☐ _______________

e) trois mille six cent est égal à trois mille six cent.

_______________ ☐ _______________

f) 7012 est inférieur à sept mille cent douze.

_______________ ☐ _______________

g) six mille neuf cent quatre-vingt-six est supérieur à 6968.

_______________ ☐ _______________

L'ordre croissant et décroissant

Placer des nombres du plus petit au plus grand est l'ordre croissant.
Placer des nombres du plus grand au plus petit est l'ordre décroissant.

1. Écris les nombres dans l'ordre croissant sur les maillots de course.

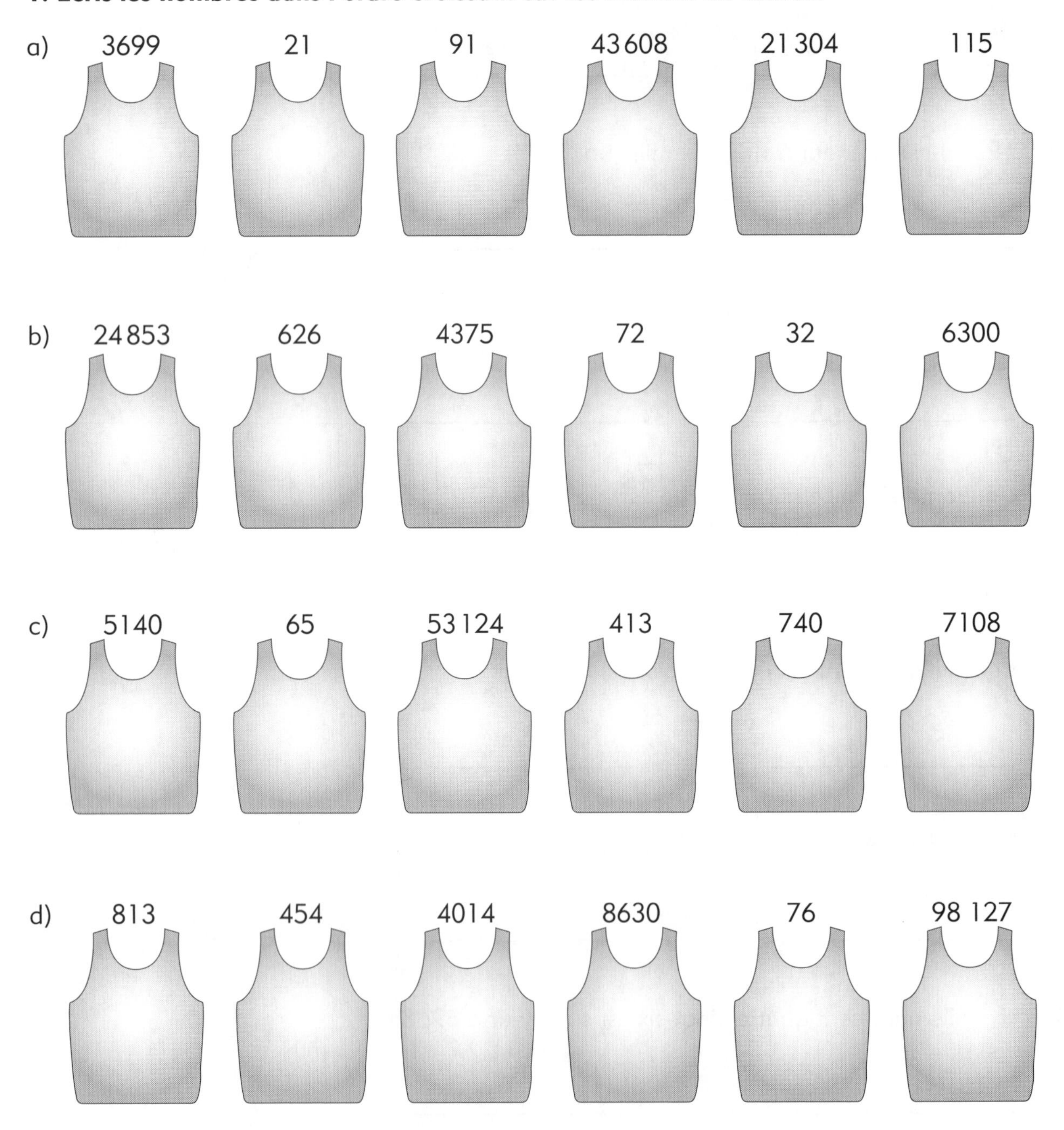

L'ordre croissant et décroissant

1. Écris les nombres dans l'ordre décroissant sur les maillots de course.

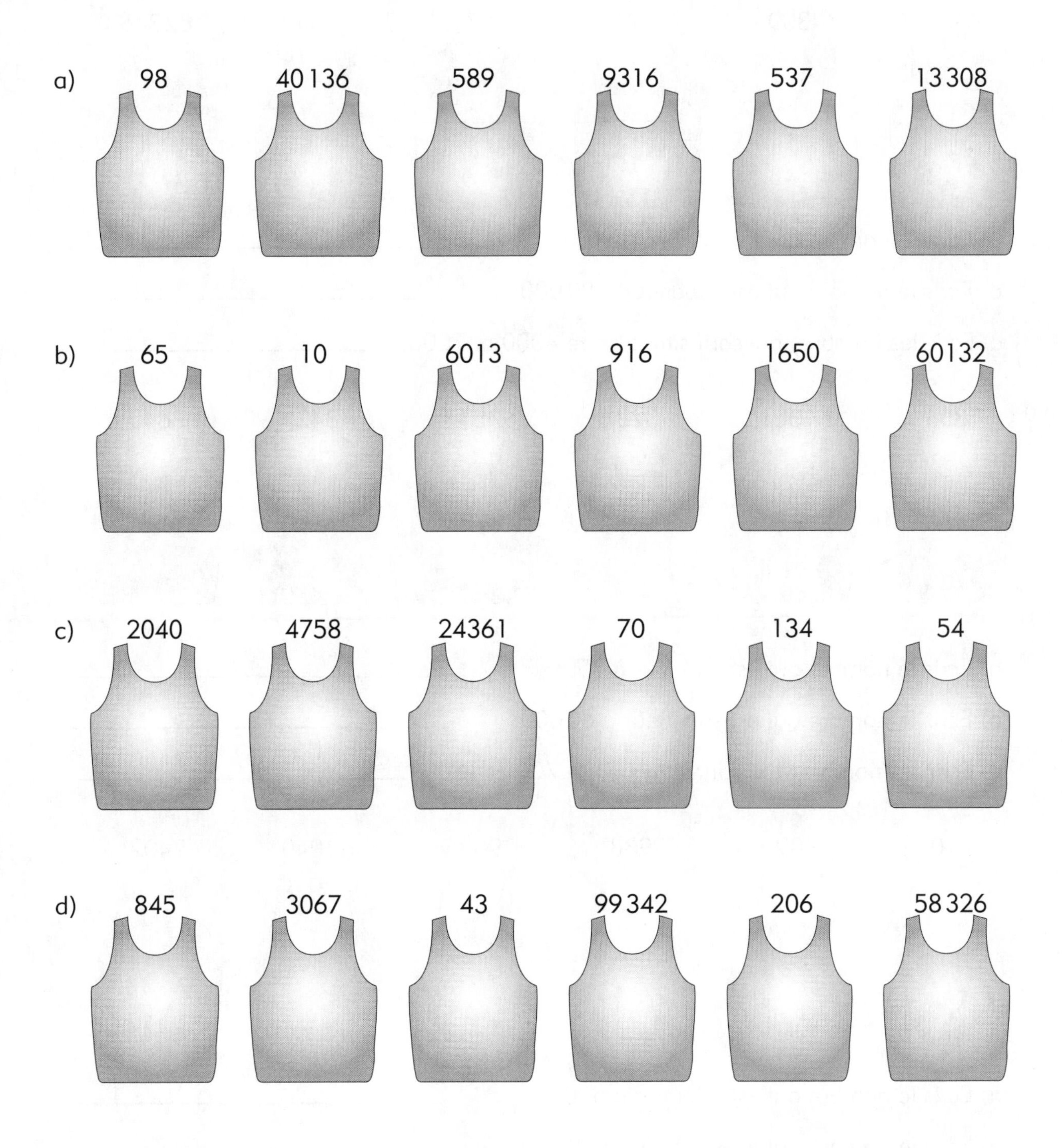

L'ordre croissant et décroissant

Écris les nombres dans l'ordre croissant sur les maillots de course et réponds aux questions.

1) 6432 4300 9345 87 654 82346

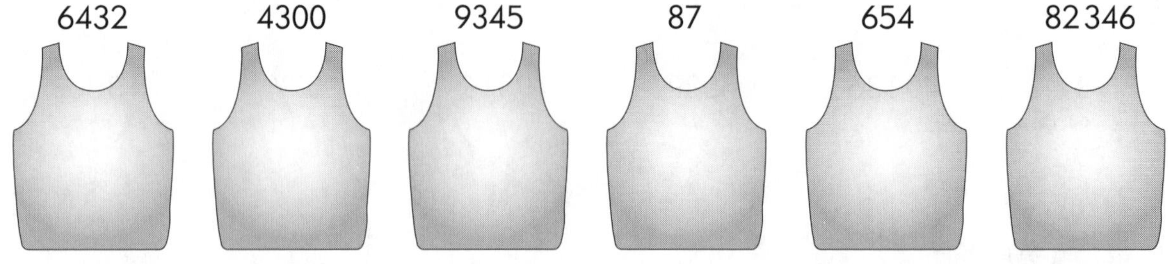

a) Écris le nombre qui est inférieur à 100. ______________

b) Écris le nombre qui est supérieur à 80000. ______________

c) Écris les nombres qui sont situés entre 4000 et 7000. ______________

2) 1306 54301 328 67513 842 3640

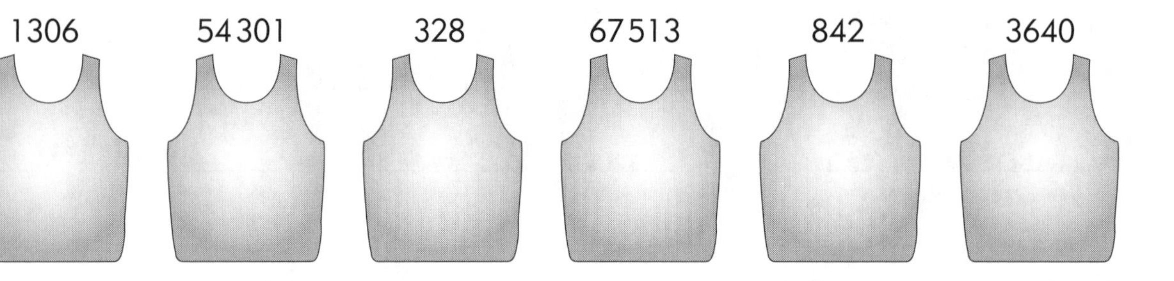

a) Écris le nombre qui est inférieur à 350. ______________

b) Écris le nombre qui est supérieur à 60000. ______________

c) Écris les nombres qui sont situés entre 700 et 1500. ______________

3) 51100 409 9938 950 60040 7402

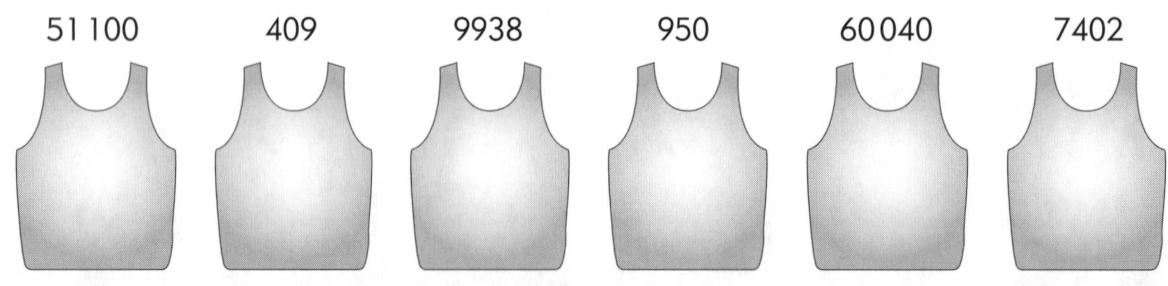

a) Écris le nombre qui est inférieur à 500. ______________

b) Écris le nombre qui est supérieur à 60000. ______________

c) Écris les nombres qui sont situés entre 5000 et 10000. ______________

L'ordre croissant et décroissant

Écris les nombres dans l'ordre décroissant sur les maillots de course et réponds aux questions.

1) 913 6208 38 581 134 5470 64 981

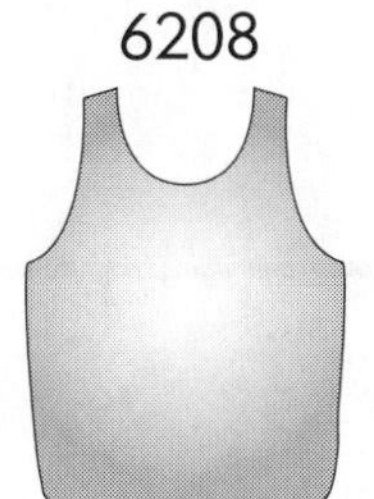
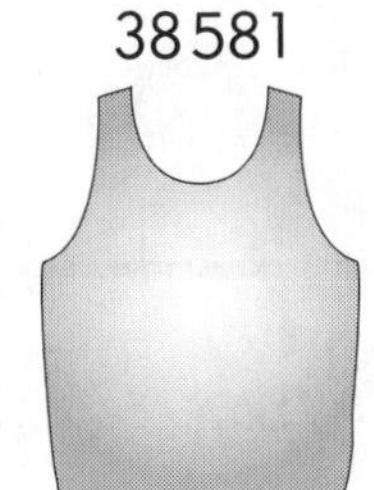
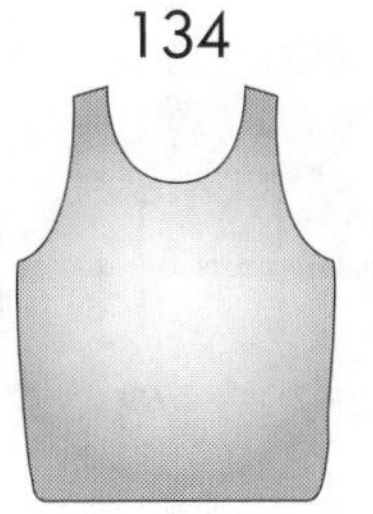
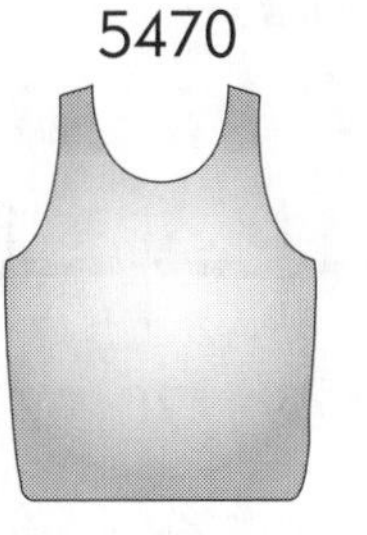
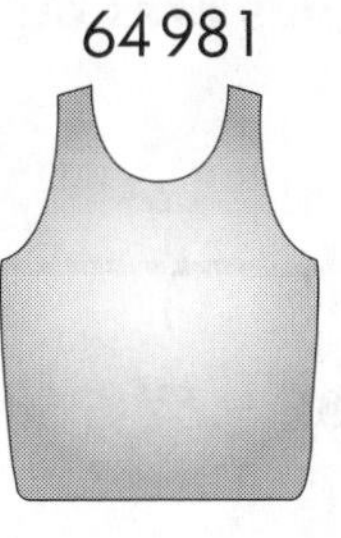

a) Écris le nombre qui est inférieur à 200. ____________________

b) Écris le nombre qui est supérieur à 60 000. ____________________

c) Écris les nombres qui sont situés entre 800 et 6000. ____________________

2) 1130 620 58 124 662 3570 83 211

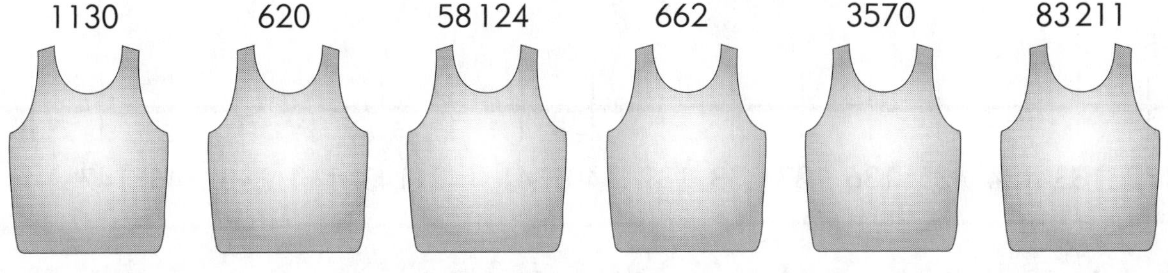

a) Écris le nombre qui est inférieur à 650. ____________________

b) Écris le nombre qui est supérieur à 80 000. ____________________

c) Écris les nombres qui sont situés entre 660 et 1300. ____________________

3) 63 248 751 6399 824 8120 63 100

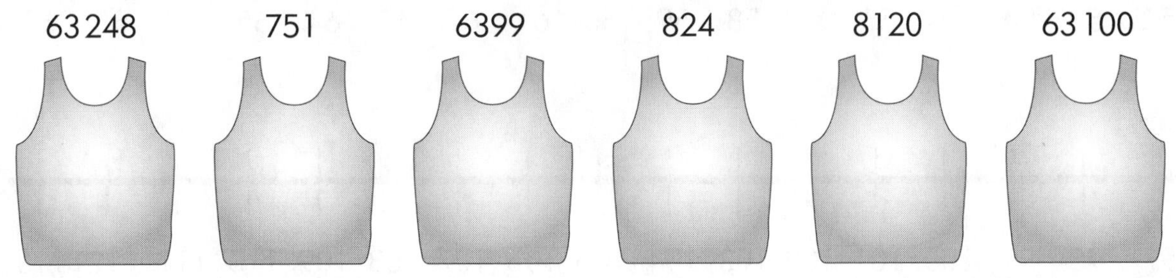

a) Écris le nombre qui est inférieur à 800. ____________________

b) Écris le nombre qui est supérieur à 63 200. ____________________

c) Écris les nombres qui sont situés entre 6000 et 9000. ____________________

Les régularités

Caractérisé par ce qui est régulier, qui suit une règle.

1. Fais des bonds de +2 sur la droite numérique. Le départ se fait toujours sur le nombre le plus près du point.

a)

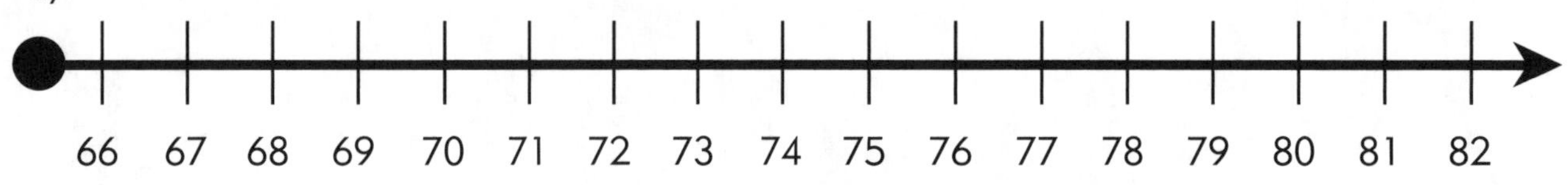

b)

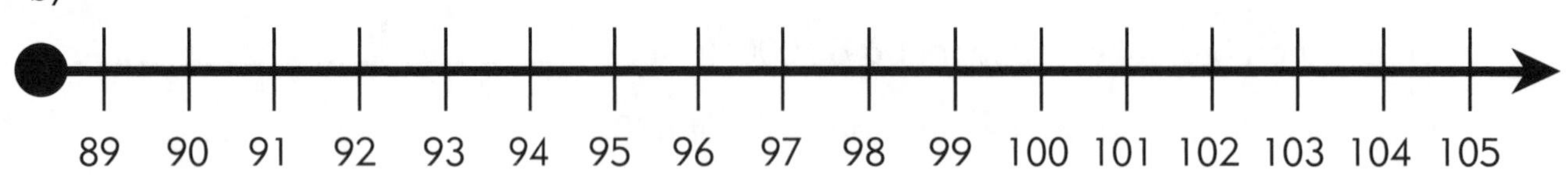

c)

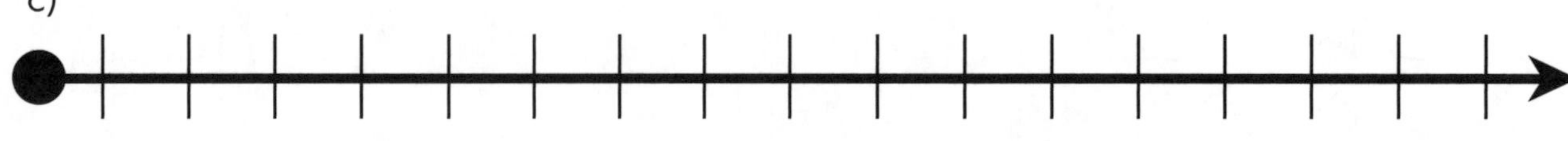

2. Fais des bonds de -2 sur la droite numérique. Le départ se fait toujours sur le nombre le plus près du point.

a)

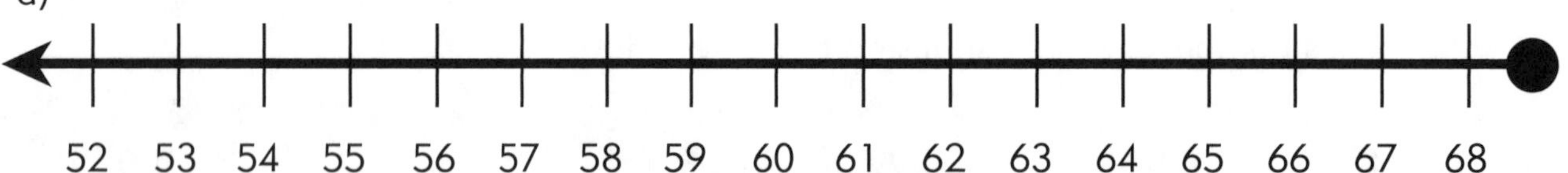

b)

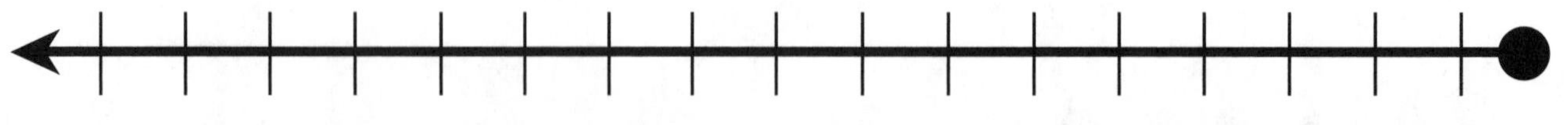

c)

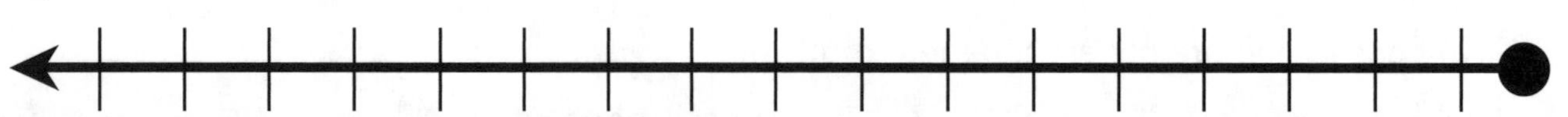

Les régularités

1. Complète les suites en respectant la régularité de +5.

a) 995, 1000, 1005, ______, ______, ______, ______, ______

b) 750, 755, 760, ______, ______, ______, ______, ______

c) 2530, 2535, 2540, ______, ______, ______, ______, ______

2. Complète les suites en respectant la régularité de – 10.

a) 800, 790, 780, ______, ______, ______, ______, ______

b) 250, 240, 230, ______, ______, ______, ______, ______

c) 1375, 1365, 1355, ______, ______, ______, ______, ______

3. Complète les suites en respectant la régularité de – 3.

a) 465, 462, 459, ______, ______, ______, ______, ______

b) 748, 745, 742, ______, ______, ______, ______, ______

c) 321, 318, 315, ______, ______, ______, ______, ______

Les régularités

1. Complète les suites en respectant la régularité de – 5.

a) 825, 820, 815, ______, ______, ______, ______, ______

b) 695, 690, 685, ______, ______, ______, ______, ______

c) 750, 745, 740, ______, ______, ______, ______, ______

2. Complète les suites en respectant la régularité de +10.

a) 3700, 3710, 3720, ______, ______, ______, ______, ______

b) 247, 257, 267, ______, ______, ______, ______, ______

c) 985, 995, 1005, ______, ______, ______, ______, ______

3. Complète les suites en respectant la régularité de + 3.

a) 385, 388, 391, ______, ______, ______, ______, ______

b) 201, 204, 207, ______, ______, ______, ______, ______

c) 860, 863, 866, ______, ______, ______, ______, ______

Les régularités

1. Complète les suites en respectant la régularité de +4.

a) 576, 580, 584, ______, ______, ______, ______, ______

b) 321, 325, 329, ______, ______, ______, ______, ______

c) 692, 696, 700, ______, ______, ______, ______, ______

2. Complète les suites en respectant la régularité de – 4.

a) 765, 761, 757, ______, ______, ______, ______, ______

b) 224, 220, 216, ______, ______, ______, ______, ______

c) 488, 484, 480, ______, ______, ______, ______, ______

3. Complète les suites en respectant la régularité de +2.

a) 4657, 4659, 4661, ______, ______, ______, ______, ______

b) 2454, 2456, 2458, ______, ______, ______, ______, ______

c) 133, 135, 137, ______, ______, ______, ______, ______

Les propriétés

Les nombres carrés :

Le produit (réponse de la multiplication) d'un facteur multiplié par lui-même s'appelle un nombre carré.
$5 \times 5 = 25$ (25 est un nombre carré)
$6 \times 6 = 36$ (36 est un nombre carré)

Les nombres premiers :

Un nombre premier est un nombre naturel qui a seulement **deux** diviseurs : 1 et lui-même.
2 ($2 \div 1$, $2 \div 2$), 3 ($3 \div 1$, $3 \div 3$), 5 ($5 \div 1$, $5 \div 5$)...

Les nombres composés :

Un nombre composé est un nombre naturel plus grand que 1 et qui a **plus de deux** diviseurs.
4 ($4 \div 1$, $4 \div 2$, $4 \div 4$), 6 ($6 \div 1$, $6 \div 2$, $6 \div 3$, $6 \div 6$)...

1. Réponds aux affirmations par vrai ou faux.

a) Le 9 ($3 \times 3 = 9$) est un nombre carré. __________

b) Un nombre premier a au moins trois diviseurs. __________

c) Le 16 ($4 \times 4 = 16$) est un nombre carré. __________

d) Le 7 ($7 \div 1$, $7 \div 7$) est un nombre composé. __________

e) Le 2 ($2 \times 2 = 4$) est un nombre carré. __________

f) Un nombre composé a plus de deux diviseurs. __________

g) Le 11 ($11 \div 1$, $11 \div 11$) est un nombre premier. __________

h) Le 49 ($7 \times 7 = 49$) est un nombre carré. __________

i) Tous les nombres carrés sont des nombres composés. __________

Les propriétés

2	3	4	5	6
7	8	9	10	11
12	13	14	15	16

1. Encercle le bon chiffre ou le bon nombre dans la grille.

a) Encercle en rouge les deux chiffres carrés (2 × 2) et (3 × 3).

b) Encercle en bleu le nombre carré (4 × 4).

c) Encercle en jaune les chiffres impairs plus petits que 8.

d) Encercle en vert le plus petit chiffre pair.

e) Encercle en mauve les chiffres pairs entre 5 et 9.

f) Encercle en brun les nombres composés qui ont 5 comme diviseur.

g) Encercle en noir les nombres premiers qui se trouvent entre 10 et 14.

h) Encercle en rose le nombre composé qui a 2 et 7 comme diviseur.

i) Encercle en orangé le nombre composé qui a 2 et 6 comme diviseur.

Les propriétés

1. Complète le tableau, fais un X au bon endroit.

les nombres	nombres carrés	nombres premiers	nombres composés
a) **2** (2 ÷ 1, 2 ÷ 2)			
b) **3** (3 ÷ 1, 3 ÷ 3)			
c) **4** (4 ÷ 1, 4 ÷ 2, 4 ÷ 4) (2 x 2)			
d) **5** (5 ÷ 1, 5 ÷ 5)			
e) **6** (6 ÷ 1, 6 ÷ 2, 6 ÷ 3...)			
f) **7** (7 ÷ 1, 7 ÷ 7)			
g) **8** (8 ÷ 1, 8 ÷ 2, 8 ÷ 4...)			
h) **9** (9 ÷ 1, 9 ÷ 3, 9 ÷ 9) (3 x 3)			
i)**10** (10 ÷ 1, 10 ÷ 2, 10 ÷ 5...)			

Les propriétés

1. Complète le tableau, fais un X au bon endroit.

les nombres	nombres carrés	nombres premiers	nombres composés
a) **11** (11 ÷ 1, 11 ÷ 11)			
b) **12** (12 ÷ 1, 12 ÷ 2, 12 ÷ 3...)			
c) **13** (13 ÷ 1, 13 ÷ 13)			
d) **14** (14 ÷ 1, 14 ÷ 2, 14 ÷ 7...)			
e) **15** (15 ÷ 1, 15 ÷ 3, 15 ÷ 5...)			
f) **16** (16 ÷ 1, 16 ÷ 2, 16 ÷ 4...) (4 x 4)			
g) **17** (17 ÷ 1, 17 ÷ 17)			
h) **18** (18 ÷ 1, 18 ÷ 2, 18 ÷ 3...)			
i) **19** (19 ÷ 1, 19 ÷ 19)			

L'addition

L'addition est **commutative**, c'est-à-dire que tu peux inverser les termes et la somme sera toujours la même ($6 + 2 = 8$ ou $2 + 6 = 8$).

L'addition est **associative**, c'est-à-dire que quelle que soit la manière dont tu regroupes les termes, la somme sera toujours la même.

Exemple : $3 + (4 + 2) = 9$ ou $(3 + 4) + 2 = 9$
$3 + (6) = 9$ $(7) + 2 = 9$

L'addition est une opération qui associe deux ou plusieurs termes.
La réponse de l'addition est la somme.

3 (terme) **+** (plus, symbole de l'addition) **4** (terme) **=** (égal, symbole d'égalité) **7** (somme)

Voici les tables d'addition que tu dois connaître.

0	1	2	3	4	5
0 + 0 = 0	1 + 0 = 1	2 + 0 = 2	3 + 0 = 3	4 + 0 = 4	5 + 0 = 5
0 + 1 = 1	1 + 1 = 2	2 + 1 = 3	3 + 1 = 4	4 + 1 = 5	5 + 1 = 6
0 + 2 = 2	1 + 2 = 3	2 + 2 = 4	3 + 2 = 5	4 + 2 = 6	5 + 2 = 7
0 + 3 = 3	1 + 3 = 4	2 + 3 = 5	3 + 3 = 6	4 + 3 = 7	5 + 3 = 8
0 + 4 = 4	1 + 4 = 5	2 + 4 = 6	3 + 4 = 7	4 + 4 = 8	5 + 4 = 9
0 + 5 = 5	1 + 5 = 6	2 + 5 = 7	3 + 5 = 8	4 + 5 = 9	5 + 5 = 10
0 + 6 = 6	1 + 6 = 7	2 + 6 = 8	3 + 6 = 9	4 + 6 = 10	5 + 6 = 11
0 + 7 = 7	1 + 7 = 8	2 + 7 = 9	3 + 7 = 10	4 + 7 = 11	5 + 7 = 12
0 + 8 = 8	1 + 8 = 9	2 + 8 = 10	3 + 8 = 11	4 + 8 = 12	5 + 8 = 13
0 + 9 = 9	1 + 9 = 10	2 + 9 = 11	3 + 9 = 12	4 + 9 = 13	5 + 9 = 14
0 + 10 = 10	1 + 10 = 11	2 + 10 = 12	3 + 10 = 13	4 + 10 = 14	5 + 10 = 15

6	7	8	9	10
6 + 0 = 6	7 + 0 = 7	8 + 0 = 8	9 + 0 = 9	10 + 0 = 10
6 + 1 = 7	7 + 1 = 8	8 + 1 = 9	9 + 1 = 10	10 + 1 = 11
6 + 2 = 8	7 + 2 = 9	8 + 2 = 10	9 + 2 = 11	10 + 2 = 12
6 + 3 = 9	7 + 3 = 10	8 + 3 = 11	9 + 3 = 12	10 + 3 = 13
6 + 4 = 10	7 + 4 = 11	8 + 4 = 12	9 + 4 = 13	10 + 4 = 14
6 + 5 = 11	7 + 5 = 12	8 + 5 = 13	9 + 5 = 14	10 + 5 = 15
6 + 6 = 12	7 + 6 = 13	8 + 6 = 14	9 + 6 = 15	10 + 6 = 16
6 + 7 = 13	7 + 7 = 14	8 + 7 = 15	9 + 7 = 16	10 + 7 = 17
6 + 8 = 14	7 + 8 = 15	8 + 8 = 16	9 + 8 = 17	10 + 8 = 18
6 + 9 = 15	7 + 9 = 16	8 + 9 = 17	9 + 9 = 18	10 + 9 = 19
6 + 10 = 16	7 + 10 = 17	8 + 10 = 18	9 + 10 = 19	10 + 10 = 20

L'addition

1. Trace l'addition sur la droite et écris la somme.

a) $9 + 4 =$ ___________

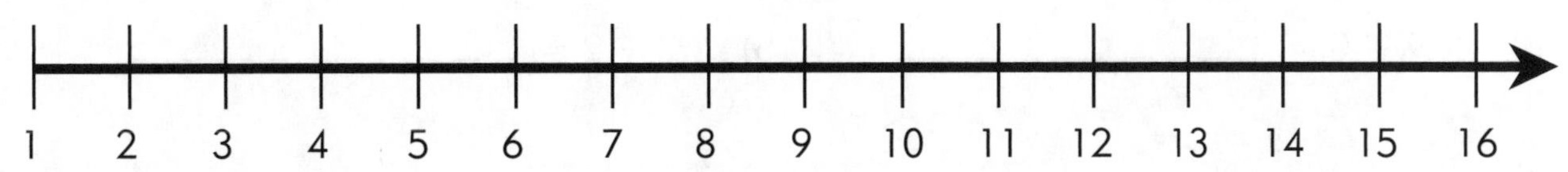

b) $7 + 8 =$ ___________

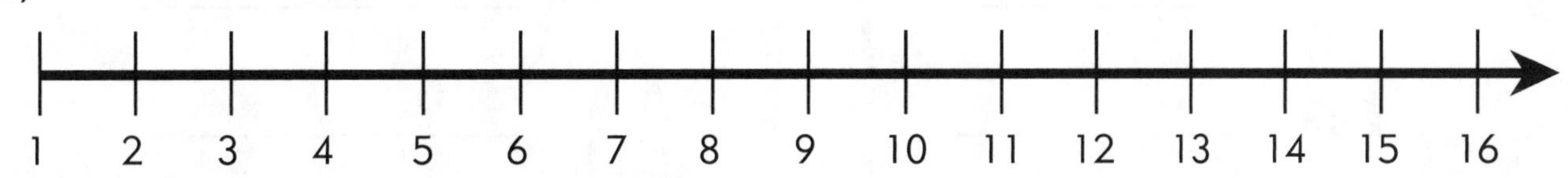

c) $2 + 7 =$ ___________

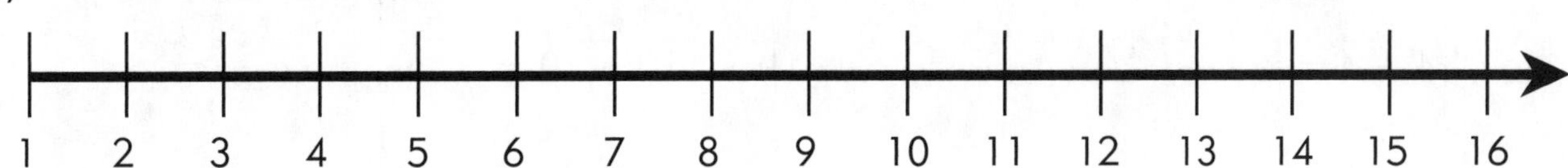

d) $5 + 6 =$ ___________

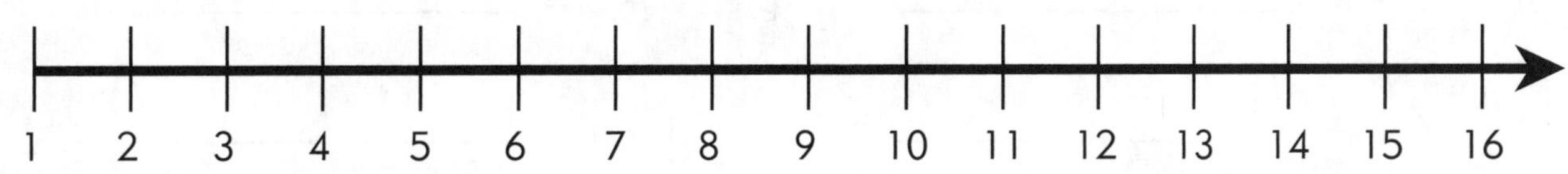

e) $8 + 8 =$ ___________

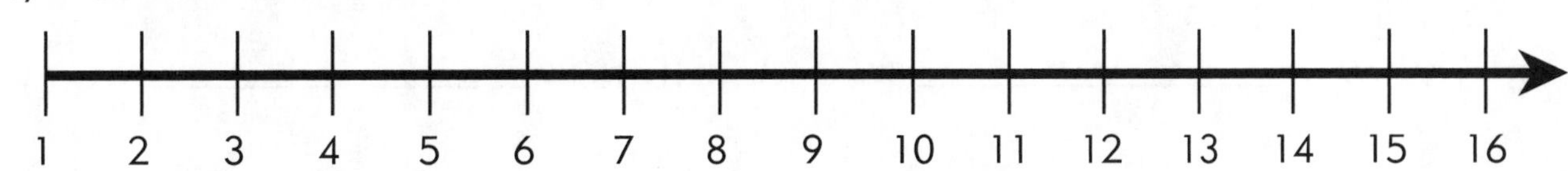

f) $3 + 5 =$ ___________

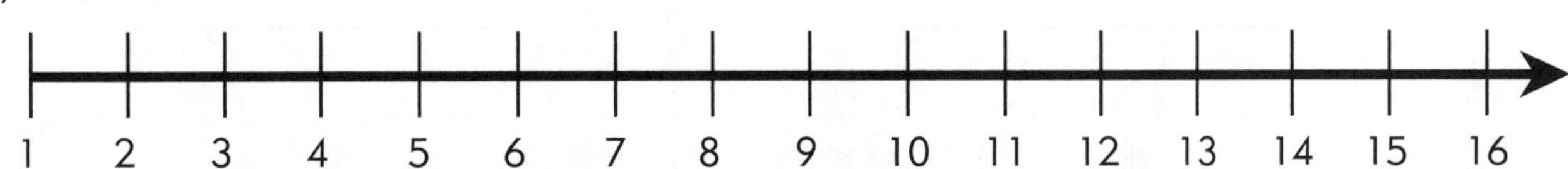

L'addition

1. Écris la somme.

a) 9 + 0 = ____________ b) 2 + 2 = ____________

c) 3 + 3 = ____________ d) 10 + 5 = ____________

e) 1 + 9 = ____________ f) 1 + 4 = ____________

g) 5 + 8 = ____________ h) 3 + 7 = ____________

i) 2 + 10 = ____________ j) 7 + 6 = ____________

k) 4 + 4 = ____________ l) 10 + 10 = ____________

m) 10 + 7 = ____________ n) 6 + 4 = ____________

o) 9 + 3 = ____________ p) 5 + 5 = ____________

q) 6 + 2 = ____________ r) 1 + 1 = ____________

s) 9 + 6 = ____________ t) 8 + 3 = ____________

u) 9 + 9 = ____________ v) 10 + 9 = ____________

w) 4 + 7 = ____________ x) 8 + 2 = ____________

y) 1 + 7 = ____________ z) 9 + 5 = ____________

L'addition

1. Écris la somme.

a) 1 + 5 = ______________ b) 8 + 6 = ______________

c) 10 + 6 =______________ d) 9 + 7 = ______________

e) 6 + 6 = ______________ f) 10 + 3 =______________

g) 9 + 8 = ______________ h) 2 + 9 = ______________

i) 8 + 10 =______________ j) 8 + 1 = ______________

k) 7 + 7 = ______________ l) 6 + 3 = ______________

m) 5 + 4 = ______________ n) 8 + 4 = ______________

o) 2 + 5 = ______________ p) 6 + 1 = ______________

q) 1 + 10 =______________ r) 4 + 2 = ______________

s) 5 + 7 = ______________ t) 3 + 1 = ______________

u) 0 + 4 = ______________ v) 2 + 3 = ______________

w) 3 + 4 = ______________ x) 10 + 4 =______________

y) 1 + 2 = ______________ z) 0 + 9 = ______________

L'addition

1. Écris la somme.

a)

+	5	6	1
8			
4			
3			

b)

+	3	4	9
5			
9			
0			

c)

+	2	8	7
2			
1			
6			

d)

+	8	5	3
7			
4			
9			

e)

+	7	6	1
2			
8			
6			

f)

+	9	2	4
3			
1			
5			

L'addition

1. Écris la somme.

a) 6
+ 7
1

b) 4
+ 3
2

c) 9
+ 1
3

d) 1
+ 5
9

e) 7
+ 5
3

f) 1
+ 3
2

g) 4
+ 5
6

h) 7
+ 8
9

i) 7
+ 4
1

j) 8
+ 5
2

k) 9
+ 6
3

l) 7
+ 9
1

m) 1
+ 3
9

n) 5
+ 2
1

o) 8
+ 9
6

p) 7
+ 4
8

q) 4
+ 1
2

r) 3
+ 6
2

L'addition en colonne

Il existe plusieurs méthodes pour additionner en colonne, mais celle qui est proposée est plus facile à comprendre.

$$\begin{array}{r} 5\,1\,3\,4 \\ +\ 3\,6\,6\,2 \\ \hline 8\,7\,9\,6 \end{array}$$

Pour additionner en colonne, tu dois placer les nombres un en dessous de l'autre. Fais l'addition de droite à gauche; tu dois donc commencer par les unités.

L'addition en colonne avec retenues :

$$\begin{array}{r} 1\ \ \\ 2\,1\,2\,6 \\ +\ 3\,2\,5\,6 \\ \hline 5\,3\,8\,2 \end{array}$$

Tu additionnes les unités : 6 + 6 =12.
Tu places le 2 du 12 en dessous des unités.
Tu places le 1 du 12 en retenue.
Tu poursuis avec les dizaines : 2 + 5 + la retenue 1 = 8.
Tu places le 8 en dessous des dizaines.
Tu poursuis avec les centaines : 1 + 2 = 3.
Tu places le 3 en dessous des centaines.
Tu termines avec les milliers : 2 + 3 = 5.
Tu places le 5 en dessous des milliers.

1. Effectue les additions.

a) $\begin{array}{r} 3574 \\ +\ 2021 \\ \hline \end{array}$

b) $\begin{array}{r} 5342 \\ +\ 4614 \\ \hline \end{array}$

c) $\begin{array}{r} 2570 \\ +\ 6341 \\ \hline \end{array}$

d) $\begin{array}{r} 2522 \\ +\ 4827 \\ \hline \end{array}$

e) $\begin{array}{r} 7751 \\ +\ 1636 \\ \hline \end{array}$

f) $\begin{array}{r} 1365 \\ +\ 1425 \\ \hline \end{array}$

g) $\begin{array}{r} 2334 \\ +\ 1521 \\ \hline \end{array}$

h) $\begin{array}{r} 5523 \\ +\ 4026 \\ \hline \end{array}$

i) $\begin{array}{r} 2500 \\ +\ 6325 \\ \hline \end{array}$

L'addition en colonne

1. Effectue les additions.

a) 3544 + 2321

b) 5863 + 4536

c) 2745 + 6322

d) 2289 + 4700

e) 7117 + 1206

f) 1339 + 1724

g) 3445 + 2112

h) 5303 + 4678

i) 2565 + 6923

j) 4434 + 8231

k) 5377 + 1406

l) 2595 + 6303

m) 2522 + 4137

n) 7701 + 2516

o) 1873 + 9514

L'addition en colonne

1. Effectue les additions.

a) 3254 + 2122

b) 1453 + 4866

c) 2025 + 6373

d) 2256 + 4547

e) 7521 + 5816

f) 7913 + 1413

g) 3464 + 2821

h) 7953 + 4613

i) 2585 + 6733

j) 3491 + 2146

k) 5823 + 4736

l) 2465 + 6913

m) 2892 + 4127

n) 7741 + 1636

o) 7313 + 1434

L'addition en colonne

1. Effectue les additions.

a) 8234 + 2011

b) 4553 + 4522

c) 8525 + 6523

d) 2202 + 4637

e) 7781 + 1456

f) 1123 + 1894

g) 3564 + 2231

h) 5373 + 4286

i) 3925 + 6153

j) 3584 + 2120

k) 5743 + 4256

l) 9825 + 6325

m) 2782 + 4725

n) 7751 + 1426

o) 8613 + 1534

La soustraction

La soustraction est une opération qui consiste à retrancher un terme d'un autre.
La réponse de la soustraction est la différence.

8 (terme) **–** (moins, symbole soustraction) **5** (terme) **=** (égal, symbole égalité) **3** (différence)

Voici les tables de soustraction que tu dois connaître.

0	**1**	**2**	**3**	**4**	**5**
0 – 0 = 0	1 – 0 = 1	2 – 0 = 2	3 – 0 = 3	4 – 0 = 4	5 – 0 = 5
	1 – 1 = 0	2 – 1 = 1	3 – 1 = 2	4 – 1 = 3	5 – 1 = 4
		2 – 2 = 0	3 – 2 = 1	4 – 2 = 2	5 – 2 = 3
			3 – 3 = 0	4 – 3 = 1	5 – 3 = 2
				4 – 4 = 0	5 – 4 = 1
					5 – 5 = 0

6	**7**	**8**	**9**	**10**
6 – 0 = 6	7 – 0 = 7	8 – 0 = 8	9 – 0 = 9	10 – 0 = 10
6 – 1 = 5	7 – 1 = 6	8 – 1 = 7	9 – 1 = 8	10 – 1 = 9
6 – 2 = 4	7 – 2 = 5	8 – 2 = 6	9 – 2 = 7	10 – 2 = 8
6 – 3 = 3	7 – 3 = 4	8 – 3 = 5	9 – 3 = 6	10 – 3 = 7
6 – 4 = 2	7 – 4 = 3	8 – 4 = 4	9 – 4 = 5	10 – 4 = 6
6 – 5 = 1	7 – 5 = 2	8 – 5 = 3	9 – 5 = 4	10 – 5 = 5
6 – 6 = 0	7 – 6 = 1	8 – 6 = 2	9 – 6 = 3	10 – 6 = 4
	7 – 7 = 0	8 – 7 = 1	9 – 7 = 2	10 – 7 = 3
		8 – 8 = 0	9 – 8 = 1	10 – 8 = 2
			9 – 9 = 0	10 – 9 = 1
				10 – 10 = 0

La soustraction

1. Trace la soustraction sur la droite et écris la différence.

a) 9 – 5 = ________

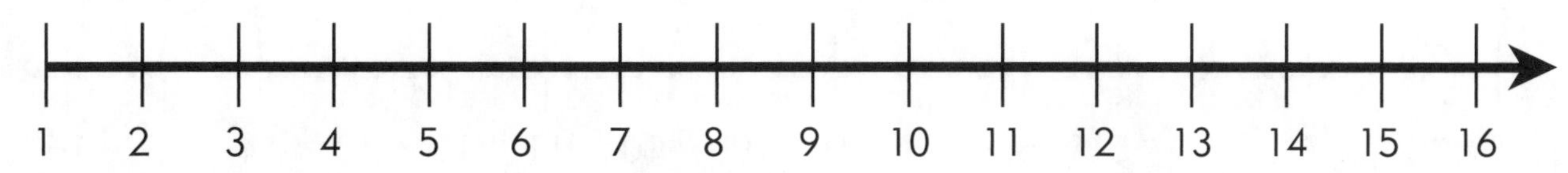

b) 9 – 8 = ________

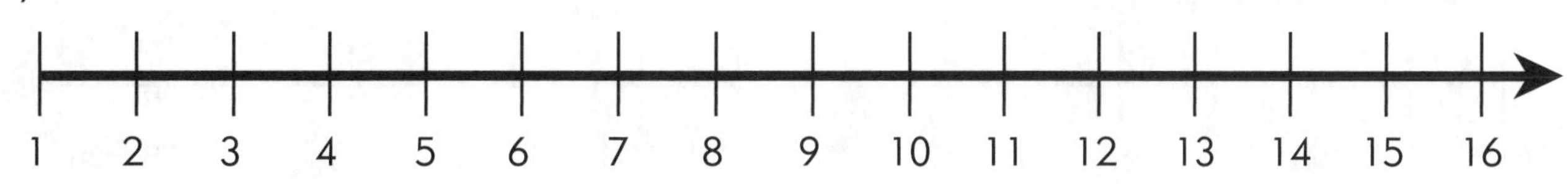

c) 5 – 3 = ________

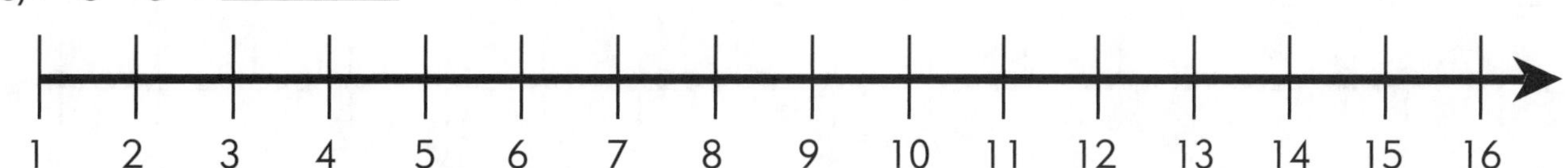

d) 7 – 5 = ________

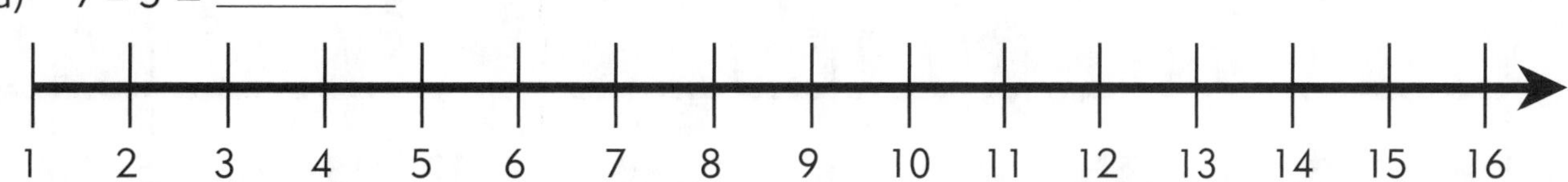

e) 10 – 2 = ________

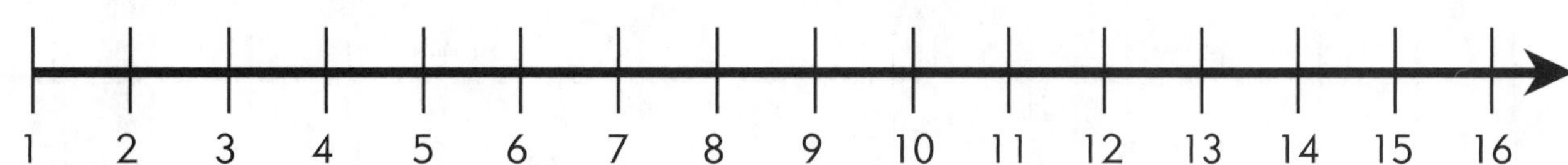

f) 8 – 5 = ________

La soustraction

1. Trace la soustraction sur la droite et écris la différence.

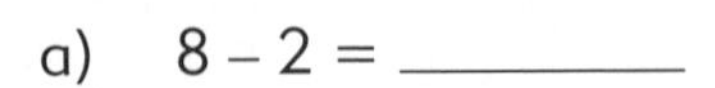

a) 8 – 2 = ________

b) 6 – 4 = ________

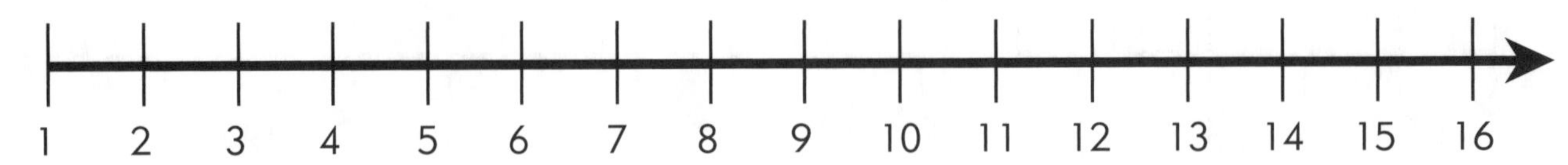

c) 9 – 6 = ________

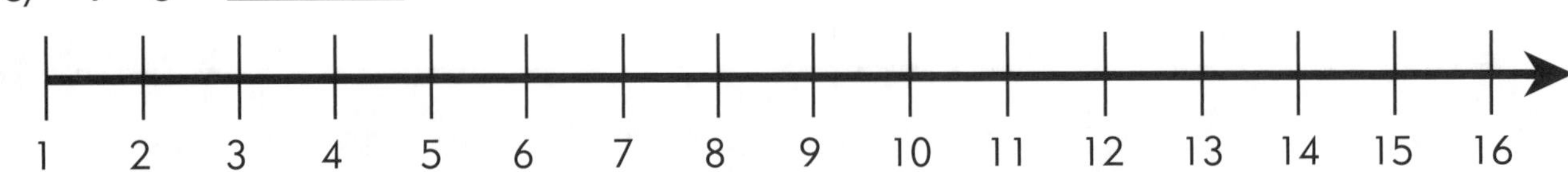

d) 10 – 8 = ________

e) 3 – 2 = ________

f) 7 – 1 = ________

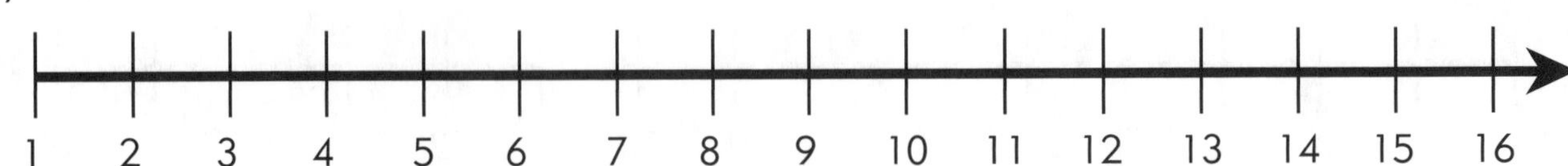

La soustraction

1. Écris la différence.

a) 10 – 4 = ____________

b) 1 – 1 = ____________

c) 0 – 0 = ____________

d) 7 – 3 = ____________

e) 2 – 1 = ____________

f) 10 – 10 = ____________

g) 4 – 2 = ____________

h) 8 – 7 = ____________

i) 5 – 0 = ____________

j) 6 – 5 = ____________

k) 10 – 6 = ____________

l) 10 – 1 = ____________

m) 8 – 4 = ____________

n) 1 – 0 = ____________

o) 6 – 1 = ____________

p) 9 – 5 = ____________

q) 9 – 3 = ____________

r) 7 – 7 = ____________

s) 3 – 0 = ____________

t) 10 – 0 = ____________

u) 4 – 4 = ____________

v) 9 – 4 = ____________

w) 9 – 0 = ____________

x) 10 – 3 = ____________

y) 9 – 2 = ____________

z) 2 – 0 = ____________

La soustraction

1. Écris la différence.

a) 2 – 2 = ________________ b) 3 – 1 = ________________

c) 5 – 5 = ________________ d) 5 – 2 = ________________

e) 9 – 7 = ________________ f) 8 – 8 = ________________

g) 6 – 2 = ________________ h) 6 – 3 = ________________

i) 7 – 4 = ________________ j) 4 – 1 = ________________

k) 10 – 7 = ________________ l) 3 – 3 = ________________

m) 5 – 4 = ________________ n) 5 – 1 = ________________

o) 8 – 1 = ________________ p) 8 – 6 = ________________

q) 9 – 1 = ________________ r) 7 – 2 = ________________

s) 8 – 0 = ________________ t) 4 – 3 = ________________

u) 9 – 9 = ________________ v) 6 – 6 = ________________

w) 10 – 9 = ________________ x) 8 – 3 = ________________

y) 6 – 0 = ________________ z) 7 – 6 = ________________

La soustraction

1. Écris la différence.

a)

–	9	4	0
20			
17			
10			

b)

–	9	6	1
11			
18			
16			

c)

–	10	11	9
19			
13			
15			

d)

–	8	7	4
12			
14			
9			

e)

–	3	1	5
9			
14			
11			

f)

–	4	2	6
10			
12			
13			

La soustraction en colonne

Il existe plusieurs méthodes pour soustraire en colonne, mais celle qui est proposée est plus facile à comprendre.

```
  6385
- 2164
------
  4221
```

Pour soustraire en colonne, tu dois placer les nombres un en dessous de l'autre. Fais la soustraction de droite à gauche ; tu commenceras donc par les unités.

La soustraction en colonne avec emprunt :

```
     8
  6 4 9 10
- 3 2 6 5
---------
  3 2 2 5
```

(le 9 est barré et remplacé par 8)

Tu soustrais les unités : 0 – 5 = impossible.
Tu empruntes sur le 9 pour donner 1 dizaine au 0.
Il reste donc 8 dizaines.
Tu soustrais de nouveau : 10 – 5 = 5.
Tu poursuis avec les dizaines : 9 – 6 = 2.
Tu poursuis avec les centaines : 4 – 2 = 2.
Tu termines avec les milliers : 6 – 3 = 3.

1. Effectue les soustractions.

a) 9542 – 2011 = ______

b) 4258 – 2353 = ______

c) 8939 – 1217 = ______

d) 7024 – 6242 = ______

e) 6545 – 3124 = ______

f) 2927 – 1451 = ______

g) 6886 – 2120 = ______

h) 9178 – 1343 = ______

i) 8754 – 4230 = ______

La soustraction en colonne

1. Effectue les soustractions.

a) 8282 − 1471

b) 8743 − 2305

c) 7690 − 1890

d) 6739 − 1487

e) 7651 − 6016

f) 9455 − 2322

g) 3687 − 1475

h) 9657 − 8137

i) 2857 − 2182

j) 8942 − 3735

k) 4780 − 3100

l) 8516 − 5212

m) 3251 − 1945

n) 7298 − 1087

o) 6543 − 1212

p) 5403 − 3124

p) 6607 − 1138

r) 4295 − 1951

La soustraction en colonne

1. Effectue les soustractions.

a) 6077 − 4018

b) 3261 − 2453

c) 7459 − 5355

d) 7486 − 1833

e) 8950 − 6270

f) 2319 − 1124

g) 3486 − 1584

h) 9758 − 3619

i) 8875 − 6490

j) 5279 − 2670

k) 5314 − 3281

l) 4364 − 1124

m) 6755 − 6626

n) 2736 − 1383

o) 7910 − 5002

p) 9383 − 7255

q) 3931 − 3791

r) 9692 − 1467

La soustraction en colonne

1. Effectue les soustractions.

a) $\begin{array}{r} 7154 \\ -\ 5060 \\ \hline \end{array}$

b) $\begin{array}{r} 4072 \\ -\ 1035 \\ \hline \end{array}$

c) $\begin{array}{r} 6443 \\ -\ 4135 \\ \hline \end{array}$

d) $\begin{array}{r} 9269 \\ -\ 1847 \\ \hline \end{array}$

e) $\begin{array}{r} 5828 \\ -\ 1394 \\ \hline \end{array}$

f) $\begin{array}{r} 8215 \\ -\ 5403 \\ \hline \end{array}$

g) $\begin{array}{r} 8037 \\ -\ 4925 \\ \hline \end{array}$

h) $\begin{array}{r} 3956 \\ -\ 2402 \\ \hline \end{array}$

i) $\begin{array}{r} 5186 \\ -\ 1652 \\ \hline \end{array}$

j) $\begin{array}{r} 5105 \\ -\ 2042 \\ \hline \end{array}$

k) $\begin{array}{r} 2237 \\ -\ 1831 \\ \hline \end{array}$

l) $\begin{array}{r} 8409 \\ -\ 3132 \\ \hline \end{array}$

m) $\begin{array}{r} 9486 \\ -\ 7205 \\ \hline \end{array}$

n) $\begin{array}{r} 6760 \\ -\ 1727 \\ \hline \end{array}$

o) $\begin{array}{r} 3951 \\ -\ 1840 \\ \hline \end{array}$

p) $\begin{array}{r} 8194 \\ -\ 5825 \\ \hline \end{array}$

q) $\begin{array}{r} 7882 \\ -\ 3259 \\ \hline \end{array}$

r) $\begin{array}{r} 4783 \\ -\ 1629 \\ \hline \end{array}$

La multiplication

La multiplication est **commutative**, c'est-à-dire que tu peux inverser les facteurs et le produit sera toujours le même ($2 \times 3 = 6$ ou $3 \times 2 = 6$).

La multiplication est **associative**, c'est-à-dire que quelle que soit la manière dont tu regroupes les facteurs, le produit sera toujours le même.

Exemple : $4 \times (2 \times 3) = 24$ ou $(4 \times 2) \times 3 = 24$

$4 \times (6) = 24$ $(8) \times 3 = 24$

La multiplication est une addition répétée ($3 \times 4 = 12$ ou $3 + 3 + 3 + 3 = 12$).

Le résultat de la multiplication de deux facteurs est le produit.

3 (facteur) **×** (fois, symbole multiplication) **4** (facteur) **=** (égal, symbole égalité) **12** (produit)

Les tables de multiplication

0	**1**	**2**	**3**	**4**	**5**
$0 \times 0 = 0$	$1 \times 0 = 0$	$2 \times 0 = 0$	$3 \times 0 = 0$	$4 \times 0 = 0$	$5 \times 0 = 0$
$0 \times 1 = 0$	$1 \times 1 = 1$	$2 \times 1 = 2$	$3 \times 1 = 3$	$4 \times 1 = 4$	$5 \times 1 = 5$
$0 \times 2 = 0$	$1 \times 2 = 2$	$2 \times 2 = 4$	$3 \times 2 = 6$	$4 \times 2 = 8$	$5 \times 2 = 10$
$0 \times 3 = 0$	$1 \times 3 = 3$	$2 \times 3 = 6$	$3 \times 3 = 9$	$4 \times 3 = 12$	$5 \times 3 = 15$
$0 \times 4 = 0$	$1 \times 4 = 4$	$2 \times 4 = 8$	$3 \times 4 = 12$	$4 \times 4 = 16$	$5 \times 4 = 20$
$0 \times 5 = 0$	$1 \times 5 = 5$	$2 \times 5 = 10$	$3 \times 5 = 15$	$4 \times 5 = 20$	$5 \times 5 = 25$
$0 \times 6 = 0$	$1 \times 6 = 6$	$2 \times 6 = 12$	$3 \times 6 = 18$	$4 \times 6 = 24$	$5 \times 6 = 30$
$0 \times 7 = 0$	$1 \times 7 = 7$	$2 \times 7 = 14$	$3 \times 7 = 21$	$4 \times 7 = 28$	$5 \times 7 = 35$
$0 \times 8 = 0$	$1 \times 8 = 8$	$2 \times 8 = 16$	$3 \times 8 = 24$	$4 \times 8 = 32$	$5 \times 8 = 40$
$0 \times 9 = 0$	$1 \times 9 = 9$	$2 \times 9 = 18$	$3 \times 9 = 27$	$4 \times 9 = 36$	$5 \times 9 = 45$
$0 \times 10 = 0$	$1 \times 10 = 10$	$2 \times 10 = 20$	$3 \times 10 = 30$	$4 \times 10 = 40$	$5 \times 10 = 50$
$0 \times 11 = 0$	$1 \times 11 = 11$	$2 \times 11 = 22$	$3 \times 11 = 33$	$4 \times 11 = 44$	$5 \times 11 = 55$
$0 \times 12 = 0$	$1 \times 12 = 12$	$2 \times 12 = 24$	$3 \times 12 = 36$	$4 \times 12 = 48$	$5 \times 12 = 60$

6	**7**	**8**	**9**	**10**
$6 \times 0 = 0$	$7 \times 0 = 0$	$8 \times 0 = 0$	$9 \times 0 = 0$	$10 \times 0 = 0$
$6 \times 1 = 6$	$7 \times 1 = 7$	$8 \times 1 = 8$	$9 \times 1 = 9$	$10 \times 1 = 10$
$6 \times 2 = 12$	$7 \times 2 = 14$	$8 \times 2 = 16$	$9 \times 2 = 18$	$10 \times 2 = 20$
$6 \times 3 = 18$	$7 \times 3 = 21$	$8 \times 3 = 24$	$9 \times 3 = 27$	$10 \times 3 = 30$
$6 \times 4 = 24$	$7 \times 4 = 28$	$8 \times 4 = 32$	$9 \times 4 = 36$	$10 \times 4 = 40$
$6 \times 5 = 30$	$7 \times 5 = 35$	$8 \times 5 = 40$	$9 \times 5 = 45$	$10 \times 5 = 50$
$6 \times 6 = 36$	$7 \times 6 = 42$	$8 \times 6 = 48$	$9 \times 6 = 54$	$10 \times 6 = 60$
$6 \times 7 = 42$	$7 \times 7 = 49$	$8 \times 7 = 56$	$9 \times 7 = 63$	$10 \times 7 = 70$
$6 \times 8 = 48$	$7 \times 8 = 56$	$8 \times 8 = 64$	$9 \times 8 = 72$	$10 \times 8 = 80$
$6 \times 9 = 54$	$7 \times 9 = 63$	$8 \times 9 = 72$	$9 \times 9 = 81$	$10 \times 9 = 90$
$6 \times 10 = 60$	$7 \times 10 = 70$	$8 \times 10 = 80$	$9 \times 10 = 90$	$10 \times 10 = 100$
$6 \times 11 = 66$	$7 \times 11 = 77$	$8 \times 11 = 88$	$9 \times 11 = 99$	$10 \times 11 = 110$
$6 \times 12 = 72$	$7 \times 12 = 84$	$8 \times 12 = 96$	$9 \times 12 = 108$	$10 \times 12 = 120$

La multiplication

1. Écris l'opération de multiplication correspondante.

a) $9 + 9 = 18$

_______ × _______ = 18

b) $10 + 10 + 10 = 30$

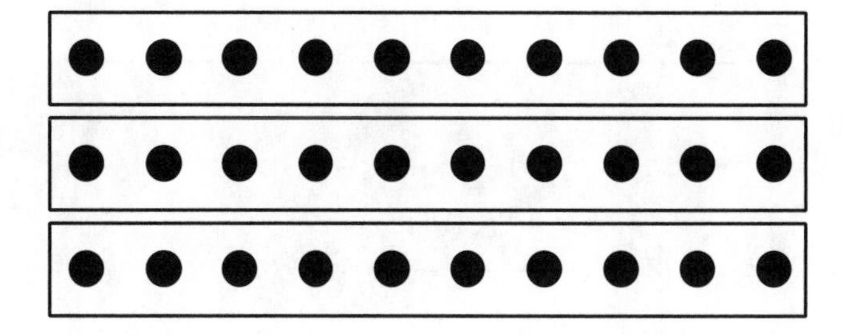

_______ × _______ = 30

c) $4 + 4 + 4 + 4 = 16$

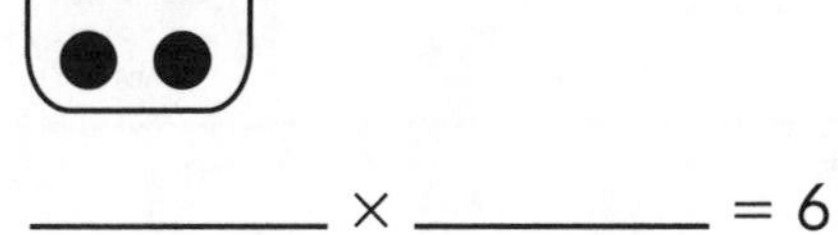

_______ × _______ = 6

d) $7 + 7 = 14$

_______ × _______ = 14

e) $5 + 5 + 5 + 5 = 20$

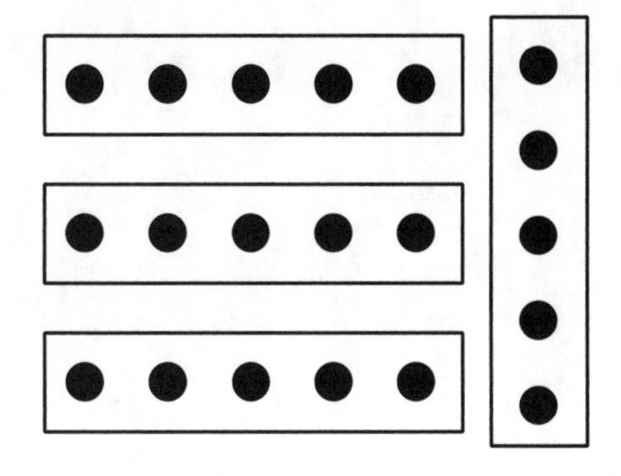

_______ × _______ = 20

f) $3 + 3 + 3 + 3 + 3 + 3 = 18$

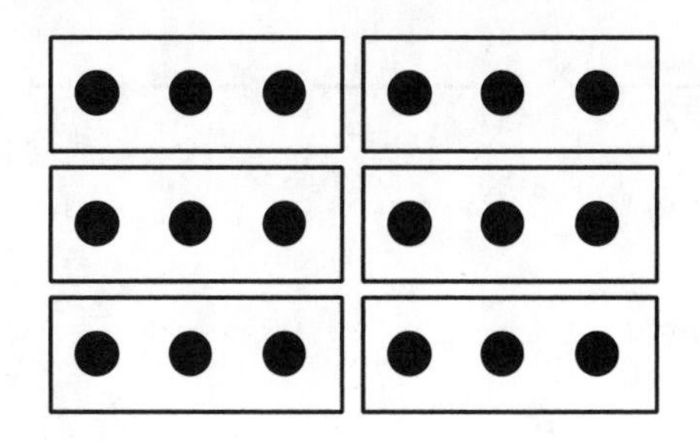

_______ × _______ = 18

La multiplication

1. Écris l'opération commutative et les réponses.

a) $1 \times 4 =$ ________

________ × ________ = ________

b) $5 \times 9 =$ ________

________ × ________ = ________

c) $7 \times 3 =$ ________

________ × ________ = ________

d) $5 \times 2 =$ ________

________ × ________ = ________

e) $8 \times 3 =$ ________

________ × ________ = ________

f) $5 \times 6 =$ ________

________ × ________ = ________

g) $1 \times 8 =$ ________

________ × ________ = ________

La multiplication

1. Écris l'opération associative et les réponses.

a) $2 \times (4 \times 3) =$ ________

(____________) × ________ = ________

b) $4 \times (1 \times 3) =$ ________

(____________) × ________ = ________

c) $3 \times (2 \times 3) =$ ________

(____________) × ________ = ________

d) $(5 \times 2) \times 2 =$ ________

________ × (____________) = ________

e) $(4 \times 3) \times 3 =$ ________

________ × (____________) = ________

f) $(5 \times 5) \times 2 =$ ________

________ × (____________) = ________

g) $(1 \times 6) \times 2 =$ ________

________ × (____________) = ________

La multiplication

1. Trace la multiplication sur la droite et écris le produit.

a) $1 \times 2 =$ ________

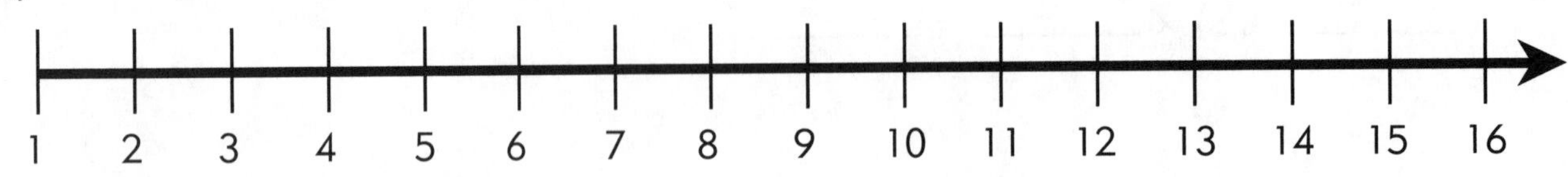

b) $3 \times 4 =$ ________

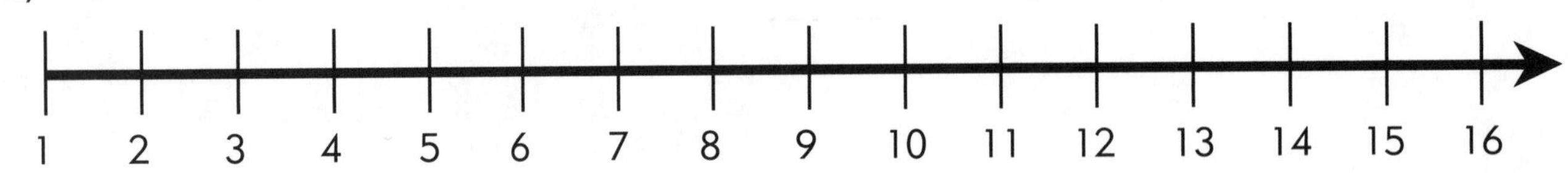

c) $2 \times 3 =$ ________

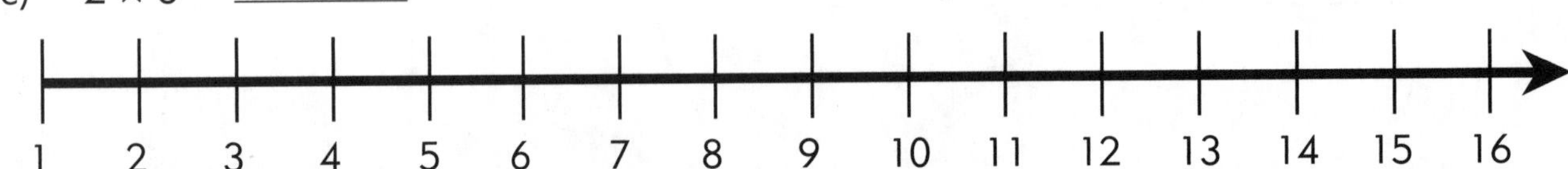

d) $5 \times 3 =$ ________

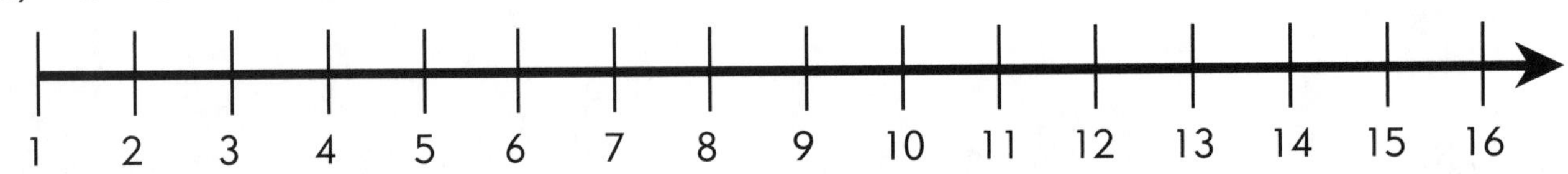

e) $6 \times 2 =$ ________

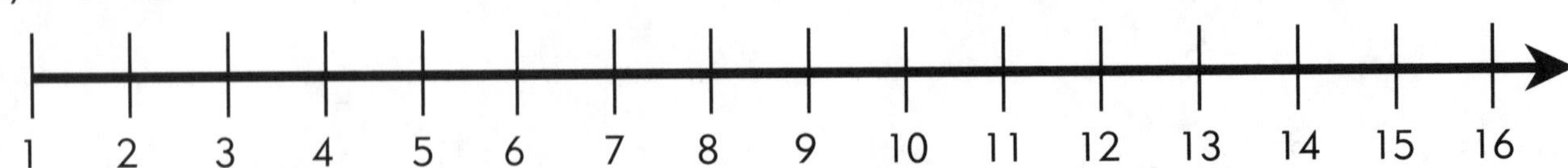

f) $3 \times 3 =$ ________

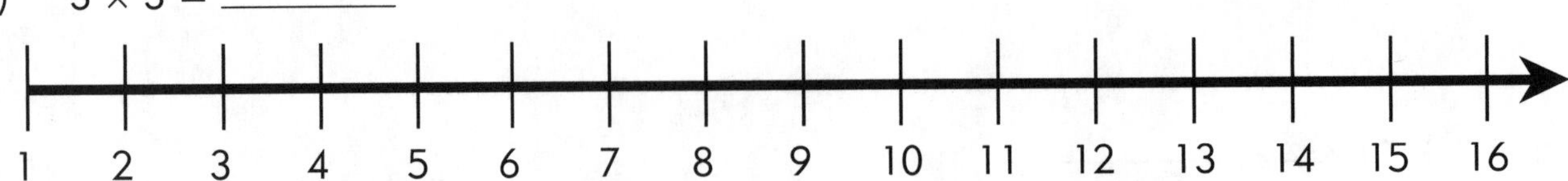

La multiplication

1. Trace la multiplication sur la droite et écris le produit.

a) $7 \times 1 =$ ________

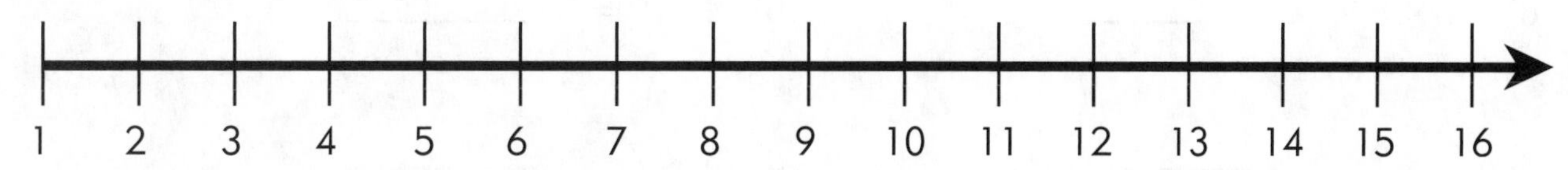

b) $4 \times 3 =$ ________

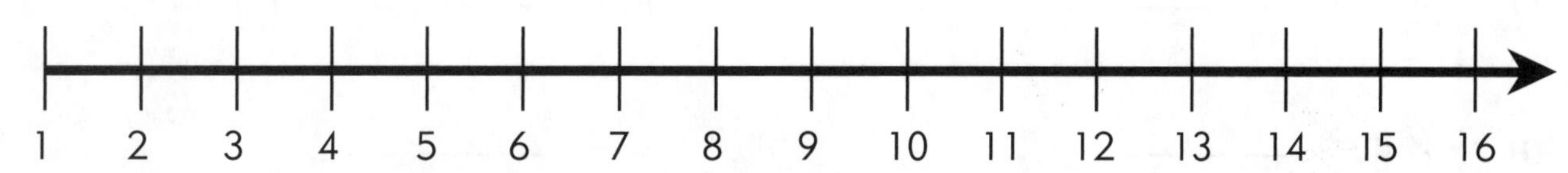

c) $6 \times 1 =$ ________

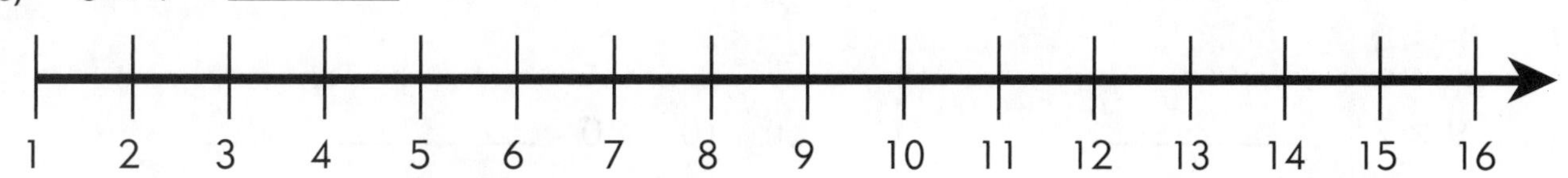

d) $8 \times 2 =$ ________

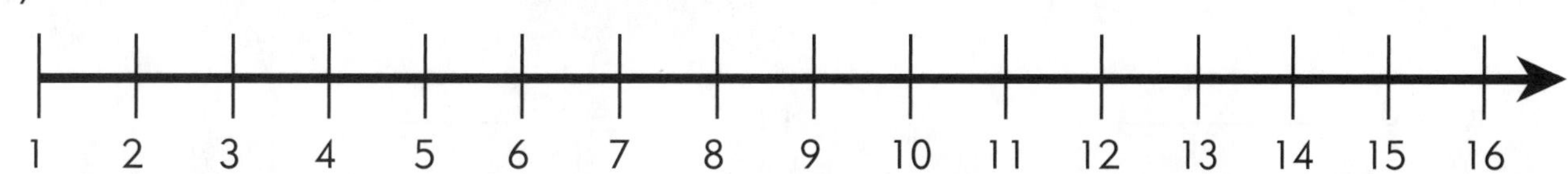

e) $2 \times 2 =$ ________

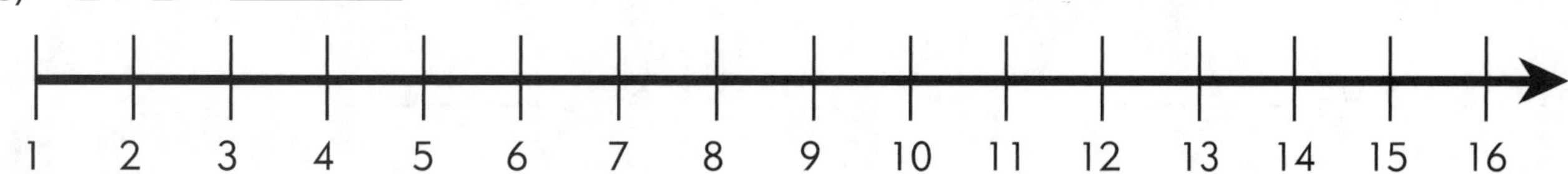

f) $3 \times 3 =$ ________

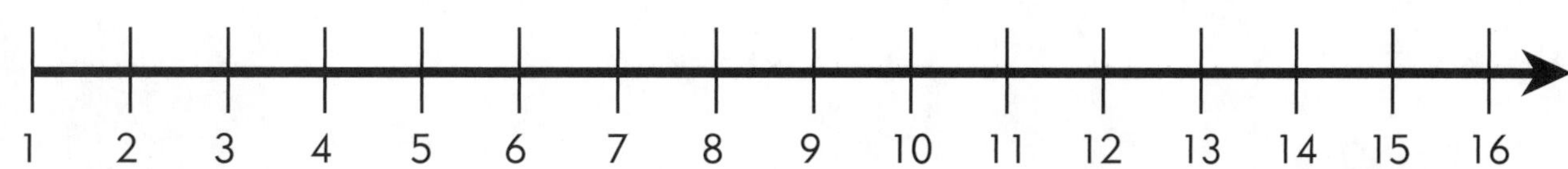

La multiplication

1. Écris le produit.

a) $4 \times 8 =$ ________

b) $4 \times 9 =$ ________

c) $3 \times 9 =$ ________

d) $8 \times 7 =$ ________

e) $5 \times 7 =$ ________

f) $6 \times 9 =$ ________

g) $9 \times 8 =$ ________

h) $3 \times 0 =$ ________

i) $2 \times 10 =$ ________

j) $9 \times 1 =$ ________

k) $9 \times 7 =$ ________

l) $10 \times 10 =$ ________

m) $7 \times 7 =$ ________

n) $6 \times 4 =$ ________

o) $6 \times 0 =$ ________

p) $5 \times 5 =$ ________

q) $10 \times 7 =$ ________

r) $1 \times 1 =$ ________

s) $8 \times 5 =$ ________

t) $8 \times 6 =$ ________

u) $9 \times 9 =$ ________

v) $10 \times 9 =$ ________

w) $4 \times 7 =$ ________

x) $8 \times 10 =$ ________

y) $10 \times 4 =$ ________

z) $9 \times 0 =$ ________

La multiplication

1. Écris le produit.

a) $10 \times 0 =$ ________ b) $3 \times 8 =$ ________

c) $6 \times 7 =$ ________ d) $2 \times 4 =$ ________

e) $8 \times 8 =$ ________ f) $2 \times 2 =$ ________

g) $5 \times 10 =$ ________ h) $3 \times 3 =$ ________

i) $6 \times 6 =$ ________ j) $4 \times 5 =$ ________

k) $6 \times 10 =$ ________ l) $6 \times 2 =$ ________

m) $10 \times 1 =$ ________ n) $2 \times 9 =$ ________

o) $7 \times 3 =$ ________ p) $5 \times 6 =$ ________

q) $3 \times 5 =$ ________ r) $9 \times 5 =$ ________

s) $2 \times 7 =$ ________ t) $3 \times 10 =$ ________

u) $6 \times 3 =$ ________ v) $8 \times 1 =$ ________

w) $1 \times 5 =$ ________ x) $4 \times 3 =$ ________

y) $4 \times 4 =$ ________ z) $5 \times 2 =$ ________

La multiplication

1. Écris le produit.

a)

×	9	2	1
4			
2			
7			

b)

×	6	3	8
3			
1			
9			

c)

×	4	0	5
0			
6			
5			

d)

×	7	4	2
8			
2			
3			

e)

×	8	3	5
6			
5			
1			

f)

×	6	1	9
7			
4			
9			

La multiplication

Il existe plusieurs méthodes pour multiplier, mais celle qui est proposée est plus facile à comprendre.

```
  1 2
  3 4 5
×     4
-------
1 3 8 0
```

Tu multiplies les unités : $4 \times 5 = 20$
Tu places le 0 sous les unités et le 2 en retenue.
Tu poursuis avec les dizaines : $(4 \times 4) + 2$ (la retenue) $= 18$
Tu places le 8 sous les dizaines et le 1 en retenue.
Tu termines avec les centaines : $(4 \times 3) + 1$(la retenue) $= 13$
Tu places le nombre 13 sous les centaines.

1. Effectue les multiplications.

a) 43×2

b) 38×5

c) 52×6

d) 72×3

e) 37×7

f) 91×4

g) 64×2

h) 56×3

i) 32×8

j) 47×2

k) 61×6

l) 26×5

La multiplication

1. Effectue les multiplications.

a) 16×9

b) 94×6

c) 15×7

d) 83×8

e) 21×8

f) 76×5

g) 94×6

h) 35×4

i) 80×5

j) 63×9

k) 72×4

l) 56×3

m) 57×1

n) 42×3

o) 41×7

p) 68×2

q) 28×2

r) 39×1

La multiplication

1. Effectue les multiplications.

a) 28×5

b) 69×7

c) 15×4

d) 94×8

e) 38×3

f) 83×6

g) 92×2

h) 41×5

i) 51×4

j) 47×3

k) 76×1

l) 60×9

m) 32×2

n) 13×9

o) 85×1

p) 24×8

q) 57×7

r) 76×6

La multiplication

1. Effectue les multiplications.

a) 163×9

b) 574×8

c) 935×7

d) 256×3

e) 423×7

f) 842×8

g) 627×6

h) 302×6

i) 151×5

j) 313×4

k) 281×5

l) 760×3

m) 448×9

n) 780×4

o) 904×1

p) 579×2

q) 615×3

r) 896×2

La multiplication

1. Effectue les multiplications.

a) 805×3

b) 524×4

c) 733×2

d) 148×5

e) 417×4

f) 216×5

g) 952×3

h) 391×3

i) 629×9

j) 688×6

k) 237×6

l) 366×8

m) 742×4

n) 171×2

o) 570×8

p) 885×7

q) 954×9

r) 463×7

La division

La division est une soustraction répétée, un partage.
Le résultat de la division est le quotient.

12 (dividende) **÷** (divisé, symbole division) **4** (diviseur) **=** (égal, symbole égalité) **3** (quotient)

Les tables de division

0	1	2	3	4	5
0 ÷ 0 = impossible	0 ÷ 1 = 0	0 ÷ 2 = 0	0 ÷ 3 = 0	0 ÷ 4 = 0	0 ÷ 5 = 0
1 ÷ 0 = impossible	1 ÷ 1 = 1	2 ÷ 2 = 1	3 ÷ 3 = 1	4 ÷ 4 = 1	5 ÷ 5 = 1
2 ÷ 0 = impossible	2 ÷ 1 = 2	4 ÷ 2 = 2	6 ÷ 3 = 2	8 ÷ 4 = 2	10 ÷ 5 = 2
3 ÷ 0 = impossible	3 ÷ 1 = 3	6 ÷ 2 = 3	9 ÷ 3 = 3	12 ÷ 4 = 3	15 ÷ 5 = 3
4 ÷ 0 = impossible	4 ÷ 1 = 4	8 ÷ 2 = 4	12 ÷ 3 = 4	16 ÷ 4 = 4	20 ÷ 5 = 4
5 ÷ 0 = impossible	5 ÷ 1 = 5	10 ÷ 2 = 5	15 ÷ 3 = 5	20 ÷ 4 = 5	25 ÷ 5 = 5
6 ÷ 0 = impossible	6 ÷ 1 = 6	12 ÷ 2 = 6	18 ÷ 3 = 6	24 ÷ 4 = 6	30 ÷ 5 = 6
7 ÷ 0 = impossible	7 ÷ 1 = 7	14 ÷ 2 = 7	21 ÷ 3 = 7	28 ÷ 4 = 7	35 ÷ 5 = 7
8 ÷ 0 = impossible	8 ÷ 1 = 8	16 ÷ 2 = 8	24 ÷ 3 = 8	32 ÷ 4 = 8	40 ÷ 5 = 8
9 ÷ 0 = impossible	9 ÷ 1 = 9	18 ÷ 2 = 9	27 ÷ 3 = 9	36 ÷ 4 = 9	45 ÷ 5 = 9
10 ÷ 0 = impossible	10 ÷ 1 = 10	20 ÷ 2 = 10	30 ÷ 3 = 10	40 ÷ 4 = 10	50 ÷ 5 = 10
11 ÷ 0 = impossible	11 ÷ 1 = 11	22 ÷ 2 = 11	33 ÷ 3 = 11	44 ÷ 4 = 11	55 ÷ 5 = 11
12 ÷ 0 = impossible	12 ÷ 1 = 12	24 ÷ 2 = 12	36 ÷ 3 = 12	48 ÷ 4 = 12	60 ÷ 5 = 12

6	7	8	9	10
0 ÷ 6 = 0	0 ÷ 7 = 0	0 ÷ 8 = 0	0 ÷ 9 = 0	0 ÷ 10 = 0
6 ÷ 6 = 1	7 ÷ 7 = 1	8 ÷ 8 = 1	9 ÷ 9 = 1	10 ÷ 10 = 1
12 ÷ 6 = 2	14 ÷ 7 = 2	16 ÷ 8 = 2	18 ÷ 9 = 2	20 ÷ 10 = 2
18 ÷ 6 = 3	21 ÷ 7 = 3	24 ÷ 8 = 3	27 ÷ 9 = 3	30 ÷ 10 = 3
24 ÷ 6 = 4	28 ÷ 7 = 4	32 ÷ 8 = 4	36 ÷ 9 = 4	40 ÷ 10 = 4
30 ÷ 6 = 5	35 ÷ 7 = 5	40 ÷ 8 = 5	45 ÷ 9 = 5	50 ÷ 10 = 5
36 ÷ 6 = 6	42 ÷ 7 = 6	48 ÷ 8 = 6	54 ÷ 9 = 6	60 ÷ 10 = 6
42 ÷ 6 = 7	49 ÷ 7 = 7	56 ÷ 8 = 7	63 ÷ 9 = 7	70 ÷ 10 = 7
48 ÷ 6 = 8	56 ÷ 7 = 8	64 ÷ 8 = 8	72 ÷ 9 = 8	80 ÷ 10 = 8
54 ÷ 6 = 9	63 ÷ 7 = 9	72 ÷ 8 = 9	81 ÷ 9 = 9	90 ÷ 10 = 9
60 ÷ 6 = 10	70 ÷ 7 = 10	80 ÷ 8 = 10	90 ÷ 9 = 10	100 ÷ 10 = 10
66 ÷ 6 = 11	77 ÷ 7 = 11	88 ÷ 8 = 11	99 ÷ 9 = 11	110 ÷ 10 = 11
72 ÷ 6 = 12	84 ÷ 7 = 12	96 ÷ 8 = 12	108 ÷ 9 = 12	120 ÷ 10 = 12

La division

1. Fais des groupes de 4 et écris sur la ligne combien de groupes de 4 sont contenus dans les ensembles ci-dessous.

a) 40 ÷ 4 = __________

b) 28 ÷ 4 = __________

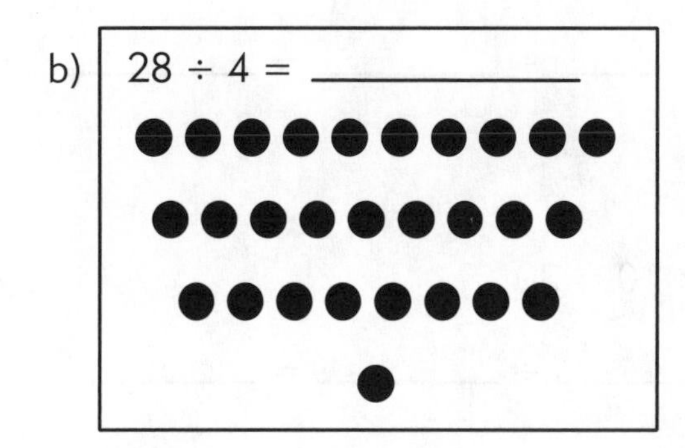

c) 16 ÷ 4 = __________

d) 36 ÷ 4 = __________

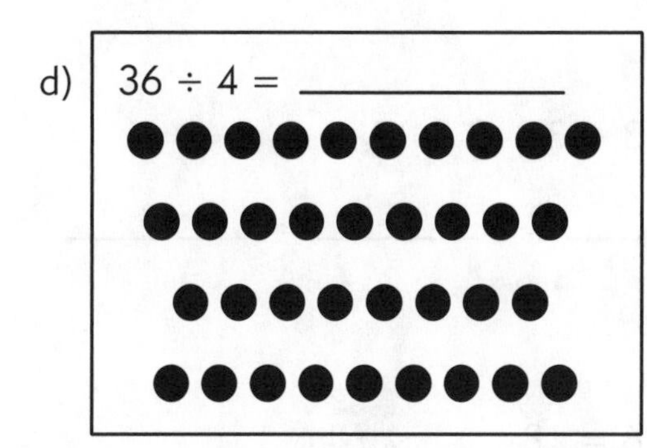

e) 24 ÷ 4 = __________

f) 12 ÷ 4 = __________

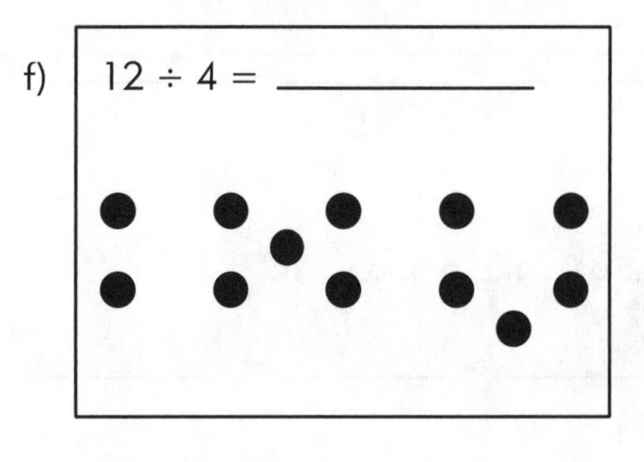

g) 20 ÷ 4 = __________

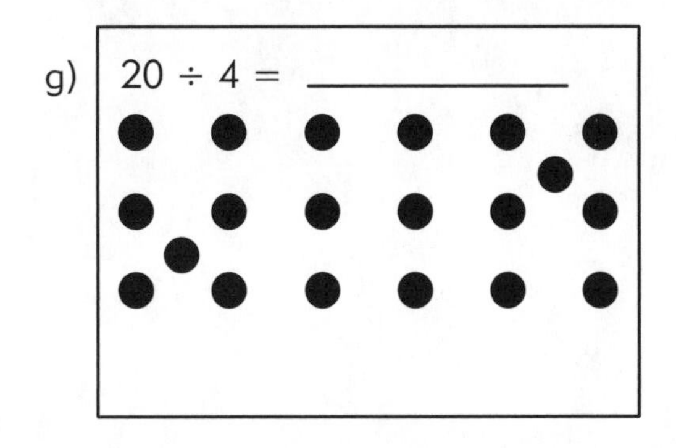

h) 8 ÷ 4 = __________

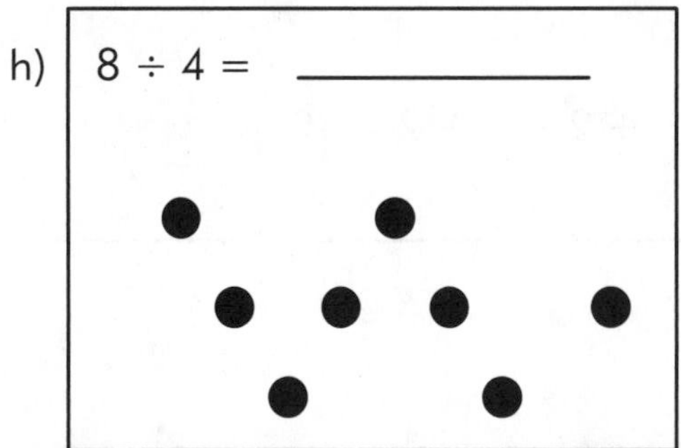

La division

1. Écris l'opération de division correspondante.

a) $7 + 7 + 7 = 21$

_______ ÷ _______ = _______

b) $3 \times 10 = 30$

_______ ÷ _______ = _______

c) $3 + 3 + 3 + 3 = 12$

_______ ÷ _______ = _______

d) $3 \times 6 = 18$

_______ ÷ _______ = _______

e) $9 + 9 + 9 + 9 + 9 = 45$

_______ ÷ _______ = _______

f) $2 + 2 + 2 + 2 + 2 = 10$

_______ ÷ _______ = _______

g) $10 + 10 + 10 + 10 + 10 + 10 = 60$

_______ ÷ _______ = _______

La division

1. Écris l'opération de division correspondante.

a) $4 \times 9 = 36$

_________ ÷ _________ = _________

b) $9 + 9 = 18$

_________ ÷ _________ = _________

c) $7 \times 8 = 56$

_________ ÷ _________ = _________

d) $20 - 10 - 10$

_________ ÷ _________ = _________

e) $2 \times 6 = 12$

_________ ÷ _________ = _________

f) $7 + 7 + 7 + 7 = 28$

_________ ÷ _________ = _________

g) $4 \times 8 = 32$

_________ ÷ _________ = _________

La division

1. Écris le quotient.

a) $24 \div 3 =$ ________

b) $100 \div 10 =$ ________

c) $36 \div 9 =$ ________

d) $6 \div 1 =$ ________

e) $25 \div 5 =$ ________

f) $8 \div 8 =$ ________

g) $12 \div 2 =$ ________

h) $0 \div 9 =$ ________

i) $54 \div 6 =$ ________

j) $64 \div 8 =$ ________

k) $70 \div 10 =$ ________

l) $14 \div 7 =$ ________

m) $12 \div 4 =$ ________

n) $45 \div 9 =$ ________

o) $18 \div 2 =$ ________

p) $15 \div 5 =$ ________

q) $28 \div 7 =$ ________

r) $72 \div 9 =$ ________

s) $40 \div 5 =$ ________

t) $30 \div 6 =$ ________

u) $50 \div 5 =$ ________

v) $48 \div 8 =$ ________

w) $6 \div 2 =$ ________

x) $10 \div 10 =$ ________

y) $49 \div 7 =$ ________

z) $63 \div 9 =$ ________

La division

1. Écris le quotient.

a) $10 \div 2 =$ ________ b) $81 \div 9 =$ ________

c) $27 \div 9 =$ ________ d) $3 \div 1 =$ ________

e) $35 \div 7 =$ ________ f) $40 \div 10 =$ ________

g) $56 \div 8 =$ ________ h) $20 \div 2 =$ ________

i) $90 \div 10 =$ ________ j) $5 \div 1 =$ ________

k) $42 \div 7 =$ ________ l) $1 \div 1 =$ ________

m) $7 \div 7 =$ ________ n) $16 \div 4 =$ ________

o) $0 \div 6 =$ ________ p) $24 \div 4 =$ ________

q) $21 \div 7 =$ ________ r) $18 \div 6 =$ ________

s) $20 \div 5 =$ ________ t) $36 \div 6 =$ ________

u) $9 \div 9 =$ ________ v) $16 \div 8 =$ ________

w) $30 \div 10 =$ ________ x) $32 \div 4 =$ ________

y) $8 \div 4 =$ ________ z) $9 \div 3 =$ ________

La division

1. Écris le quotient.

a)

÷	2	3	1
6			
12			
18			

b)

÷	1	2	4
16			
8			
20			

c)

÷	2	4	1
4			
40			
12			

d)

÷	1	5	2
10			
30			
20			

e)

÷	8	2	6
48			
24			
72			

f)

÷	5	6	2
30			
90			
60			

La division

1. Complète le tableau.

les nombres	÷ 2	÷ 3	÷ 4
a) **36**			
b) **60**			
c) **12**			
d) **108**			
e) **84**			
f) **48**			
g) **72**			
h) **96**			
i) **24**			

La division

Il existe plusieurs méthodes pour diviser, mais celle qui est proposée est plus facile à comprendre.

758 ÷ 2 = 379

```
   7 5 8 | 2
 -  6    |-----
   ----  | 379
   1 5   |
 - 1 4   |
 ------  |
     1 8 |
   - 1 8 |
   ----- |
       0 |
```

Tu fais 2 x? = 7 ou inférieur à 7.
Réponse : 3, tu places ton 3 sous le 2.
Tu fais 2 x 3 = 6, tu places ce 6 sous le 7 et tu soustrais.
7 – 6 = 1, tu baisses le 5 à côté du 1, tu as 15.

Tu fais 2 x ? = 15 ou inférieur à 15.
Réponse : 7, tu places ton 7 sous le 2 à côté du 3.
Tu fais 2 x 7 = 14, tu places ce 14 sous le 15 et tu soustrais.
15 – 14 = 1, tu baisses le 8 à côté du 1, tu as 18.

Tu fais 2 x? = 18 ou inférieur à 18.
Réponse : 9, tu places ton 9 sous le 2 à côté du 7.
Tu fais 2 x 9 = 18, tu places ce 18 sous le 18 et tu soustrais.
18 – 18 = 0, maintenant que la réponse est zéro et que tu as divisé ton nombre au complet, tu as fini.

Voici un 2e exemple d'une division. Voici une façon de faire toute simple si le premier chiffre du dividende est plus petite que le diviseur.

104 ÷ 4 = 26

```
   1 0 4 | 4
 -   8   |-----
 -------  | 2 6
     2 4 |
   - 2 4 |
   ----- |
       0 |
```

Tu fais 4 x? = 10 ou inférieur à 10.
Réponse : 2, tu places ton 2 sous le 4.
Tu fais 4 x 2 = 8, tu places ce 8 sous le 10 et tu soustrais.
10 – 8 = 2, tu baisses le 4 à côté du 2, tu as 24.

Tu fais 4 x? = 24 ou inférieur à 24.
Réponse : 6, tu places ton 6 sous le 4 à côté du 2.
Tu fais 4 x 6 = 24, tu places ce 24 sous le 24 et tu soustrais.
24 – 24 = 0, maintenant que la réponse est zéro et que tu as divisé ton nombre au complet, tu as fini.

La division

1. Effectue les divisions.

a) 78 | 3

b) 90 | 2

c) 84 | 4

d) 76 | 4

e) 94 | 2

f) 96 | 3

g) 48 | 3

h) 74 | 2

i) 84 | 2

j) 52 | 4

k) 84 | 3

l) 98 | 2

La division

1. Effectue les divisions.

a) 96 | 6

b) 93 | 3

c) 92 | 2

d) 96 | 4

e) 72 | 6

f) 90 | 5

g) 95 | 5

h) 82 | 2

i) 98 | 7

j) 92 | 4

k) 90 | 6

l) 96 | 8

La division

1. Effectue les divisions.

a) 738 | 9

b) 652 | 4

c) 858 | 3

d) 744 | 6

e) 816 | 8

f) 926 | 2

g) 745 | 5

h) 791 | 7

i) 828 | 9

j) 992 | 4

k) 608 | 8

l) 834 | 6

La division

1. Effectue les divisions.

a) 852 | 6

b) 650 | 2

c) 840 | 4

d) 567 | 9

e) 672 | 7

f) 528 | 6

g) 981 | 3

h) 992 | 8

i) 485 | 5

j) 990 | 5

k) 928 | 4

l) 504 | 9

La division

1. Effectue les divisions.

a) 916 | 2

b) 987 | 7

c) 603 | 3

d) 918 | 9

e) 675 | 3

f) 948 | 4

g) 345 | 5

h) 348 | 6

i) 416 | 8

j) 322 | 7

k) 666 | 9

l) 664 | 8

Les facteurs

Le chiffre 4 est un facteur de 12, car 12 se divise par 4 et il n'y a aucun reste.
Les **facteurs** de 12 sont : 1, 2, 3, 4, 6, 12.

Pour obtenir les facteurs premiers d'un nombre naturel, tu dois décomposer ce nombre jusqu'à ce que tu obtiennes des nombres premiers.
Les **facteurs premiers** de 12 sont 2 x 2 x 3.

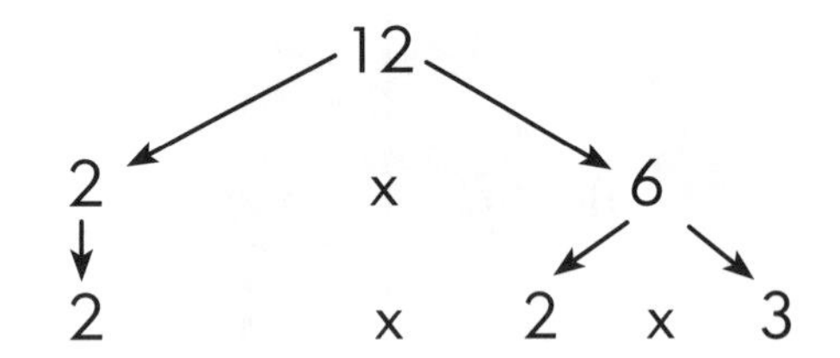

1. Écris les facteurs.

a) 4 (________, ________, ________)

b) 5 (________, ________)

c) 6 (________, ________, ________, ________)

d) 7 (________, ________)

e) 8 (________, ________, ________, ________)

f) 9 (________, ________, ________)

g) 10 (________, ________, ________, ________)

h) 11 (________, ________)

Les facteurs

1. Écris les facteurs.

a) 12 (________, ________, ________, ________, ________, ________)

b) 13 (________, ________)

c) 14 (________, ________, ________, ________)

d) 15 (________, ________, ________, ________)

e) 16 (________, ________, ________, ________, ________)

f) 17 (________, ________)

g) 18 (________, ________, ________, ________, ________, ________)

h) 19 (________, ________)

i) 20 (________, ________, ________, ________, ________, ________)

j) 21 (________, ________, ________, ________)

k) 22 (________, ________, ________, ________)

Les facteurs

1. Décompose les nombres suivants en facteurs premiers.

a)

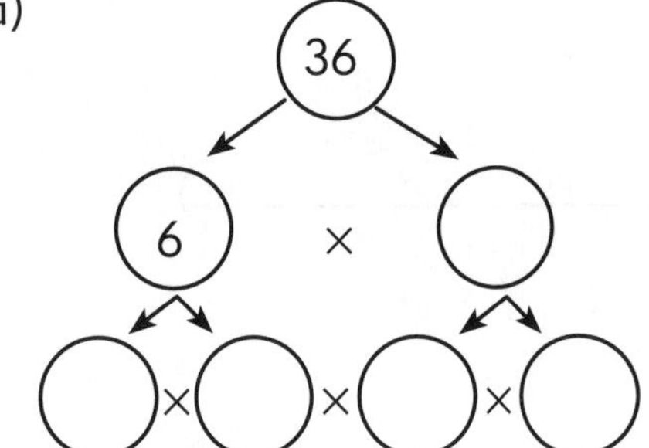

b)

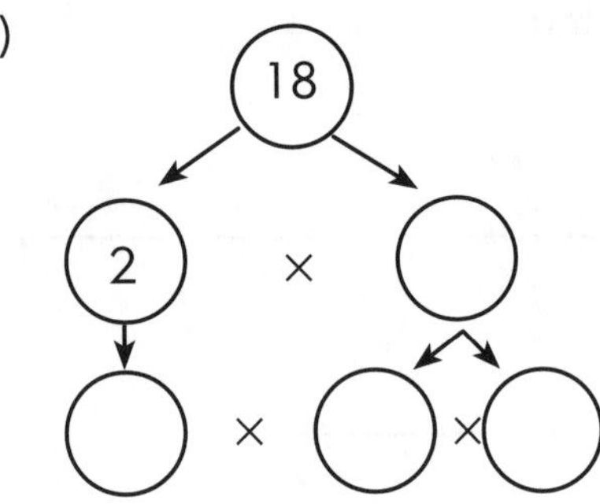

c)

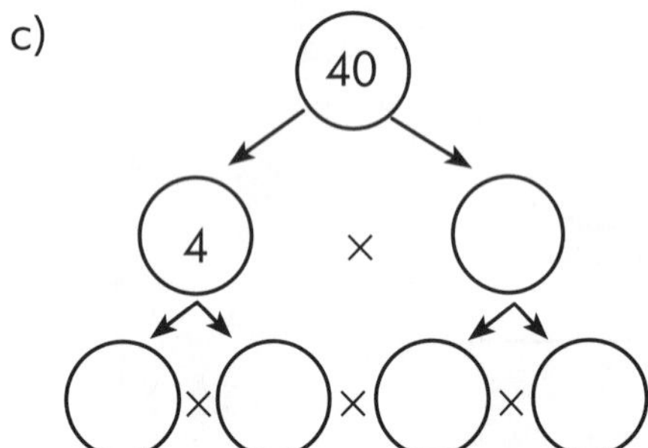

d)

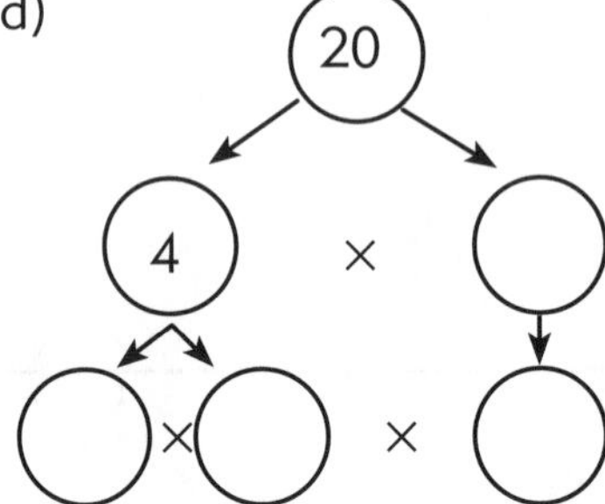

e)

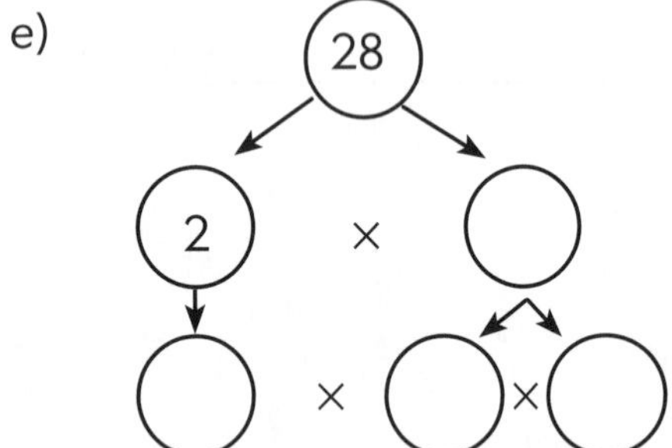

f)

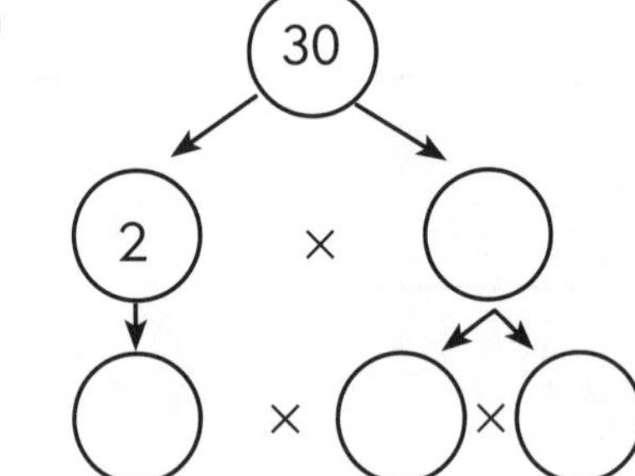

g)

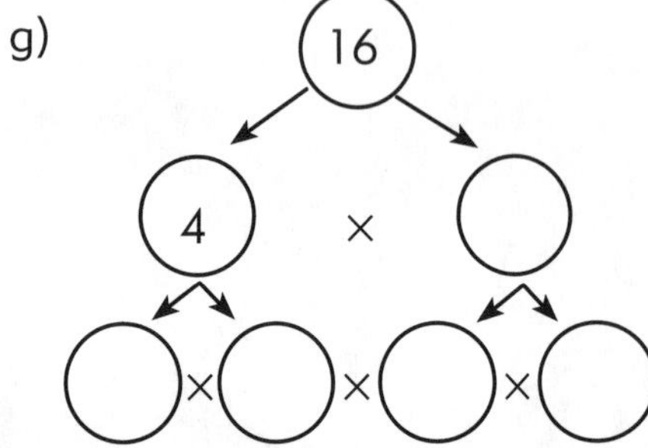

h)

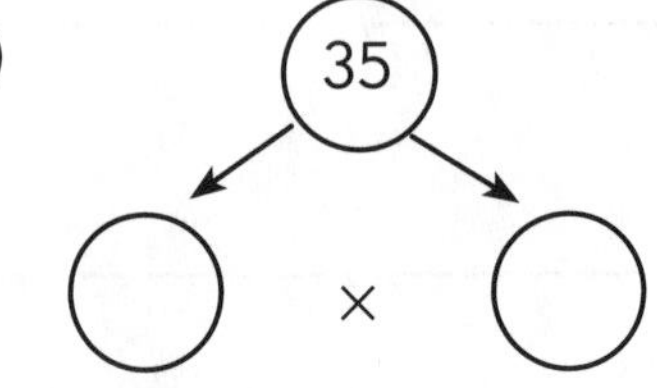

Les facteurs

1. Décompose les nombres suivants en facteurs premiers.

a)

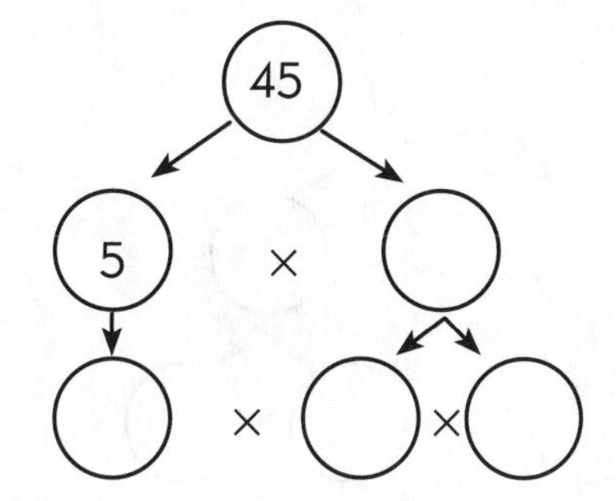

b)

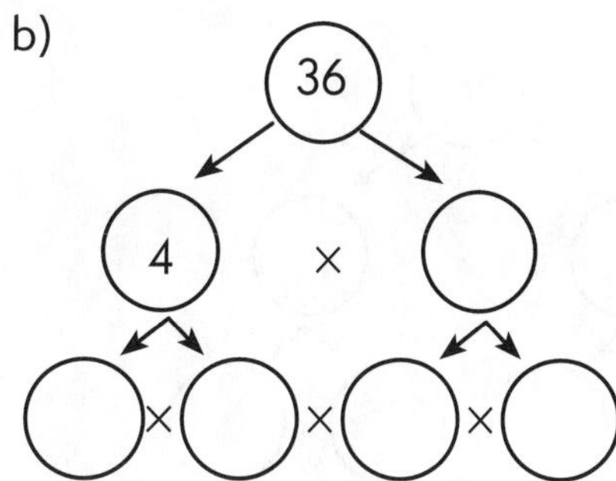

c)

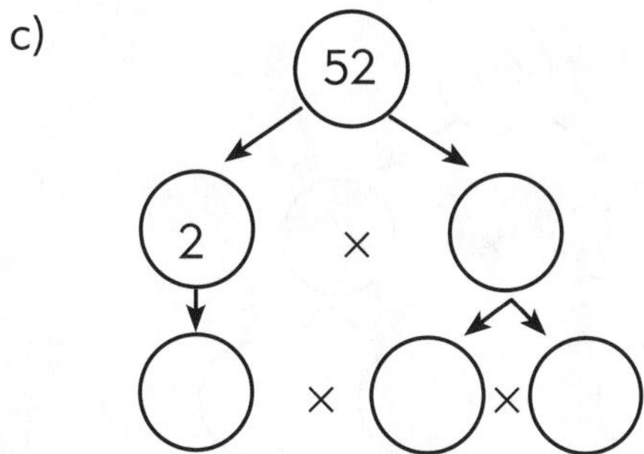

d)

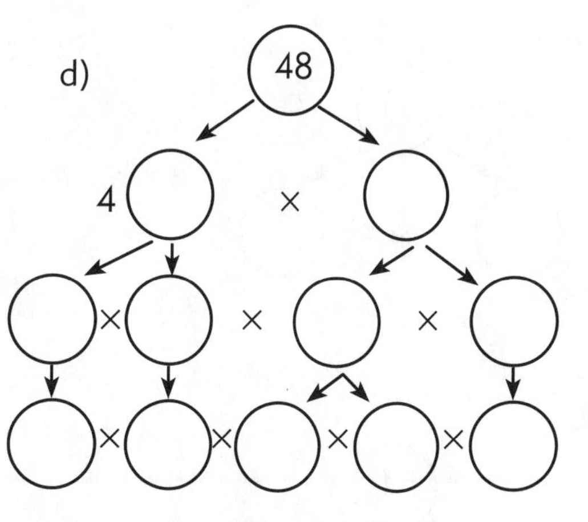

e)

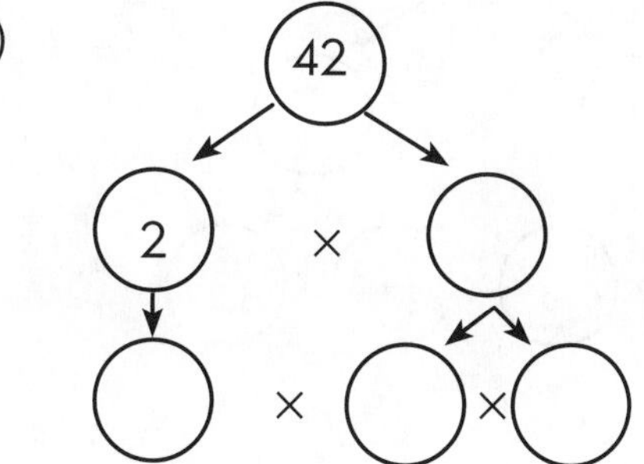

f)

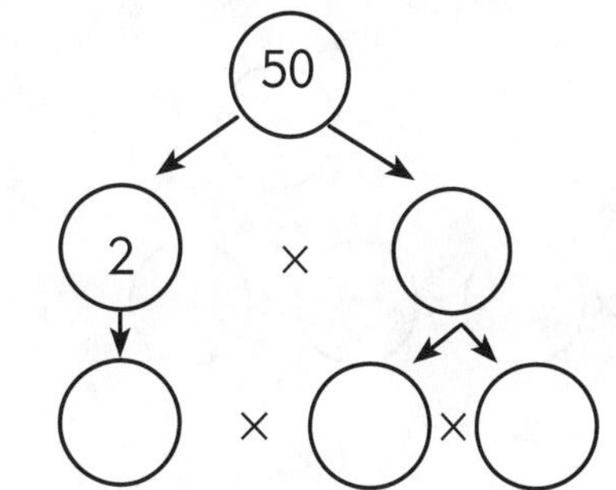

g)

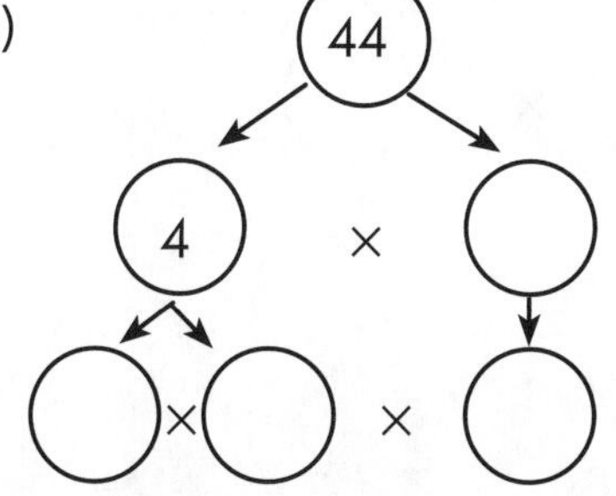

h)

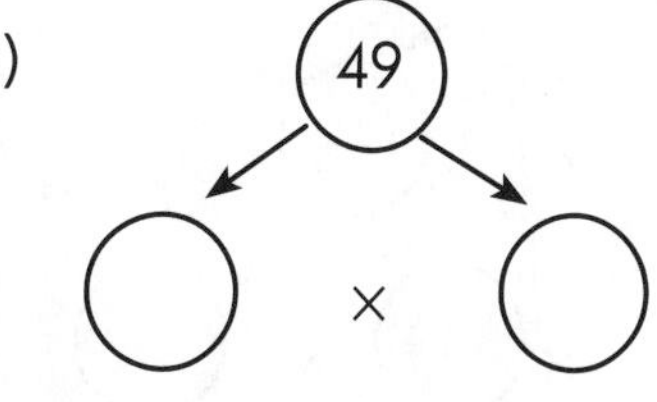

Les facteurs

1. Décompose les nombres suivants en facteurs premiers.

a)

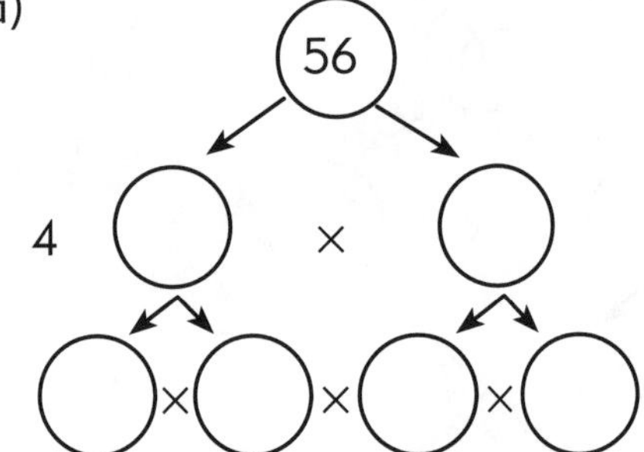

b)

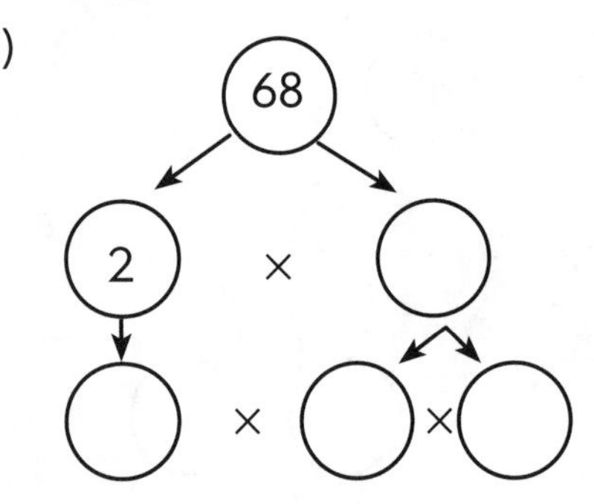

c)

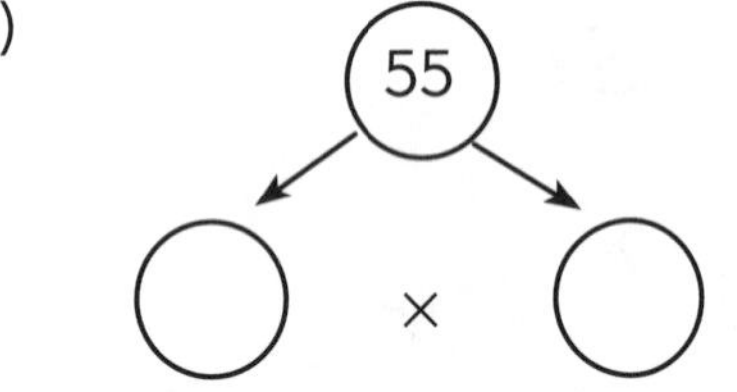

d)

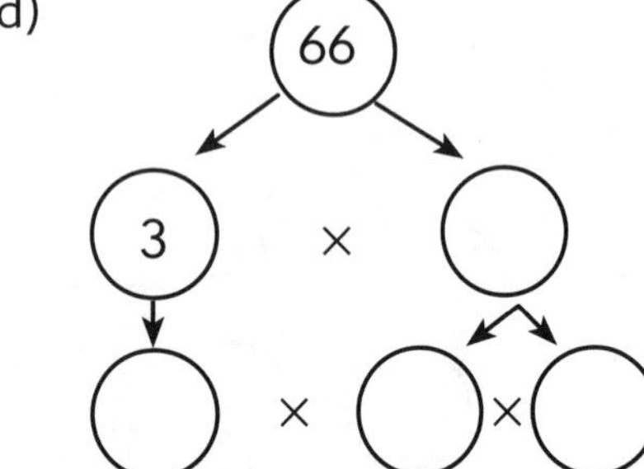

e)

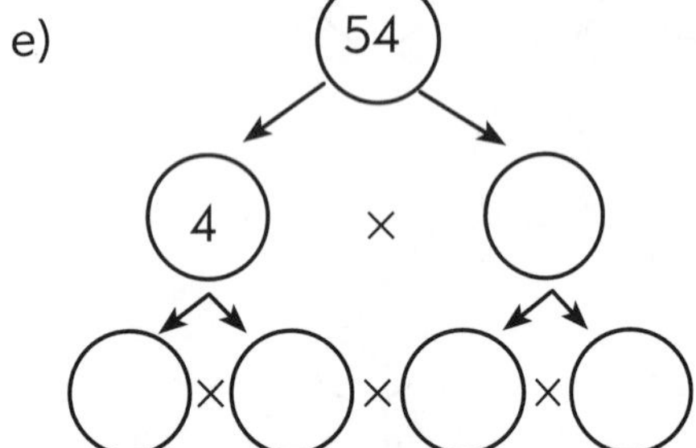

f)

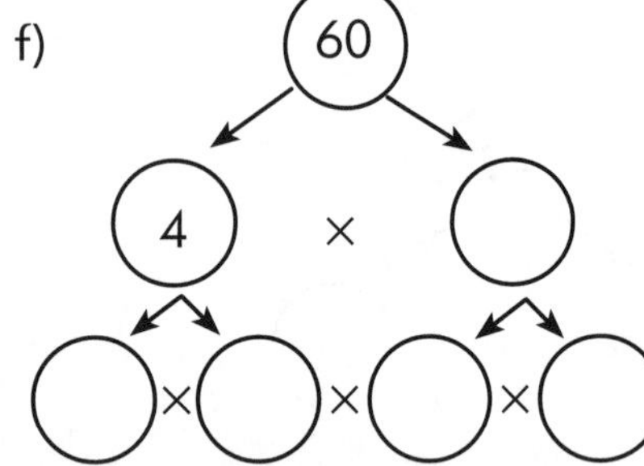

g)

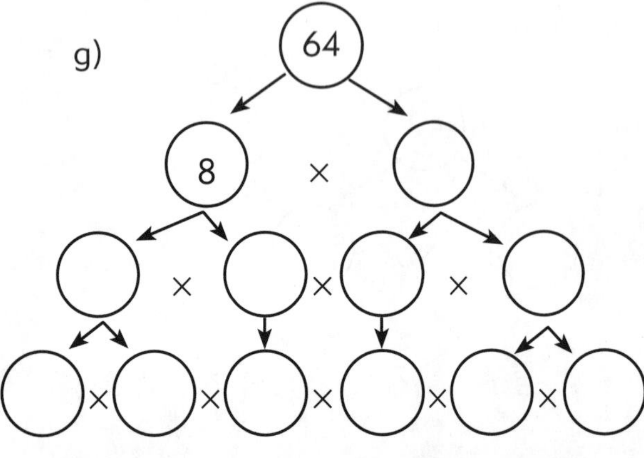

h)
65

×

Les facteurs

1. Décompose les nombres suivants en facteurs premiers.

a)

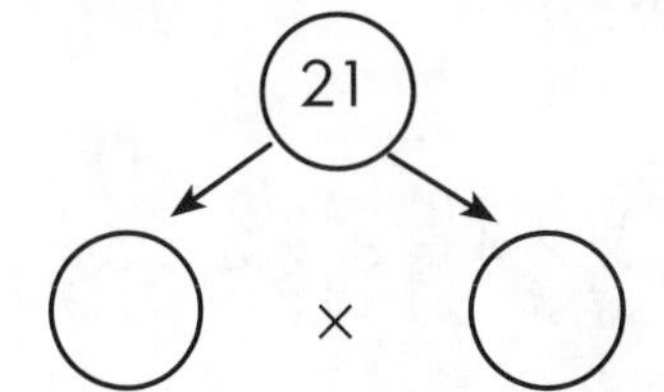

b)

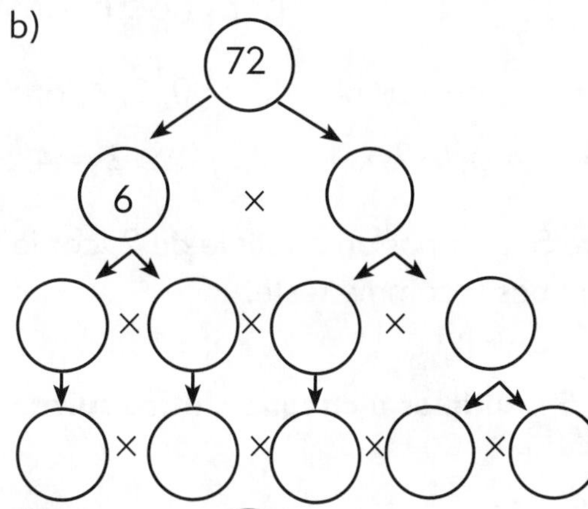

c)

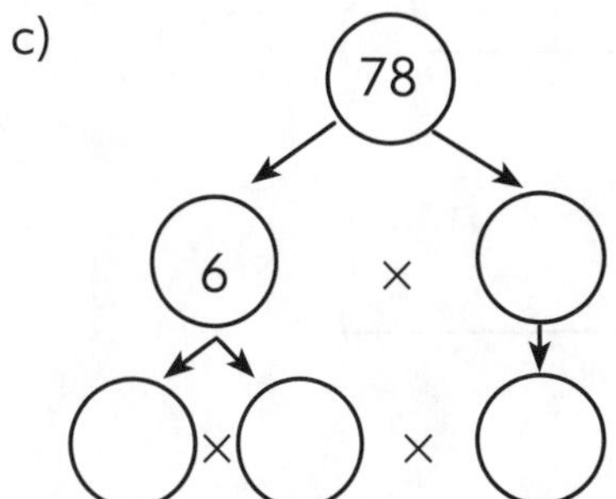

d)

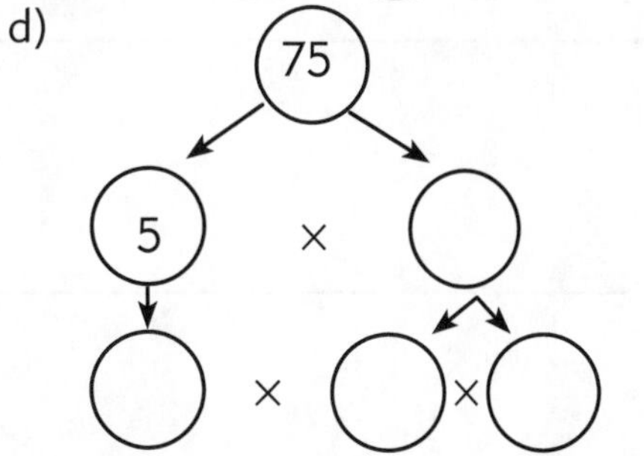

e)

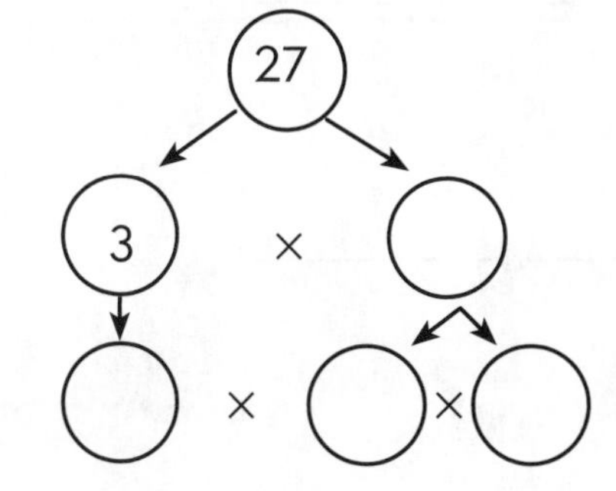

f)

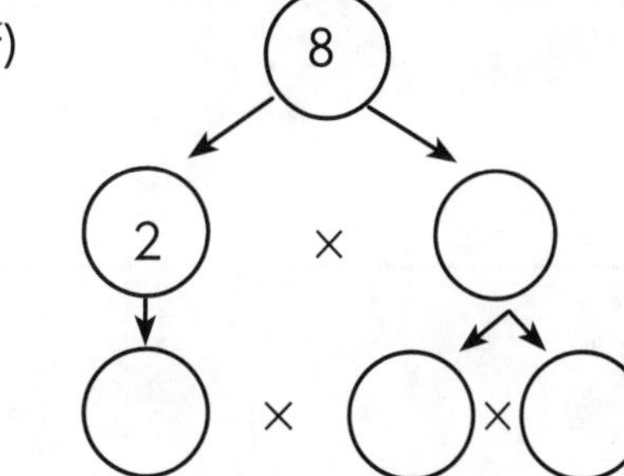

g)

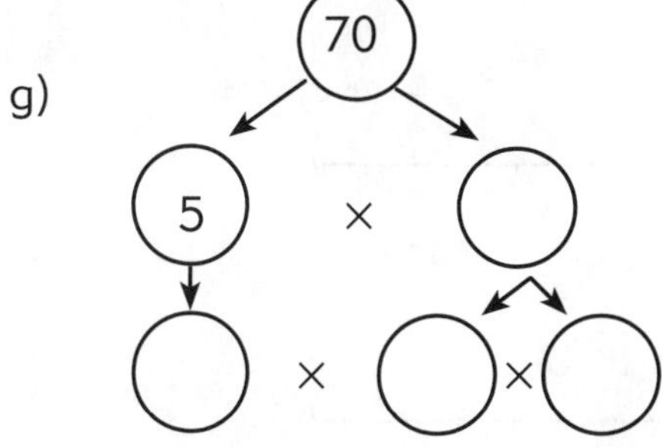

h)

80

8 ×

Les multiples

On obtient les multiples d'un nombre en multipliant ce nombre par chacun des nombres naturels.

Voici la suite des multiples de 2 : 0, 2, 4, 6, 8, 10, 12, 14...

$2 \times 0 = 0$ $2 \times 1 = 2$ $2 \times 2 = 4$ $2 \times 3 = 6$ $2 \times 4 = 8$ $2 \times 5 = 10$

Le chiffre 5 n'est pas un multiple de 2, car la réponse de $5 \div 2$ ne donne pas 0 comme reste.

1. Écris 5 multiples à chaque chiffre suivant.

a) 3 (________, ________, ________, ________, ________)

b) 4 (________, ________, ________, ________, ________)

c) 5 (________, ________, ________, ________, ________)

d) 6 (________, ________, ________, ________, ________)

e) 7 (________, ________, ________, ________, ________)

f) 8 (________, ________, ________, ________, ________)

g) 9 (________, ________, ________, ________, ________)

Les multiples

1. Fais un X au bon endroit.

les nombres	un multiple de 2	un multiple de 3	un multiple de 4
a) **10**			
b) **12**			
c) **14**			
d) **15**			
e) **16**			
f) **18**			
g) **20**			
h) **21**			
i) **22**			

Les multiples

1. Fais un X au bon endroit.

les nombres	un multiple de 2	un multiple de 5	un multiple de 6
a) **24**			
b) **25**			
c) **26**			
d) **28**			
e) **30**			
f) **32**			
g) **34**			
h) **35**			
i) **36**			

Les multiples

1. Fais un X au bon endroit.

les nombres	un multiple de 7	un multiple de 8	un multiple de 9
a) **14**			
b) **16**			
c) **18**			
d) **24**			
e) **27**			
f) **28**			
g) **35**			
h) **36**			
i) **40**			

Les diviseurs

Un nombre naturel qui divise un autre nombre naturel est un diviseur de ce nombre. Voici les diviseurs de 15 : 1, 3, 5, 15.

La divisibilité par 2 :
Un nombre est divisible par 2 si le chiffre à la position des unités est pair (0, 2, 4, 6, 8). Exemple : 12**4** est divisible par 2, car le 4 est pair.

La divisibilité par 3 :
Un nombre est divisible par 3 si la somme de ses chiffres est divisible par 3. Exemple : 225 est divisible par 3, car 2 + 2 + 5 = 9 et que 9 se divise par 3.

La divisibilité par 5 :
Un nombre est divisible par 5 si le chiffre des unités est 0 ou 5. Exemple : 56**5** est divisible par 5, car il y a un 5 à la position des unités.

La divisibilité par 9 :
Un nombre est divisible par 9 si la somme de ses chiffres est divisible par 9. Exemple : 612 est divisible par 9, car 6 + 1 + 2 = 9 et que 9 se divise par 9.

La divisibilité par 10 :
Un nombre est divisible par 10 si le chiffre des unités est 0. Exemple : 340 est divisible par 10, car il y a un 0 à la position des unités.

1. Écris les diviseurs des nombres suivants.

a) 23 (________, ________)

b) 24 (______, ______, ______, ______, ______, ______, ______, ______)

c) 25 (________, ________, ________)

d) 26 (________, ________, ________, ________)

Les diviseurs

1. Fais un X au bon endroit.

les nombres	se divise par 2	se divise par 3	se divise par 5
a) **922**			
b) **235**			
c) **620**			
d) **540**			
e) **924**			
f) **130**			
g) **126**			
h) **415**			
i) **318**			

Les diviseurs

1. Fais un X au bon endroit.

les nombres	se divise par 5	se divise par 9	se divise par 10
a) **125**			
b) **333**			
c) **900**			
d) **171**			
e) **320**			
f) **207**			
g) **375**			
h) **670**			
i) **945**			

Les diviseurs

1. Fais un X au bon endroit.

les nombres	se divise par 2	se divise par 3	se divise par 9
a) **126**			
b) **891**			
c) **278**			
d) **855**			
e) **914**			
f) **423**			
g) **972**			
h) **117**			
i) **800**			

Les fractions

Une fraction est une partie d'un tout. Lorsqu'on partage un tout en parties, toutes les parties doivent être équivalentes. Le tout peut être un seul objet que l'on divise en plusieurs parties égales ou un ensemble d'objets.

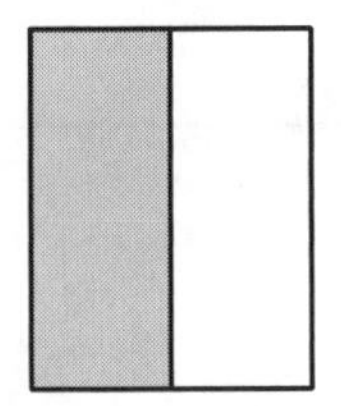

$\frac{1}{2}$

1 Le chiffre au-dessus de la ligne est le numérateur. Il indique combien de parties du tout on utilise.

2 Le chiffre au-dessous de la ligne est le dénominateur. Il indique en combien de parties le tout a été divisé.

Les fractions équivalentes représentent la même partie d'un tout.

$\frac{1}{3}$ 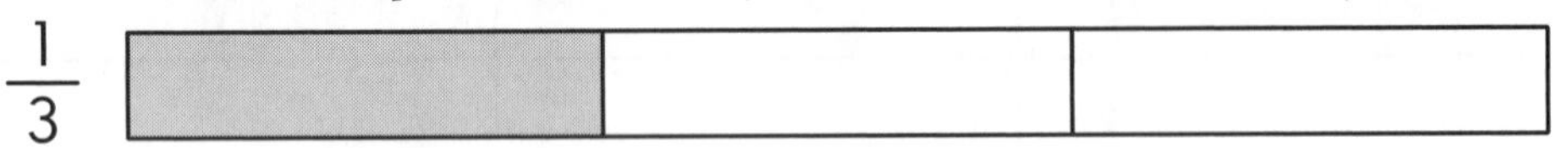

$\frac{2}{6}$ 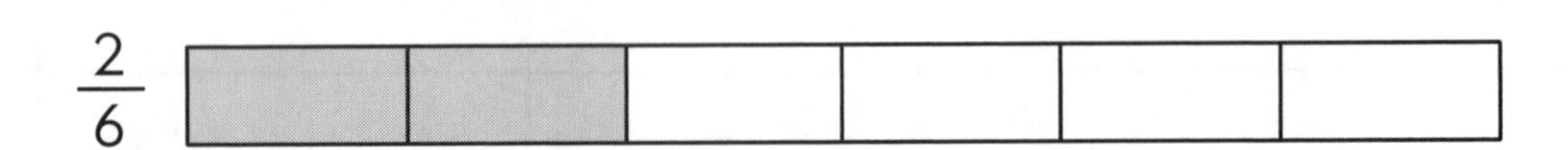

Pour **produire des fractions équivalentes**, on multiplie ou on divise par le même chiffre au numérateur et au dénominateur.

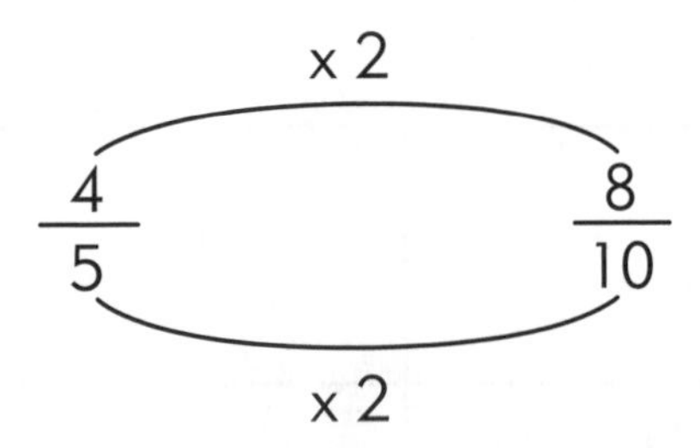

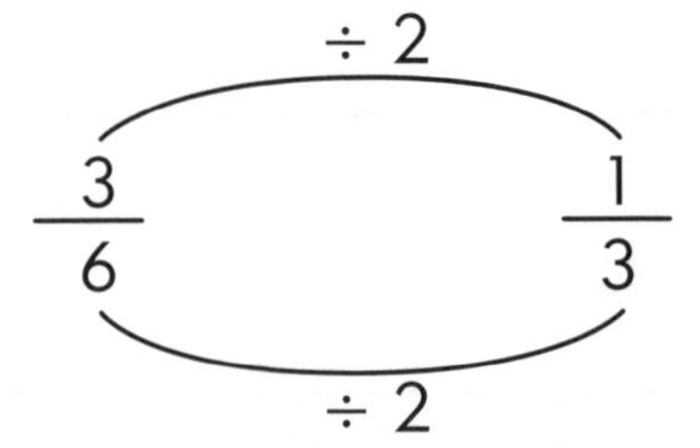

Une fraction irréductible est une fraction qu'on ne peut plus réduire, elle est écrite dans sa forme la plus simple.

$\frac{3}{4}$ 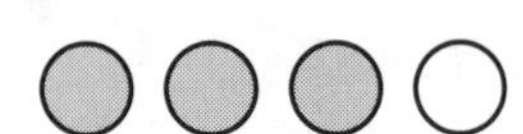

$\frac{1}{2}$ 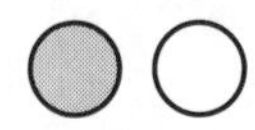

$\frac{1}{4}$ 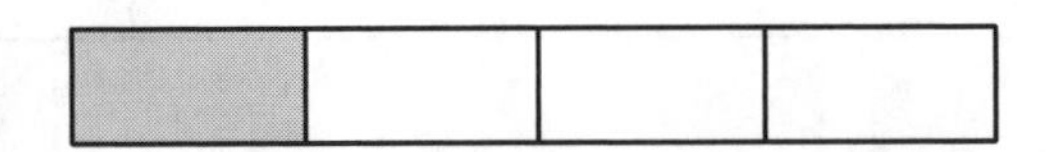

Les fractions

Colorie la fraction qui indique la partie du tout que l'on utilise.

$\frac{4}{10}$

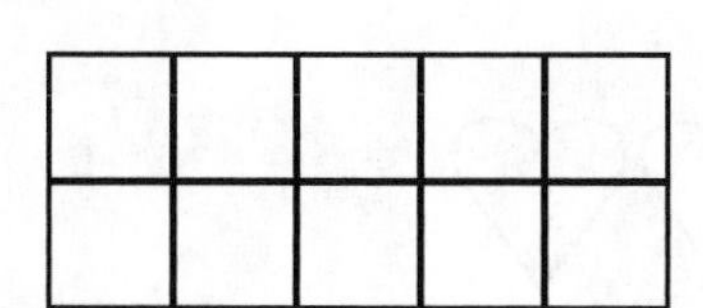

$\frac{8}{9}$

$\frac{3}{5}$

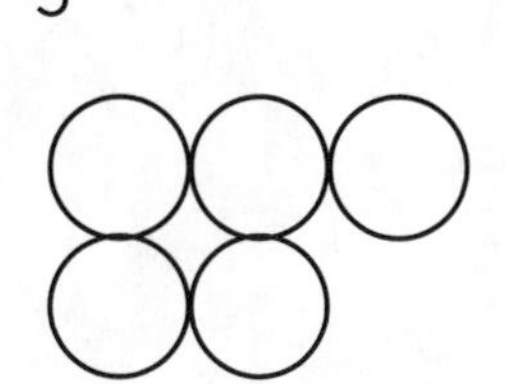

$\frac{2}{3}$

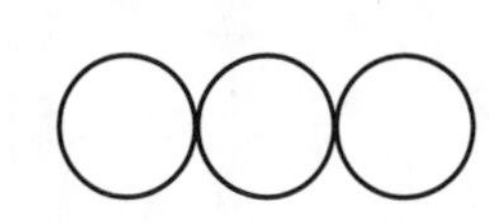

$\frac{1}{2}$

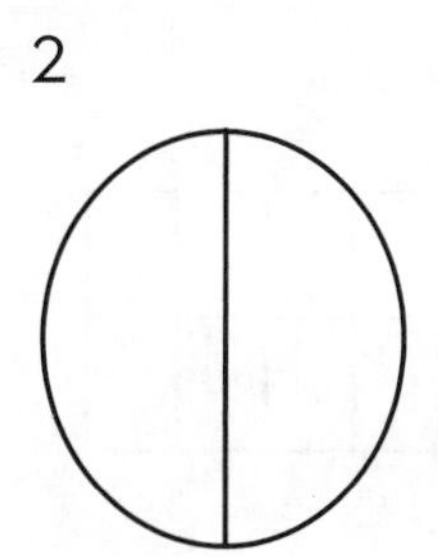

$\frac{1}{4}$

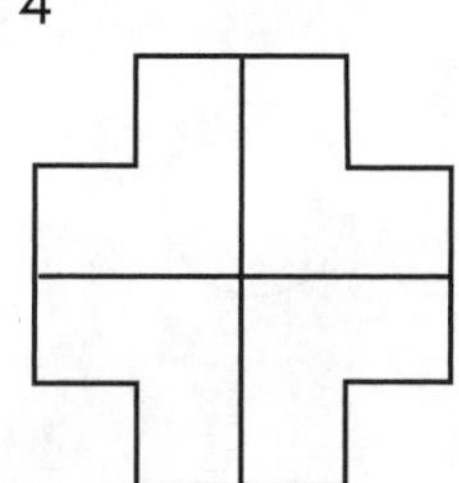

$\frac{3}{7}$

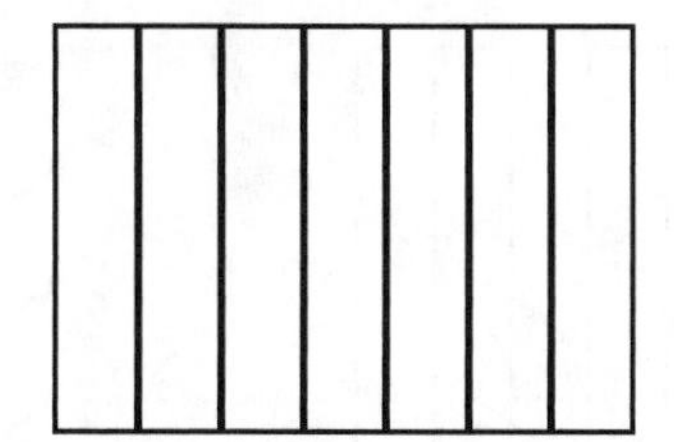

$\frac{4}{8}$

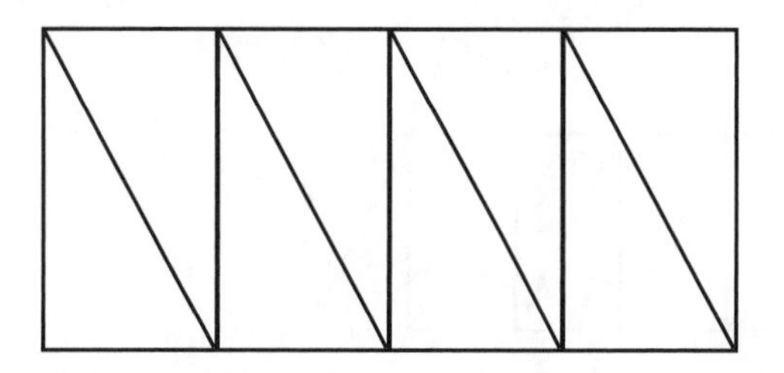

Les fractions

Colorie la fraction qui indique la partie du tout que l'on utilise.

$\frac{2}{2} = 1$

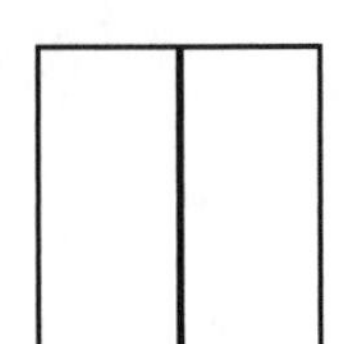

$\frac{1}{3}$

$\frac{3}{4}$

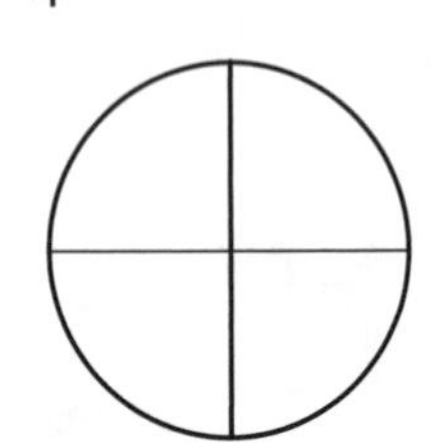

$\frac{4}{6}$

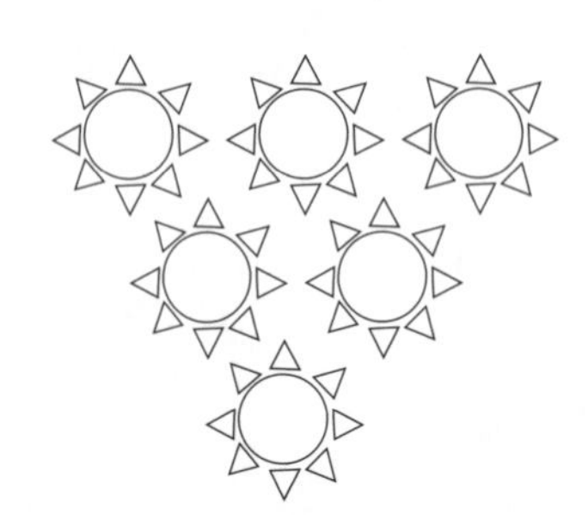

$\frac{3}{5}$

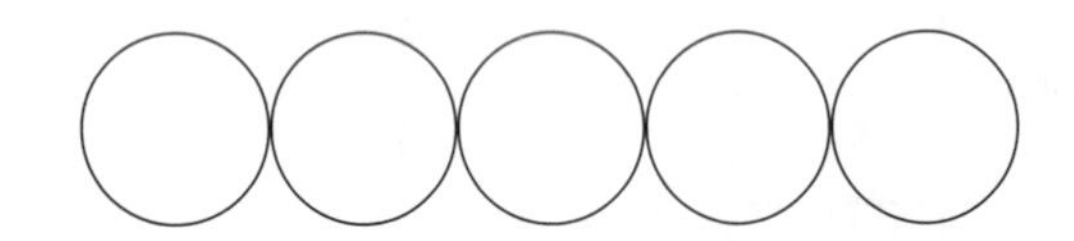

$\frac{12}{20}$

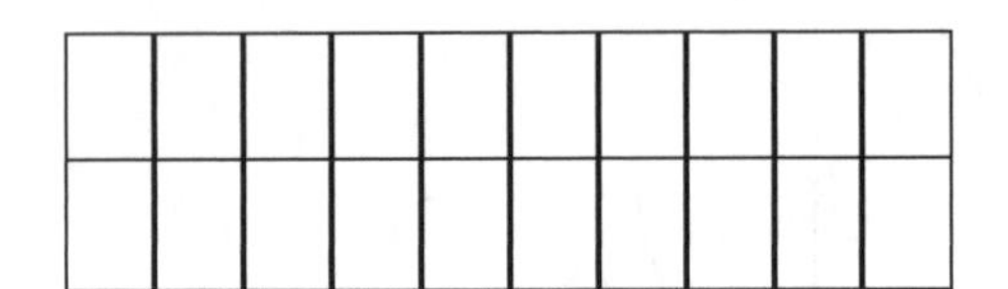

$\frac{7}{10}$

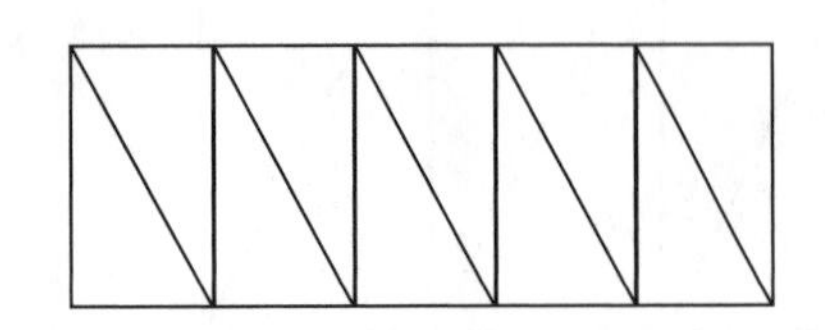

$\frac{1}{8}$

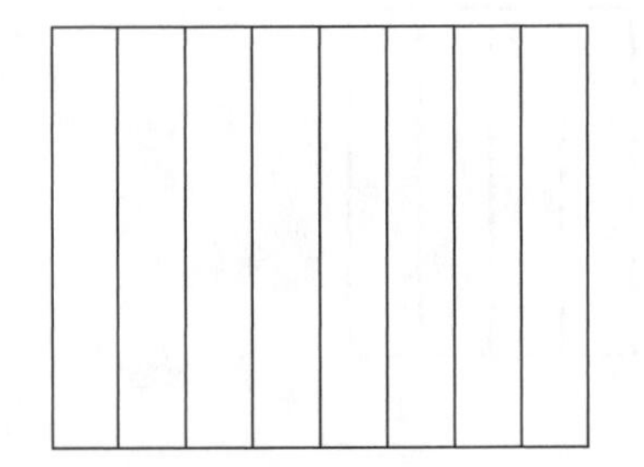

Les fractions

1. Écris la fraction.

a) ______

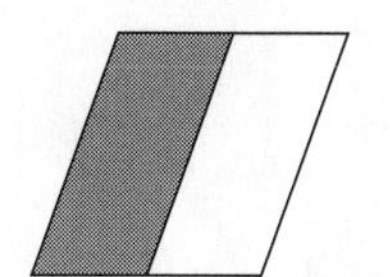

b) ______

c) ______

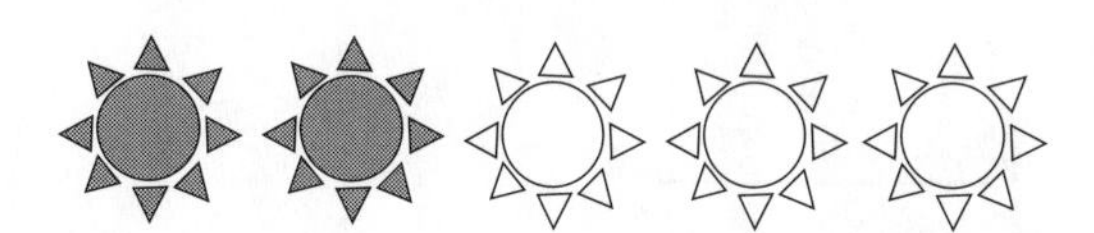

d) ______

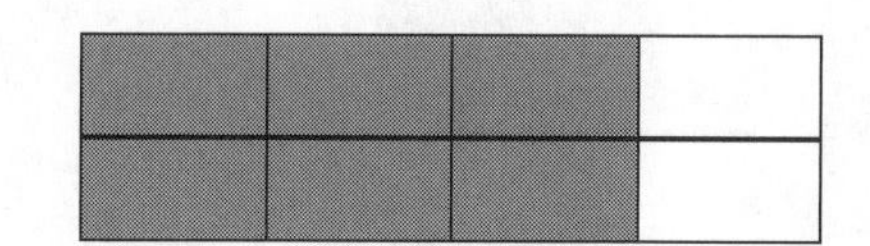

e) ______

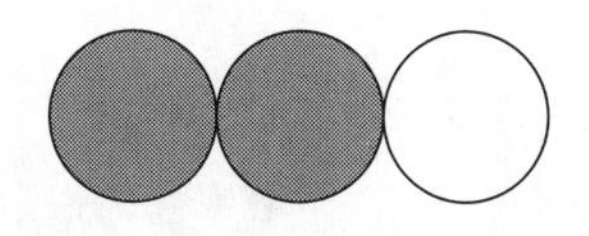

f) 

g) ______

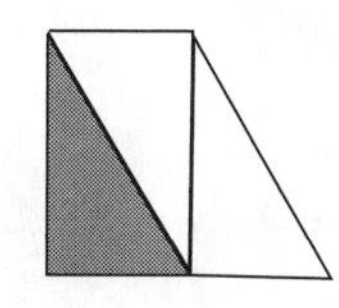

h) 

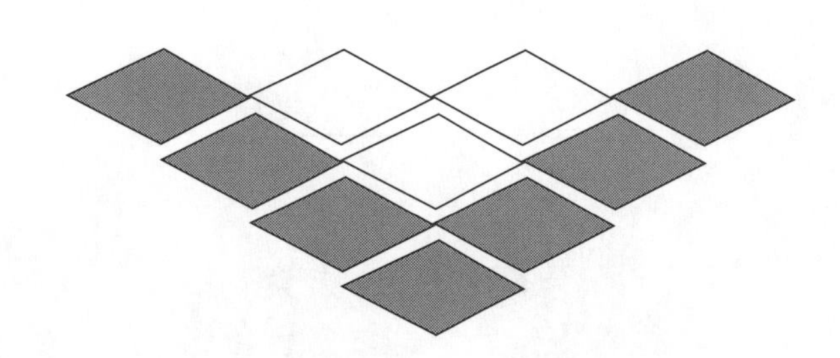

Les fractions

1. Écris une fraction équivalente à chaque fraction proposée.

a) $\frac{3}{6}$ = ________ b) $\frac{6}{12}$ = ________

c) $\frac{1}{2}$ = ________ d) $\frac{2}{4}$ = ________

e) $\frac{2}{6}$ = ________ f) $\frac{6}{10}$ = ________

g) $\frac{2}{5}$ = ________ h) $\frac{1}{3}$ = ________

i) $\frac{2}{12}$ = ________ j) $\frac{5}{10}$ = ________

k) $\frac{2}{3}$ = ________ l) $\frac{4}{5}$ = ________

m) $\frac{3}{4}$ = ________ n) $\frac{4}{8}$ = ________

o) $\frac{3}{9}$ = ________ p) $\frac{6}{8}$ = ________

q) $\frac{2}{10}$ = ________ r) $\frac{4}{12}$ = ________

Les fractions

1. Écris une fraction équivalente à chaque fraction proposée.

a) $\frac{2}{8}$ = ____________ b) $\frac{2}{12}$ = ____________

c) $\frac{9}{12}$ = ____________ d) $\frac{4}{18}$ = ____________

e) $\frac{4}{8}$ = ____________ f) $\frac{9}{15}$ = ____________

g) $\frac{2}{16}$ = ____________ h) $\frac{10}{12}$ = ____________

i) $\frac{6}{9}$ = ____________ j) $\frac{6}{16}$ = ____________

k) $\frac{3}{9}$ = ____________ l) $\frac{2}{18}$ = ____________

m) $\frac{6}{15}$ = ____________ n) $\frac{4}{14}$ = ____________

o) $\frac{8}{10}$ = ____________ p) $\frac{10}{20}$ = ____________

q) $\frac{2}{10}$ = ____________ r) $\frac{4}{12}$ = ____________

Les nombres décimaux

Un nombre décimal est un nombre exprimé en base dix.
On le reconnaît facilement grâce à sa virgule.

Le nombre décimal a **deux parties** :
La partie entière (**23**,4)
La partie fractionnaire (23,**4** – la décimale)

Le nombre 1327,4 **se lit** : mille trois cent vingt-sept et quatre dixièmes
Le nombre 1327,45 **se lit** : mille trois cent vingt-sept et quarante-cinq centièmes

La valeur de position d'un chiffre dans un nombre décimal : **1327,45.**
Le 1 vaut 1000 unités (1 unité de mille).
Le 3 vaut 300 unités (3 centaines).
Le 2 vaut 20 unités (2 dizaines).
Le 7 vaut 7 unités (7 unités).
Le 4 vaut 0,4 (4 dixièmes ou 4/10).
Le 5 vaut 0,05 (5 centièmes ou 5/100).

La décomposition de ce nombre décimal :**1327,4**

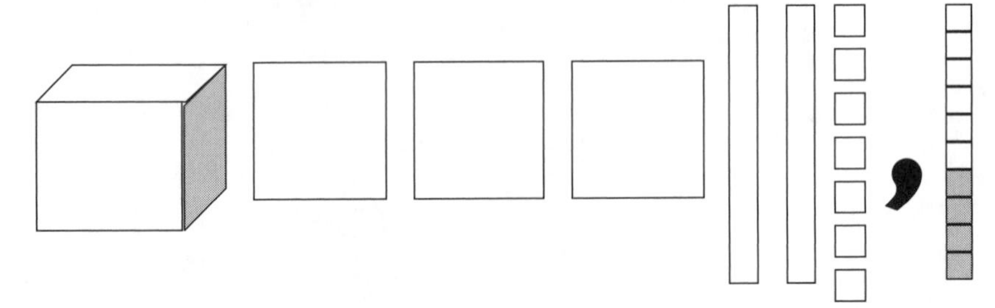

1. Lis les nombres suivants.

a) 23,56 b) 173,8 c) 845,92 d) 341,02 e) 92,6 f) 62,7

2. Écris les nombres suivants.

a) Quarante-six et cinq dixièmes : ______________________

b) Deux cent trente-huit et soixante et onze centièmes : ______________________

c) Vingt-neuf et huit centièmes : ______________________

Les nombres décimaux

1. Encercle le nombre décimal représenté sur la droite numérique.

a) 0,4 0,2 0,8

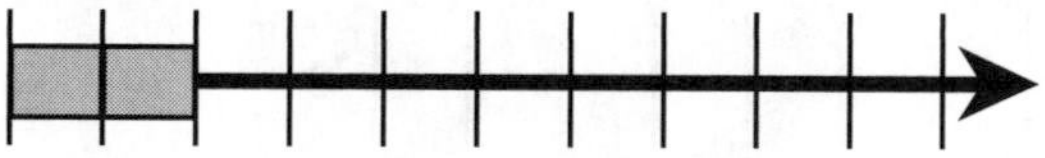

0 1

b) 0,4 0,1 0,5

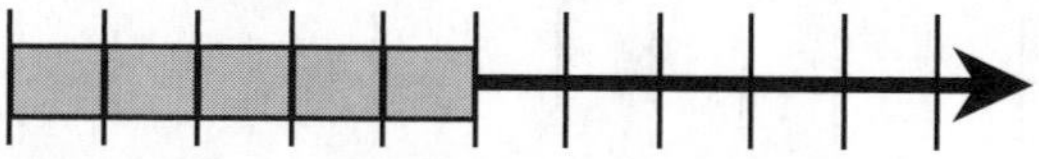

0 1

c) 0,8 0,9 0,7

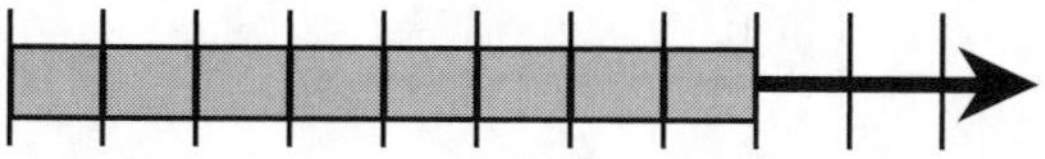

0 1

d) 0,6 0,3 0,5

0 1

e) 0,1 0,9 0,7

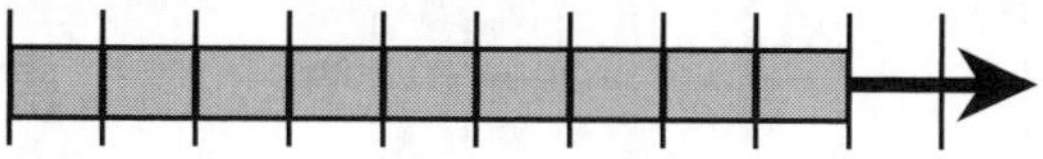

0 1

f) 0,4 0,2 0,6

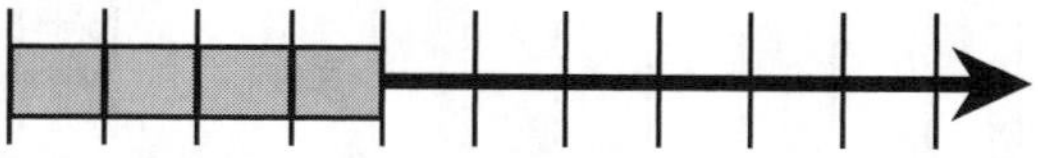

0 1

g) 0,4 0,9 0,6

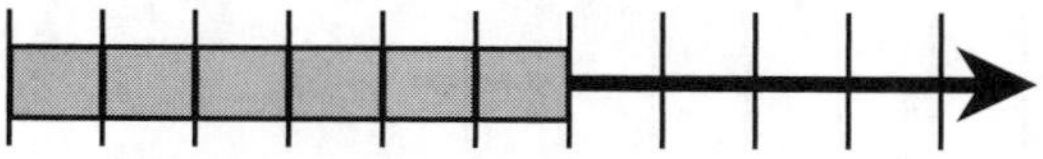

0 1

h) 0,1 0,8 0,9

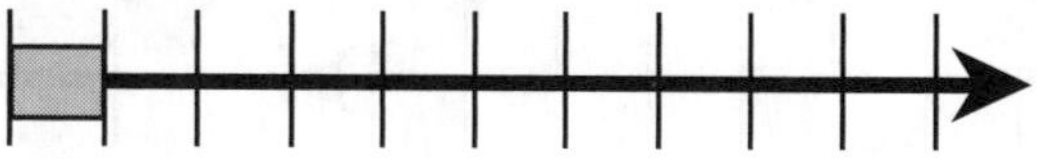

0 1

Les nombres décimaux

Représente sur la droite numérique les nombres suivants.

0,6

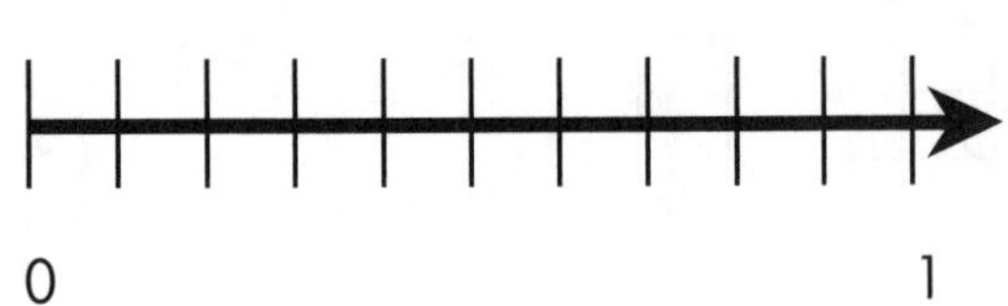

0,9

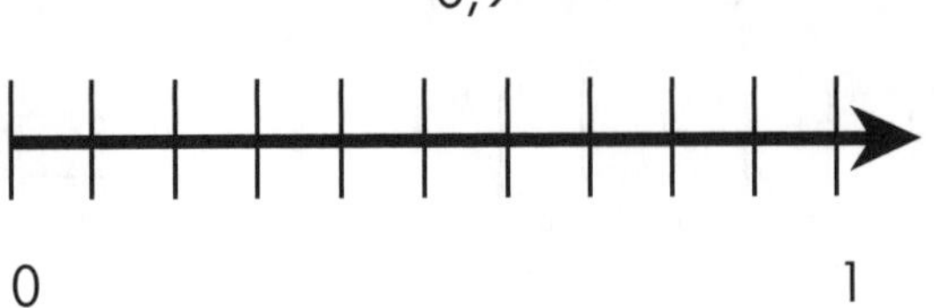

0,3

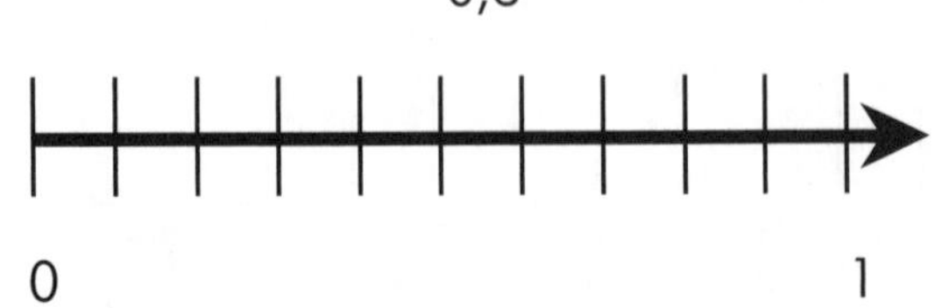

0,1

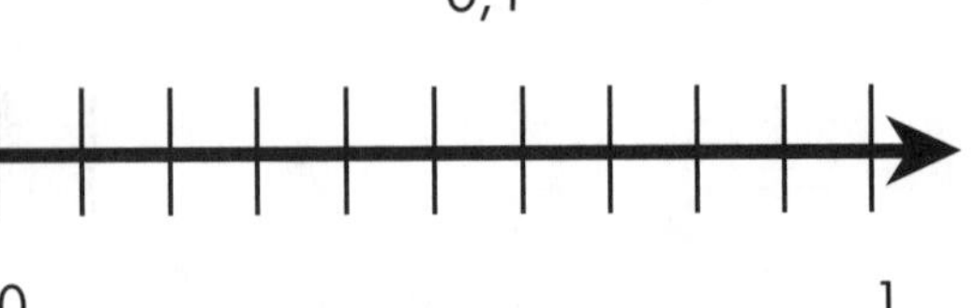

0,5

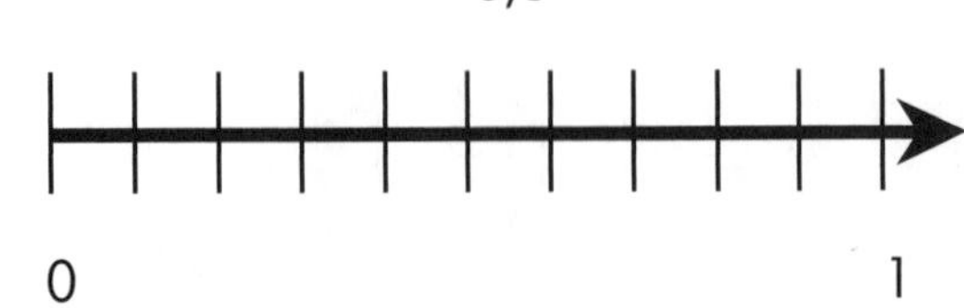

0,8

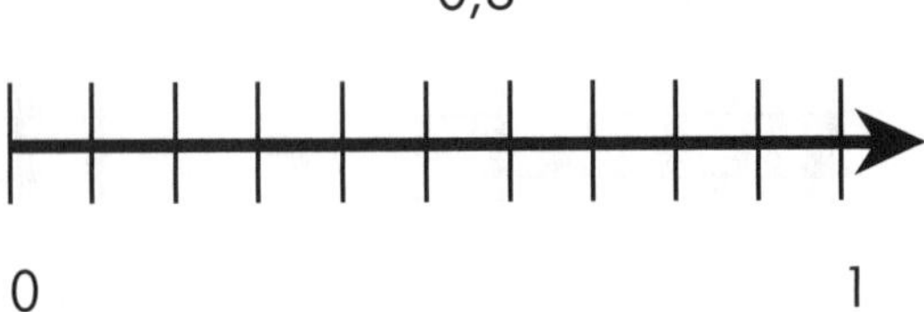

0,2

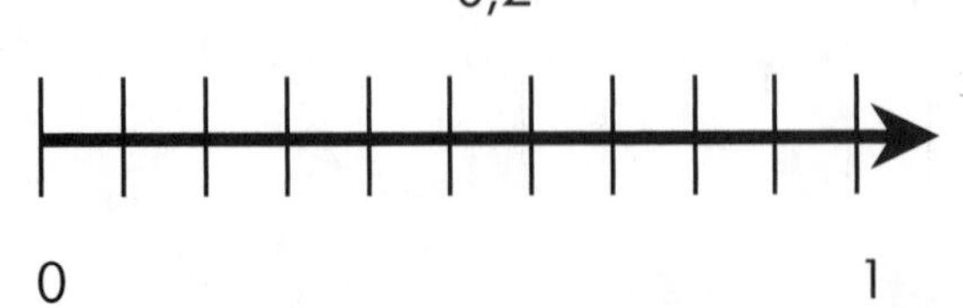

0,7

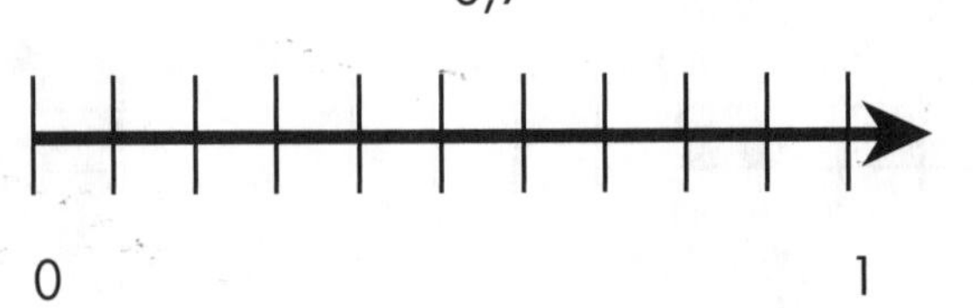

Les nombres décimaux

1. Transforme la fraction en nombre décimal. Colorie le nombre de dixièmes qui représentent ce nombre décimal.

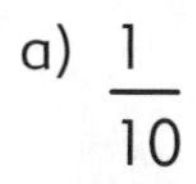

a) $\frac{1}{10}$ ______ , ______

b) $\frac{6}{10}$ ______ , ______

c) $\frac{4}{10}$ ______ , ______

d) $\frac{9}{10}$ ______ , ______

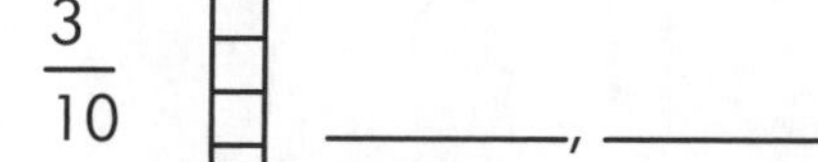

e) $\frac{8}{10}$ ______ , ______

f) $\frac{3}{10}$ ______ , ______

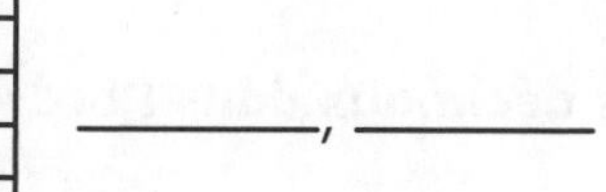

g) $\frac{7}{10}$ ______ , ______

h) $\frac{5}{10}$ ______ , ______

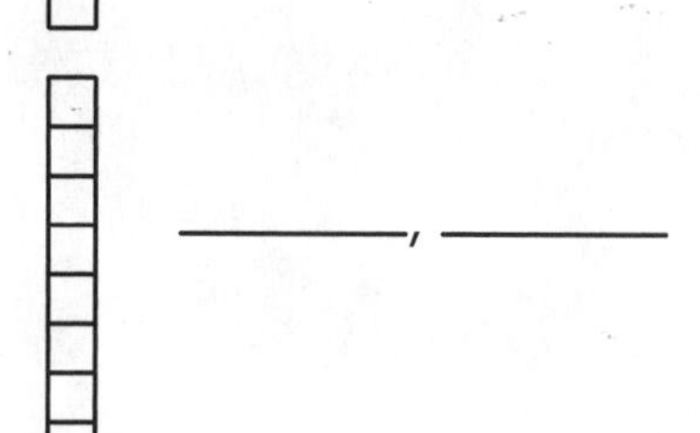

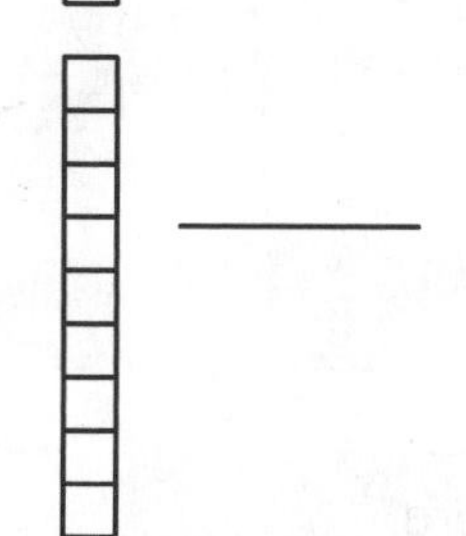

i) $\frac{2}{10}$ ______ , ______

j) $\frac{10}{10}$ ______

Les nombres décimaux

Écris les nombres décimaux dans l'ordre croissant sur les maillots de course et réponds aux questions.

1. 46,5 23,91 246,8 189,67 894, 18

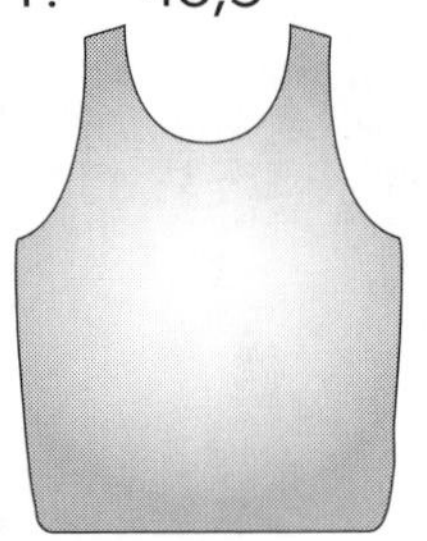 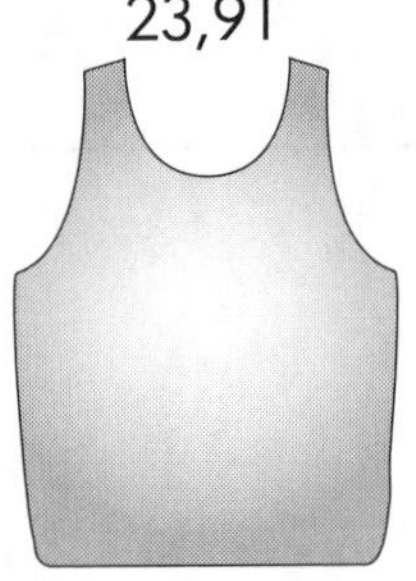 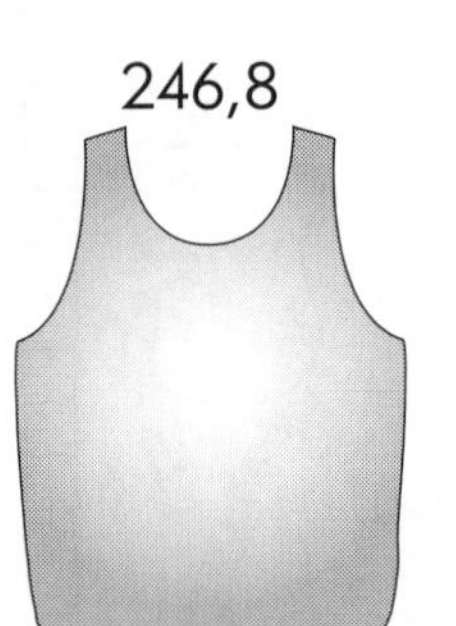 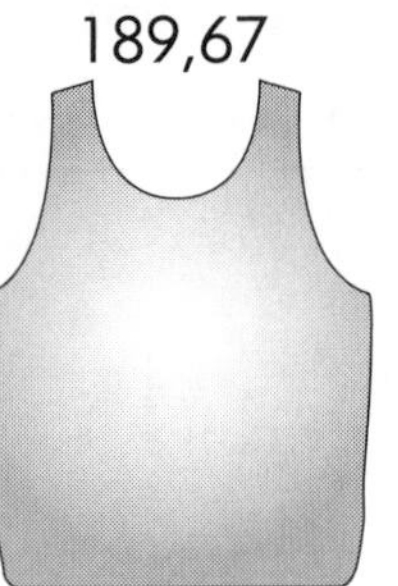 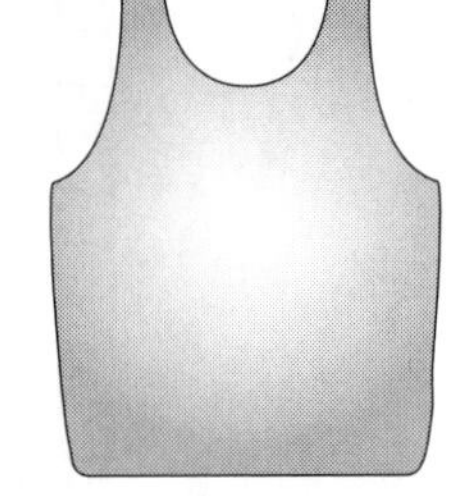

a) Écris le plus petit nombre ______________________

b) Écris le plus grand nombre. ______________________

c) Écris le nombre qui a huit dixièmes. ______________________

2. 14,06 902,9 67, 09 47,21 472,10

 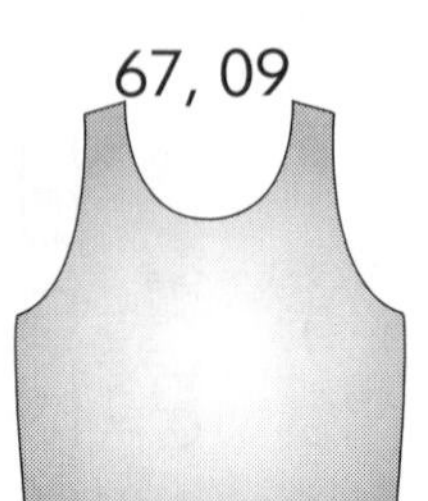 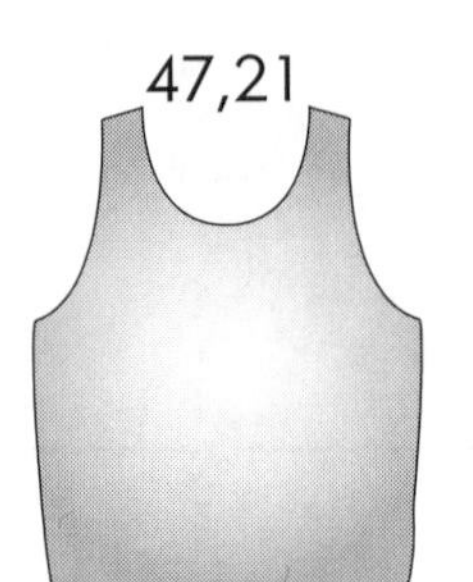 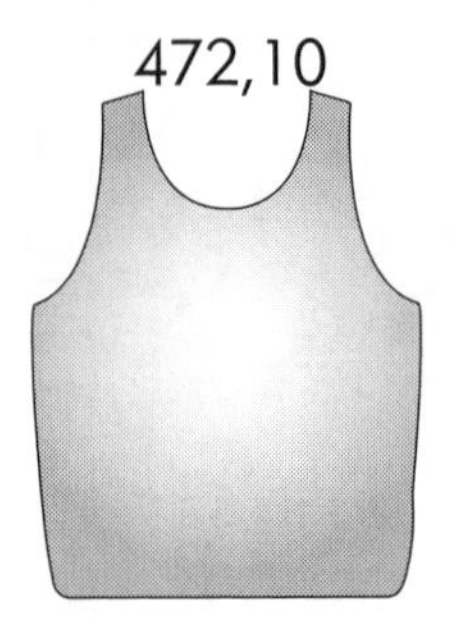

a) Écris le plus petit nombre. ______________________

b) Écris le plus grand nombre. ______________________

c) Écris le nombre qui a neuf centièmes. ______________________

Écris les nombres décimaux dans l'ordre décroissant sur les maillots de course et réponds aux questions.

3. 845,82 38,18 39,6 104,5 923,01

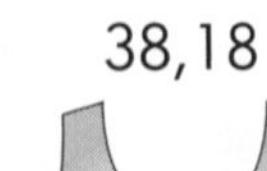

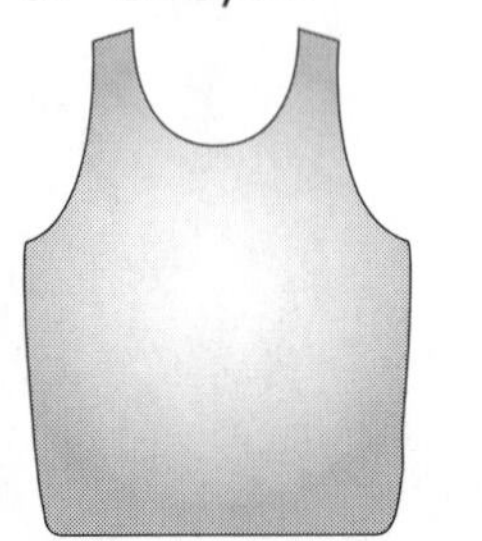 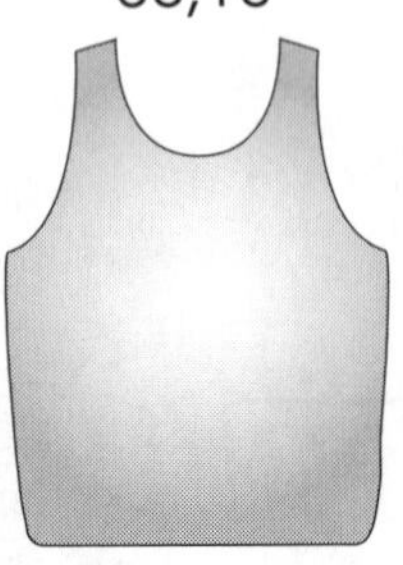  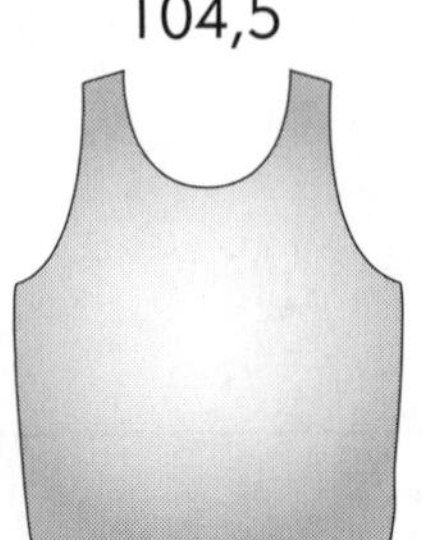 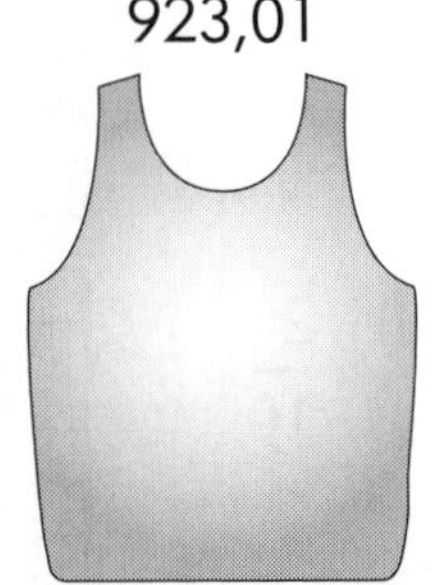

a) Écris le plus petit nombre. ______________________

b) Écris le plus grand nombre. ______________________

c) Écris le nombre qui a six dixièmes. ______________________

Les nombres décimaux

L'addition et la soustraction de nombres décimaux se font de la même façon qu'une addition et une soustraction de nombres naturels. Les virgules doivent être l'une en dessous de l'autre.

1. Effectue les additions avec les nombres décimaux.

a) 89,04 + 20,72 = ______

b) 42,53 + 17,22 = ______

c) 836,20 + 321,54 = ______

d) 2341,35 + 3728,28 = ______

e) 7153,06 + 1456,55 = ______

f) 1312,8 + 1294,5 = ______

2. Effectue les soustractions avec les nombres décimaux.

a) 354,53 − 210,32 = ______

b) 543,66 − 424,32 = ______

c) 9523,65 − 6192,45 = ______

d) 6786,61 − 4734,25 = ______

e) 7438,51 − 1826,36 = ______

f) 8286,65 − 1534,94 = ______

La résolution de problèmes

Les étapes pour résoudre un problème :

1. Lire le problème plusieurs fois.
2. Souligner en couleur les informations importantes.
3. Faire des images dans sa tête pour comprendre le problème.
4. Faire un dessin, un schéma ou un tableau.
5. Écrire la phrase mathématique pour résoudre le problème.
6. Calculer pour trouver la réponse de la phrase mathématique.
7. Écrire la réponse à côté de la phrase mathématique.

1. Résous les problèmes suivants.

a) Pour ramasser de l'argent pour sa sortie de classe, Camille vend des tartes. Elle a vendu 26 tartes aux pommes, 39 tartes au sucre et 17 tartes aux fruits. Combien de tartes Camille a-t-elle vendues en tout ?

Fais tes calculs.

____

Écris la phrase mathématique et la réponse sur la ligne.

b) Mathias et Jasmine aiment beaucoup dessiner des animaux. Jasmine a dessiné 7 éléphants de plus que Mathias. Jasmine a dessiné 21 éléphants. Combien d'éléphants Mathias a-t-il dessinés ?

Fais tes calculs.

____

Écris la phrase mathématique et la réponse sur la ligne.

La résolution de problèmes

1. Résous les problèmes suivants.

a) Pendant la fin de semaine, mon père, ma mère, mon frère et moi allons skier. À l'entrée, mon père paie avec 2 billets de 100 $. Quel montant d'argent le caissier doit-il lui remettre si une entrée pour adulte coûte 42 $ et une entrée pour enfant, 35 $?

Fais tes calculs.

____

Écris la phrase mathématique et la réponse sur la ligne.

b) Le grand-père de Béatrice a 71 ans et Béatrice a 16 ans. Combien d'années de plus que Béatrice, son grand-père a-t-il ?

Fais tes calculs.

____

Écris la phrase mathématique et la réponse sur la ligne.

c) Léanne et Alexia sautent à la corde. Léanne saute 23 fois de moins qu'Alexia. Léanne a sauté 46 fois. Combien de fois Alexia a-t-elle sauté ?

Fais tes calculs.

____

Écris la phrase mathématique et la réponse sur la ligne.

La résolution de problèmes

1. Résous les problèmes suivants.

a) Mathieu fait une collection de timbres. Il a 375 timbres dans sa collection. Ce matin, il en a donné 46 à son ami Félix et 39 à son amie Rosalie. Combien de timbres Mathieu a-t-il maintenant?

Fais tes calculs.

____

Écris la phrase mathématique et la réponse sur la ligne.

b) Vincent a pêché 27 truites. Il a donné quelques truites à son grand-père. Vincent a maintenant 19 truites. Combien de truites Vincent a-t-il données à son grand-père?

Fais tes calculs.

____

Écris la phrase mathématique et la réponse sur la ligne.

c) Samuel ramasse son argent pour s'acheter un jeu vidéo. Il a 237$ dans son portefeuille. Pour sa fête, ses parents lui donnent 85$ et sa tante, 62$. Combien d'argent Samuel a-t-il ramassé jusqu'à présent?

Fais tes calculs.

____

Écris la phrase mathématique et la réponse sur la ligne.

La résolution de problèmes

1. Résous les problèmes suivants.

a) Alice veut une corde à danser de 5 m de longueur. Elle a déjà une corde de 63 dm. Combien de cm Julia doit-elle enlever à sa corde pour que celle-ci mesure 5 m ?

Fais tes calculs.

____

Écris la phrase mathématique et la réponse sur la ligne.

b) Anaïs, Marie et Victor ont ensemble 749 billes. Anaïs possède 213 billes et Marie, 178 billes. Combien de billes Victor possède-t-il ?

Fais tes calculs.

____

Écris la phrase mathématique et la réponse sur la ligne.

c) Victoria fait un collier avec des perles de couleurs. Elle utilise en tout 246 perles. Elle place 95 perles blanches, 108 perles rouges et le reste sont des perles jaunes. Combien de perles jaunes Victoria utilise-t-elle pour son collier ?

Fais tes calculs.

____

Écris la phrase mathématique et la réponse sur la ligne.

La résolution de problèmes

1. Résous les problèmes suivants.

a) Mon Papi donne les pommes de ses pommiers. Il a en tout 231 pommes vertes et 347 pommes rouges. Il donne 96 pommes vertes et 164 pommes rouges. Combien de pommes lui reste-t-il en tout?

Fais tes calculs.

____

Écris la phrase mathématique et la réponse sur la ligne.

b) Dans une salle de cinéma, toutes les rangées ont 13 sièges. Il y a 8 rangées en tout. S'il y a 3 places inoccupées, combien de personnes regardent le film dans cette salle?

Fais tes calculs.

____

Écris la phrase mathématique et la réponse sur la ligne.

c) Caroline prépare des biscuits pour ses élèves. Elle fait 28 biscuits au chocolat et 86 biscuits aux fruits. Si Caroline donne 6 biscuits à chacun de ses élèves, combien Caroline a-t-elle d'élèves dans sa classe?

Fais tes calculs.

____

Écris la phrase mathématique et la réponse sur la ligne.

La résolution de problèmes

1. Résous les problèmes suivants.

a) Marilou a 5 sacs de bonbons. Dans chaque sac, il y a 6 bonbons. Combien de bonbons Marilou a-t-elle ?

Fais tes calculs.

____

Écris la phrase mathématique et la réponse sur la ligne.

b) Zachary a ramassé 42 fleurs pour sa maman. Il désire les placer dans des vases. Il ne place pas plus de 7 fleurs par vase. De combien de vases Zachary aura-t-il besoin ?

Fais tes calculs.

____

Écris la phrase mathématique et la réponse sur la ligne.

c) Lucas a acheté des livres à 4 $ chacun. Cela lui a coûté 48 $. Combien de livres a-t-il achetés ?

Fais tes calculs.

____

Écris la phrase mathématique et la réponse sur la ligne.

La résolution de problèmes

1. Résous les problèmes suivants.

a) David a acheté 63 pommes pour ses élèves. C'est 3 fois plus que Louis. Combien de pommes Louis a-t-il achetées?

Fais tes calculs.

____

Écris la phrase mathématique et la réponse sur la ligne.

b) Un jeu vidéo coûte 29 $. Philippe achète 5 jeux vidéo. Combien cela lui coûtera-t-il?

Fais tes calculs.

____

Écris la phrase mathématique et la réponse sur la ligne.

c) Mélodie fait 18 kilomètres par heure en vélo. Si elle fait du vélo durant 4 heures, combien de kilomètres va-t-elle parcourir?

Fais tes calculs.

____

Écris la phrase mathématique et la réponse sur la ligne.

La résolution de problèmes

1. Résous les problèmes suivants.

a) Mamie a acheté 9 poires. Maman en achète 4 fois plus. Combien de poires maman a-t-elle achetées ?

Fais tes calculs.

____

Écris la phrase mathématique et la réponse sur la ligne.

b) Mathis a un très gros appétit, il mange la moitié d'une douzaine d'œufs pour déjeuner. Combien Mathis mange-t-il d'œufs ?

Fais tes calculs.

____

Écris la phrase mathématique et la réponse sur la ligne.

c) Maman a cuisiné 24 pâtés avec Mamie. Maman donne le $3/4$ des pâtés à Mamie. Combien de pâtés Mamie a-t-elle ?

Fais tes calculs.

____

Écris la phrase mathématique et la réponse sur la ligne.

L'espace

1. Écris la position des lettres.

a) A (________) B (________) C (________) D (________)

A B C D

0 2 4

b) A (________) B (________) C (________) D (________)

A B C D

0 5 10

c) A (________) B (________) C (________) D (________)

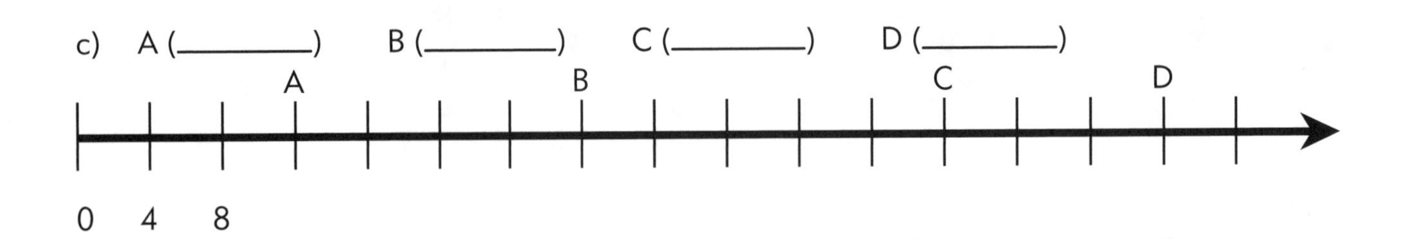

d) A (________) B (________) C (________) D (________)

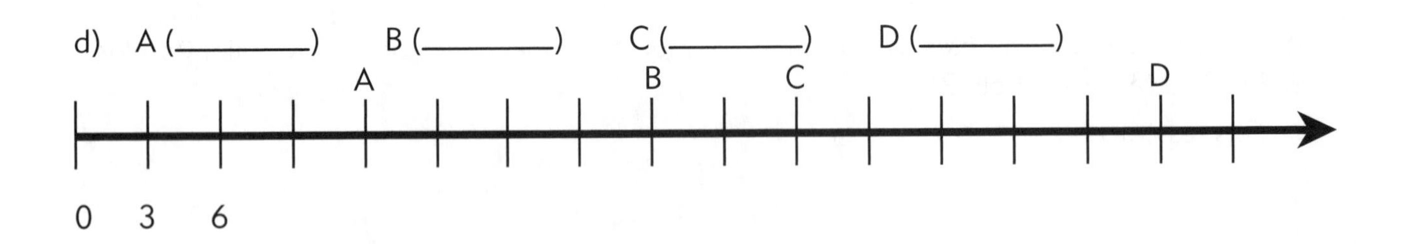

e) A (________) B (________) C (________) D (________)

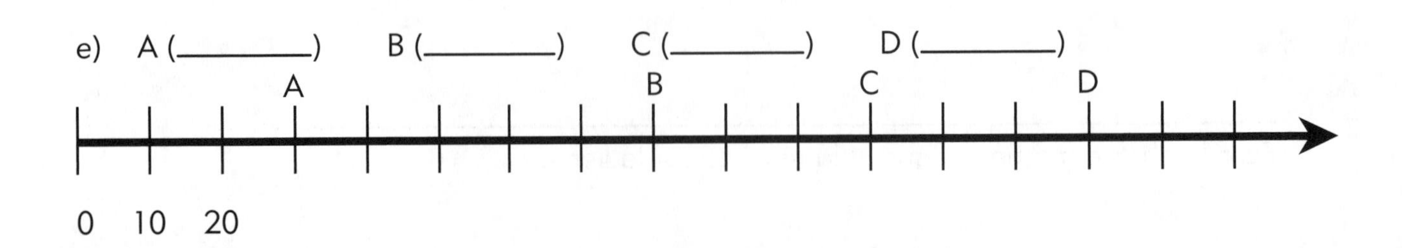

L'espace

Indique sur la droite numérique la position des lettres.

A (8) B (14) C (20) D (24)

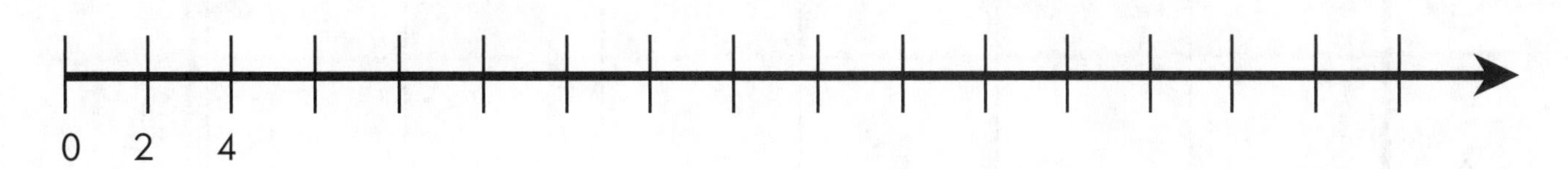

A (25) B (40) C (55) D (80)

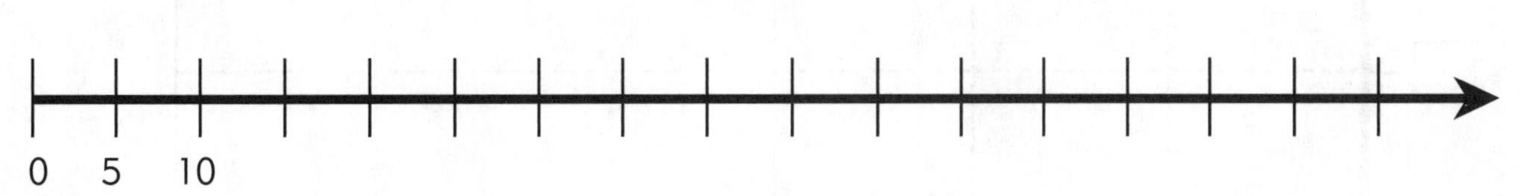

A (16) B (24) C (40) D (64)

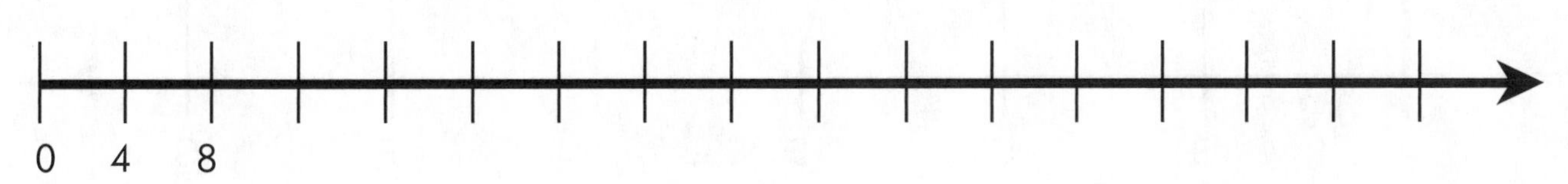

A (9) B (27) C (33) D (42)

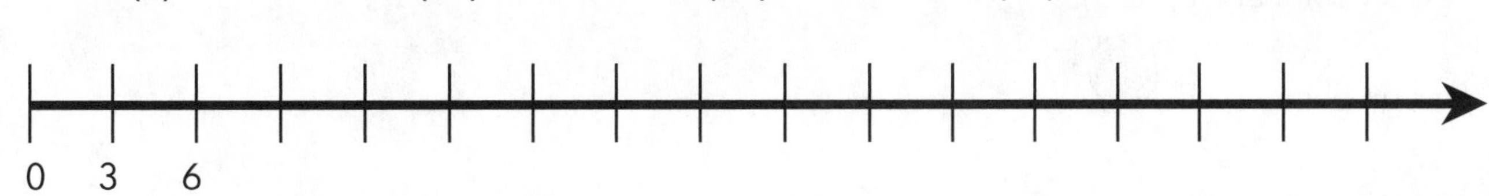

A (40) B (60) C (100) D (150)

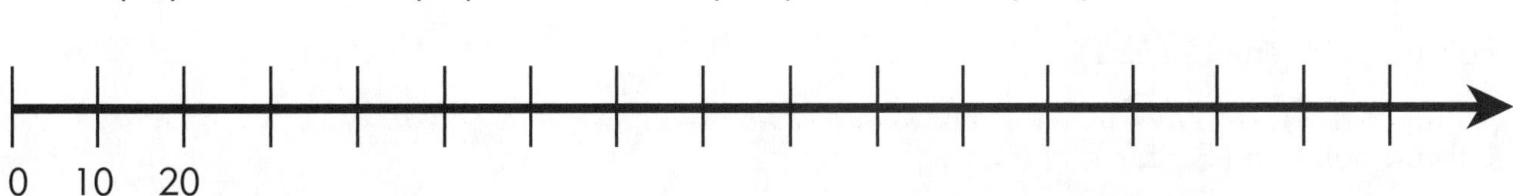

L'espace

Situe les points dans le plan.

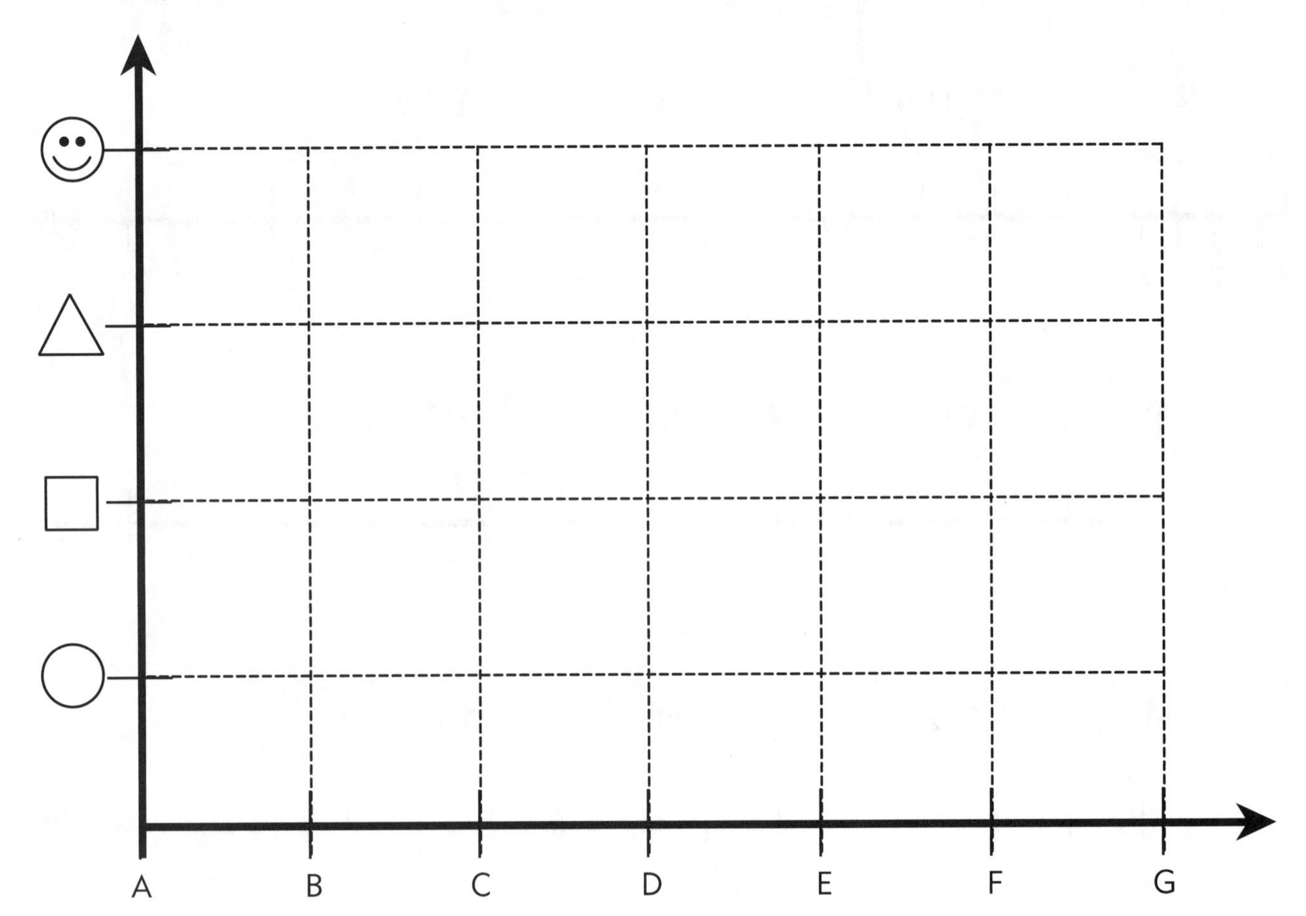

Fais un point en (B, □).

Fais un point en (E, ○).

Fais un point en (A, △).

Fais un point en (G, □).

Fais un point en (C, △).

Fais un point en (F, ☺).

Fais un point en (D, ○).

L'espace

Situe les points dans le plan.

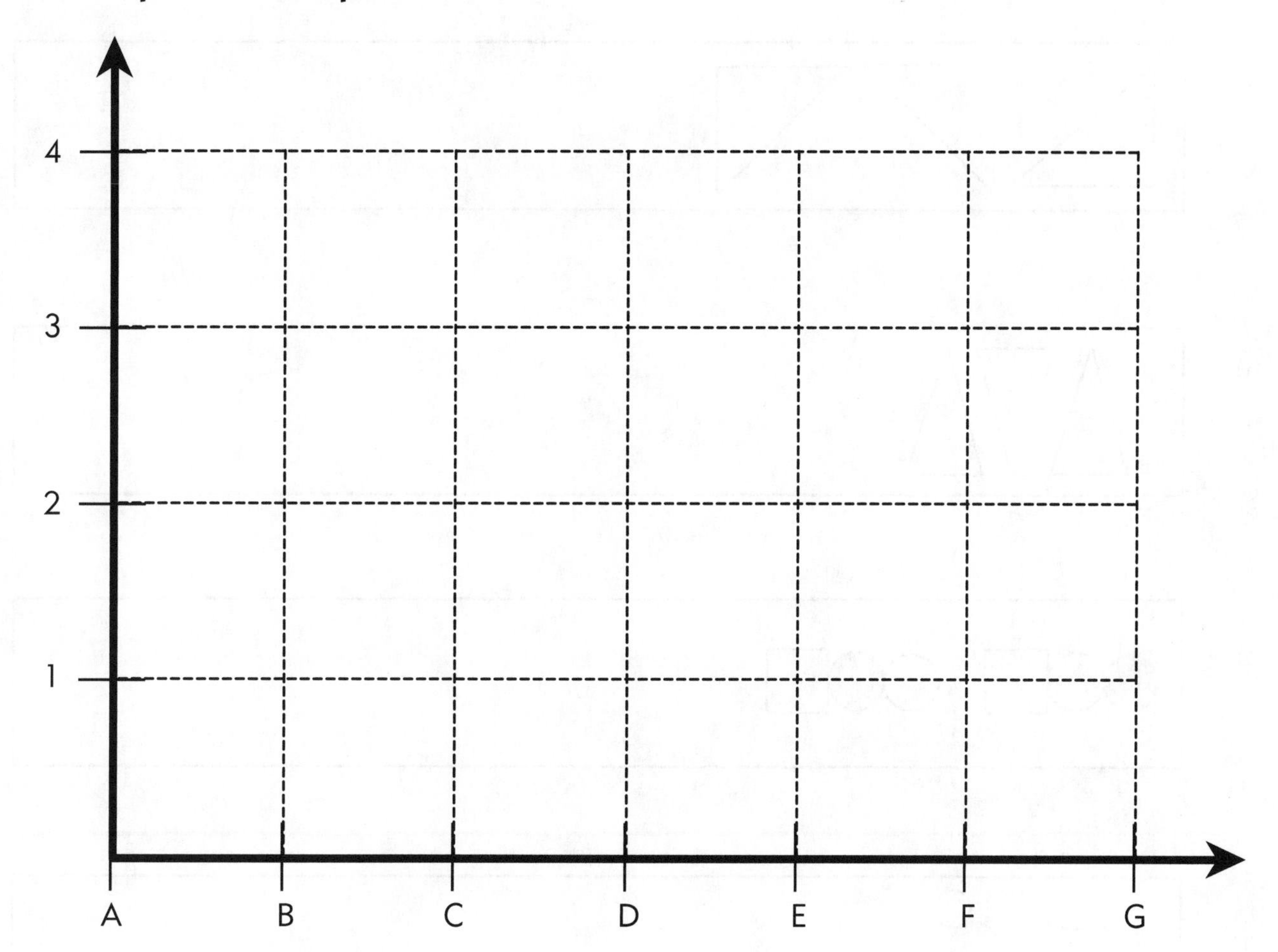

Fais un point en (E, 3).

Fais un point en (B, 1).

Fais un point en (G, 4).

Fais un point en (A, 2).

Fais un point en (D, 4).

Fais un point en (C, 2).

Fais un point en (F, 3).

Les frises et les dallages

1. Complète les frises en ajoutant 3 éléments à la régularité.

a)

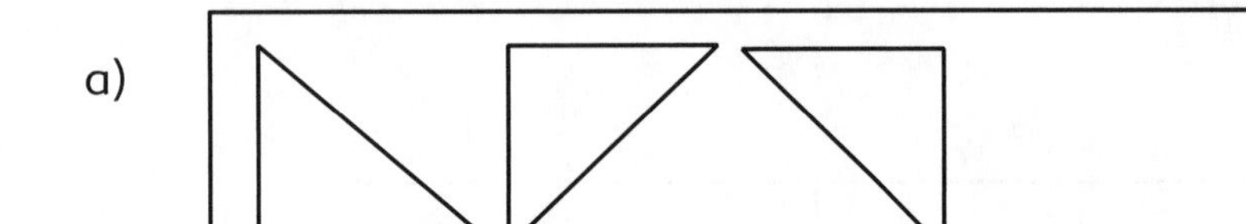

b)

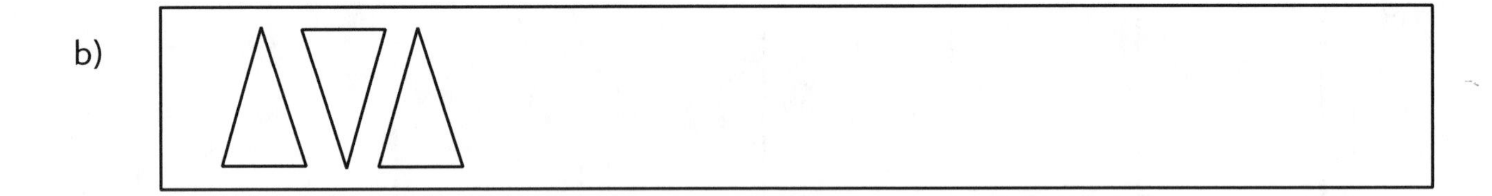

c)

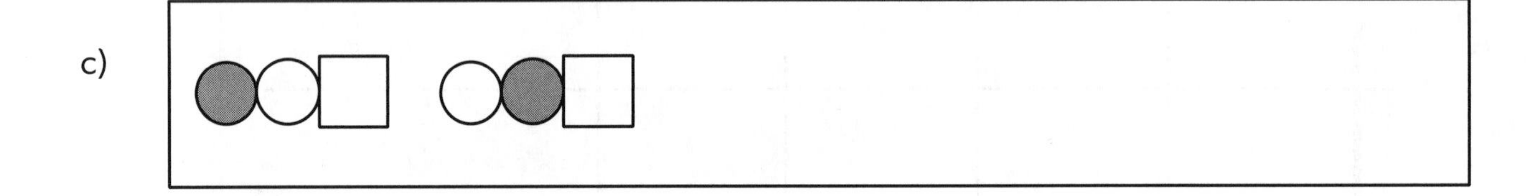

d)

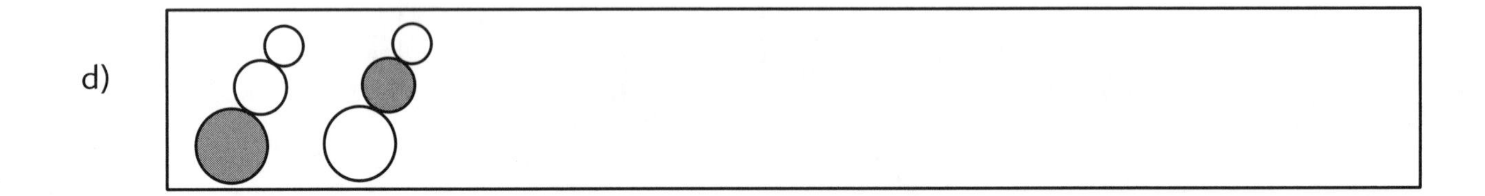

e)

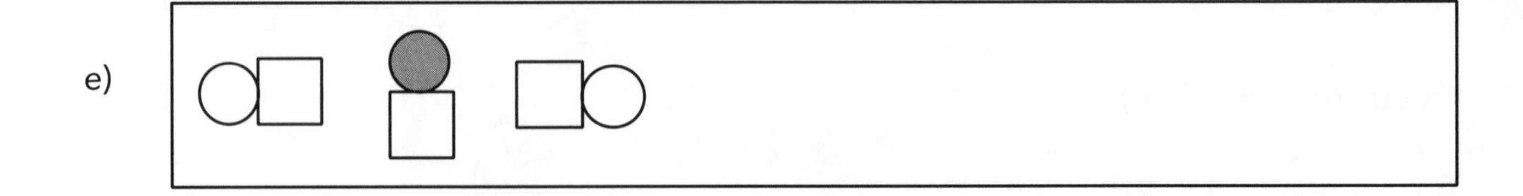

f)

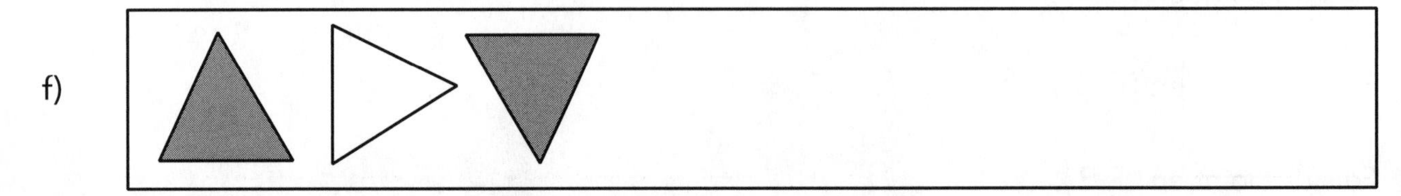

Les frises et les dallages

La réflexion est la transformation géométrique d'une figure.
Pour produire la figure image, on utilise l'axe de réflexion.

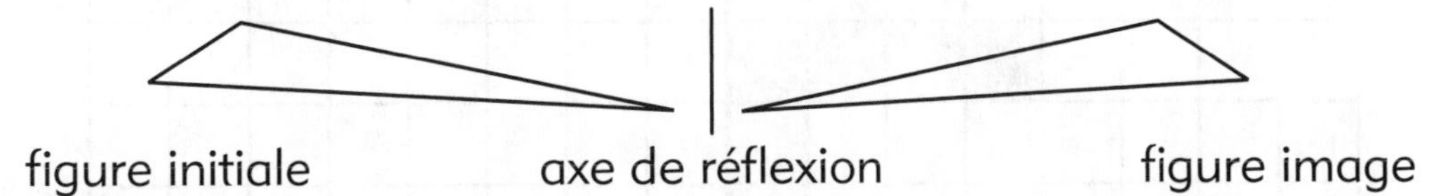

1. Complète les frises par réflexion. Tu peux utiliser du papier-calque.

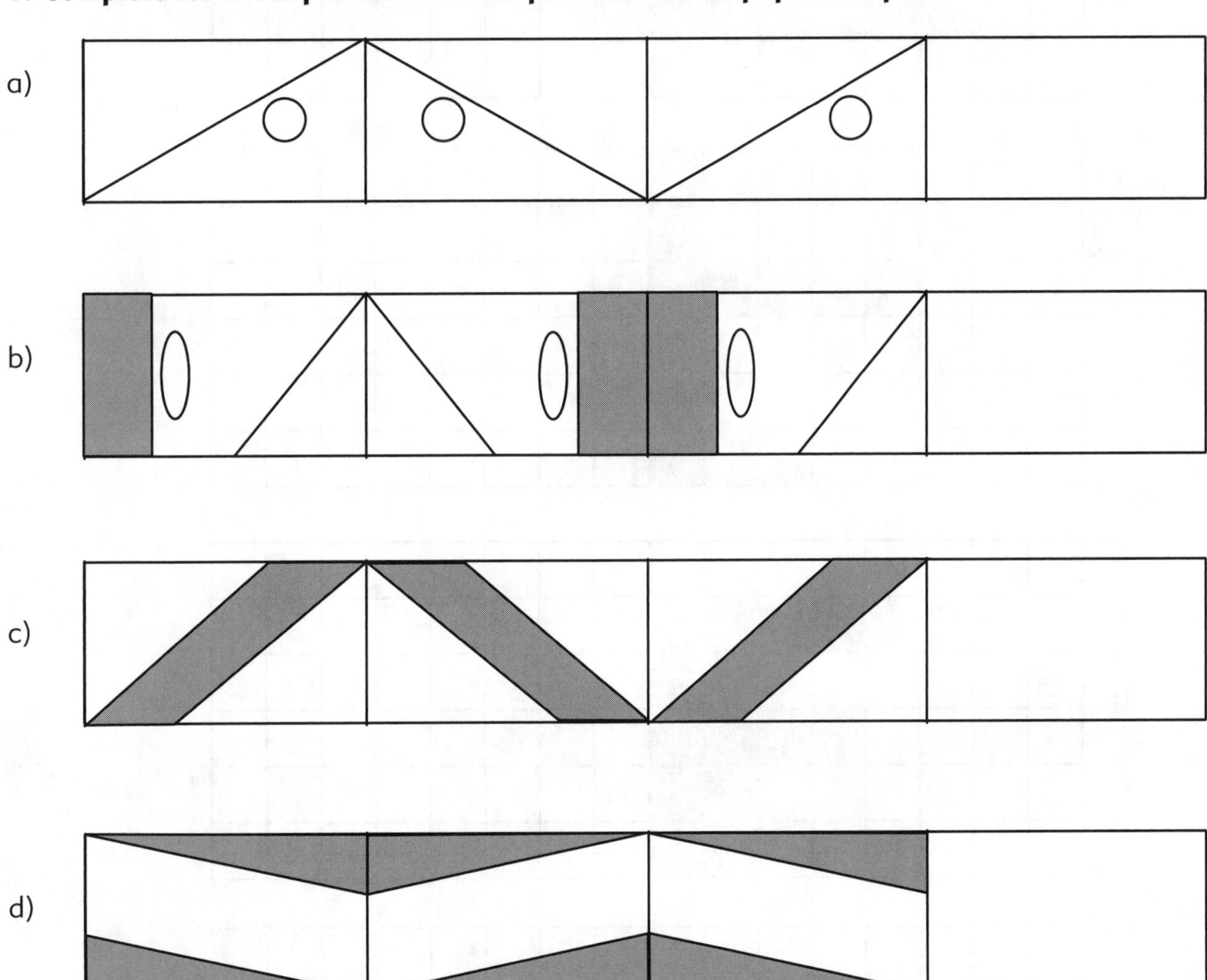

Les frises et les dallages

1. Complète les dallages par réflexion. Tu peux utiliser du papier-calque.

a)

b)

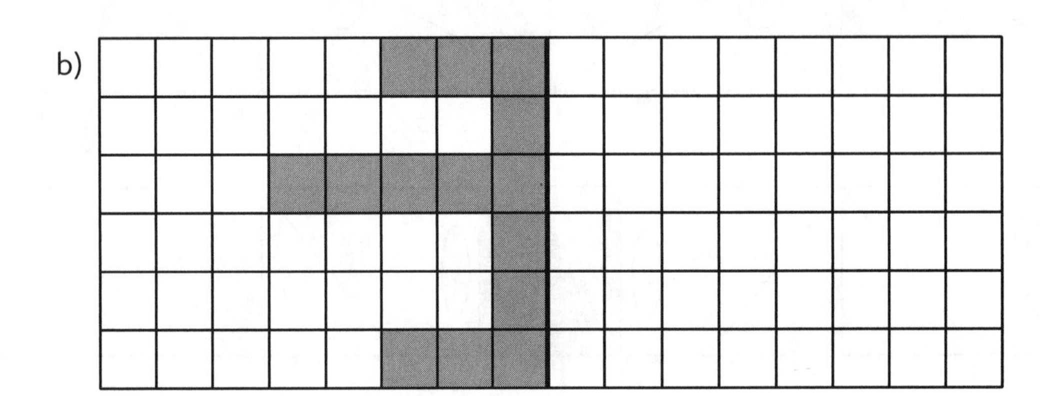

c)

d)

Les frises et les dallages

1. Complète les dallages par réflexion. Tu peux utiliser du papier-calque.

a)

b)

c)

d)

Les figures planes

Un **polygone** est fait d'une ligne brisée et fermée. Les polygones n'ont pas tous le même nom, cela dépend de leur nombre de côtés.

 3 côtés = triangle

 4 côtés = quadrilatère

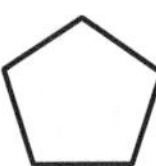 5 côtés = pentagone

 6 côtés = hexagone

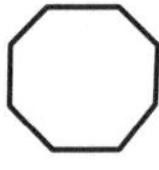 8 côtés = octogone

 10 côtés = décagone

Un polygone **convexe** : aucune de ses lignes ne passe à l'intérieur de celui-ci.

Exemple : 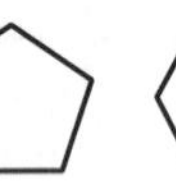 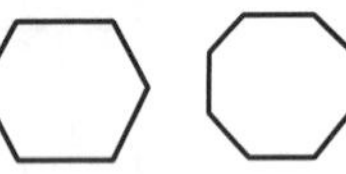

Un polygone **non convexe** : au moins une de ses lignes passe à l'intérieur de celui-ci.

Exemple : 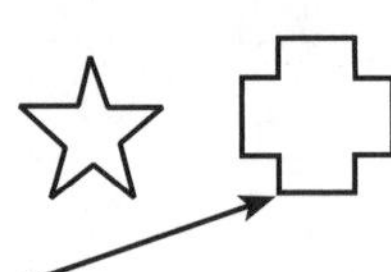 

Le **sommet** est le point de rencontre de 2 côtés.

Dessine les polygones.

quadrilatère convexe

pentagone non convexe

décagone non convexe

octogone convexe

Les figures planes

1. Relie le polygone avec sa description.

a) 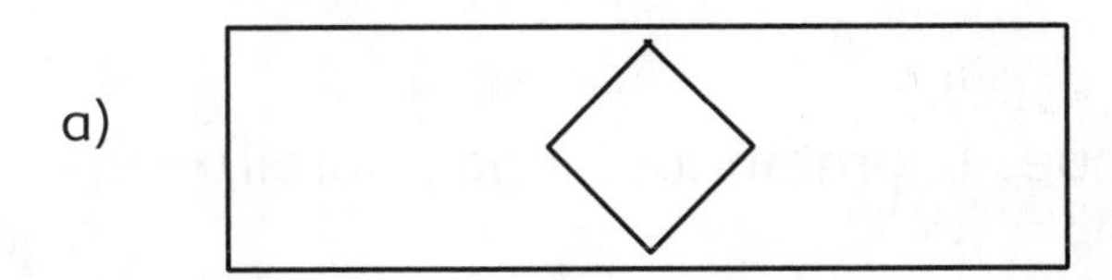

b) 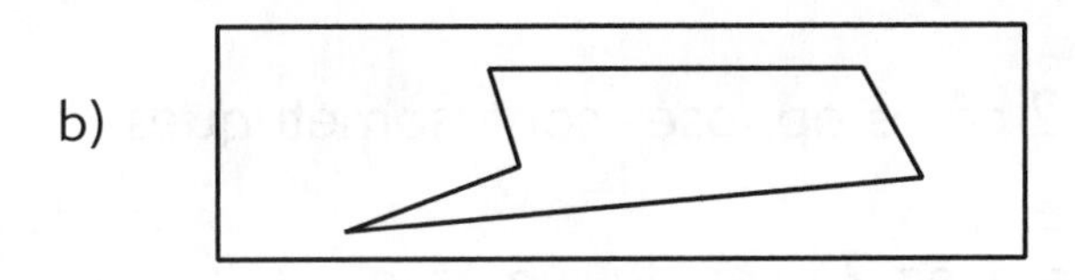

c) 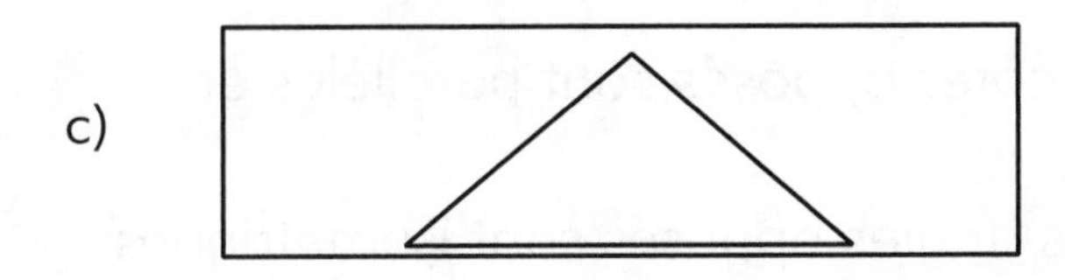

d) 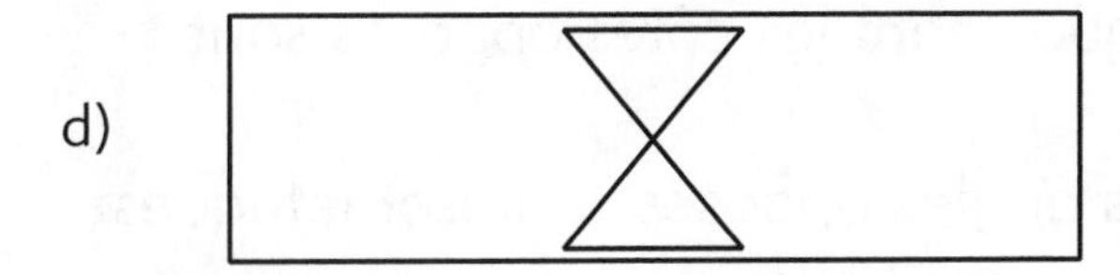

e) 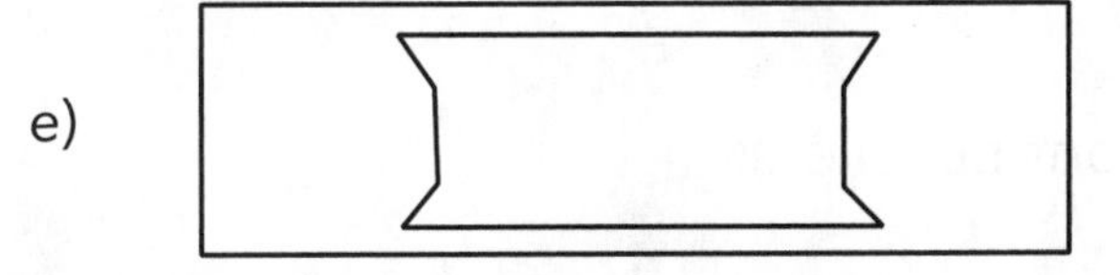

f) 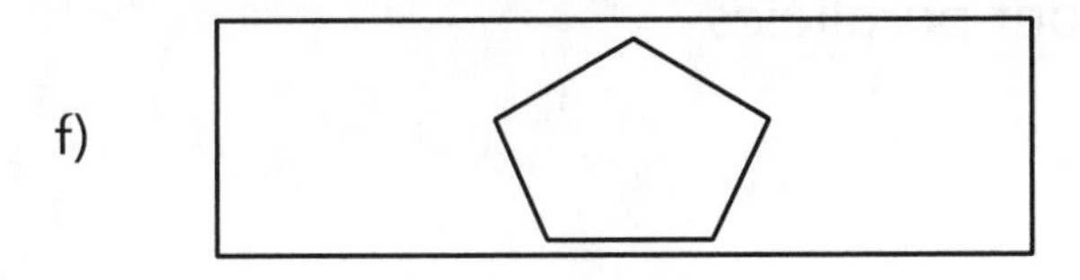

g) 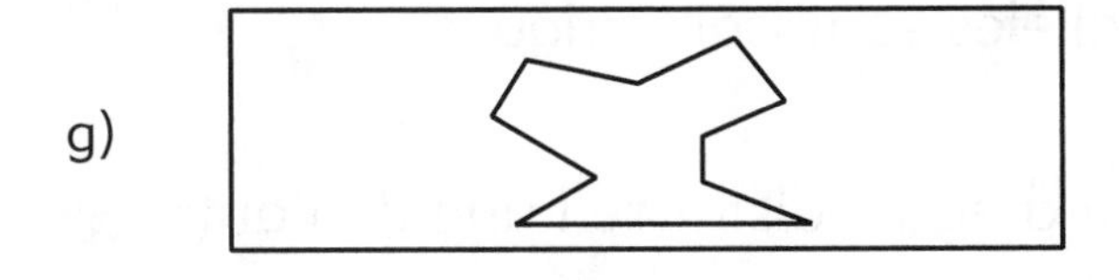

1. octogone non convexe
2. 3 lignes brisées fermées convexe
3. décagone non convexe
4. 4 lignes brisées fermées convexe
5. pentagone convexe
6. hexagone non convexe
7. 5 lignes brisées fermées non convexe

Les figures planes

Un **quadrilatère** est un polygone à 4 côtés.
Il y a plusieurs sortes de quadrilatère.

Le carré :

4 côtés isométriques (isométrique : égal, pareil)
4 angles droits
figure symétrique avec 4 axes de symétrie

Le rectangle :

4 côtés dont les 2 côtés opposés sont isométriques
4 angles droits
figure symétrique avec 2 axes de symétrie

Le parallélogramme :

4 côtés dont les côtés opposés sont parallèles et isométriques
4 angles dont les angles opposés sont isométriques

Le losange :

4 côtés isométriques dont les côtés opposés sont parallèles
4 angles dont les angles opposés sont isométriques
figure symétrique avec 2 axes de symétrie
le losange est un parallélogramme

Le trapèze :

4 côtés dont 2 sont parallèles

Le trapèze rectangle :

4 côtés dont 2 sont parallèles
2 angles droits

Le trapèze isocèle :

4 côtés dont 2 sont parallèles
2 côtés non parallèles sont isométriques

Les lignes parallèles :

2 droites qui sont à égale distance l'une de l'autre

Les lignes perpendiculaires :

2 droites qui se croisent et qui forment un angle droit

Les figures planes

1. Fais un X au bon endroit.

	parallélogramme	trapèze	lignes parallèles	lignes perpendiculaires
a) 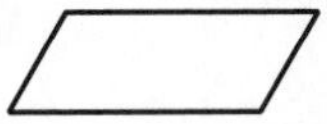				
b) 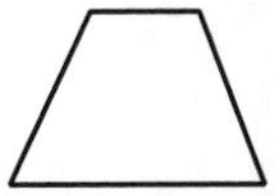				
c) 				
d) 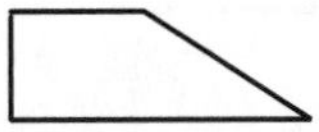				
e) 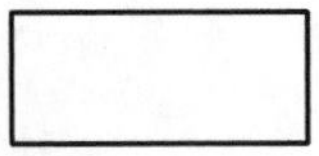				
f) 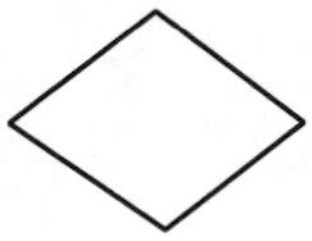				
g) 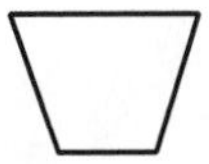				

Les figures planes

Dessine les quadrilatères et les lignes.

lignes perpendiculaires

lignes parallèles

losange

trapèze rectangle

(2 côtés //)

trapèze isocèle

parallélogramme

rectangle

carré

Les figures planes

1. Relie le quadrilatère ou les lignes à leur description et écris leur nom.

a)

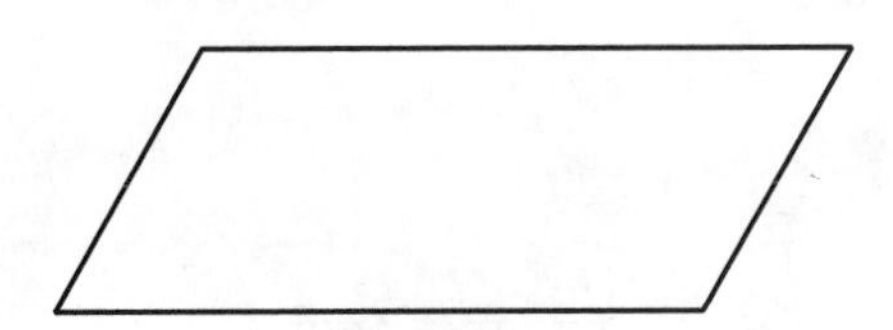

b)

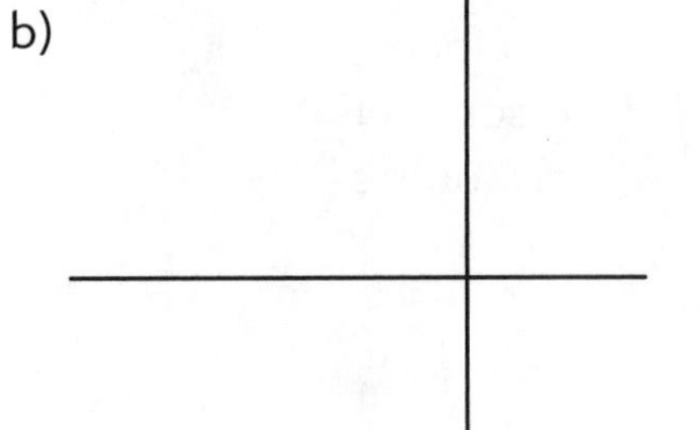

c)

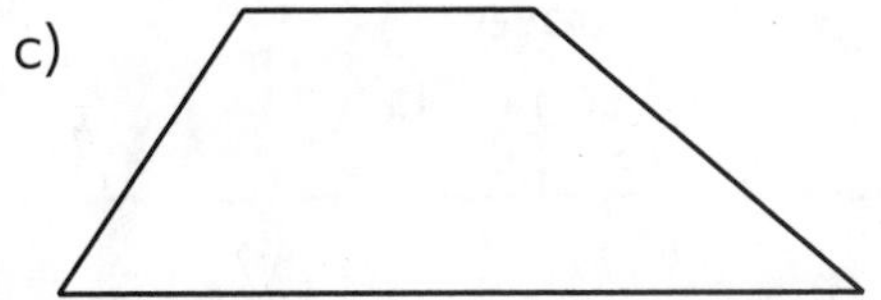

d)

e)

1. 2 droites qui sont à égale distance l'une de l'autre

   Nom : ____________________

2. 4 côtés dont les côtés opposés sont parallèles et isométriques
   4 angles dont les angles opposés sont isométriques

   Nom : ____________________

3. 4 côtés dont 2 sont parallèles

   Nom : ____________________

4. 4 côtés isométriques
   4 angles droits
   figure symétrique avec 4 axes de symétrie

   Nom : ____________________

5. 2 droites qui se croisent et qui forment un angle droit

   Nom : ____________________

Les solides

L'arête est une ligne d'intersection, déterminée par la rencontre de 2 faces. La face est le côté du solide. Le sommet est le point de rencontre d'au moins 3 faces ou d'au moins 2 arêtes.

Les prismes :

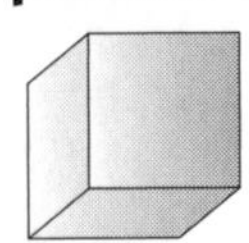

cube
6 faces
8 sommets
12 arêtes

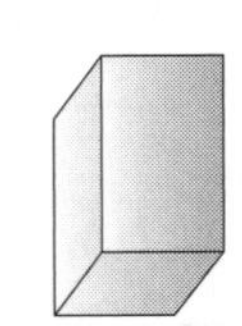

prisme à base carrée
6 faces
8 sommets
12 arêtes

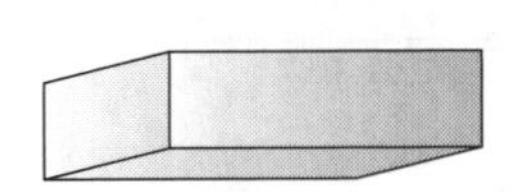

prisme à base rectangulaire
6 faces
8 sommets
12 arêtes

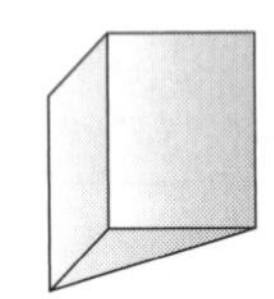

prisme à base triangulaire
5 faces
6 sommets
9 arêtes

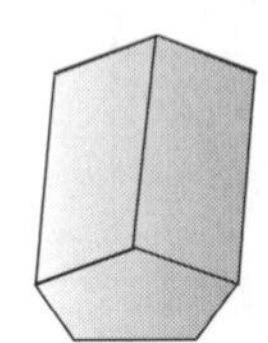

prisme à base pentagonale
7 faces
10 sommets
15 arêtes

Les pyramides :

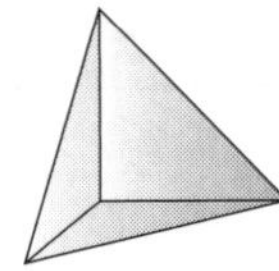

pyramide à base triangulaire
4 faces
4 sommets
6 arêtes

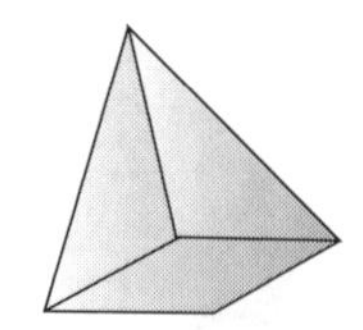

pyramide à base carrée
5 faces
5 sommets
8 arêtes

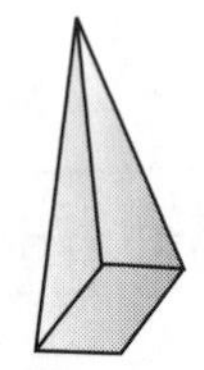

pyramide à base rectangulaire
5 faces
5 sommets
8 arêtes

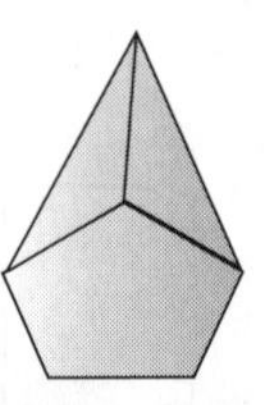

pyramide à base pentagonale
6 faces
6 sommets
10 arêtes

Les solides

1. Relie le solide au bon développement.

a) 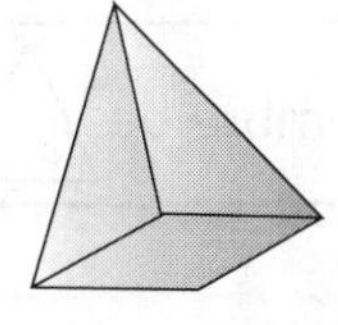

1. 

b) 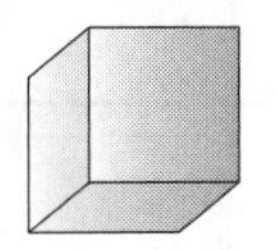

2. 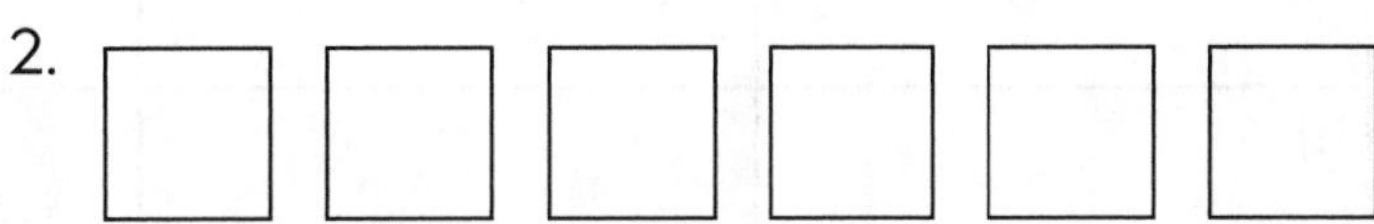

c) 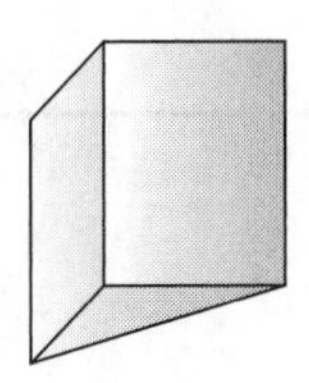

3. 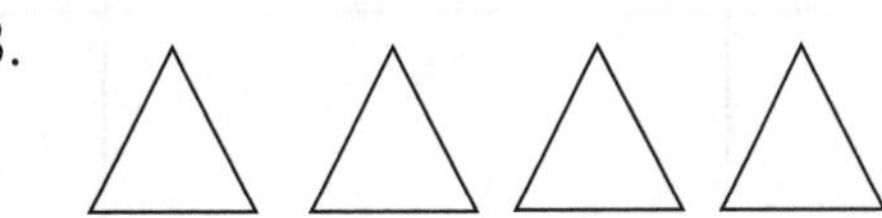

d) 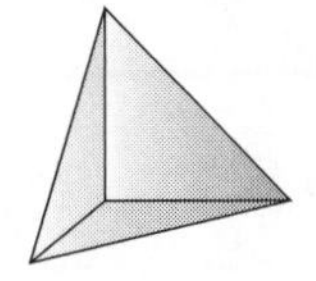

4. 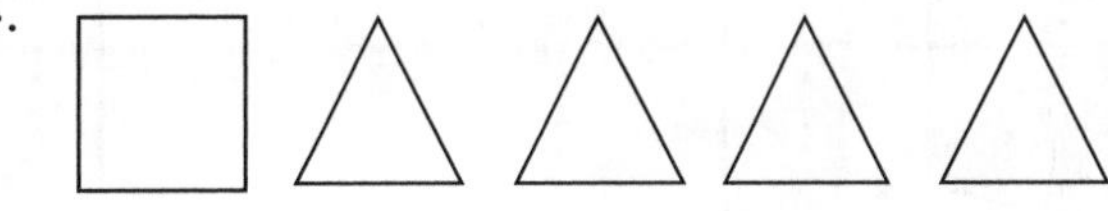

e) 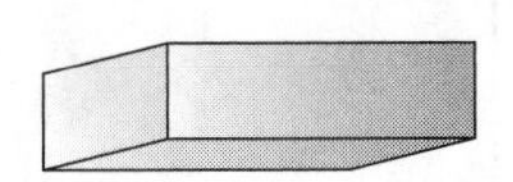

5. 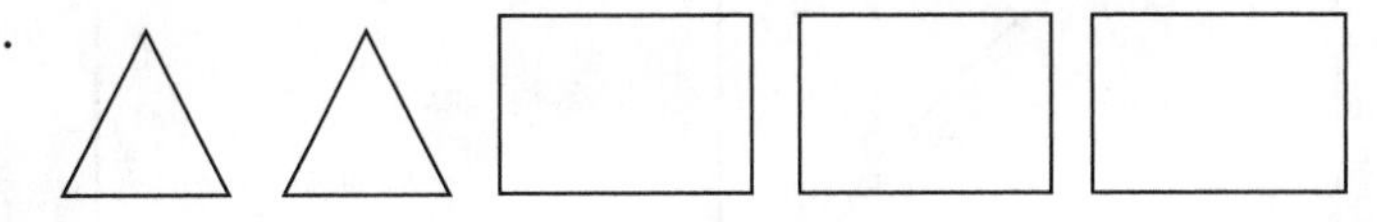

f) 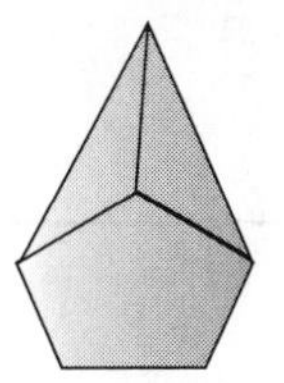

6. 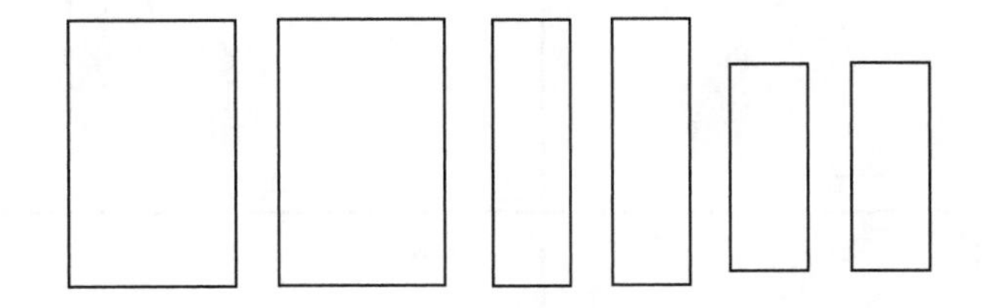

Les solides

1. Complète le tableau en indiquant combien de figures géométriques construisent les solides suivants.

	nombre de □	nombre de ▯	nombre de  △
a) 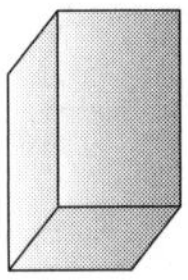			
b) 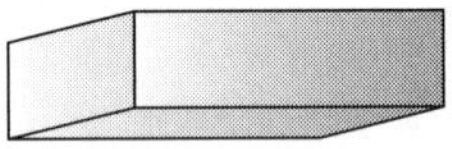			
c) 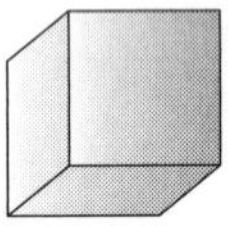			
d) 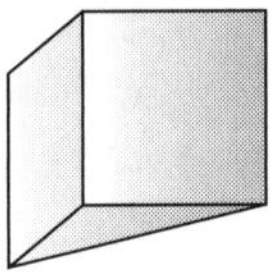			
e) 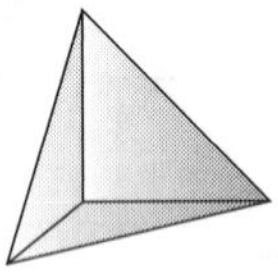			
f) 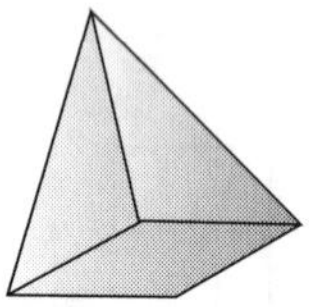			
g) 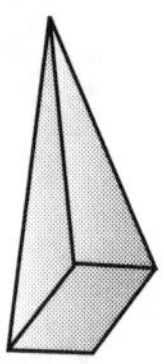			

Les solides

1. Complète le tableau en indiquant le nombre de faces, de sommets et d'arêtes contenus dans chaque solide.

	faces	sommets	arêtes
a) 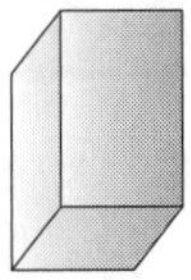			
b) 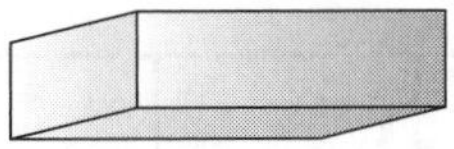			
c) 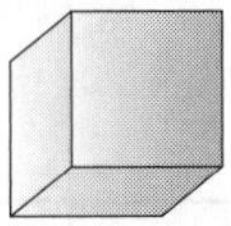			
d) 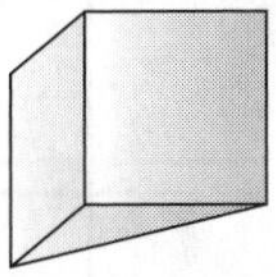			
e) 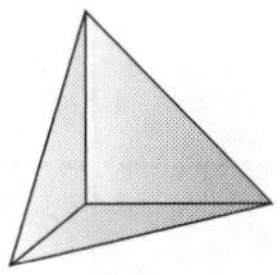			
f) 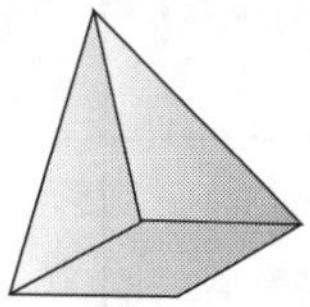			
g) 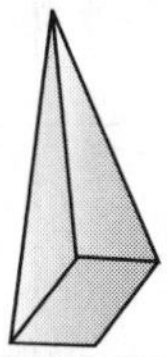			

La mesure des longueurs

La mesure d'un objet peut se faire en millimètres (mm), centimètres (cm), décimètres (dm) ou mètres (m).

Les équivalences :

10 mm = 1 cm
100 mm = 1 dm
1000 mm = 1 m

10 cm = 1 dm
100 cm = 1 m

10 dm = 1 m

1. Indique quelle unité de mesure doit être utilisée pour mesurer les objets suivants. Fais un X dans la bonne case.

	mm	cm	dm	m
a)				
b)				
c)				
d)				
e)				
f)				

La mesure des longueurs

1. Écris les équivalences des mesures.

	mm	cm	dm	m
a)	5000 mm			
b)			90 dm	
c)		300 cm		
d)				7 m
e)			80 dm	
f)	1000 mm			
g)		150 cm		
h)	2600 mm			
i)				3,8 m
j)			76 dm	
k)				9,1 m
l)		230 cm		
m)				6 m

La mesure des longueurs

Le périmètre est la mesure du contour d'une figure plane.

1. Calcule le périmètre des figures planes suivantes.

a)  unités

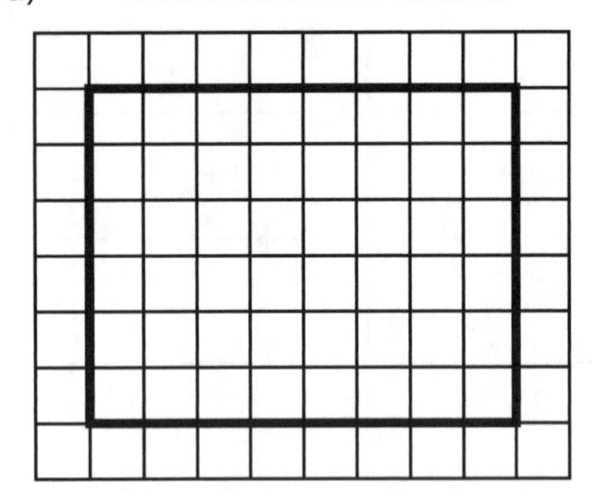

b) ______________ unités

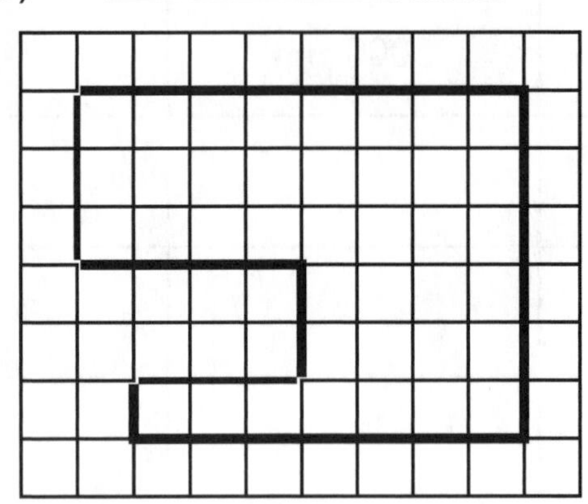

c) ______________ unités

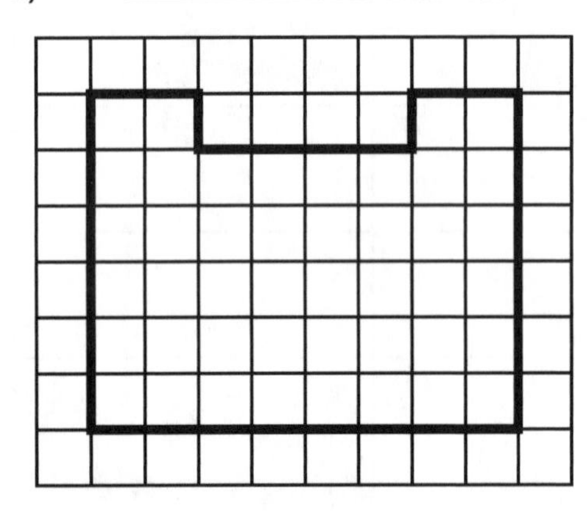

d) ______________ unités

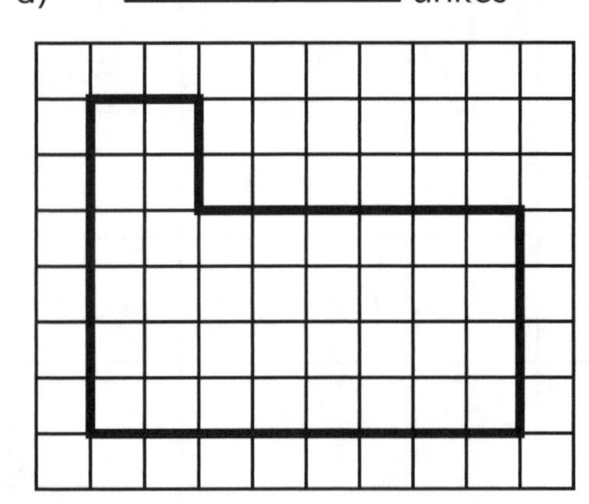

e) ______________ unités

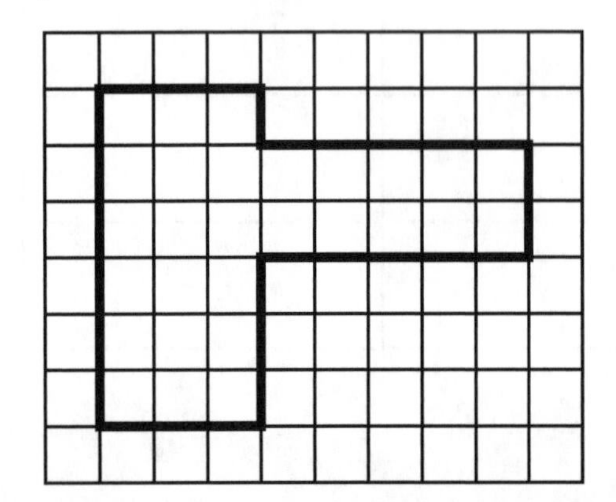

f) ______________ unités

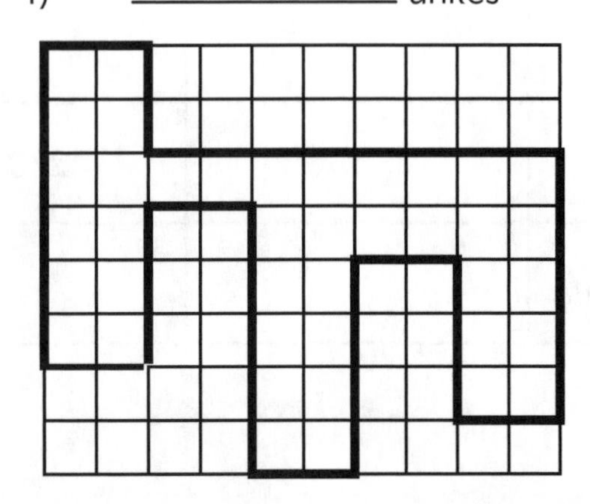

La mesure des longueurs

Dessine les figures planes suivantes.

carré, périmètre de 16 cm

triangle, périmètre de15 cm

rectangle, périmètre de 12 cm

losange, périmètre de12 cm

parallélogramme, périmètre 14 cm

trapèze isocèle, périmètre de 15 cm

Les angles

Lorsque deux lignes se rencontrent en un point, elles forment un angle.

angle droit

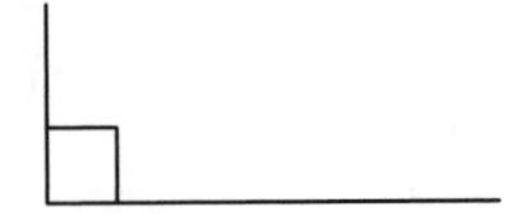

angle plat

angle aigu

(plus petit qu'un angle droit)

angle obtus

(plus grand qu'un angle droit)

Trace les angles suivants.

angle droit

angle aigu

angle obtus

angle plat

figure plane avec 4 angles droits

figure plane avec au moins 1 angle obtus

Les angles

1. Fais un X au bon endroit.

angles	angle droit	angle aigu	angle obtus
a) 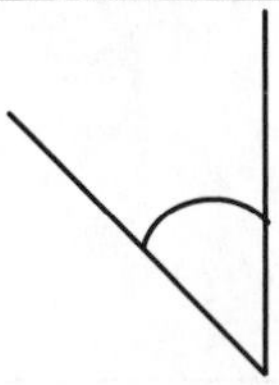			
b) 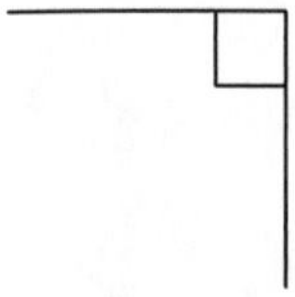			
c) 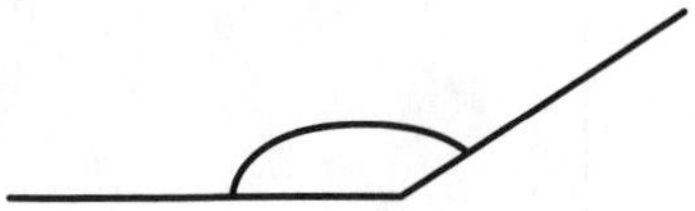			
d) 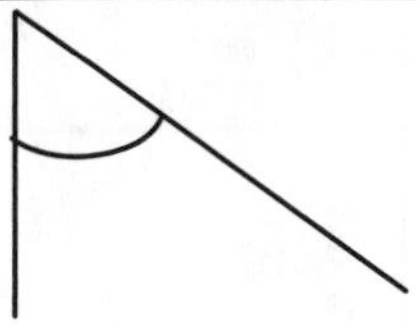			
e) 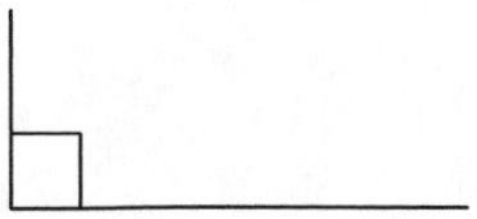			
f) 			
g) 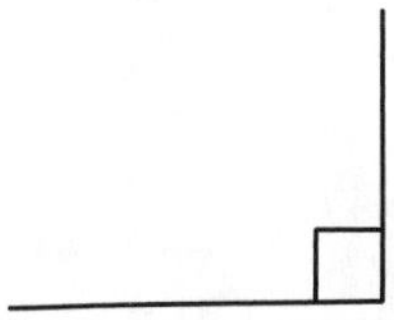			

Les angles

1. Complète le tableau en indiquant le nombre d'angles droits, aigus et obtus contenus dans chacune des figures planes.

figures planes	angle droit	angle aigu	angle obtus
a) 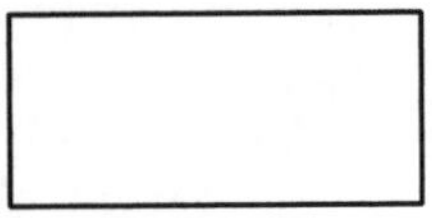			
b) 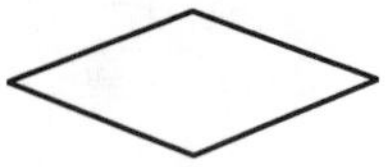			
c) 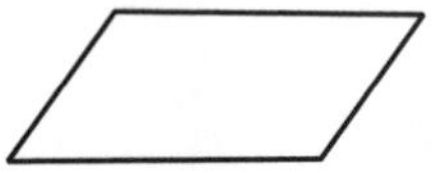			
d) 			
e) 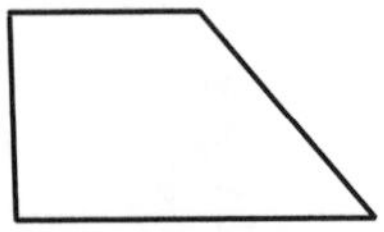			
f) 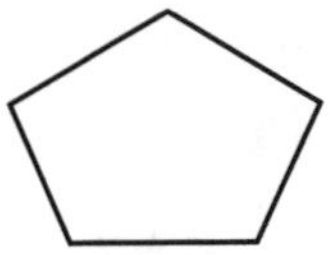			
g)			

Les angles

1. Trace les angles dans le dessin.

Trace en rouge les angles droits.

Trace en vert les angles obtus.

Trace en bleu les angles aigus.

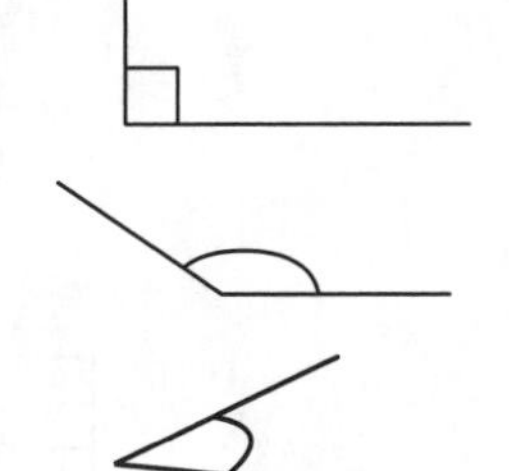

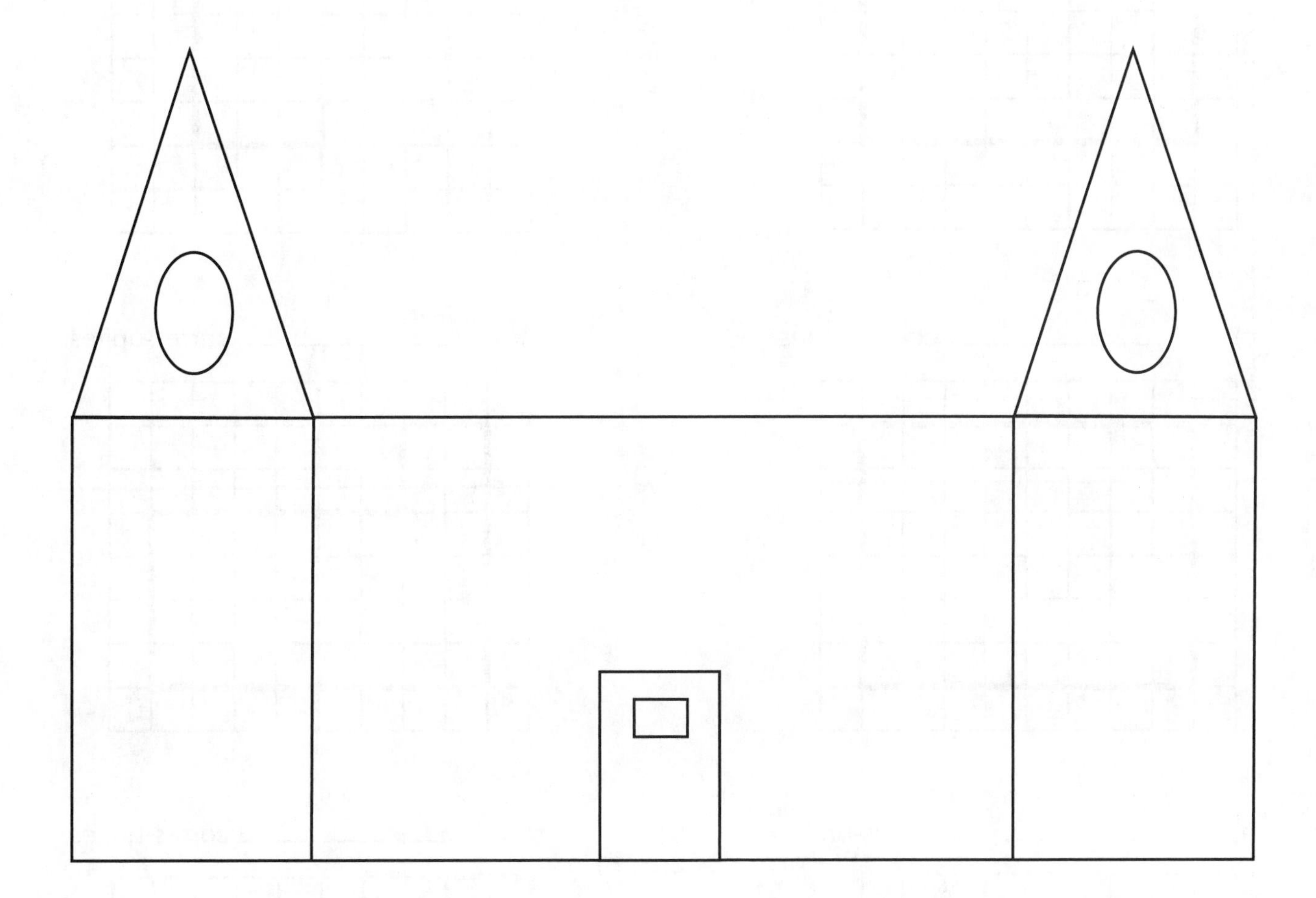

Les surfaces

La mesure de la surface est appelée l'aire.

1. Calcule l'aire des surfaces suivantes.

a) ______________ carrés-unités

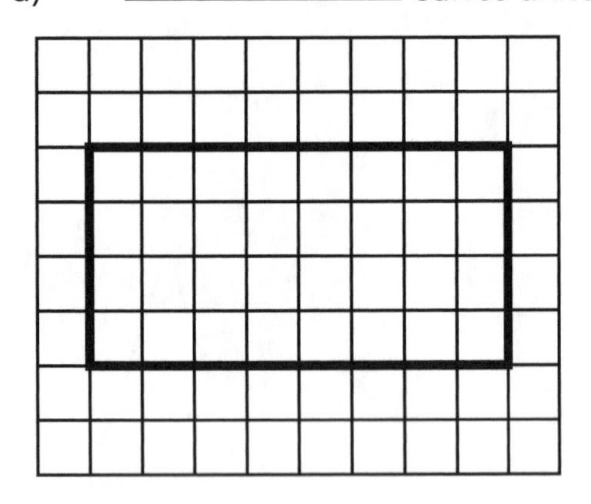

b) ______________ carrés-unités

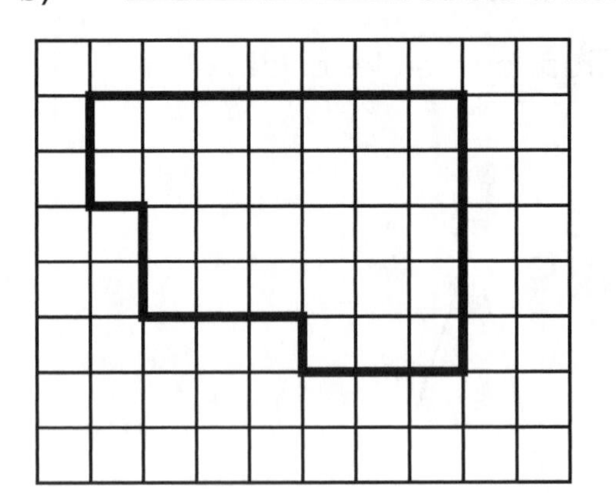

c) ______________ carrés-unités

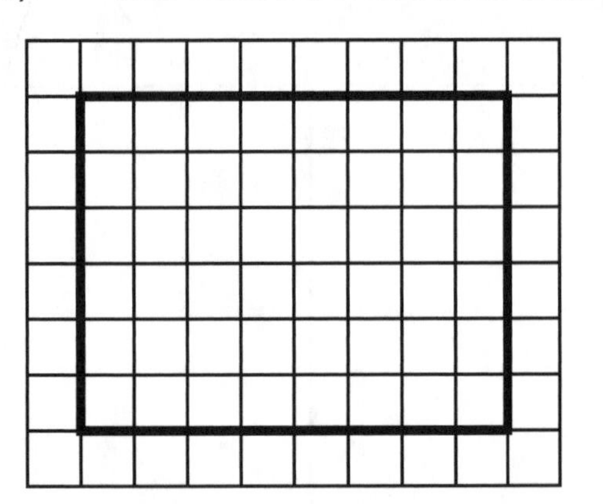

d) ______________ carrés-unités

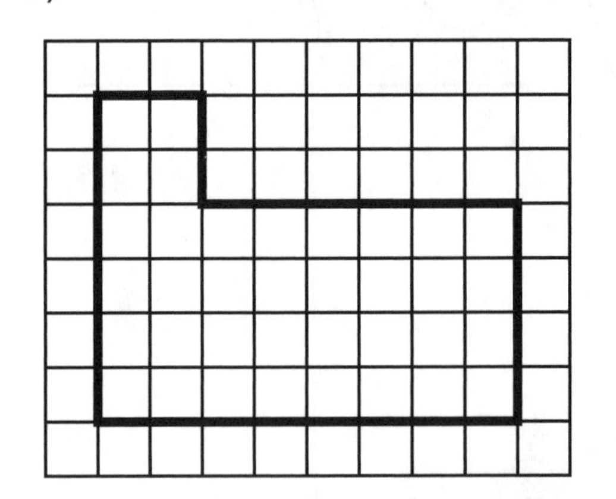

e) ______________ carrés-unités

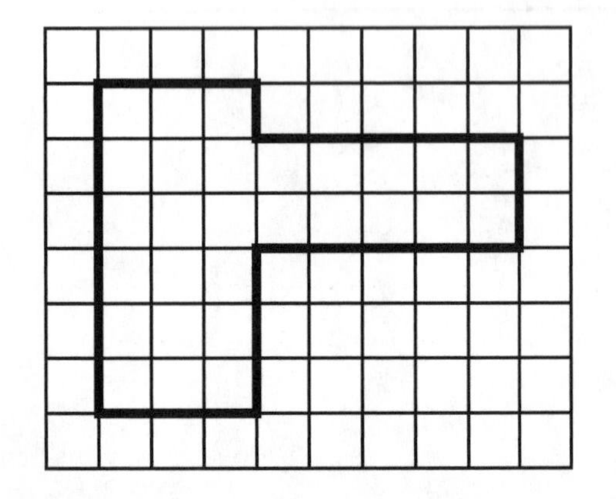

f) ______________ carrés-unités

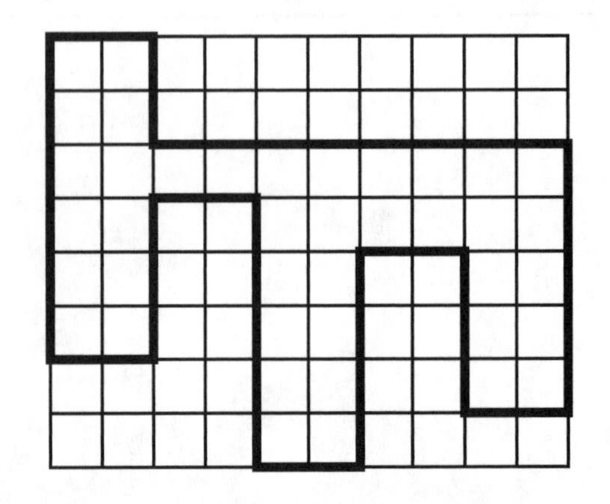

Les surfaces

1. Calcule l'aire des surfaces suivantes.

a) ________________ carrés-unités

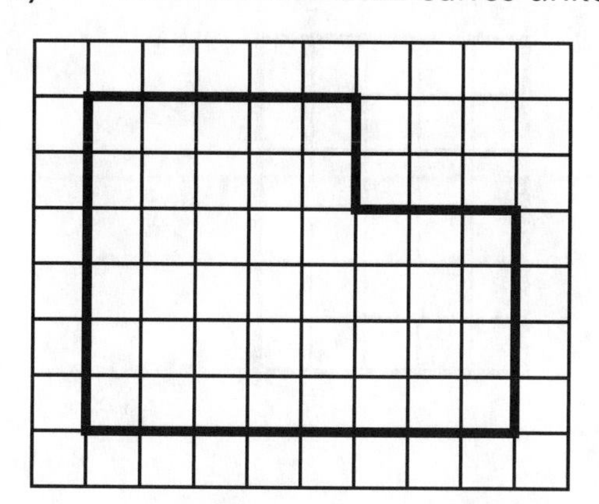

b) ________________ carrés-unités

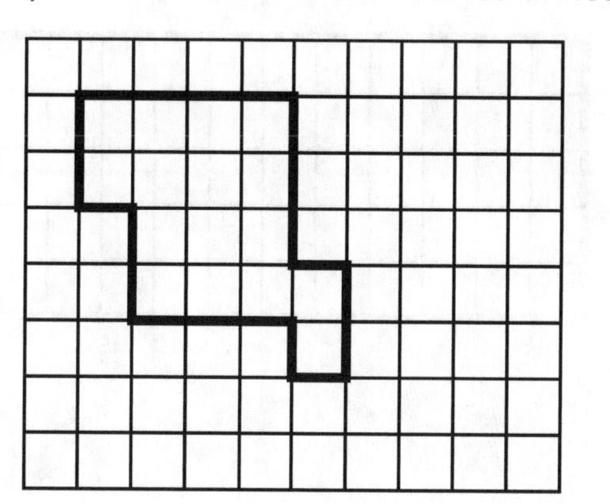

c) ________________ carrés-unités

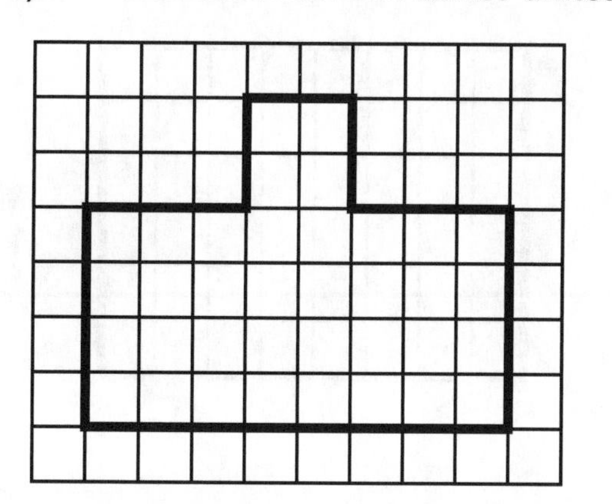

d) ________________ carrés-unités

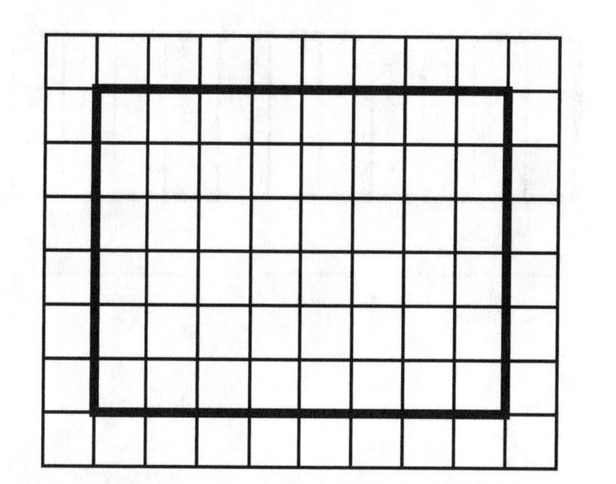

e) ________________ carrés-unités

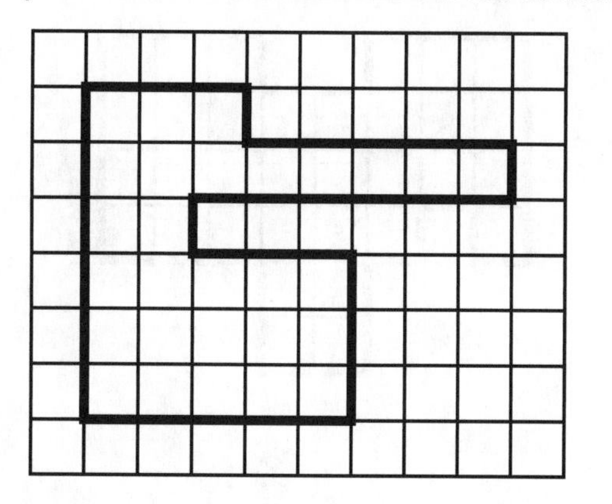

f) ________________ carrés-unités

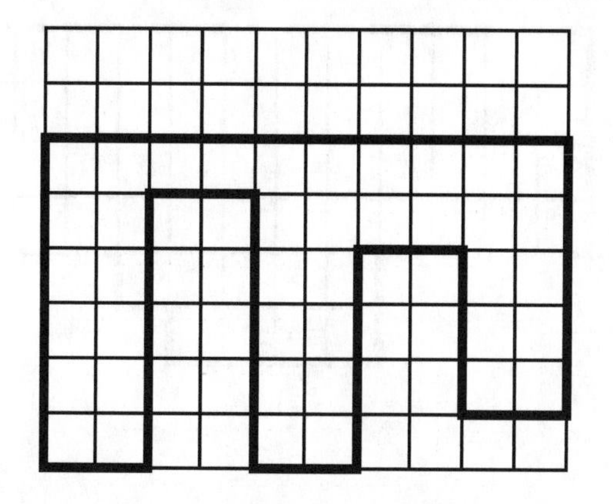

Les surfaces

1. Calcule l'aire des surfaces suivantes.

a) ______________ carrés-unités

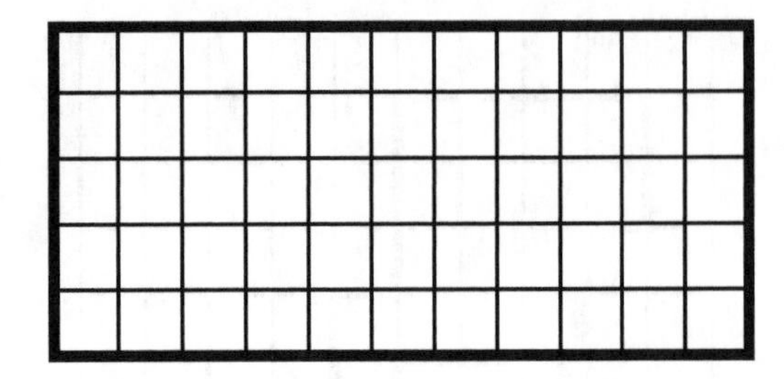

b) ______________ carrés-unités

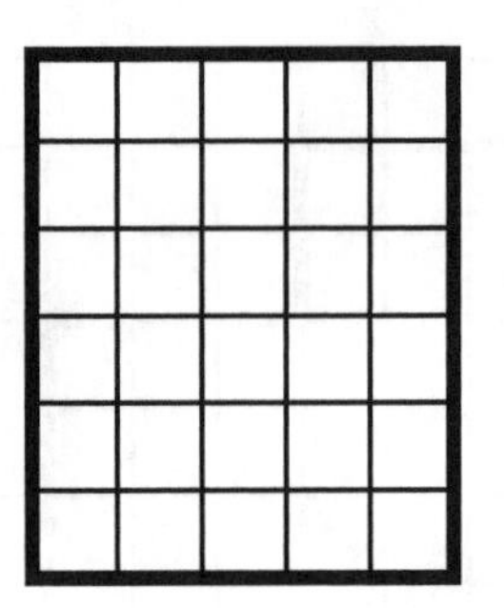

c) ______________ carrés-unités

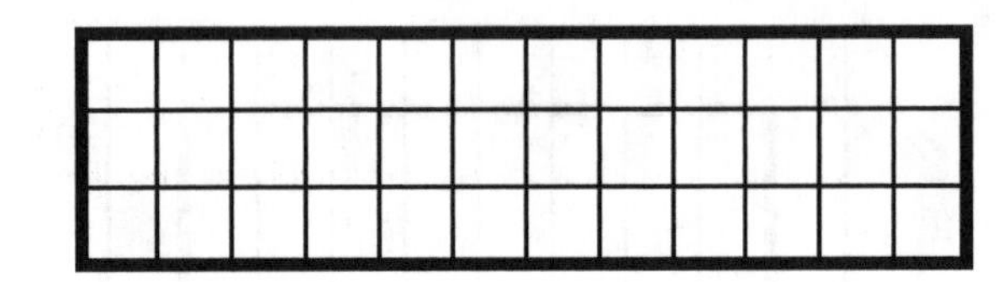

d) ______________ carrés-unités

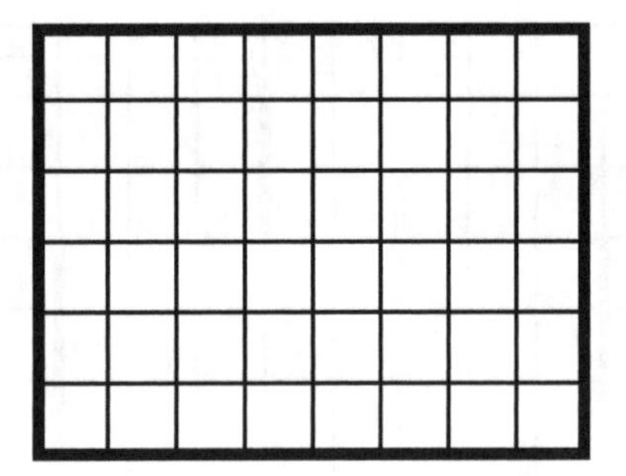

e) ______________ carrés-unités

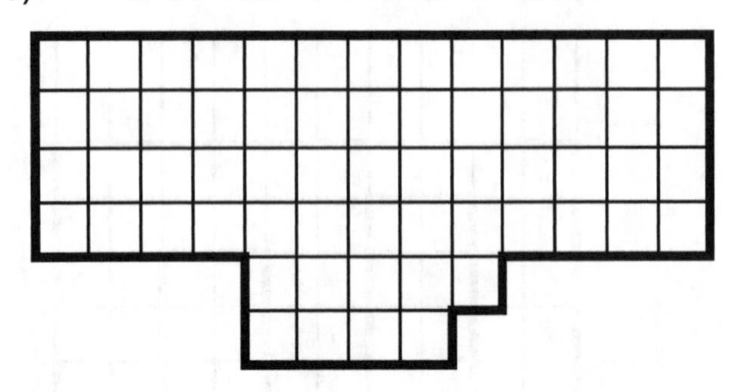

f) ______________ carrés-unités

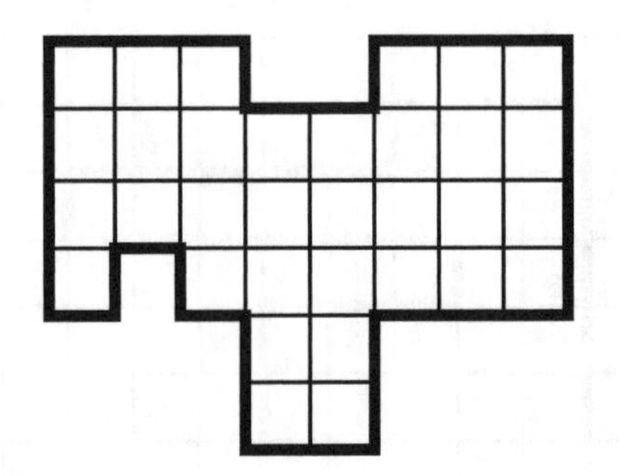

Les surfaces

1. Calcule l'aire des surfaces suivantes.

a) ______________ carrés-unités

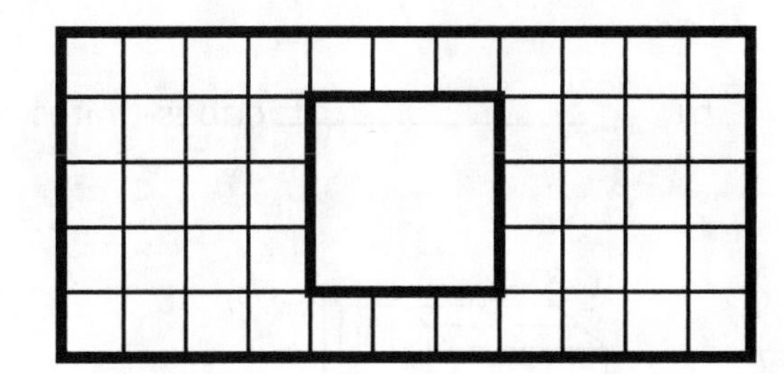

b) ______________ carrés-unités

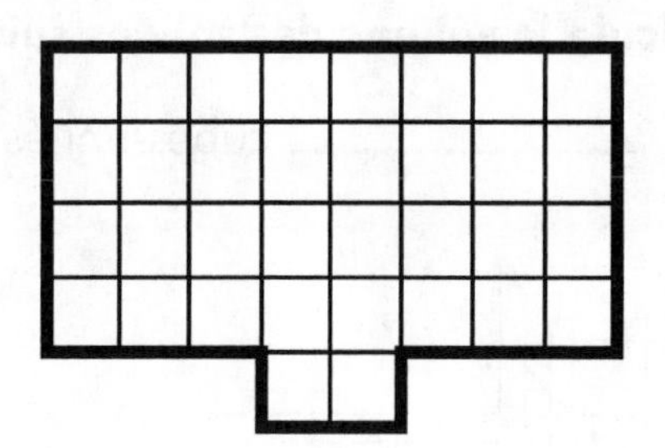

c) ______________ carrés-unités

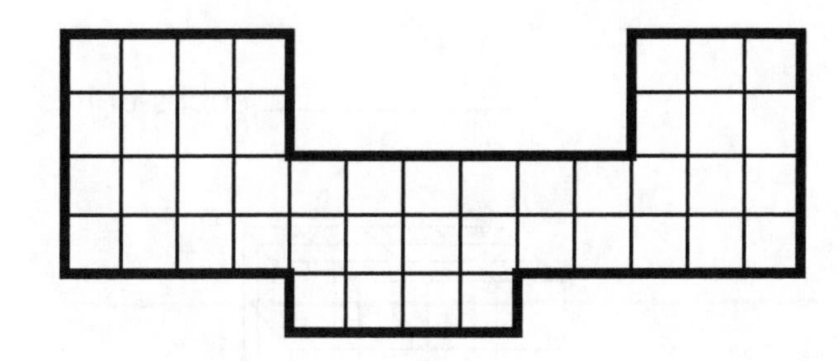

d) ______________ carrés-unités

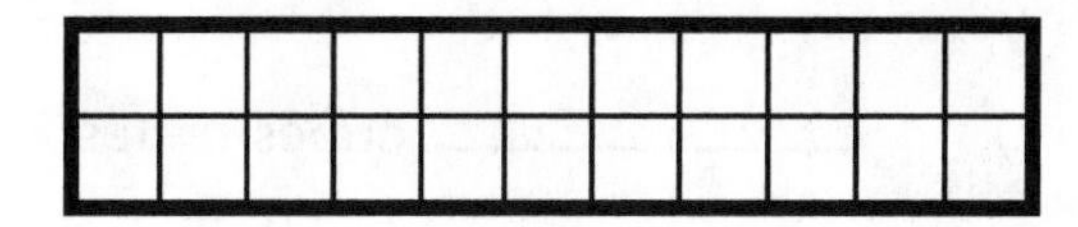

e) ______________ carrés-unités

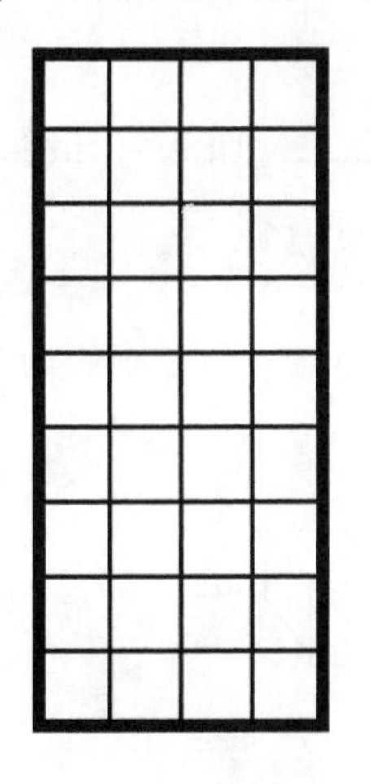

f) ______________ carrés-unités

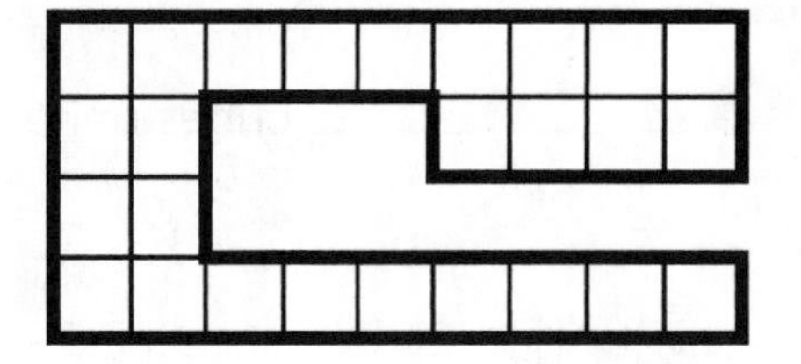

Les volumes

La mesure de l'intérieur d'un solide est appelée volume.

1. Calcule le volume des solides suivants.

a) ______________ cubes-unités

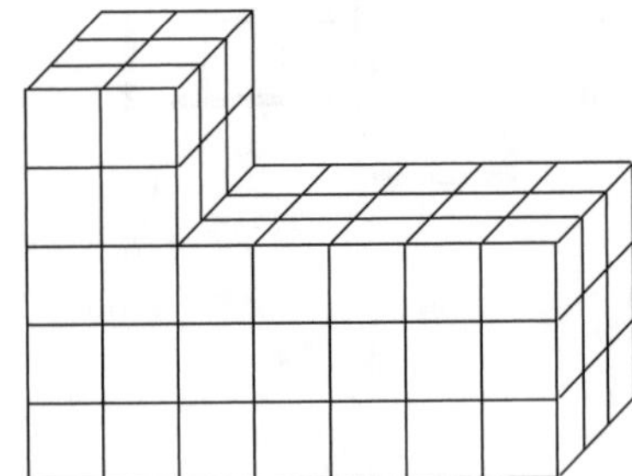

b) ______________ cubes-unités

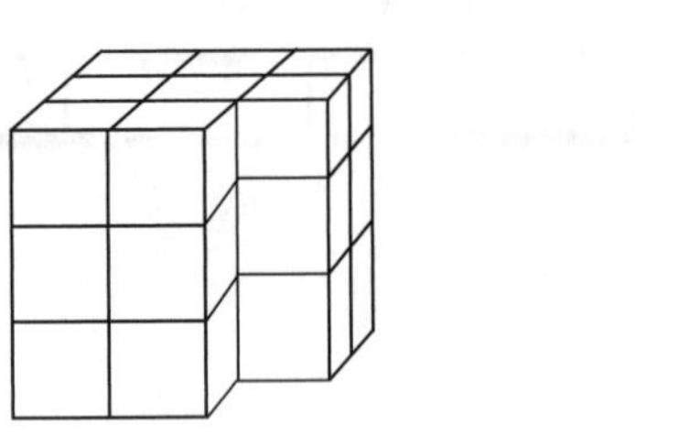

c) ______________ cubes-unités

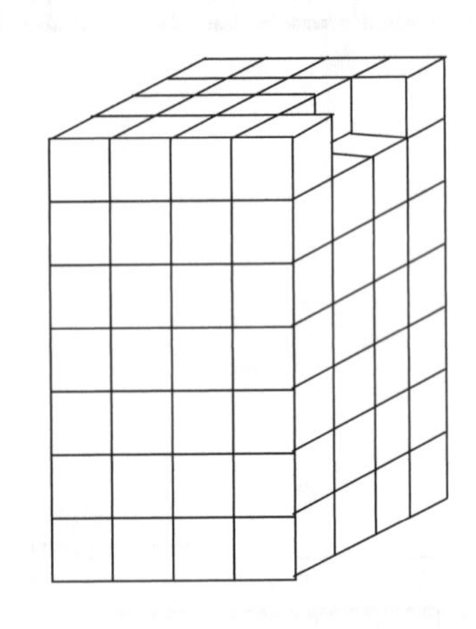

d) ______________ cubes-unités

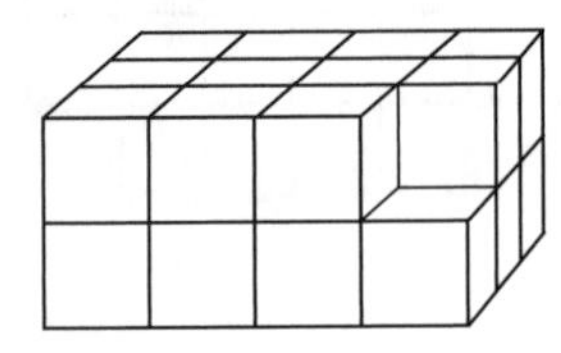

e) ______________ cubes-unités

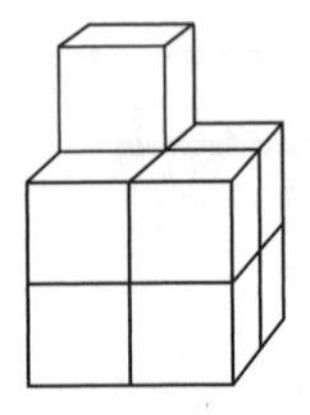

f) ______________ cubes-unités

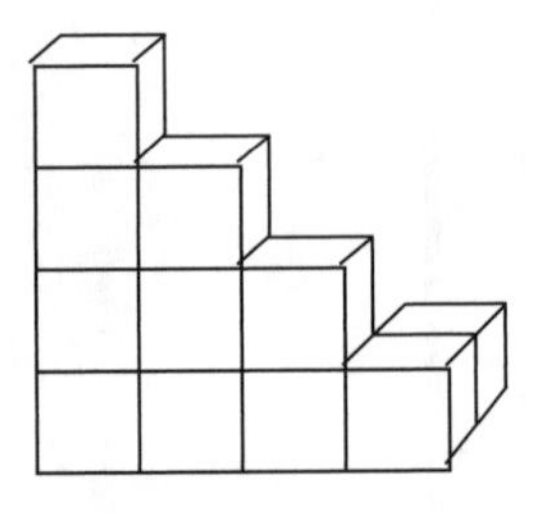

Les volumes

La mesure de l'intérieur d'un solide est appelée volume.

1. Calcule le volume des solides suivants.

a) ____________ cubes-unités

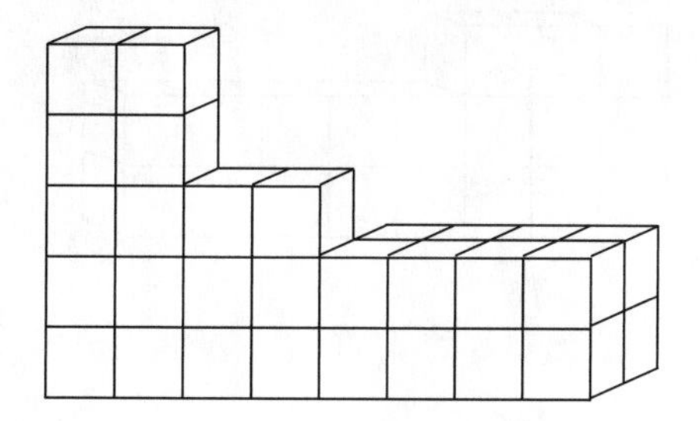

b) ____________ cubes-unités

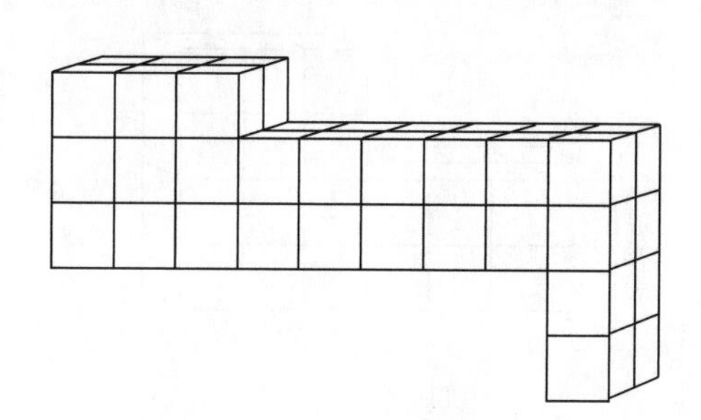

c) ____________ cubes-unités

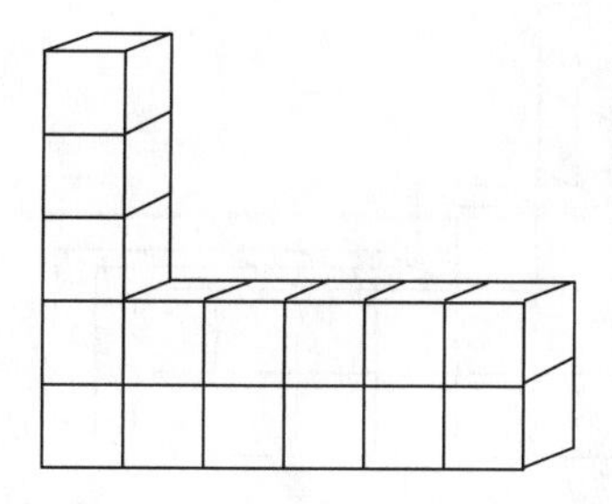

d) ____________ cubes-unités

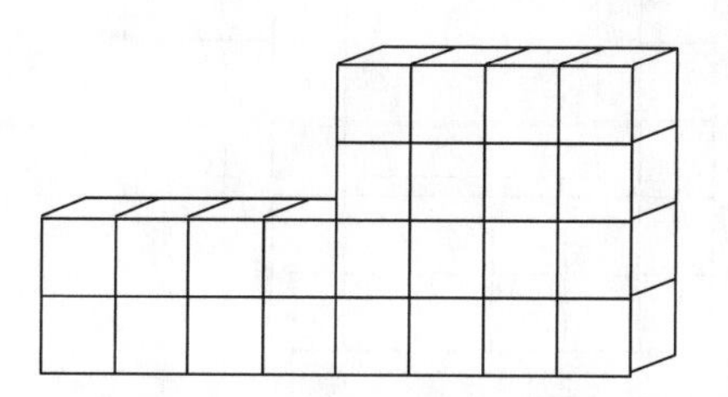

e) ____________ cubes-unités

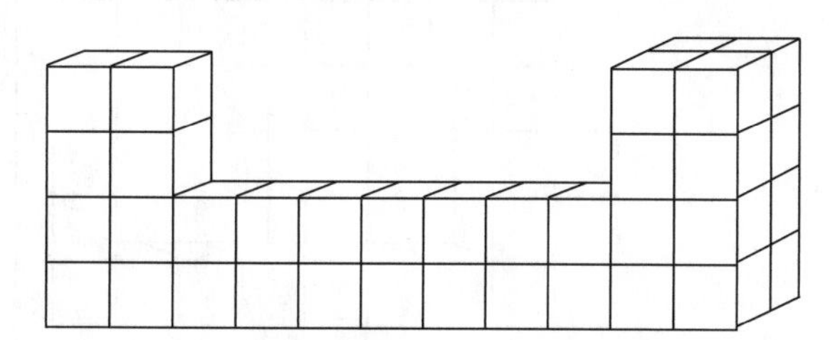

f) ____________ cubes-unités

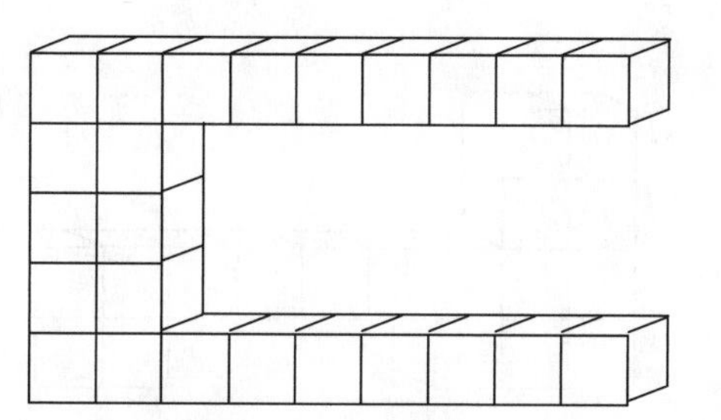

Les volumes

La mesure de l'intérieur d'un solide est appelée volume.

1. Calcule le volume des solides suivants.

a) ____________ cubes-unités

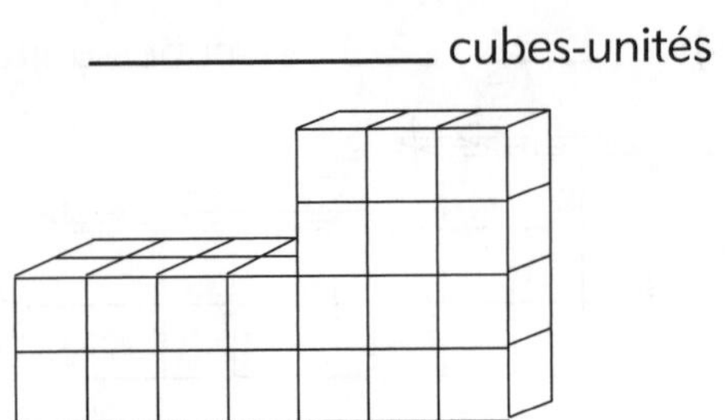

b) ____________ cubes-unités

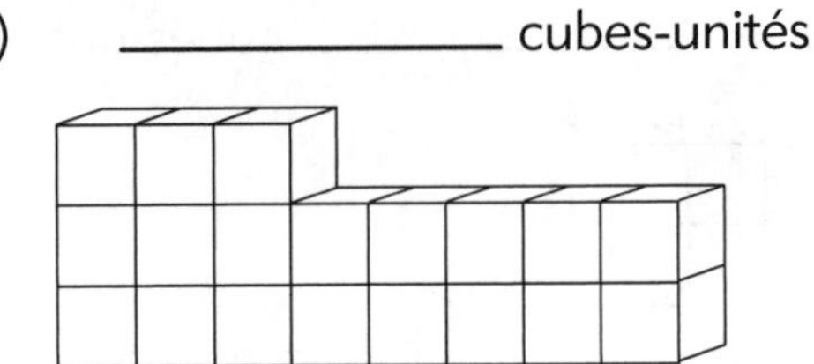

c) ____________ cubes-unités

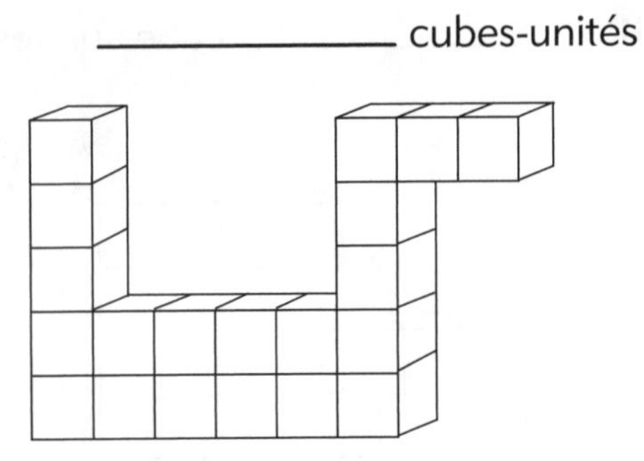

d) ____________ cubes-unités

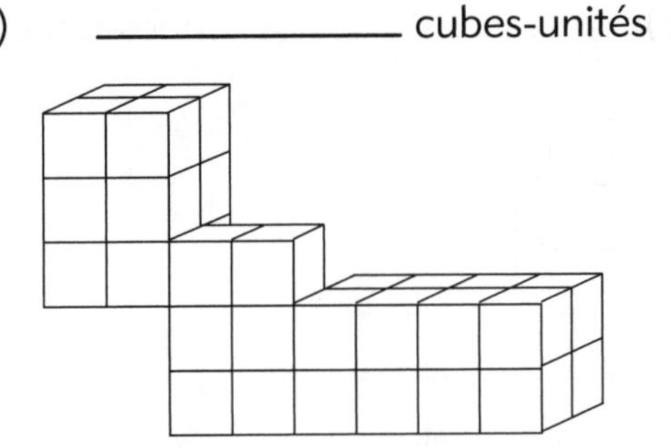

e) ____________ cubes-unités

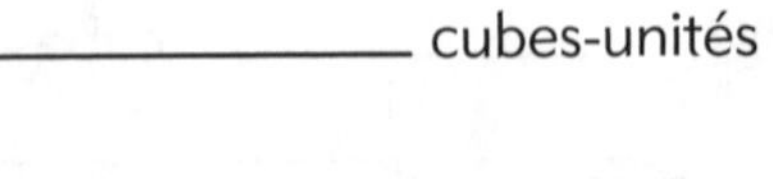

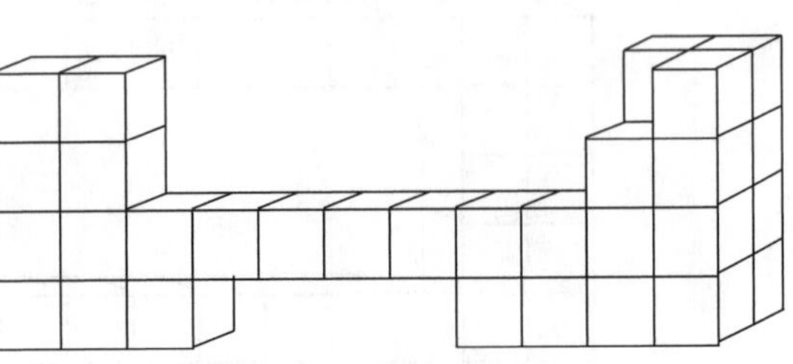

f) ____________ cubes-unitész

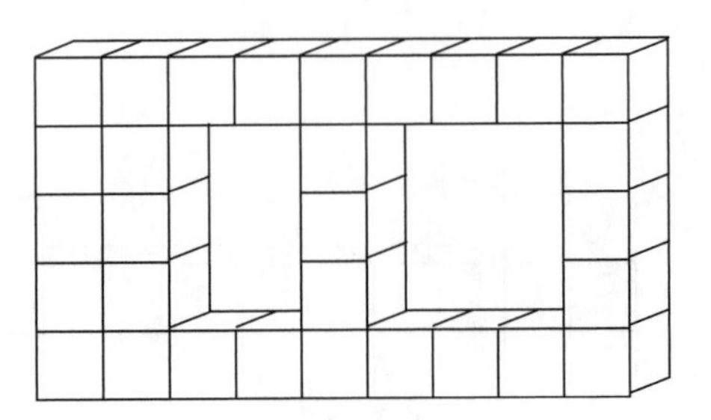

Les volumes

La mesure de l'intérieur d'un solide est appelée volume.

1. Calcule le volume des solides suivants.

a) __________ cubes-unités

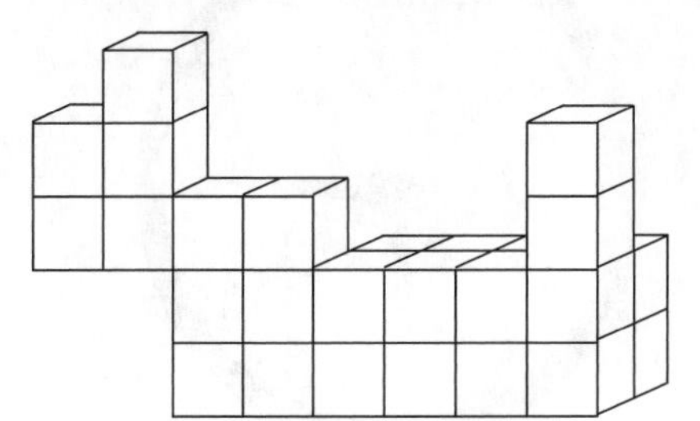

b) __________ cubes-unités

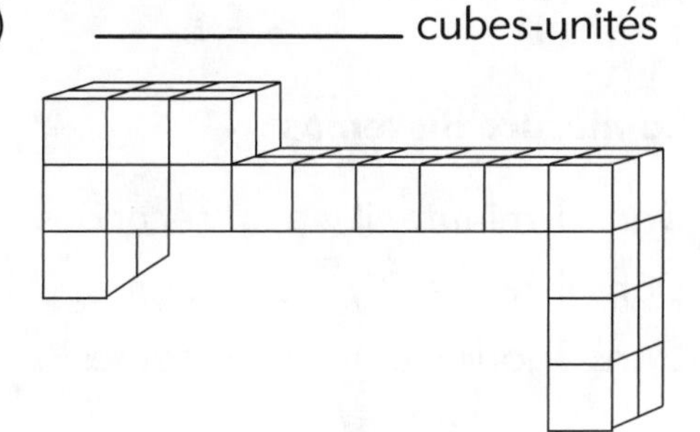

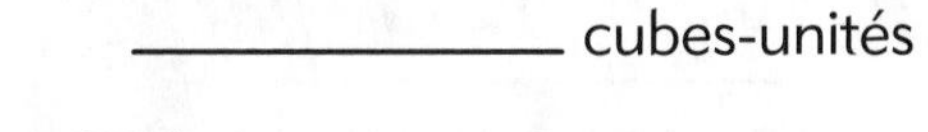

c) __________ cubes-unités

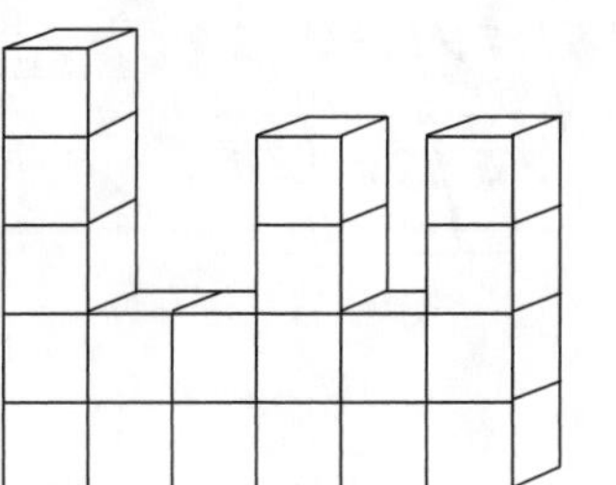

d) __________ cubes-unités

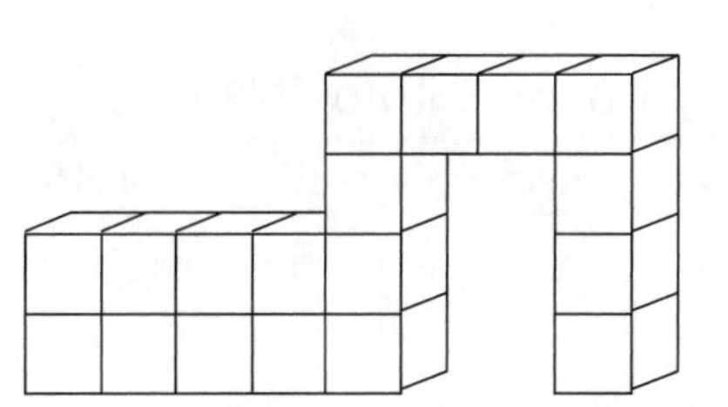

e) __________ cubes-unités

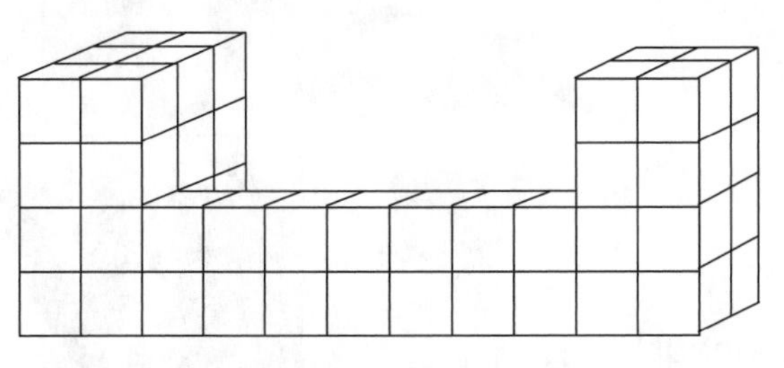

f) __________ cubes-unités

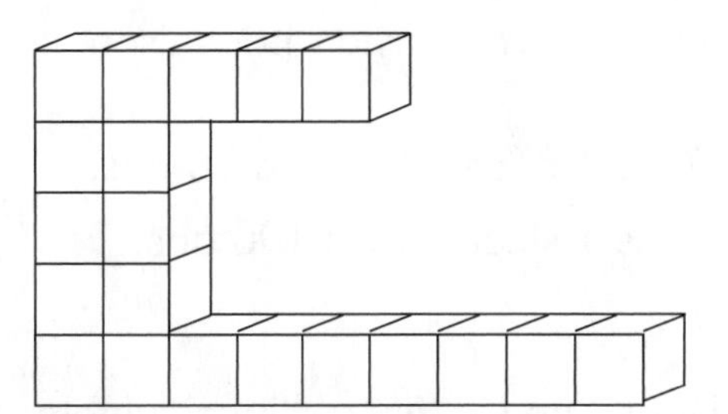

Le temps

Le temps se mesure en secondes, minutes, heures, jours, semaines, mois, saisons, années, décennies et siècles. Il ne faut jamais oublier que le temps avance toujours et qu'il ne revient jamais en arrière, d'où l'importance de profiter de la vie chaque jour qui passe.

La mesure du temps :

Dans 1 minute, il y a 60 secondes.
Dans 1 heure, il y a 60 minutes.
Dans 1 journée, il y a 24 heures.

Dans 1 semaine, il y a 7 jours :
lundi, mardi, mercredi, jeudi, vendredi, samedi et dimanche.

Dans un mois, il y a de 28 à 31 jours.
Dans un mois, il y a environ 4 semaines.

Dans 1 année, il y a 365 jours.
Dans 1 année bissextile, il y a 366 jours.
Dans 1 année, il y a 52 semaines.

Dans 1 année, il y a 12 mois :
janvier, février, mars, avril, mai, juin, juillet, août, septembre, octobre, novembre, décembre.

Dans 1 année, il y a 4 saisons :
le printemps, l'été, l'automne et l'hiver.
Il y a environ 3 mois par saison.

Dans 1 décennie, il y a 10 ans.
Dans 1 siècle, il y a 100 ans.

Dans une vie, il y a d'incalculables moments de bonheur !

Le temps

1. Écris l'heure indiquée sur chaque horloge.

a) ______ h ______ min (avant-midi)

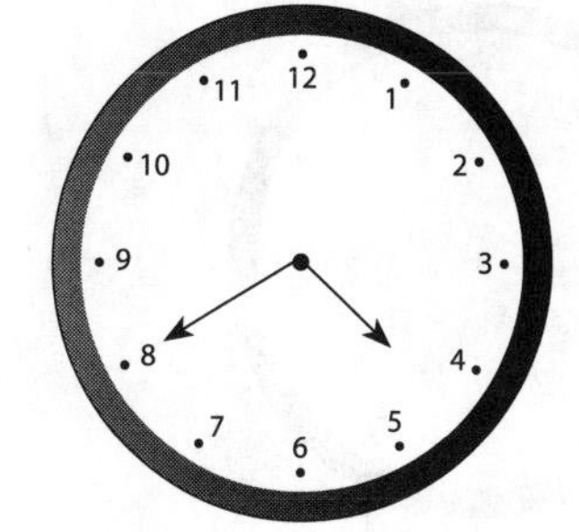

b) ______ h ______ min (après-midi)

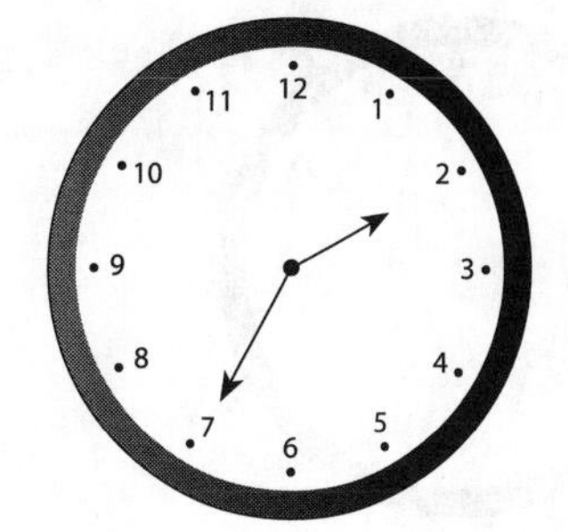

c) ______ h ______ min (avant-midi)

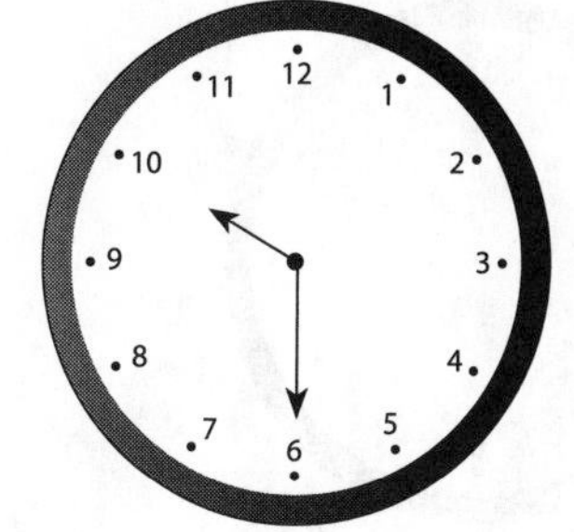

d) ______ h ______ min (après-midi)

e) ______ h ______ min (avant-midi)

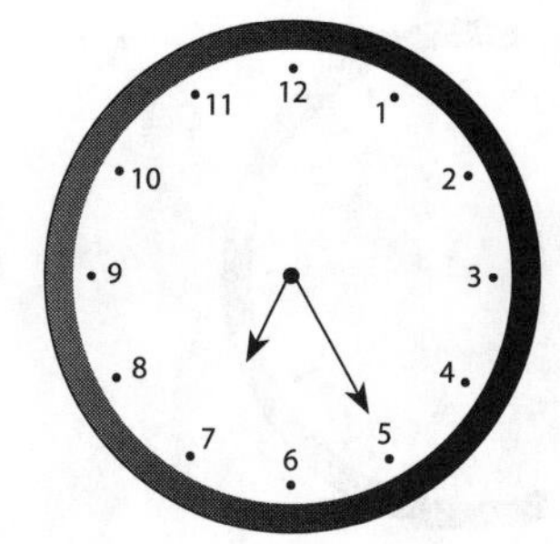

f) ______ h ______ min (après-midi)

g) ______ h ______ min (avant-midi)

h) ______ h ______ min (après-midi)

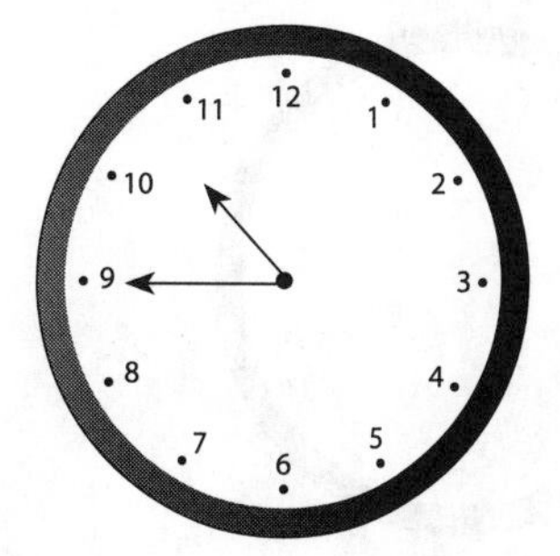

Le temps

Trace les aiguilles sur l'horloge.

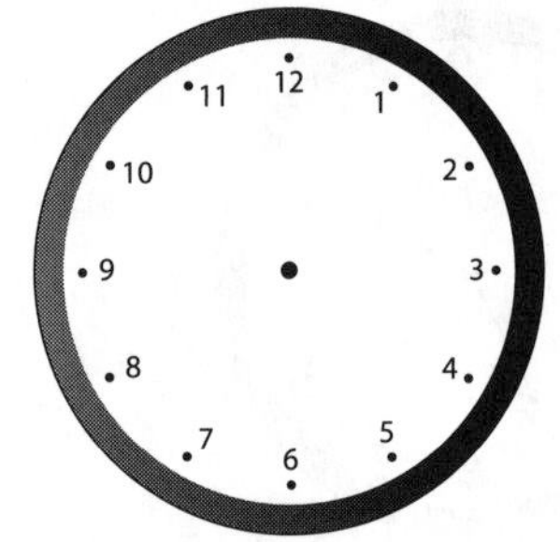

14 h 20 min

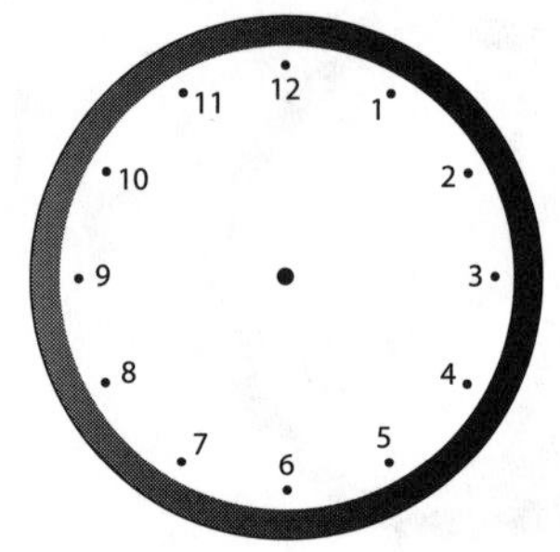

7 h 55 min

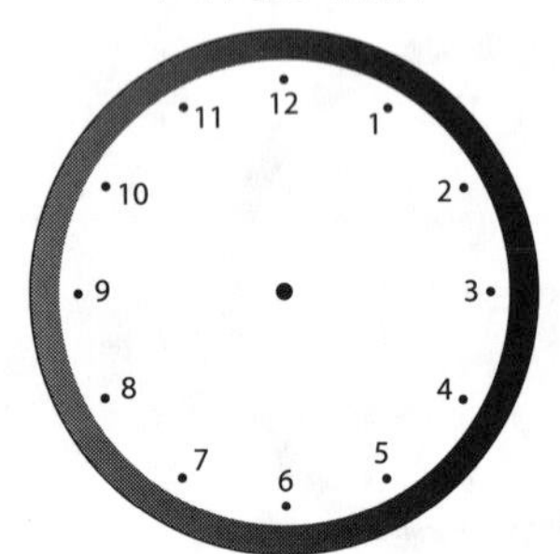

20 h 30 min

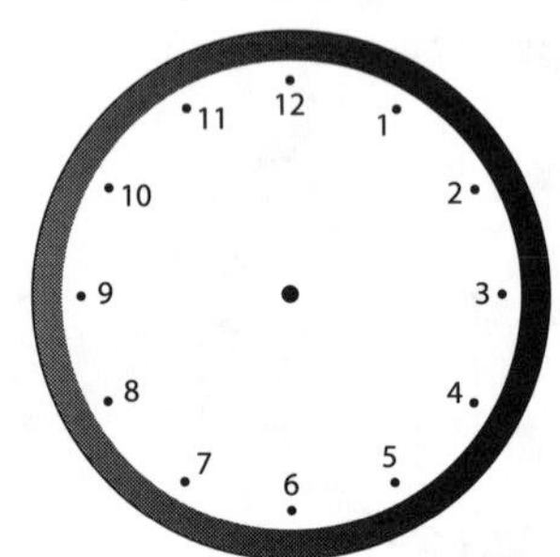

5 : 40

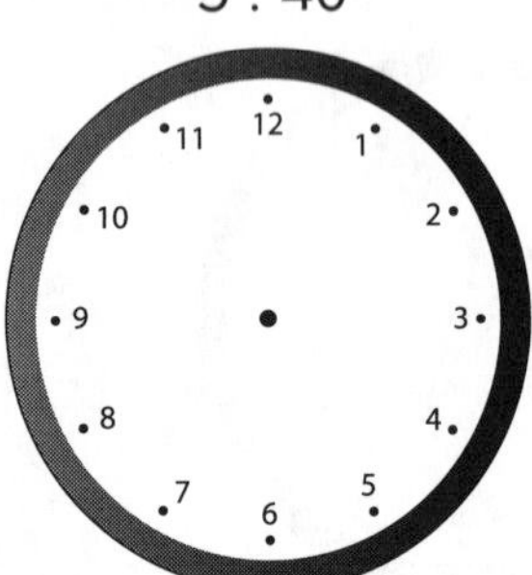

17 : 15

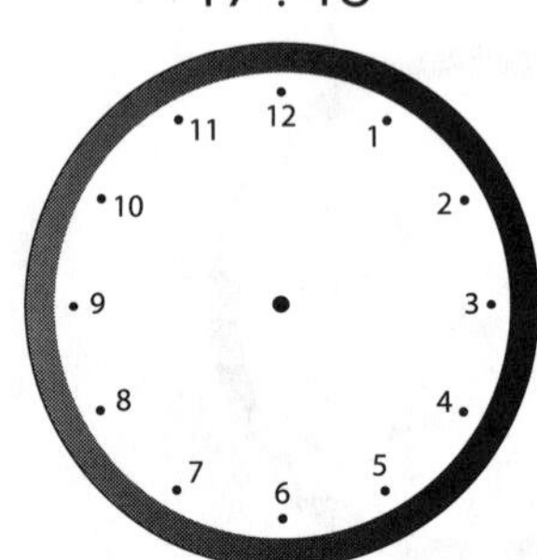

11 : 05

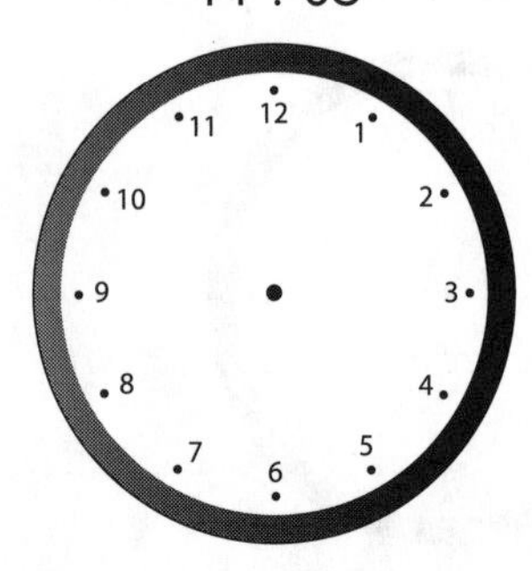

16 : 25

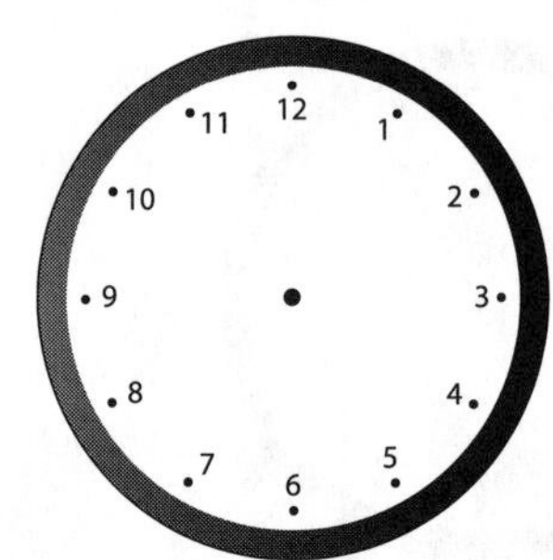

Le temps

1. Observe le calendrier et réponds aux questions.

2008

JANVIER

D	L	M	M	J	V	S
		1	2	3	4	5
6	7	8	9	10	11	12
13	14	15	16	17	18	19
20	21	22	23	24	25	26
27	28	29	30	31		

FÉVRIER

D	L	M	M	J	V	S
					1	2
3	4	5	6	7	8	9
10	11	12	13	14	15	16
17	18	19	20	21	22	23
24	25	26	27	28	29	

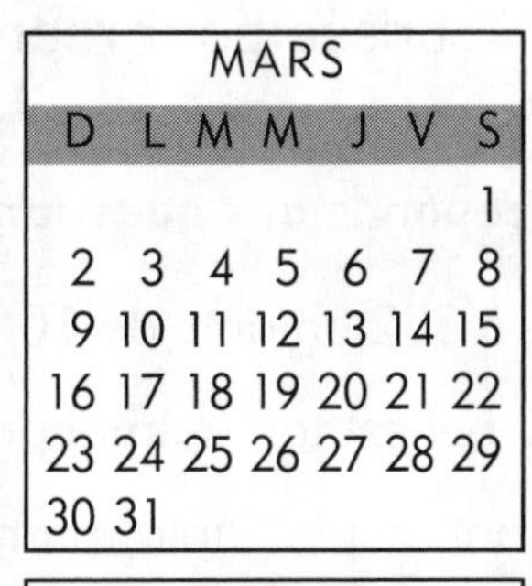

MARS

D	L	M	M	J	V	S
						1
2	3	4	5	6	7	8
9	10	11	12	13	14	15
16	17	18	19	20	21	22
23	24	25	26	27	28	29
30	31					

AVRIL

D	L	M	M	J	V	S
		1	2	3	4	5
6	7	8	9	10	11	12
13	14	15	16	17	18	19
20	21	22	23	24	25	26
27	28	29	30			

MAI

D	L	M	M	J	V	S
				1	2	3
4	5	6	7	8	9	10
11	12	13	14	15	16	17
18	19	20	21	22	23	24
25	26	27	28	29	30	31

JUIN

D	L	M	M	J	V	S
1	2	3	4	5	6	7
8	9	10	11	12	13	14
15	16	17	18	19	20	21
22	23	24	25	26	27	28
29	30					

JUILLET

D	L	M	M	J	V	S
		1	2	3	4	
5	6	7	8	9	10	11
12	13	14	15	16	17	18
19	20	21	22	23	24	25
26	27	28	29	30	31	

AOÛT

D	L	M	M	J	V	S
					1	2
3	4	5	6	7	8	9
10	11	12	13	14	15	16
17	18	19	20	21	22	23
24	25	26	27	28	29	30
31						

SEPTEMBRE

D	L	M	M	J	V	S
	1	2	3	4	5	6
7	8	9	10	11	12	13
14	15	16	17	18	19	20
21	22	23	24	25	26	27
28	29	30				

OCTOBRE

D	L	M	M	J	V	S
			1	2	3	4
5	6	7	8	9	10	11
12	13	14	15	16	17	18
19	20	21	22	23	24	25
26	27	28	29	30	31	

NOVEMBRE

D	L	M	M	J	V	S
						1
2	3	4	5	6	7	8
9	10	11	12	13	14	15
16	17	18	19	20	21	22
23	24	25	26	27	28	29
30						

DÉCEMBRE

D	L	M	M	J	V	S
	1	2	3	4	5	6
7	8	9	10	11	12	13
14	15	16	17	18	19	20
21	22	23	24	25	26	27
28	29	30	31			

a) Si Rachel reçoit son journal quotidiennement, combien recevra-t-elle de journaux pendant le mois d'avril 2008 ? ______________________

b) Si Rachel reçoit sa revue hebdomadairement, combien recevra-t-elle de revues pendant l'année 2008 ? ______________________

c) Si Rachel reçoit une prime annuellement à son travail, combien recevra-t-elle de primes en une décennie ? ______________________

e) Est-ce que l'année 2008 est une année bissextile ? ______________________

Pourquoi ? ______________________

Statistiques

Lorsque l'on fait des statistiques et que l'on écrit les résultats d'une enquête, on utilise alors un tableau, un diagramme à bandes, à pictogrammes ou à ligne brisée pour représenter ceux-ci.

1. Observe le tableau et réponds aux questions.

Enquête : On a demandé à 352 enfants de 10 ans quel est leur animal préféré.

La question d'enquête : Quel est ton animal préféré ?

Les choix de réponses : chat, chien, lapin, hamster, cheval.

Titre du tableau : Les animaux préférés des enfants de 10 ans.

Résultats	Fréquences
Chat	82
Chien	79
Lapin	57
Hamster	63
Cheval	71

a) Quel est l'animal préféré des enfants ? __________

b) Quel est l'animal le moins aimé des enfants ? __________

c) Quel est l'animal le plus aimé après le cheval ? __________

d) Combien d'enfants aiment les chiens et les chats ? __________

e) Combien d'enfants aiment les lapins et les chevaux ? __________

Statistiques

1. À partir des informations fournies, remplis le tableau et réponds aux questions.

Enquête : On a demandé à 417 enfants de 10 ans quel est leur fruit préféré.

La question d'enquête : ______________________________

Les choix de réponses : pomme, poire, banane, orange, kiwi.

Titre du tableau : Les fruits préférés des enfants de 10 ans.

Résultats	Fréquences
Kiwi	
Banane	
Pomme	
Orange	
Poire	

1. Ma pelure est brune et mon intérieur est vert. Il y a 93 enfants pour qui je suis le fruit préféré.

2. Les singes et 117 enfants raffolent de ce fruit.

3. Je suis le fruit du pommier et cent dix-neuf enfants me considèrent comme le meilleur fruit.

4. Je suis orange, je fais partie de la famille des agrumes et quarante-neuf enfants m'adorent.

a) Combien d'enfants aiment les poires ? ______________________________

b) Quel est le fruit préféré des enfants ? ______________________________

c) Quel est le fruit le moins aimé des enfants ? ______________________________

Statistiques

1. Observe le tableau et réponds aux questions.

Tableau sur la température au Québec en 2008

mois	la température en °C	les précipitations de pluie en mm
janvier	- 22 °C	5 mm
février	- 18 °C	8 mm
mars	- 4 °C	14 mm
avril	6 °C	25 mm
mai	14 °C	28 mm
juin	22 °C	31 mm
juillet	26 °C	23 mm
août	18 °C	19 mm
septembre	15 °C	21 mm
octobre	4 °C	13 mm
novembre	- 3 °C	6 mm
décembre	- 12 °C	4 mm

a) Quel est le mois le plus chaud? ______________________

b) Quel est le mois où il y a eu le moins de précipitations? ______________________

c) Combien y a-t-il eu de millimètres de précipitations de février à mai? ______________________

d) Quel est le mois le plus froid? ______________________

e) Quel est le mois où il y a eu le plus de précipitations? ______________________

Statistiques

1. Observe le tableau et réponds aux questions.

Tableau sur les activités préférées des filles et des garçons.

activités	filles	garçons
basket-ball	35	42
gymnastique	73	17
natation	13	22
ski alpin	25	36
vélo	37	25
soccer	18	81
théâtre	33	14
escalade de glace	6	11
tennis	23	38
jouer du piano	9	6
écouter de la musique	34	26
jouer à l'ordinateur	41	56

a) Quelle est l'activité préférée des garçons? ______

b) Quelle est l'activité la moins aimée des filles? ______

c) Combien de filles préfèrent le théâtre et la gymnastique? ______

d) Combien de garçons préfèrent le vélo et le soccer? ______

e) Combien de filles ont répondu au sondage? ______

f) Combien de garçons ont répondu au sondage? ______

Statistiques

1. Observe le diagramme à ligne brisée et réponds aux questions.

Le nombre de centimètres de neige tombés hebdomadairement pendant huit semaines.

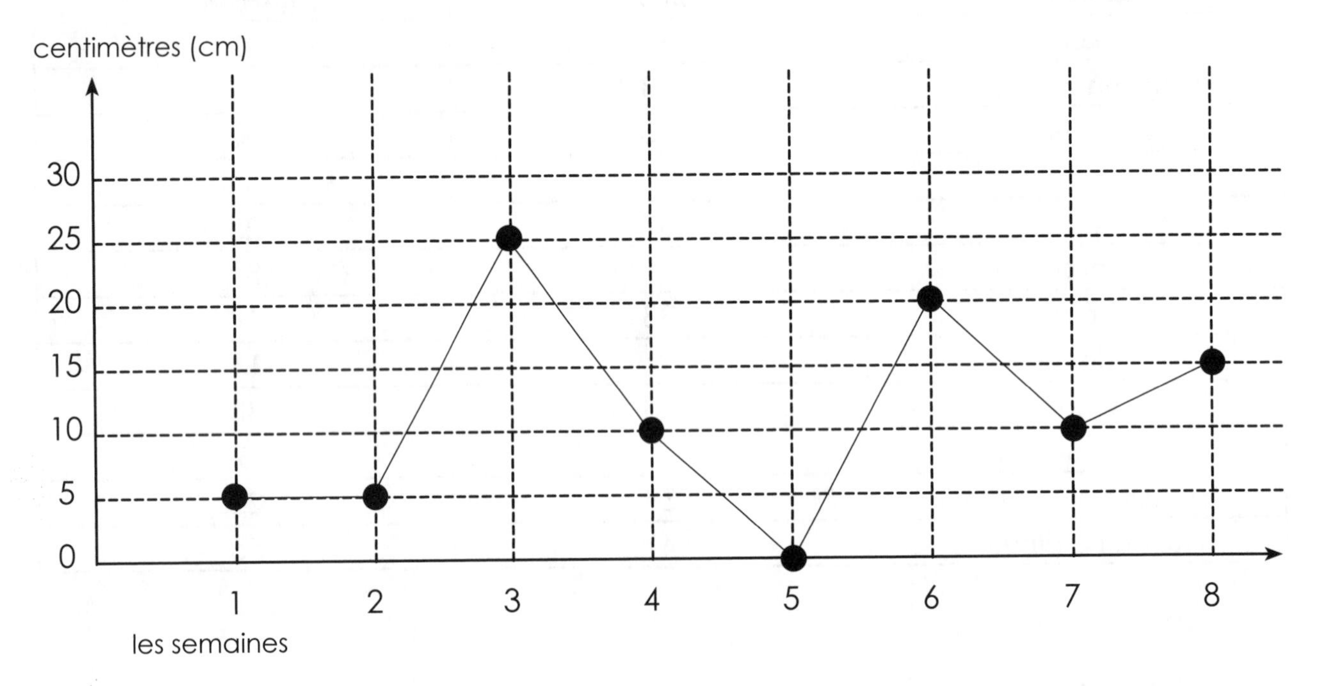

a) Dans quelle semaine y a-t-il eu le plus neige? ______________________

b) Dans quelle semaine y a-t-il eu le moins de neige? ______________________

c) Combien de centimètres de neige sont tombés pendant les 3 semaines les moins enneigées?

____

d) Combien de centimètres de neige sont tombés en tout pendant ces 8 semaines?

____

e) Combien de centimètres de neige sont tombés dans la 8e semaine? ______________________

f) Dans quelle semaine y a-t-il eu autant de neige qu'à la 7e semaine? ______________________

____

Statistiques

1. Observe le diagramme à ligne brisée et réponds aux questions.

La quantité d'argent ramassée par Sara en une semaine pour la recherche sur les maladies infantiles.

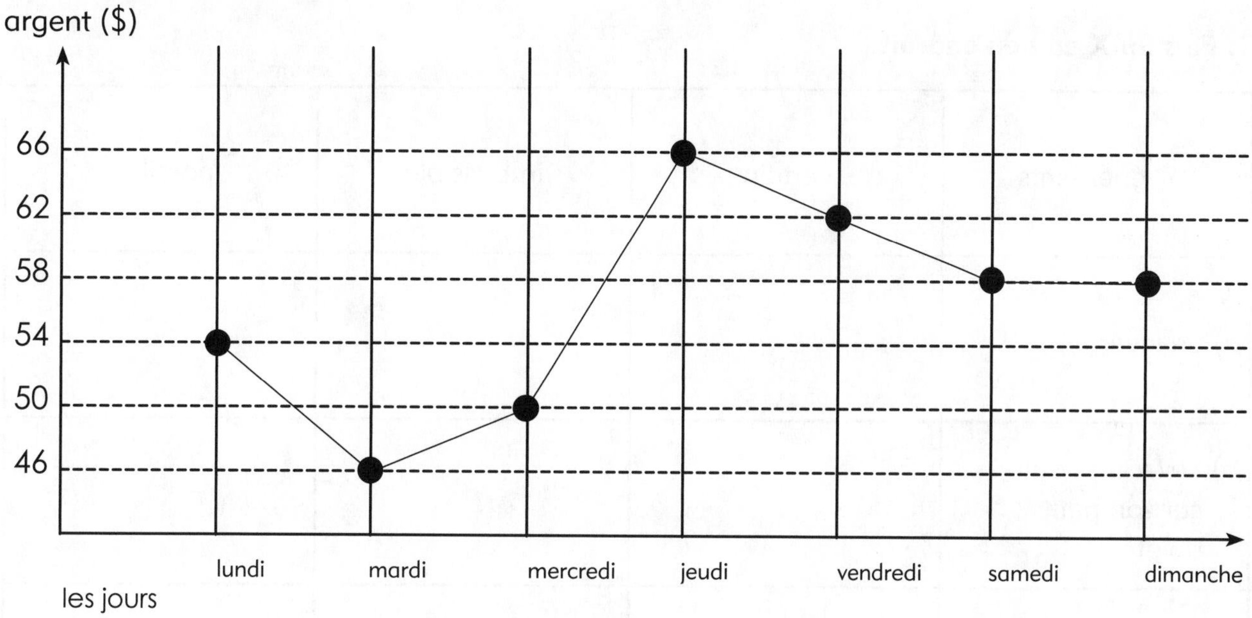

argent ($)

66
62
58
54
50
46

lundi mardi mercredi jeudi vendredi samedi dimanche

les jours

a) Quel jour Sara a-t-elle ramassé le plus d'argent? ______

b) Quel jour Sara a-t-elle ramassé le moins d'argent? ______

c) Combien d'argent Sara a-t-elle ramassé en tout? ______

______

d) Combien d'argent Sara a-t-elle ramassé de plus le jeudi que le mercredi? ______

______

e) Combien d'argent Sara a-t-elle ramassé dans ses 2 meilleures journées? ______

______

f) Combien d'argent Sara a-t-elle ramassé de plus le lundi que le mardi? ______

______

Probabilités

Lorsque l'on veut prédire le résultat d'un événement, on utilise les termes suivants : certain (se produira toujours), impossible (ne se produira jamais) et possible (peut se produire).

1. Fais un X au bon endroit.

événements	certain	impossible	possible
a) Se laver			
b) Lever une auto sur son petit doigt			
c) Prendre l'avion pour aller en voyage			
d) Aller vivre sur la lune			
e) Devenir premier ministre			
f) Manger			
g) Dormir			

Probabilités

Lorsque l'on veut prédire le résultat d'un événement, on utilise les termes suivants : plus probable, également probable et moins probable.

1. Lis la situation et réponds aux questions.

Tu lances un dé avec 6 faces numérotées de 1 à 6 et tu obtiens :

1. Un nombre pair (2, 4, 6).
2. Un nombre impair (1, 3, 5).
3. Un nombre plus grand que 1 (2, 3, 4, 5, 6).
4. Un nombre plus petit que 3 (1, 2).

a) Les événements ____________________ sont également probables.

b) L'événement ____________________ est le plus probable.

c) L'événement ____________________ est le moins probable.

2. Lis la situation et réponds aux questions.

Tu lances un dé avec 6 faces numérotées de 1 à 6 et tu obtiens :

1. Un nombre plus grand que 4 (5, 6).
2. Un nombre pair (2, 4, 6).
3. Un nombre plus petit que 6 (1, 2, 3,4, 5).
4. Un nombre impair (1, 3, 5).

a) Les événements ____________________ sont également probables.

b) L'événement ____________________ est le plus probable.

c) L'événement ____________________ est le moins probable.

Probabilités

1. Dénombre les résultats possibles de cette expérience aléatoire simple.

Tu veux colorier la carte suivante :
Tu as 4 couleurs (rose, mauve, gris, orangé).
Tu veux seulement utiliser 2 couleurs.
Tu ne veux pas que le fond et le cœur soient de la même couleur.

Illustre toutes les combinaisons possibles en coloriant les rectangles et les cœurs suivants.

Couleur du fond Couleur du cœur

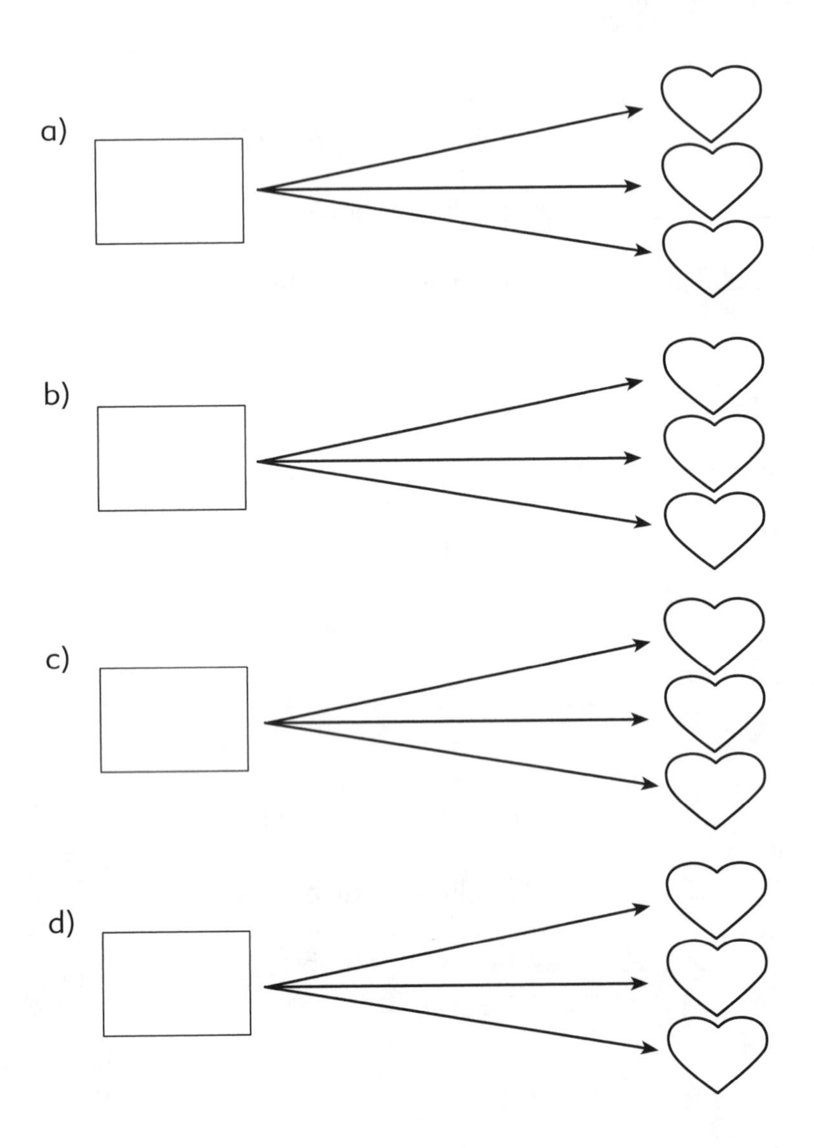

FRANÇAIS

Écriture script et cursive

Écris la lettre « a » script, en minuscule et en majuscule. Respecte le tracé proposé.

A A

a a

Écris la lettre « a » cursive, en minuscule. Respecte le tracé proposé.

a a a a a a a a a

Écriture script et cursive

Écris la lettre « b » script, en minuscule et en majuscule. Respecte le tracé proposé.

Écris la lettre « b » cursive, en minuscule. Respecte le tracé proposé.

Écriture script et cursive

Écris la lettre « c » script, en minuscule et en majuscule. Respecte le tracé proposé.

C C

c c

Écris la lettre « c » cursive, en minuscule. Respecte le tracé proposé.

c c c c c c c c c

Écriture script et cursive

Écris la lettre « d » script, en minuscule et en majuscule. Respecte le tracé proposé.

Écris la lettre « d » cursive, en minuscule. Respecte le tracé proposé.

Écriture script et cursive

Écris la lettre « e » script, en minuscule et en majuscule. Respecte le tracé proposé.

1 2

E E

e e

Écris la lettre « e » cursive, en minuscule. Respecte le tracé proposé.

e e e e e e e e e

Écriture script et cursive

Écris la lettre « f » script, en minuscule et en majuscule. Respecte le tracé proposé.

Écris la lettre « f » cursive, en minuscule. Respecte le tracé proposé.

Écriture script et cursive

Écris la lettre « g » script, en minuscule et en majuscule. Respecte le tracé proposé.

Écris la lettre « g » cursive, en minuscule. Respecte le tracé proposé.

Écriture script et cursive

Écris la lettre « h » script, en minuscule et en majuscule. Respecte le tracé proposé.

Écris la lettre « h » cursive, en minuscule. Respecte le tracé proposé.

Écriture script et cursive

Écris la lettre « i » script, en minuscule et en majuscule. Respecte le tracé proposé.

Écris la lettre « i » cursive, en minuscule. Respecte le tracé proposé.

Écriture script et cursive

Écris la lettre « j » script, en minuscule et en majuscule. Respecte le tracé proposé.

Écris la lettre « j » cursive, en minuscule. Respecte le tracé proposé.

Écriture script et cursive

Écris la lettre « k » script, en minuscule et en majuscule. Respecte le tracé proposé.

1 K 2 K

1 k 2 k

Écris la lettre « k » cursive, en minuscule. Respecte le tracé proposé.

k k k k k k k k k

Écriture script et cursive

Écris la lettre « l » script, en minuscule et en majuscule. Respecte le tracé proposé.

Écris la lettre « l » cursive, en minuscule. Respecte le tracé proposé.

Écriture script et cursive

Écris la lettre « m » script, en minuscule et en majuscule. Respecte le tracé proposé.

M M

m m

Écris la lettre « m » cursive, en minuscule. Respecte le tracé proposé.

m m m m m m m m m

Écriture script et cursive

Écris la lettre « n » script, en minuscule et en majuscule. Respecte le tracé proposé.

N N

n n

Écris la lettre « n » cursive, en minuscule. Respecte le tracé proposé.

Écriture script et cursive

Écris la lettre « o » script, en minuscule et en majuscule. Respecte le tracé proposé.

O O

o o

Écris la lettre « o » cursive, en minuscule. Respecte le tracé proposé.

o o o o o o o o o

Écriture script et cursive

Écris la lettre « p » script, en minuscule et en majuscule. Respecte le tracé proposé.

Écris la lettre « p » cursive, en minuscule. Respecte le tracé proposé.

Écriture script et cursive

Écris la lettre « q » script, en minuscule et en majuscule. Respecte le tracé proposé.

Écris la lettre « q » cursive, en minuscule. Respecte le tracé proposé.

Écriture script et cursive

Écris la lettre « r » script, en minuscule et en majuscule. Respecte le tracé proposé.

1 2 R R

r

Écris la lettre « r » cursive, en minuscule. Respecte le tracé proposé.

Écriture script et cursive

Écris la lettre « s » script, en minuscule et en majuscule. Respecte le tracé proposé.

Écris la lettre « s » cursive, en minuscule. Respecte le tracé proposé.

Écriture script et cursive

Écris la lettre « t » script, en minuscule et en majuscule. Respecte le tracé proposé.

Écris la lettre « t » cursive, en minuscule. Respecte le tracé proposé.

Écriture script et cursive

Écris la lettre « u » script, en minuscule et en majuscule. Respecte le tracé proposé.

U U

u u

Écris la lettre « u » cursive, en minuscule. Respecte le tracé proposé.

u u u u u u u u u

Écriture script et cursive

Écris la lettre « v » script, en minuscule et en majuscule. Respecte le tracé proposé.

V V

v v

Écris la lettre « v » cursive, en minuscule. Respecte le tracé proposé.

Écriture script et cursive

Écris la lettre « w » script, en minuscule et en majuscule. Respecte le tracé proposé.

W W

w w

Écris la lettre « w » cursive, en minuscule. Respecte le tracé proposé.

Écriture script et cursive

Écris la lettre « x » script, en minuscule et en majuscule. Respecte le tracé proposé.

1 X 2 X

1 x 2 x

Écris la lettre « x » cursive, en minuscule. Respecte le tracé proposé.

x x x x x x x x x

Écriture script et cursive

Écris la lettre « y » script, en minuscule et en majuscule. Respecte le tracé proposé.

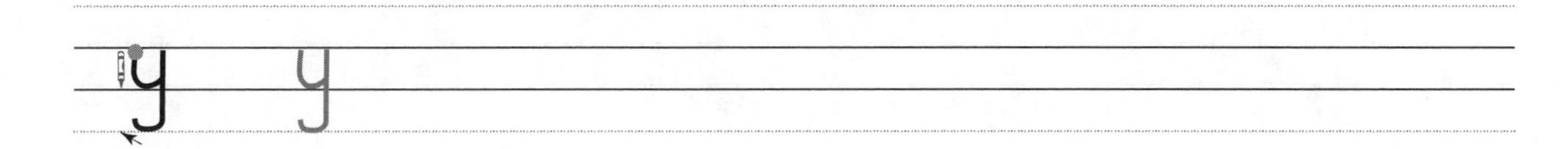

Écris la lettre « y » cursive, en minuscule. Respecte le tracé proposé.

Écriture script et cursive

Écris la lettre « z » script, en minuscule et en majuscule. Respecte le tracé proposé.

Z Z

z z

Écris la lettre « z » cursive, en minuscule. Respecte le tracé proposé.

z z z z z z z z z

Écriture script et cursive

Voici les 26 lettres de l'alphabet en écriture script et cursive.

Tu peux utiliser cette page comme aide-mémoire pour le tracer des lettres et aussi pour l'ordre alphabétique.

Écriture de mots

Copie les mots suivants dans le trottoir en écriture cursive.

Avion

biberon

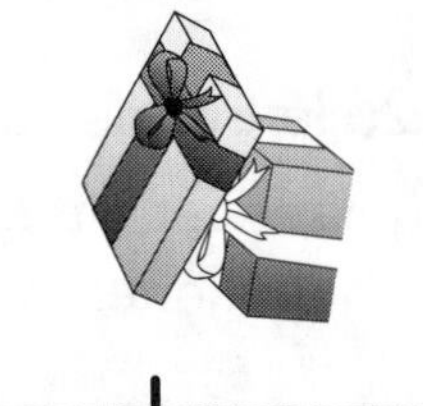
cadeaux

fille en classe

Ève

bonbon

guitare

alouette

Isabelle

jeep

koala

lumière

Martien

natation

orignal

Écriture de mots

Copie les mots suivants dans le trottoir en écriture cursive.

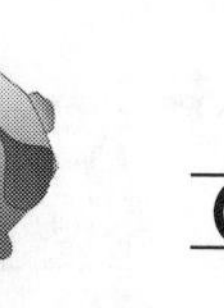

poulet

quille

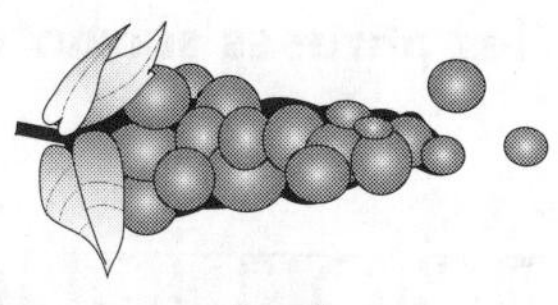

raisin

soulier

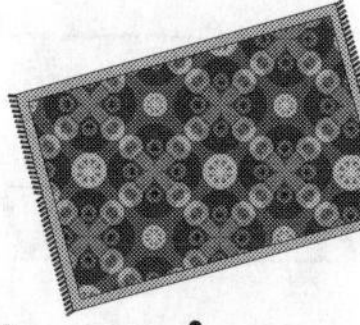

tapis

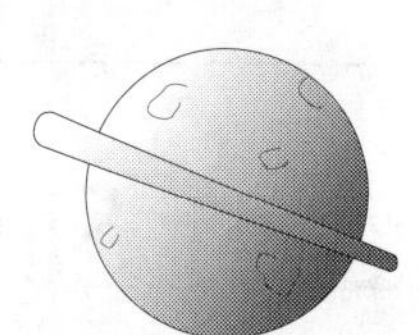

univers

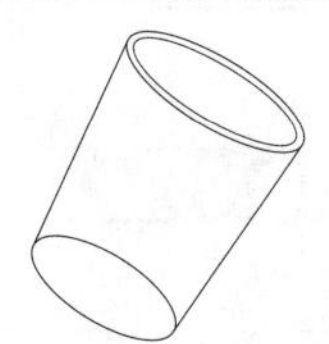

verre

wapiti

xylophone

Yvan

zèbre

Sonya

Taxi

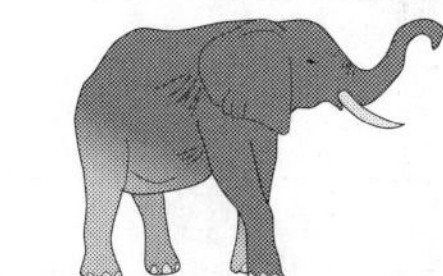

éléphant

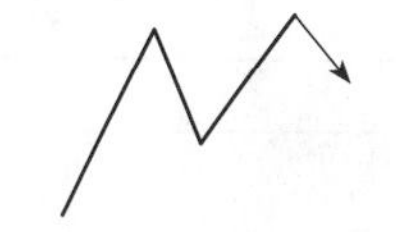

zigzag

Écriture de phrases

Copie les phrases suivantes dans le trottoir en écriture cursive.

Marilou joue avec son chien.

Louis et Simon font du vélo.

Léa et Alexane étudient leurs leçons.

Charles est mon professeur préféré.

Amélie fait sa compétition.

Écriture de phrases

Copie les phrases suivantes dans le trottoir en écriture cursive.

Mamie fait des galettes.

Je lis ma bande dessinée.

Nous dansons le ballet.

Anaïes joue du violon.

William joue au tennis.

L'ordre alphabétique

Relie les lettres de a à z pour former le dessin.

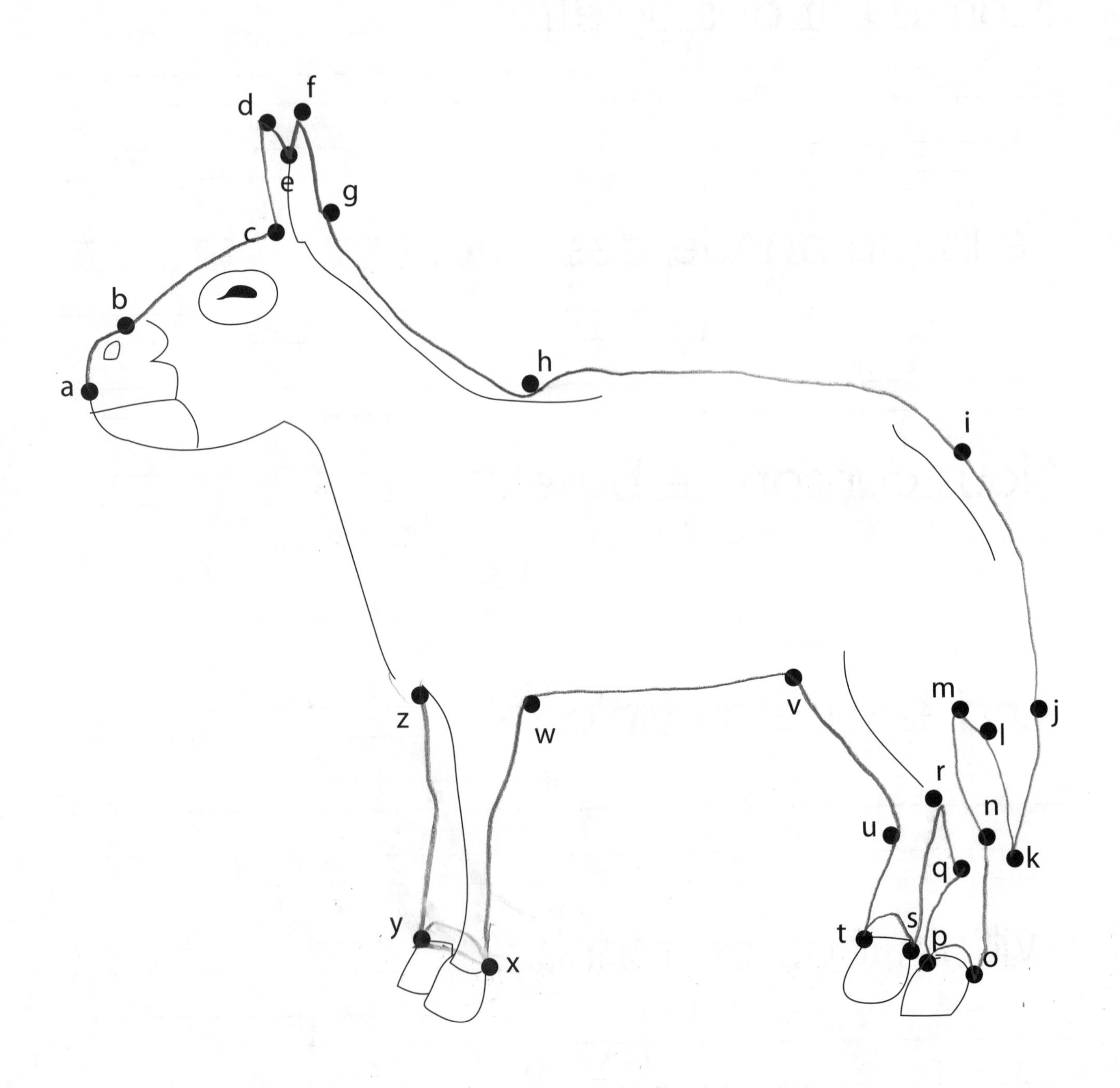

L'ordre alphabétique

1. Écris la lettre qui vient immédiatement avant…

a) _____ f b) _____ q c) _____ m d) _____ z

e) _____ u f) _____ r g) _____ p h) _____ s

2. Écris la lettre qui vient immédiatement après…

a) y _____ b) w _____ c) v _____ d) l _____

e) a _____ f) c _____ g) o _____ h) t _____

3. Écris les mots dans l'ordre alphabétique.

a) hibou _____________

karaté _____________

abeille _____________

lunette _____________

b) nature _____________

olive _____________

bedaine _____________

lama _____________

c) tulipe _____________

wapiti _____________

gymnastique _____________

vendredi _____________

L'ordre alphabétique

1. Écris la lettre qui vient immédiatement avant...

a) ____ i b) ____ v c) ____ b d) ____ n

e) ____ e f) ____ t g) ____ k h) ____ g

2. Écris les mots dans l'ordre alphabétique.

a)
tunnel ____________
accident ____________
jouet ____________
nid ____________
arbre ____________
nuque ____________
clémentine ____________
palmier ____________

b)
forêt ____________
querelle ____________
laine ____________
chaudron ____________
tunique ____________
habit ____________
quille ____________
bibliothèque ____________

L'ordre alphabétique

1. Écris la lettre qui vient immédiatement après.

a) k ____ b) m ____ c) d ____ d) p ____

e) f ____ f) r ____ g) h ____ h) s ____

2. Écris les mots dans l'ordre alphabétique.

a) pyjama ____________
jupe ____________
mitaine ____________
lion ____________
framboise ____________
planète ____________
toupie ____________
wagon ____________

b) feuille ____________
fraise ____________
terre ____________
kangourou ____________
zèbre ____________
taxe ____________
école ____________
garçon ____________

Les syllabes fermées

Une syllabe fermée : consonne + voyelle + consonne

Lis les syllabes.

bad	cep	dic	for	gad
hec	jut	kif	loc	mur
nar	pil	rus	seg	tob
vec	zor	pas	bis	duc

Lis les mots.

badge	cactus	dictée	forte	garde
Hector	larme	morse	serpent	Victor
facture	farce	partir	carte	charme
lecture	barbe	marteau	cerceau	filmer

Lis les phrases.

Victor aime les serpents.

Madame Caroline donne la dictée.

Le morse mange du poisson.

Le policier a un badge.

Les syllabes fermées

1. Écris dans les cercles les voyelles que tu trouves dans le mot.

a) badge
○ ○

b) cactus
○ ○

c) dictée
○ ○ ○

d) forte
○ ○

e) garde
○ ○

f) Hector
○ ○

g) larme
○ ○

h) morse
○ ○

i) serpent
○ ○

2. Écris dans les cercles les consonnes que tu trouves dans le mot.

a) Victor
○ ○ ○ ○

b) facture
○ ○ ○ ○

c) farce
○ ○ ○

d) partir
○ ○ ○ ○

e) carte
○ ○ ○

f) charme
○ ○ ○ ○

g) lecture
○ ○ ○ ○

h) barbe
○ ○ ○

i) marteau
○ ○ ○

Les syllabes fermées

1. Colorie autant de cercles qu'il y a de syllabes.

a) partir ○ ○ ○

b) filmer ○ ○ ○

c) Hector ○ ○ ○

d) Victor ○ ○ ○

e) larme ○ ○ ○

f) garde ○ ○ ○

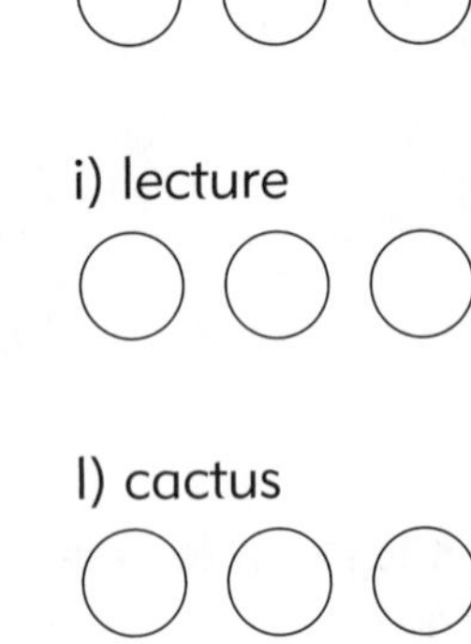

g) forte ○ ○ ○

h) facture ○ ○ ○

i) lecture ○ ○ ○

j) badge ○ ○ ○

k) dictée ○ ○ ○

l) cactus ○ ○ ○

2. Associe chaque mot à son image en traçant une ligne.

a) marteau — 1.

b) cerceau — 2.

c) barbe — 3. 

d) carte — 4.

e) serpent — 5.

f) morse — 6.

Connaissances

Les syllabes fermées

1. Encercle le mot qui va avec l'image.

a) surpent, serpent, sirpent

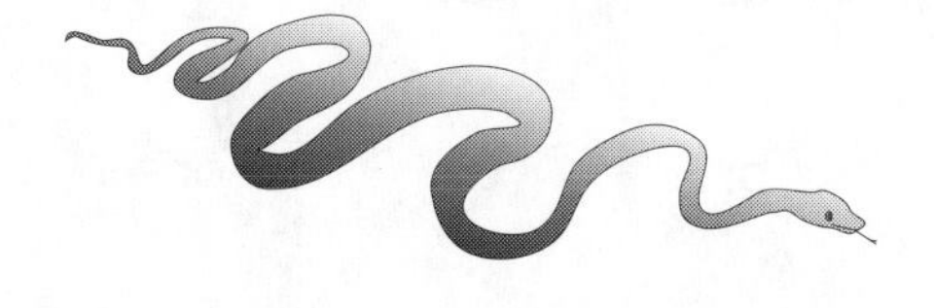

b) carte, corte, certe

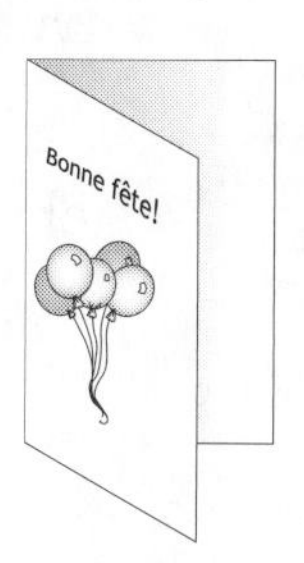

c) marse, murse, morse

d) lorme, larme, lurme

e) coctus, cuctus, cactus

f) badge, bacge, balge

g) corceau, carceau, cerceau

h) murteau, marteau, morteau

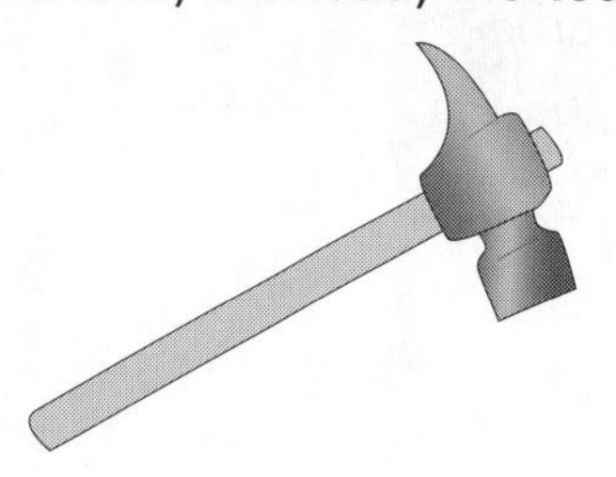

i) barbe, darbe, barde

j) jarde, garde, garbe

Les syllabes fermées

1. Écris la lettre ou le son manquant.

m	er	b	ch	ic	ac	ec	eau	d
on	oi	ad	or	er	t	ar	us	or

a) s ________ pent

b) f ________ ture

c) f ________ ce

d) car ________ e

e) ________ arme

f) b ________ ge

g) cact ________

h) d ________ tée

i) f ________ te

j) gar ________ e

k) lar ________ e

l) m ________ se

m) p ________ re

n) l ________ ture

o) ________ arbe

p) mart ________

q) c ________ ceau

r) j ________ quille

Les syllabes fermées

1. Écris le mot sous l'image.

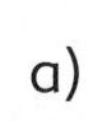
a) 

____

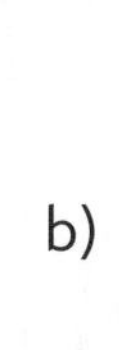
b) 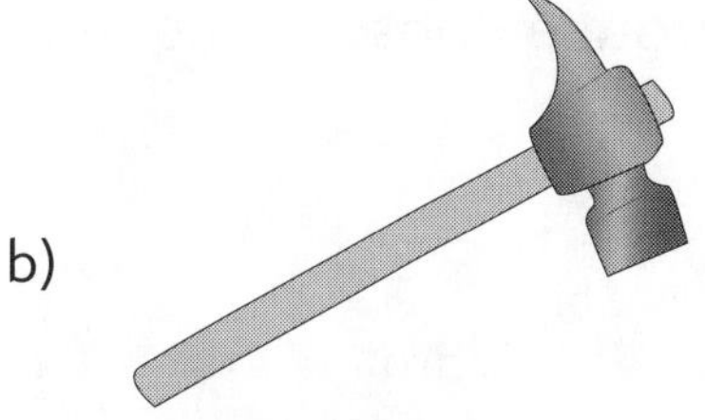

____

c) 

____

d) 

____

e) 

____

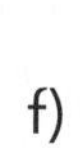
f) 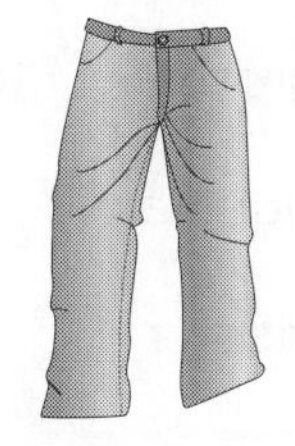

____

g) 

____

h) 

____

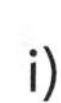
i) 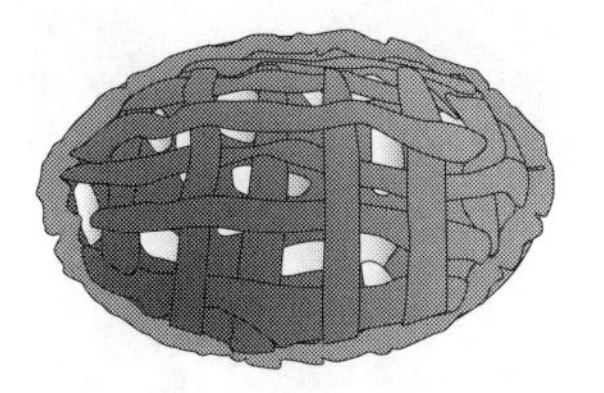

____

j) 

____

Les groupes consonantiques

Un groupe consonantique : consonne + consonne + voyelle

Lis les syllabes.

cli	dru	grê	fré	cro
flè	pra	bra	ple	tri
ble	vro	cra	blo	dre
fla	gra	plo	tre	glu

Lis les mots.

crocodile	cravate	arbre	dragon	chèvre
brocoli	grasse	flèche	trèfle	branche
bleuet	Claudia	frère	blanche	premier
plante	tricoter	crayon	fraise	crier

Lis les phrases.

Claudia ramasse des bleuets.

Mon frère lance sa flèche blanche.

Élodie tricote sa première mitaine.

Annie adore les fraises et le brocoli.

Les groupes consonantiques

1. Écris dans les cercles les voyelles que tu trouves dans le mot.

a) crier

b) premier

c) blanche

d) frère

e) Claudia

f) tricoter

g) plante

h) fraise

i) grasse

2. Écris dans les cercles les consonnes que tu trouves dans le mot.

a) crayon

b) bleuet

c) branche

d) trèfle

e) flèche

f) brocoli

g) chèvre

h) dragon

i) arbre

Les groupes consonantiques

1. Colorie autant de cercles qu'il y a de syllabes.

a) flèche ○ ○ ○

b) trèfle ○ ○ ○

c) branche ○ ○ ○

d) Bleuet ○ ○ ○

e) Claudia ○ ○ ○

f) frère ○ ○ ○

g) Blanche ○ ○ ○

h) plante ○ ○ ○

i) tricoter ○ ○ ○

j) fraise ○ ○ ○

k) premier ○ ○ ○

l) crier ○ ○ ○

2. Associe chaque mot à son image en traçant une ligne.

a) crocodile — 1.

b) cravate — 2.

c) arbre — 3.

d) dragon — 4.

e) chèvre — 5.

f) brocoli — 6.

Les groupes consonantiques

1. Encercle le mot qui va avec l'image.

a) crayon, creyon, croyon

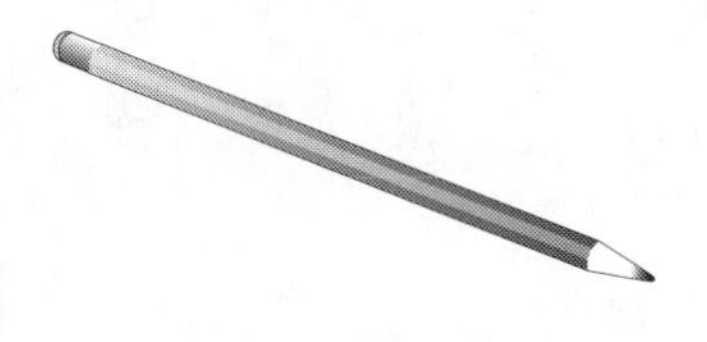

b) flaise, fraise, fraisse

c) plonte, ploute, plante

d) blouet, bleuet, breuet

e) Blanche, brance, branche

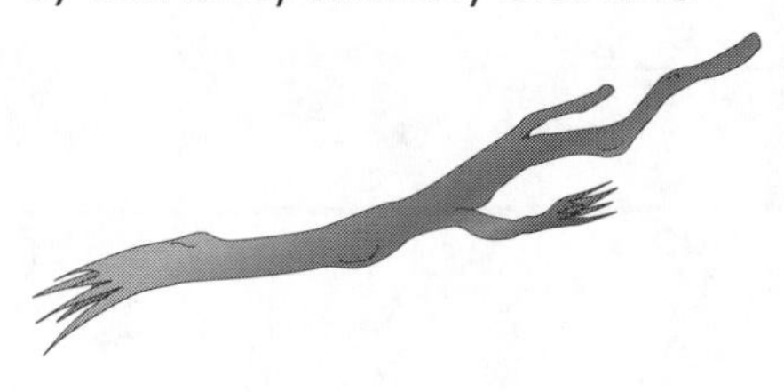

f) trève, trèfle, trèvle

g) vlèche, vèche flèche

h) brocoli, drocoli, brosoli

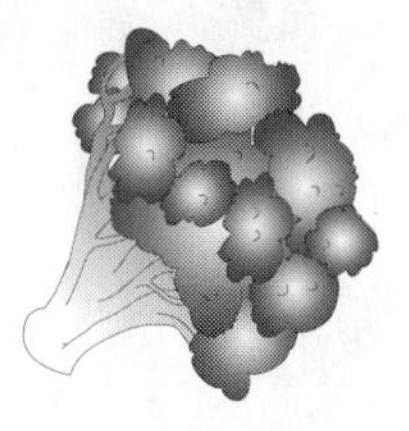

i) sèvre, chèvre, chévre

j) crocodile, cocodile, crocobile

Les groupes consonantiques

1. Écris la lettre ou le son manquant.

er	dr	Cl	tr	c	gr	bl	t	br
fr	m	br	vr	ch	y	an	fl	cr

a) cro __________ odile

b) __________ avate

c) ar __________ e

d) __________ agon

e) chè __________ e

f) __________ ocoli

g) __________ asse

h) __________ èche

i) __________ èfle

j) bran __________ e

k) __________ euet

l) __________ audia

m) __________ ère

n) bl __________ che

o) pre __________ ier

p) plan __________ e

q) tricot __________

r) cra __________ on

Les groupes consonantiques

1. Écris le mot sous l'image.

a) 

b) 

c) 

d) 

e) 

f) 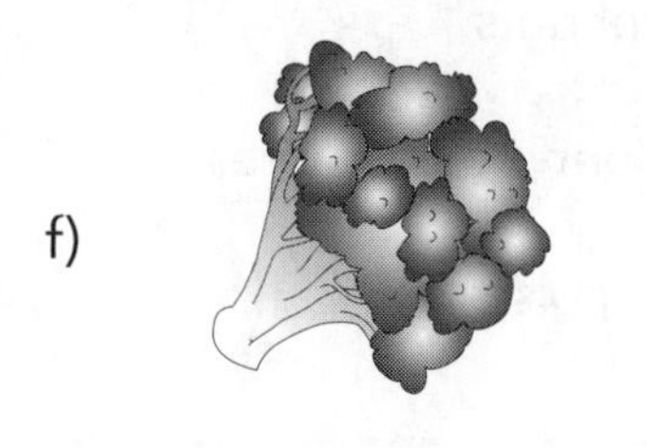

g) 

h) 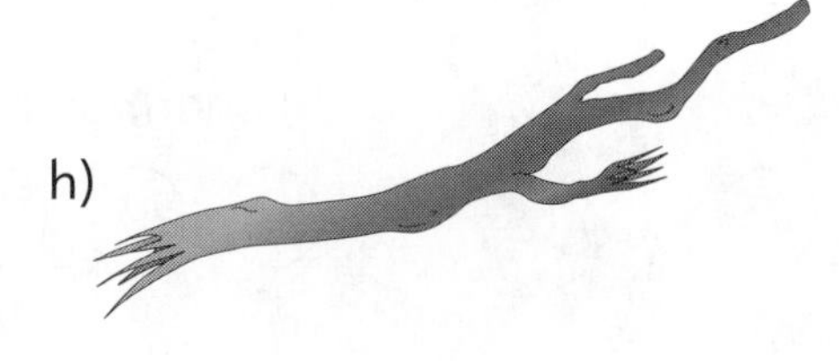

i) 

j) 

Les sons complexes

Lis les syllabes.

phe	pha	pho	phi	phu
phy	phê	phé	phè	phan

Lis les mots.

Sophie	éléphant	phoque	philosophie	philatélie
phénomène	pharaon	photo	pharmacie	phrase

Lis les phrases.

Sophie nourrit les éléphants.

Le philatéliste collectionne des timbres.

Le phoque mange du poisson.

1. Colorie autant de cercles qu'il y a de syllabes.

a) phrase

b) pharmacie

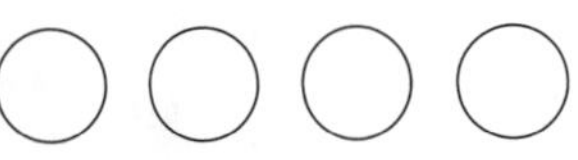

c) photo

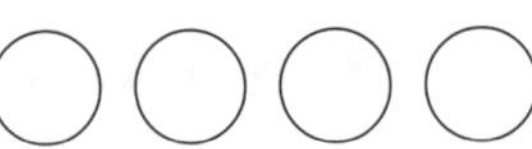

d) pharaon

e) phénomène

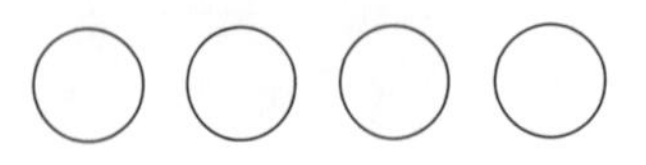

f) philatélie

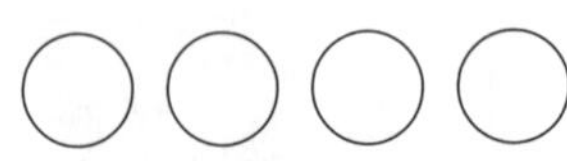

g) philosophie

h) phoque

i) éléphant

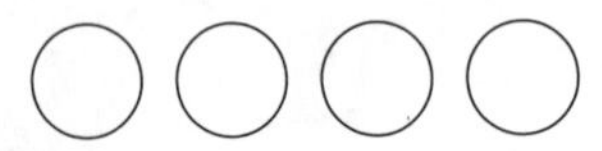

Les sons complexes

1. Associe chaque phrase à son image en traçant une ligne.

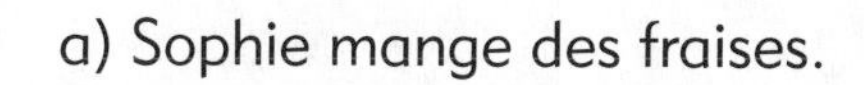

a) Sophie mange des fraises. 1. 

b) L'éléphant vit en Afrique. 2. 

c) Le phoque se déplace dans l'eau. 3. 

d) Le philatéliste regarde ses timbres. 4. 

e) Le pharaon vit en Égypte. 5. 

f) Claudia prend des photos. 6. 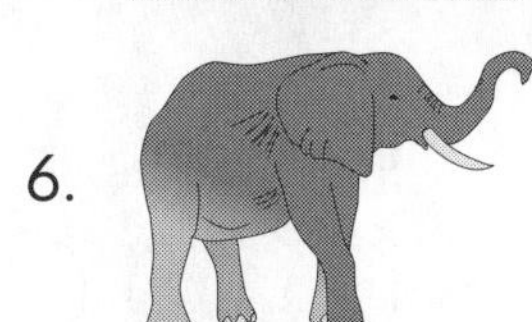

g) Papa va à la pharmacie. 7. 

h) J'écris une phrase. 8. 

Les sons complexes

Lis les syllabes.

gno	gne	gnê	gné	gnu
gni	gny	gna	gnou	gnè

Lis les mots.

cygne	araignée	gagner	baignoire	cigogne
agneau	compagnon	orignal	enseignant	beignet

Lis les phrases.

Océane mange des beignets.

L'orignal vit dans la forêt.

L'araignée tisse sa toile.

1. Colorie autant de cercles qu'il y a de syllabes.

a) cygne ○○○○

b) baignoire ○○○○

c) compagnon ○○○○

d) orignal ○○○○

e) gagner ○○○○

f) araignée ○○○○

g) cigogne ○○○○

h) agneau ○○○○

i) enseignant ○○○○

Les sons complexes

1. Encercle dans la phrase le mot illustré.

a) Le cygne est un oiseau prestigieux.

b) Simon écrase la mouche avec son pied.

c) Coralie lave sa baignoire.

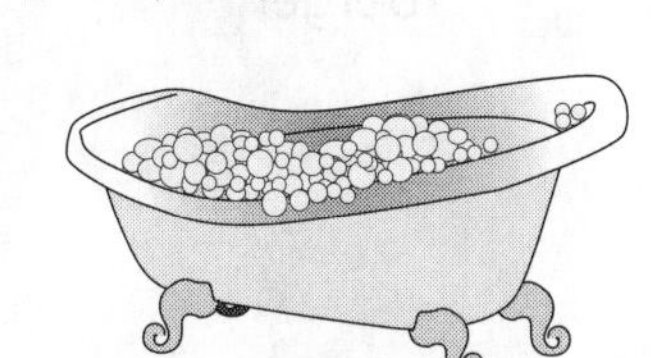

d) L'ornithorynque a un très long bec.

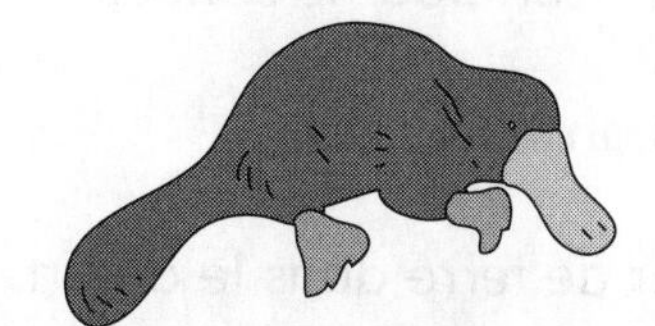

e) Émile fait l'élevage des vaches.

f) Mario va à la chasse à l'orignal.

g) Mon enseignante lit un roman.

h) Sonya adore les beignets au chocolat.

Les sons complexes

Lis les syllabes.

mer	ver	cher	ser	ber
fer	ler	per	ner	ter

Lis les mots.

mer	désert	vert	ver	imperméable
verre	berger	hiver	cerf	dessert

Lis les phrases.

Maman fait un dessert pour le souper.

Mathis boit dans un verre vert.

Il n'y a pas de ver de terre dans le désert.

1. Colorie autant de cercles qu'il y a de syllabes.

a) mer ○○○○○

b) désert ○○○○○

c) imperméable ○○○○○

d) ver ○○○○○

e) cerf ○○○○○

f) hiver ○○○○○

g) berger ○○○○○

h) vert ○○○○○

i) dessert ○○○○○

Les sons complexes

Illustre le mot souligné dans la phrase.

La **mer** est calme ce matin.

Il y a un lézard dans le **désert**.

Papi ramasse des **vers** de terre.

Il pleut : Jérémie enfile son **imperméable**.

Jasmine a cassé son **verre** vert.

Béatrice cuisine un succulent **dessert**.

Les sons complexes

Lis les syllabes.

tion	sion	pion	bion	fion
mion	vion	hion	nion	zion

Lis les mots.

addition	soustraction	permission	fraction	section
télévision	champion	multiplication	infraction	vision

Lis les phrases.

Maïka apprend la division.

Justine branche la télévision.

Mathieu est le champion des soustractions.

1. Colorie autant de cercles qu'il y a de syllabes.

a) addition
○ ○ ○ ○ ○

b) soustraction
○ ○ ○ ○ ○

c) infraction
○ ○ ○ ○ ○

d) fraction
○ ○ ○ ○ ○

e) section
○ ○ ○ ○ ○

f) télévision
○ ○ ○ ○ ○

g) champion
○ ○ ○ ○ ○

h) multiplication
○ ○ ○ ○ ○

i) vision
○ ○ ○ ○ ○

Les sons complexes

1. Écris la lettre ou le son manquant.

an	in	pa	tion	ai	er	v	gn	ec
fr	ph	a	pli	ac	i	sion	al	am

a) addi ________

b) soustr ________ tion

c) permis ________

d) ________ action

e) s ________ tion

f) télé ________ ision

g) ch ________ pion

h) multi ________ cation

i) ________ fraction

j) v ________ sion

k) b ________ ger

l) imperméa ________ ble

m) cy ________ e

n) ar ________ gnée

o) ________ oto

p) éléph ________ t

q) orign ________

r) com ________ gnon

Les sons complexes

Lis les syllabes.

noin	loin	moin	boin	foin
coin	roin	poin	roin	soin

Lis les mots.

conjoint	coin	point	jointure	poing
rejoindre	soin	pointure	moindre	foin

Lis les phrases.

Place la chaise dans le coin.

À la fin d'une phrase, on met un point.

Mathis a mal aux jointures, car il a donné un coup de poing.

1. Colorie autant de cercles qu'il y a de syllabes.

a) conjoint ◯ ◯ ◯ ◯

b) point ◯ ◯ ◯ ◯

c) jointure ◯ ◯ ◯ ◯

d) rejoindre ◯ ◯ ◯ ◯

e) pointure ◯ ◯ ◯ ◯

f) foin ◯ ◯ ◯ ◯

g) coin ◯ ◯ ◯ ◯

h) moindre ◯ ◯ ◯ ◯

i) soin ◯ ◯ ◯ ◯

Les sons complexes

1. Relie l'image à la phrase puis écris le mot sur la ligne.

a) Papa lave le ______________ de la table.

b) Alex est le ______________ de Léanne.

c) Une phrase se termine par un ______________.

d) Daphnée a la ______________ enflée.

e) Le bébé a le ______________ fermé.

f) Il y a une souris dans le ______________.

g) Le ______________ crache du feu.

h) Tommy porte sa ______________ pour la noce.

1.

2. 

3. 

4. 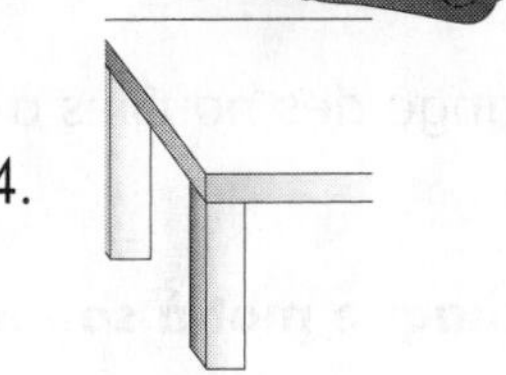

5. 

6. 

7. 

8. 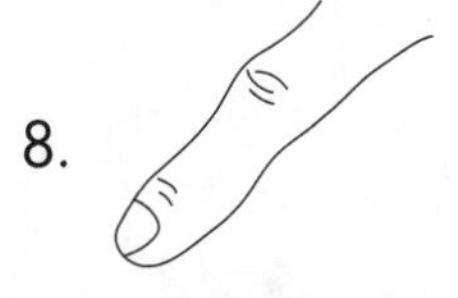

Les sons complexes

Lis les syllabes.

nouille	douille	fouille	rouille	souille
bouil	touil	mouil	pouil	couil

Lis les mots.

nouille	grenouille	débrouille	bouille	vadrouille
fenouil	citrouille	fouille	bouillon	fripouille

Lis les phrases.

La grenouille verte saute dans la mare.

Je bois un bouillon au fenouil.

Caroline mange des nouilles à la citrouille.

1.Associe chaque mot à son image en traçant une ligne.

a) nouille 1.

b) grenouille 2.

c) vadrouille 3.

d) quenouille 4.

e) citrouille 5.

f) papillon 6.

Les sons complexes

1. Associe chaque phrase à son image en traçant une ligne.

a) La grenouille mange des nouilles.

b) Hugo mange des nouilles.

c) Mamie récolte du fenouil.

d) Mamie ramasse une citrouille.

e) Philippe passe la vadrouille.

f) Philippe passe le balai.

g) Alice fouille dans sa boîte.

h) Alice fouille dans son sac d'école.

1. 

2. 

3. 

4. 

5. 

6. 

7. 

8. 

Les sons complexes

Lis les syllabes.

caille	baille	daille	faille	maille
nail	pail	rail	tail	vail

Lis les mots.

maillet	gouvernail	travail	chandail	cailloux
médaille	marmaille	tailleur	médaillon	poulailler

Lis les phrases.

La directrice porte son tailleur.

Julia adore son chandail brun et beige.

Charles a gagné une médaille en course à pied.

1. Associe chaque mot à son image en traçant une ligne.

a) médaille — 1. 

b) chandail — 2.

c) cailloux — 3. 

d) poulailler — 4.

e) taille-crayon — 5.

f) épouvantail — 6.

Connaissances

Les sons complexes

1. Encercle dans la phrase le mot illustré.

a) Le juge frappe sur son bureau avec son maillet.

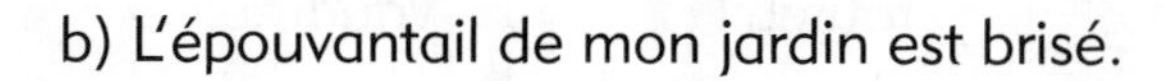

b) L'épouvantail de mon jardin est brisé.

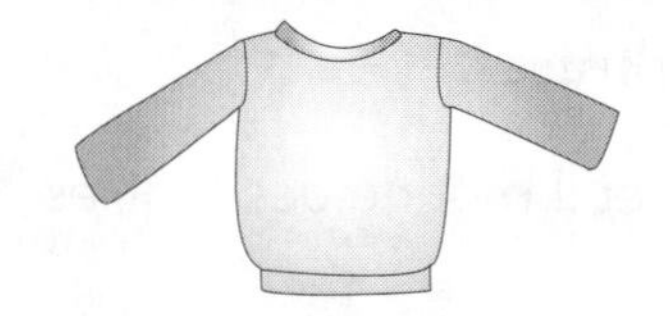

c) Mélodie tricote un chandail en laine.

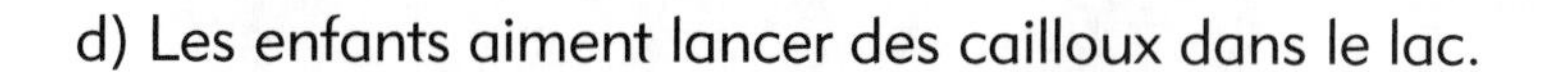

d) Les enfants aiment lancer des cailloux dans le lac.

e) Alexane a gagné une médaille d'or en gymnastique.

f) Ma voisine a une nombreuse marmaille.

g) La secrétaire porte un tailleur marine.

h) Les poules vivent dans le poulailler.

Les sons complexes

Lis les syllabes.

beuille	seuille	ceuille	deuille	meuille
feuil	neuil	reuil	peuil	teuil

Lis les mots.

chevreuil	deuil	Longueuil	fauteuil	Vaudreuil
feuille	feuillet	portefeuille	seuil	feuillage

Lis les phrases.

Le chevreuil mange des feuilles.

J'ai perdu mon portefeuille à Longueuil.

Amélie achète un nouveau fauteuil pour son salon.

1. Associe chaque mot à son image en traçant une ligne.

a) chevreuil — 1.

b) feuille — 2.

c) portefeuille — 3.

d) fauteuil — 4.

e) télévision — 5.

f) poing — 6.

Les sons complexes

Illustre le mot souligné dans la phrase.

Le **chevreuil** est un mammifère.

Jade a reçu son nouveau **fauteuil**.

À l'automne, les **feuilles** tombent.

J'ai reçu un **feuillet** publicitaire par la poste.

Samuel a trouvé son **portefeuille**.

Le **feuillage** de l'érable est abondant

Les sons complexes

Lis les syllabes.

feille	teille	beille	deille	meille
ceil	neil	peil	seil	reil

Lis les mots.

abeille	corbeille	groseille	oreille	corneille
soleil	bouteille	orteil	réveil	conseil

Lis les phrases.

Les abeilles vivent dans la ruche.

Justin s'est gelé ses orteils et ses oreilles.

L'été, le soleil réveille la corneille.

1. Associe chaque mot à son image en traçant une ligne.

a) abeille — 1.

b) corneille — 2.

c) bouteille — 3.

d) soleil — 4.

e) orteil — 5.

f) oreille — 6.

Les sons complexes

1. Écris la lettre ou le son manquant.

gr	on	v	ou	ph	ch	euille	b	or
t	eau	au	eille	et	o	ail	on	so

a) ab ________

b) c ________ neille

c) ________ oseille

d) ________ reille

e) cor ________ eille

f) ________ leil

g) b ________ teille

h) or ________ eil

i) ré ________ eil

j) c ________ seil

k) ________ evreuil

l) f ________ teuil

m) f ________

n) feuill ________

o) chand ________

p) médaill ________

q) ________ rase

r) agn ________

Les sons complexes

Lis les syllabes.

bille	tille	jille	sille	fille
mille	rille	dille	kille	nille

Lis les mots.

fille	chenille	espadrille	papillon	brindille
cheville	gentille	béquille	coquillage	jonquille

Lis les phrases.

La gentille fille ramasse des jonquilles.

La chenille se transforme en papillon.

Jacob marche avec des béquilles, car il a cassé sa cheville.

1. Associe chaque mot à son image en traçant une ligne.

a) papillon — 1.

b) chenille — 2.

c) espadrille — 3.

d) coquillage — 4.

e) fille — 5.

f) quille — 6.

Les sons complexes

1. Relie l'image à la phrase puis, écris le mot sur la ligne.

a) Catherine joue aux ________________ dans la cour.

1. 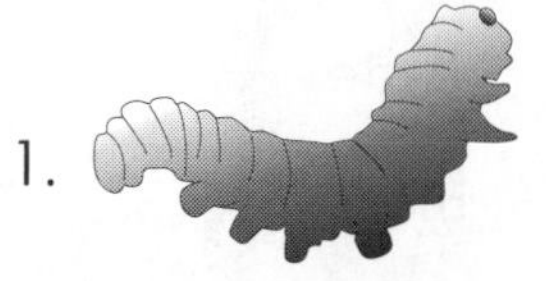

b) La jolie ________________ est intelligente.

2. 

c) Il y a une ________________ qui se déplace sur mon doigt.

3. 

d) Je lace mes ________________ solidement.

4. 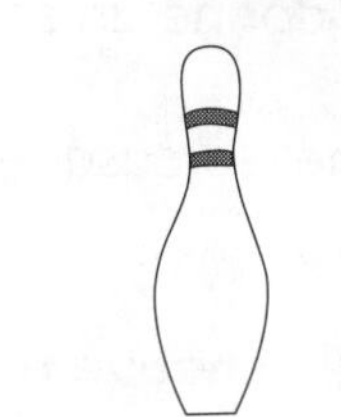

e) Mélodie attrape des ________________ multicolores.

5. 

f) Nicolas a cassé sa ________________.

6. 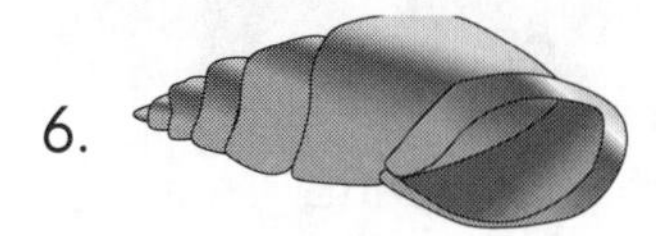

g) Maxime joue dans une ligue de ________________.

7. 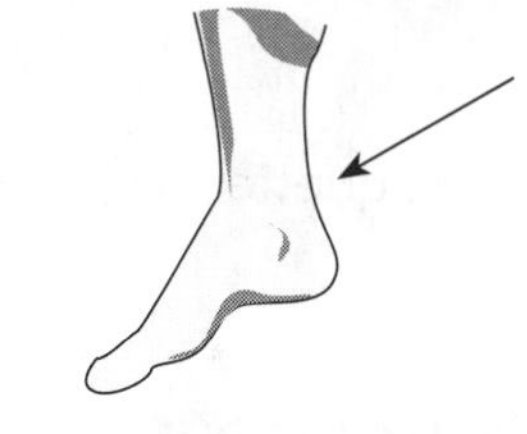

h) Sur le bord de la mer, je ramasse des ________________.

8. 

Les sons complexes

Lis les syllabes.

bette	rette	sette	lette	dette
mette	pette	fette	nette	vette

Lis les mots.

vedette	crevette	baguette	raquette	marionnette
Juliette	noisette	salopette	casquette	bicyclette

Lis les phrases.

Juliette met sa salopette pour faire de la bicyclette.

Édouard donne un spectacle de marionnettes.

Tristan met sa casquette pour jouer à la raquette.

1. Associe chaque mot à son image en traçant une ligne.

a) navette — 1.

b) casquette — 2.

c) salopette — 3.

d) raquette — 4.

e) bicyclette — 5.

f) baguette — 6.

Les sons complexes

1. Associe chaque phrase à son image en traçant une ligne.

a) Papi joue à la raquette. 1.

b) Loïc fabrique une marionnette. 2.

c) Élisabeth aime sa salopette bleue. 3.

d) Maude va vite avec sa bicyclette. 4.

e) Maman mange des crevettes. 5.

f) La fée a une baguette magique. 6.

g) Audrey porte sa casquette. 7.

h) Mégan mange une tartine aux noisettes. 8.

Les sons complexes

Lis les syllabes.

lien	bien	mien	rien	sien
dienne	cienne	fienne	nienne	tienne

Lis les mots.

indien	magicien	électricienne	Canadien	ancien
chien	quotidien	Italienne	mécanicien	bienfaiteur

Lis les phrases.

Mon chien s'appelle Café.

Mon ami Paolo est Italien.

Le mécanicien a réparé mon auto.

1. Associe chaque mot à son image en traçant une ligne.

a) amérindien — 1.

b) chien — 2.

c) magicien — 3.

d) mécanicien — 4.

e) gardien — 5.

f) magicien — 6.

Les sons complexes

1. Encercle dans la phrase le mot illustré.

a) Noa se déguise en Amérindien à l'Halloween.

b) Mon chien court dans le parc.

c) Lola, ma chienne, a eu cinq petits chiots.

d) Le magicien sort un lapin de son chapeau.

e) Le mécanicien travaille au garage.

Les sons complexes

Lis les syllabes.

tour	mour	jour	bour	nour
dour	lour	four	cour	pour

Lis les mots.

ourson	journée	amour	fourmi	tournesol
vautour	fourrure	tourterelle	cour	tourtière

Lis les phrases.

Mamie prépare de la bonne tourtière.

Il y a des fourmis volantes dans ma cour.

Le vautour cherche la tourterelle.

1. Associe chaque mot à son image en traçant une ligne.

a) fourmi

b) ourson

c) tour

d) tournesol

e) vautour

f) tambour

1.

2.

3.

4.

5.

6.

Les sons complexes

Illustre le mot souligné dans la phrase.

La **fourmi** est un petit insecte.

La Saint-Valentin est la fête de l'**amour**.

La maman ourse a eu deux **oursons** bruns.

Le **vautour** tourne en rond dans le ciel.

La **tourterelle** roucoule dans ma cour.

Je ramasse les graines de mon **tournesol**.

Les sons complexes

Lis les syllabes.

beur	leur	jeur	heur	peur
seur	reur	neur	meur	deur

Lis les mots.

coeur	docteur	facteur	inspecter	voleur
soeur	chanteur	fleur	chou-fleur	couleur

Lis les phrases.

Ma soeur va voir le docteur.

L'inspecteur cherche le voleur.

Dans ma rocaille, j'ai des fleurs de toutes les couleurs.

1. Associe chaque mot à son image en traçant une ligne.

a) coeur 1.

b) docteur 2.

c) chanteur 3.

d) fleur 4.

e) chou-fleur 5.

f) voleur 6.

Les sons complexes

1. Écris la lettre ou le son manquant.

eur	elle	an	l	ou	ol	oc	in	ac
ec	ch	ien	oi	our	an	s	eur	v

a) co ________ b) ________ oeur

c) d ________ teur d) ch ________ teur

e) f ________ teur f) fl ________

g) insp ________ teur h) ch ________ -fleur

i) ________ oleur j) cou ________ eur

k) tournes ________ l) vaut ________

m) Canad ________ n) ________ dien

o) ________ cien p) tourter ________

q) n ________ sette r) ________ ien

Les sons complexes

Lis les syllabes.

noir	doir	boir	moir	soir
roir	toir	coir	foir	loir

Lis les mots.

miroir	tiroir	espoir	armoire	savoir
noir	voir	nageoire	bouilloire	boudoir

Lis les phrases.

Le requin a de grandes nageoires.

J'aimerais savoir qui est dans le boudoir.

Jasmine peint ses tiroirs en noir.

1. Associe chaque mot à son image en traçant une ligne.

a) miroir — 1.

b) tiroir — 2.

c) armoire — 3.

d) nageoire — 4.

e) bouilloire — 5.

f) arrosoir — 6.

Les sons complexes

1. Relie l'image à la phrase puis, écris le mot sur la ligne.

a) Le ________________ soigne les malades. 1.

b) La nuit, il fait ________________. 2.

c) Les poissons se déplacent avec leurs ________________. 3.

d) Maman arrose les plantes avec l' ________________. 4.

e) Je ferme la porte de l' ________________. 5.

f) Alicia se regarde dans le ________________. 6.

g) J'ai caché un mot d'amour dans mon ________________. 7.

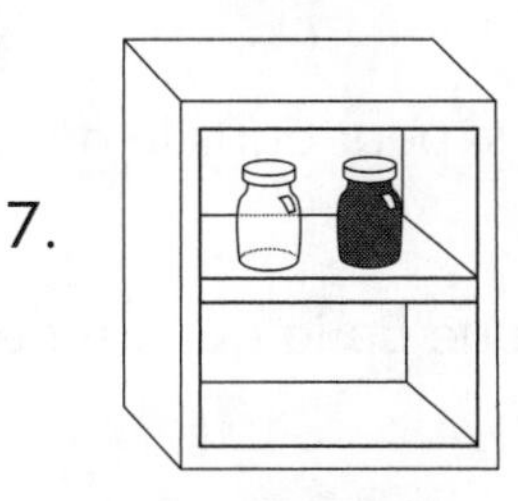

h) Lorsque l'eau est chaude, la ________________ fait du bruit. 8.

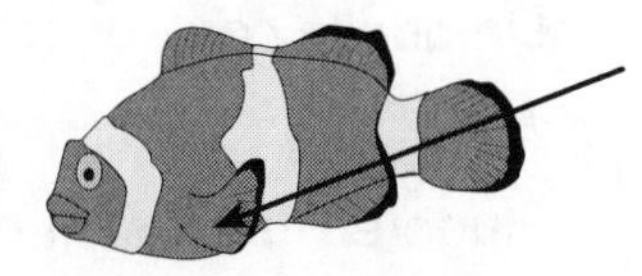

La ponctuation

La ponctuation donne un sens et clarifie le texte :

Le point (.) indique la fin de la phrase et oblige le lecteur à faire une pause.
Le point d'interrogation (?) indique la fin de la phrase et signale qu'elle est une question.
Le point d'exclamation (!) indique la fin de la phrase et exprime un sentiment.
La virgule (,) marque une pause et sépare les éléments semblables dans la phrase.

1. Écris le point qui convient le mieux à la phrase.
Utilise le point (.), le point d'interrogation (?) ou le point d'exclamation (!).

a) Je joue à la balle avec mes amis ____________

b) Je vais en voyage, je suis si heureuse ____________

c) Maya et Ève sautent à la corde à danser ____________

d) Pourquoi as-tu changé la couleur de tes cheveux ____________

e) Comment s'appelle ton chien ____________

f) Zacharie et Mia sont des amoureux ____________

g) Youpi, j'ai gagné une médaille d'argent ____________

h) Quelle heure est-il ____________

i) J'ai si peur dans le noir ____________

j) Je joue de la guitare depuis trois ans ____________

k) De quelle couleur est ta robe préférée ____________

l) Hugo et Julien sont dans la même équipe de soccer ____________

La ponctuation

1. Lis le texte et écris sur chaque ligne le signe de ponctuation manquant. Utilise le point (.), le point d'interrogation (?), le point d'exclamation (!) ou la virgule (,).

L'ours polaire

L'ours polaire est un carnivore et un des plus grands mammifères ____ (a) Pour déchiqueter la chair des animaux ____ (b) il utilise ses 42 canines ____ (c) Il mesure 1,5 mètre et le mâle pèse entre 500 et 730 kilogrammes ____ (d) Sa fourrure est blanche en hiver et jaune en été ____ (e) Il peut courir jusqu'à 50 kilomètres/heure avec ses pattes de 23 centimètres de largeur ____ (f) Il peut vivre jusqu'à 40 ans ____ (g) L'ours passe les ¾ de ses journées dans les eaux du Grand Nord canadien ____ (h) Il vit sur une terre de glace ____ (i)

En hiver ____ (j) l'ours mange des phoques ____ (k) des morses et du poisson.

En été ____ (l) il mange des animaux marins ____ (m) des baies et des plantes herbacées ____ (n) Est-ce que tu aimes les ours polaires ____ (o)

La ponctuation

1. Lis le texte et écris sur chaque ligne le signe de ponctuation manquant. Utilise le point (.), le point d'interrogation (?), le point d'exclamation (!) ou la virgule (,).

Une journée à la pêche

Ce matin ____ (a) je me lève très tôt ____ (b) car je vais pêcher avec mon papa au lac Siméon ____ (c) Chut ____ (d) Maman dort encore ____ (e) il ne faut pas la réveiller ____ (f) Nous partons avec le camion de papa ____ (g) La route est longue ____ (h) mais nous avons beaucoup de plaisir ____ (i) car nous rions et écoutons de la musique ____ (j) Arrivés au lac Siméon ____ (k) nous mettons la chaloupe à l'eau et nous nous dirigeons dans la baie bondée de poissons ____ (l) Je mets un ver sur mon hameçon et je lance ma ligne à l'eau ____ (m) Trois minutes plus tard ____ (n) j'attrape le plus gros poisson du lac ____ (o) J'ai hâte de raconter toute cette aventure à maman ____ (p) Toi ____ (q) as-tu déjà fait une journée de pêche avec ton père ____ (r)

La ponctuation

1. Lis le texte et écris sur chaque ligne le signe de ponctuation manquant. Utilise le point (.), le point d'interrogation (?), le point d'exclamation (!) ou la virgule (,).

Les disparitions mystérieuses

Ce matin ____ a) il se passe quelque chose de bizarre dans la maison ____ b) Papa ____ c) maman ____ d) Stéphane et moi avons tous perdu quelque chose ____ e) Papa se lève et il ne trouve plus sa cravate marine et noire ____ f) Maman cherche ses bas roses partout ____ g) Moi ____ h) Aurélie ____ i) une fille bien rangée ____ j) j'ai perdu mon livre d'histoires ____ k) Puis mon frère Stéphane ne trouve plus ses gants de vélo jaune ____ l) « Mais ____ m) que se passe-t-il ce matin ____ n) » s'exclame maman ____ o) Papa ____ p) maman ____ q) Stéphane et moi cherchons partout sans trouver ____ r) Maman va réveiller mon petit frère Jérémie ____ s) « Venez voir ____ t) » crie maman ____ u) Jérémie était assis sur son lit en train de lire mon livre d'histoires ____ v) habillé d'une cravate marine et noire ____ w) de bas roses et de gants de vélo. Jérémie est un vrai coquin ____ x) Toi, as-tu un frère comme Jérémie ____ y)

Les types de phrases

Il y a quatre types de phrases :
La phrase déclarative sert à faire une affirmation, elle se termine par (.).
La phrase interrogative sert à poser des questions, elle se termine par (?).
La phrase exclamative sert à exprimer des émotions, elle se termine par (!).
La phrase impérative, sert à donner des ordres, elle se termine par (! ou.).

1. Remplis le tableau en traçant un X aux bons endroits.

Phrase	Déclarative	Interrogative	Exclamative	Impérative
a) Comment t'appelles-tu?				
b) Mon chat dort.				
c) J'ai hâte d'arriver!				
d) Je porte ma robe rose.				
e) Venez ici tout de suite!				
f) Quelle heure est-il?				
g) Aimez-moi comme je suis.				
h) J'aime la vie!				
i) Léa joue à la poupée.				
j) Pourquoi as-tu peur la nuit?				
k) Bois ton lait.				

Les types de phrases

1. Remplis le tableau en traçant un X aux bons endroits.

Phrase	Déclarative	Interrogative	Exclamative	Impérative
a) Quelle belle surprise !				
b) Parlez moins fort.				
c) Quel âge as-tu ?				
d) Coralie étudie très fort.				
e) Je n'aime pas les kiwis.				
f) Pourquoi écoutes-tu ce film ?				
g) Regardez avant de traverser !				
h) Attention, une voiture !				
i) Mon chat n'aime pas le lait.				
j) Qu'est-ce qu'on mange ?				
k) Occupe-toi de ton chien.				
l) J'ai hâte de me baigner !				
m) Attends-moi.				

Les types de phrases

Écris deux phrases déclaratives sur les animaux.

1. ____________________

____

2. ____________________

____

Écris deux phrases interrogatives sur les fruits.

1. ____________________

____

2. ____________________

____

Écris deux phrases exclamatives sur la victoire.

1. ____________________

____

2. ____________________

____

Écris deux phrases impératives sur les comportements.

1. ____________________

____

2. ____________________

____

Les types de phrases

1. Souligne les phrases.

Rouge = phrases déclaratives

Bleu = phrases interrogatives

Jaune = phrases exclamatives

Vert = phrases impératives

a) Pourquoi utilises-tu cette petite cuillère pour manger tes céréales ?

b) Émy et Charlotte sont mes meilleures amies.

c) Garde-moi un morceau de gâteau.

d) Quelle est la couleur de ton toutou ourson ?

e) J'ai tellement hâte aux vacances d'été !

f) Le soleil d'été réchauffe mon nez.

g) Gardez toujours votre beau sourire.

h) Combien d'argent as-tu dans ton portefeuille ?

i) J'ai hâte de vous revoir dans trois semaines !

j) Nicolas et Samuel sont d'excellents joueurs de soccer.

k) J'ai tellement peur des araignées !

l) Comment s'appelle la meilleure amie de Jade ?

m) En classe, j'écoute toujours mon professeur.

Les formes de phrases

Il y a deux formes de phrases :

la forme positive et la forme négative (ne… pas).

1. Remplis le tableau en traçant un X aux bons endroits.

Phrase	Positive	Négative
a) J'adore le chocolat !		
b) Pourquoi n'aimes-tu pas le chocolat ?		
c) Les éléphants sont de gros mammifères.		
d) Les chiens ne sont pas de gros mammifères.		
e) Ma pomme n'est pas rouge.		
f) Ma pomme est rouge et verte.		
g) Ne traversez pas la rue.		
h) Traversez la rue, mais regardez des deux côtés avant.		
i) Qu'est-ce que tu n'aimes pas dans cette chanson ?		
j) Est-ce que tu aimes cette chanson ?		
k) J'ai hâte de voir mon amie Béatrice !		
l) Je n'aime pas la neige !		
m) J'adore me baigner dans la piscine l'été !		

Les formes de phrases

Écris deux phrases déclaratives positives sur les légumes.

1. ______________________________

____

2. ______________________________

____

Écris deux phrases déclaratives négatives sur les animaux.

1. ______________________________

____

2. ______________________________

____

Écris deux phrases interrogatives positives sur les fleurs.

1. ______________________________

____

2. ______________________________

____

Écris deux phrases interrogatives négatives sur les fruits.

1. ______________________________

____

2. ______________________________

____

Les formes de phrases

1. Transforme les phrases positives en phrases négatives.

a) Maxime aime les tartes aux fruits de sa mère.

____

____

b) Pourquoi joues-tu au ballon à la récréation ?

____

____

c) Gabrielle chante comme un pinson.

____

____

d) L'hiver, c'est fantastique !

____

____

e) Mangez vos légumes.

____

____

Les formes de phrases

1. Transforme les phrases négatives en phrases positives.

a) Juliette n'aime pas la jupe bleue de Coralie.

____

____

b) Pourquoi ton chien ne rapporte-t-il pas la balle?

____

____

c) Mon oncle n'est pas un bon dentiste.

____

____

d) Ne salissez pas vos vêtements en jouant dehors.

____

____

e) Partir, ce n'est jamais facile.

____

____

La formation des mots

Un **préfixe** est une syllabe porteuse de sens que l'on ajoute au début d'un mot pour modifier le sens de celui-ci.

1. Décompose les mots suivants (préfixe et base), puis écris leur définition.

Mot	Préfixe	Base	Définition
a) infini			
b) décoloration			
c) aphone			
d) attirer			
e) apporter			
f) détacher			
g) milieu			
h) adjoindre			
i) biscuit			
j) inactif			
k) extraordinaire			
l) revenir			
m) malveillant			

La formation des mots

1. Écris trois mots avec les préfixes suivants.

a) dé-

____

____

____

b) in-

____

____

____

c) re-

____

____

____

d) ad-

____

____

____

e) mi-

____

____

____

f) a-

____

____

____

g) mal-

____

____

____

h) ac-

____

____

____

La formation des mots

Un **suffixe** est une syllabe porteuse de sens que l'on ajoute à la fin d'un mot pour modifier le sens de celui-ci.

1. Décompose les mots suivants (suffixe et base), puis écris leur définition.

Mot	Base	Suffixe	Définition
a) chevalin			
b) drapeau			
c) courtoisie			
d) fierté			
e) viable			
f) herbier			
g) écolier			
h) chienne			
i) laitier			
j) chocolatine			
k) pommier			
l) literie			
m) portable			

La formation des mots

1. Écris trois mots avec les suffixes suivants.

a) -eur

b) -ienne

c) -age

d) -ier

e) -esse

f) -trice

g) -euse

h) -ière

Les termes grammaticaux

Nom propre : il indique le nom d'une personne (William), d'un animal (Fido), d'une ville (Montréal), etc. Il commence toujours par une lettre majuscule.

Nom commun : il désigne une personne (papa), un animal (chat) ou une chose (maison).

Déterminant : il détermine et précise le nom. Il indique le genre (la, une, le, un...) et le nombre (les, des, mes, tes...) du nom.

Pronom : il remplace le nom, il prend le genre et le nombre de ce nom (je, tu, il, elle, nous, vous, ils, elles).

Verbe : il exprime une action (chanter, parler, danser, etc.).

Adjectif : il donne une qualité au mot qu'il accompagne (jolie, gros, belle, etc.).

1. Lis chaque début de phrase et souligne en rouge les noms propres, en jaune les noms communs et en vert les déterminants.

a) Le chat Café...

b) La directrice Pauline...

c) La cathédrale Saint-Basile...

d) Québec, ma province...

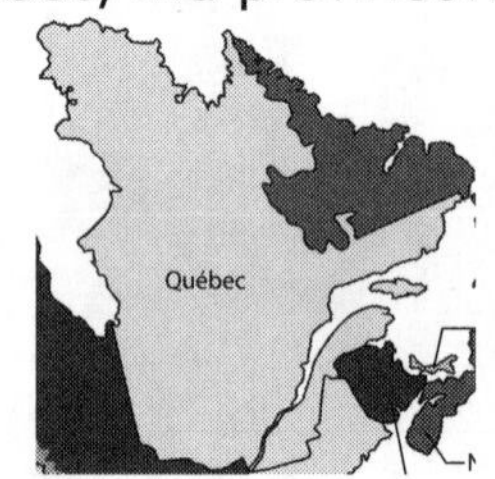

e) Laurie, ma voisine...

f) Le bébé Justin...

Les termes grammaticaux

1. Lis chaque début de phrase et souligne en vert les déterminants, en rouge les noms communs et en bleu les adjectifs.

a) La belle fille…

b) Une grosse abeille…

c) L'oiseau multicolore…

d) Ce souriant garçon…

e) Les roses rouges…

f) Une fleur fanée…

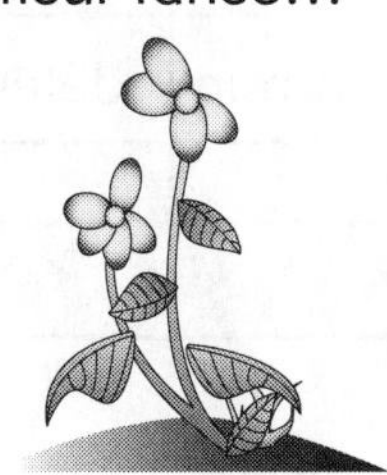

g) Les nouvelles amies…

h) Des crayons aiguisés…

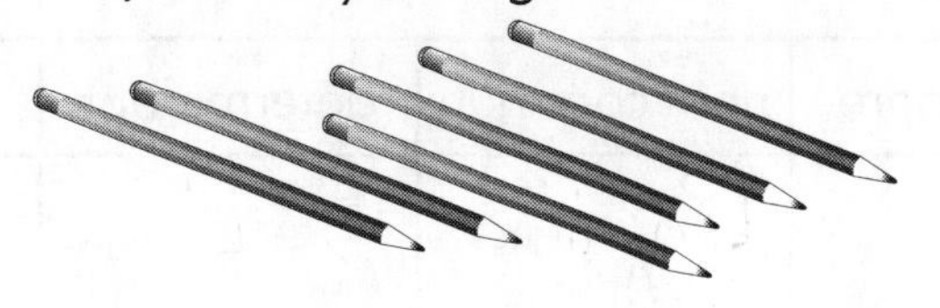

i) La balle rebondissante…

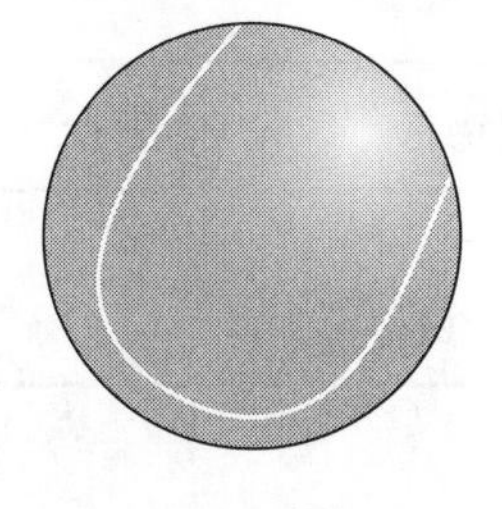

j) Une vieille grand-mère…

Les termes grammaticaux

1. Classe chaque mot de la phrase au bon endroit dans le tableau.

a) La talentueuse Simone enseigne le ballet.

nom propre	nom commun	déterminant	pronom	verbe	adjectif
Simone	ballet	La		enseigne	talentuese

b) Alicia est ma meilleure amie.

nom propre	nom commun	déterminant	pronom	verbe	adjectif
Alicia	amie	ma		est	meilleure

c) Nous lançons les ballons.

nom propre	nom commun	déterminant	pronom	verbe	adjectif
	ballons	les	Nous	lançons	

d) L'araignée tisse sa toile.

nom propre	nom commun	déterminant	pronom	verbe	adjectif
L'arai	L'araignée	sa L'		tisse	

e) Mon père aime ma mère.

nom propre	nom commun	déterminant	pronom	verbe	adjectif
	père mère	ma Mon		aime	

Connaissances

Les termes grammaticaux

1. Classe chaque mot de la phrase au bon endroit dans le tableau.

a) Je parle le français.

nom propre	nom commun	déterminant	pronom	verbe	adjectif
	francais	~~Je~~	Je	parle	

b) Virginie danse le tango.

nom propre	nom commun	déterminant	pronom	verbe	adjectif
virginie	tango	le		dase	

c) Je fais des gros biscuits.

nom propre	nom commun	déterminant	pronom	verbe	adjectif
	biscuits	des	Je	fais	gros

d) Vous ramassez les feuilles mortes.

nom propre	nom commun	déterminant	pronom	verbe	adjectif
	feuilles	les	vous	mortes ramasse	

e) Mon grand Samuel a la rame.

nom propre	nom commun	déterminant	pronom	verbe	adjectif
Samuel	rame	Mon la		a	grand

Les termes grammaticaux

1. Classe chaque mot de la phrase au bon endroit dans le tableau.

a) La belle Catherine cuisine des tartes.

nom propre	nom commun	déterminant	pronom	verbe	adjectif
Catherine	cuisine tartes	la des			belle

b) Tu es un homme formidable.

nom propre	nom commun	déterminant	pronom	verbe	adjectif
	homme	un tu tu	tu	es	formidable

c) Mon chat gris est obèse.

nom propre	nom commun	déterminant	pronom	verbe	adjectif
	Chat	Mon		est	gris obèse

d) La fille a les cheveux roux.

nom propre	nom commun	déterminant	pronom	verbe	adjectif
	fille cheveux	La les		a	roux

e) Le papillon rouge bouge ses ailes.

nom propre	nom commun	déterminant	pronom	verbe	adjectif
	papillon ailes	Le	ses	bouge	rouge

Les termes grammaticaux

1. Classe chaque mot de la phrase au bon endroit dans le tableau.

a) Julie travaille ce matin.

nom propre	nom commun	déterminant	pronom	verbe	adjectif
Julie			ce	travaille	

b) Ils sont spendides, vos chevaux.

nom propre	nom commun	déterminant	pronom	verbe	adjectif
	chevoux	Ils	Sont	vos Spendides	

c) Cette femme lit son livre magnifique.

nom propre	nom commun	déterminant	pronom	verbe	adjectif
	femme livre magni	son	lit		magnifique

d) Le gâteau au chocolat est délicieux.

nom propre	nom commun	déterminant	pronom	verbe	adjectif
	chocolat gâtean	Le au		est	délicieux

e) La reine porte sa belle robe rose.

nom propre	nom commun	déterminant	pronom	verbe	adjectif
	porte reine robe	La	sa	porte	reine belli rose

Les termes grammaticaux

1. Écris chaque verbe dans la bonne phrase.

~~aimes~~ ~~cueille~~ ~~sautent~~ ~~pouvez~~ ~~Écouter~~ ~~chantera~~
~~suis~~ ~~pousse~~ ~~finiront~~ ~~ira~~ ~~marche~~ ~~coud~~ ~~ressemblent~~

a) La plante verte pousse bien avec du soleil.

b) Les jumelles se ressemblent beaucoup.

c) Tu aimes les galettes aux carottes.

d) Je marche dix kilomètres par jour.

e) Demain, William ira chez le dentiste.

f) Virginie chantera à la fête de l'école.

g) Vous pouvez venir coucher chez moi.

h) Je suis excité de revoir mon amoureuse.

i) Antoine et Philippe finiront la confiture aux fraises.

j) Les filles Sautent à la corde à danser à la récréation.

k) Écouter de la musique classique, ça détend.

l) Justine coud un sac fourre-tout.

m) Maman cueille les plus belles pommes.

Les termes grammaticaux

1. Écris chaque adjectif dans la bonne phrase.

multicolores	longue	petit	coûteux	
amoureux	grosse	meilleure	jaune	
drôle	bel	flamboyante	longue	bruns

a) La grosse dame suit un régime.

b) Le pinson jaune chante mélodieusement.

c) Pour son mariage, Alexane porte une longue robe blanche.

d) Ma tante a acheté un sac à main côuteux.

e) Sacha est ma meilleure amie.

f) Ce drôle de garçon raconte toujours des blagues.

g) Ces fleurs multicolores donnent de la beauté à ma maison.

h) Tes souliers bruns sont trop grands.

i) Mon papa amoureux donne des chocolats à ma maman.

j) Tu as une longue tresse dans les cheveux.

k) J'ai trouvé un petit ver de terre.

l) Cette flamboyante dame a remporté le concours de beauté.

m) Ce bel homme a tout un charme.

Les termes grammaticaux

1. Écris chaque nom commun dans la bonne phrase.

vélo agenda ~~île~~ ~~ballon~~ pharmacie ~~blocs~~ ~~sapin~~

~~ordinateur~~ ~~tente~~ trampoline ~~moutarde~~ école ~~chienne~~

a) Lorsque je fais du camping, je dors dans ma tente.

b) À Noël, je décore le Sapin.

c) Ma chienne a eu des petits chiots.

d) Je fais mes devoirs à l' école.

e) J'apporte mon ballon de soccer.

f) Je construis une tour avec des blocs.

g) Johanne écrit ses devoirs dans son ordinateur.

h) Lucie met de la moutarde dans son sandwich.

i) Nous allons vivre sur l' île de Montréal.

j) Katia est pharmacienne, elle travaille à la pharmacie.

k) Les enfants sautent sur le trampoline.

l) Cette nuit, les professeurs dorment à l' agenda avec les élèves.

m) Charlie enfourche son vélo pour aller chez son amie.

Les termes grammaticaux

1. Écris chaque pronom dans la bonne phrase.

tu	celles-ci	Je	Elle	lui	ceux-ci	
Nous	elle	eux	Ils	vous	Elles	Il

a) (Marie-Claude) Elle adore les fruits exotiques.

b) (Charles et son ami) Elles partent pour la pêche.

c) Veux-tu venir avec moi ?

d) NOUS allons manger au restaurant ce soir.

e) (Rosalie et Camille) Ils vont à leur cours de natation.

f) Je dors paisiblement dans mon lit.

g) (Maxime) Il promène son chien.

h) Chantez-vous du jazz ?

i) J'aime les bananes, mais pas celles-cici.

j) Brigitte suit des cours d'équitation, elle est chanceuse.

k) Les lions sont féroces, mais pas ceux-ci.

l) Ils sont partis chez eux.

m) Il va dîner chez lui.

Les marques de genre et de nombre

Le déterminant, le nom et l'adjectif portent toujours la même marque de genre (féminin ou masculin) et de nombre (singulier ou pluriel).

1. Fais un X au bon endroit.

	Féminin	Masculin	Singulier	Pluriel
a) des bonbons roses				
b) une fille québécoise				
c) les tables vernies				
d) des lunettes coûteuses				
e) des chevaux amoureux				
f) un salon chaleureux				

Les marques de genre et de nombre

1. Fais un X au bon endroit.

	Féminin	Masculin	Singulier	Pluriel
a) une mitaine perdue				
b) un sapin décoré				
c) des souliers bleus				
d) des robes vertes				
e) des jumeaux amusants				
f) un homme seul				
g) une femme dynamique				

Les marques de genre et de nombre

1. Encercle dans chaque phrase le nom et l'adjectif au masculin singulier.

a) Le (pompier, pompière) est (courageux, courageuse).

b) Le (grande, grand) (lapin, lapins) de Pâques est venu porter des chocolats.

c) Hier soir, j'ai joué un (vilain, vilaine) (tours, tour) à papa.

d) Marilou dort avec son (petite, petit) (oursons, ourson) en peluche.

e) Papa arrose le (grand, grands) (jardins, jardin).

f) Le tonnerre gronde dans le (cieux, ciel) (noire, noir).

2. Encercle dans chaque phrase le nom et l'adjectif au masculin pluriel.

a) Les (lionnes, lions) (roux, rousses) rugissent en apercevant la hyène.

b) Le bureau est sale, car Simon y a fait des (trace, traits) (grises, gris).

c) Les photos de Sonya sont dans des (cadre, cadres) (vieillis, vieilli).

d) Les (doux, douces) (cheveux, cheveu) de Sandrine sont mêlés.

e) Je lave les (couteaux, cuillères) (dorés, dorées) un à la fois.

f) Ces (savons, savon) (spécial, spéciaux) n'assèchent pas la peau.

Les marques de genre et de nombre

1. Encercle dans chaque phrase le nom et l'adjectif au féminin singulier.

a) Maman décore la (citrouille, citrouilles) (orangée, orangé).

b) En vacances, j'irai faire une (long, longue) (balade, balades) en vélo.

c) Le taureau fonce sur la (couvertures, couverture) (rouge, rouges).

d) Je mets ma (pantoufle, pantoufles) (bleu, bleue).

e) La (vaisselle, vaisselles) (sale, sales) sera placée dans le lave-vaisselle.

f) Depuis dix ans, ce mari aime sa (tendres, tendre) (épouse, époux).

2. Encercle dans chaque phrase le nom et l'adjectif au féminin pluriel.

a) Les (brave, braves) (policières, policiers) arrêtent le méchant voleur.

b) Sortez les (ordures, ordure) (puante, puantes) de la maison.

c) Les (bottes, botte) (jaunes, jaune) de Samuel sont complètement trempées.

d) Aujourd'hui, les (disquette, disquettes) (carrées, carrés) ne sont plus utilisées.

e) Les (musiciens, musiciennes) (talentueuses, talentueux) jouent de la clarinette.

f) L'autre jour, j'ai marché sur les (roches, roche) (chaude, chaudes).

Le groupe du nom

Le groupe du nom s'appelle aussi groupe nominal (GN). Une phrase peut avoir plusieurs GN.

Le groupe nominal (GN) est composé soit :

- d'un nom propre
- d'un nom commun seul
- d'un nom commun et de son déterminant
- d'un pronom

1. Lis les phrases et écris les GN dans les boîtes correspondantes.

a) Aimes-tu les fleurs?

1er GN

2e GN

b) Sylvie fait voler son cerf-volant.

1er GN

2e GN

c) Les garçons aiment les plongeons.

1er GN

2e GN

Le groupe du nom

1. Lis les phrases et écris les GN dans les boîtes correspondantes.

a) Aujourd'hui, je déneige la galerie.

1er GN

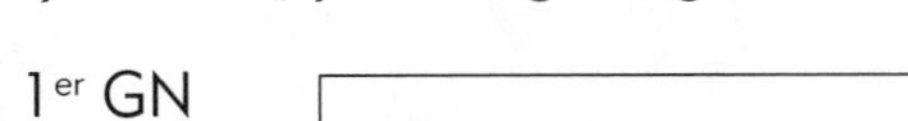

2e GN

b) Le chameau promène Paul.

1er GN

2e GN

c) Tu pratiques l'escalade.

1er GN

2e GN

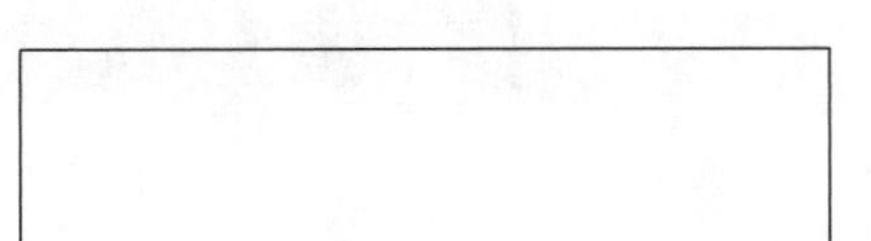

c) Le garçon vend du chocolat.

1er GN

À VENDRE

2e GN

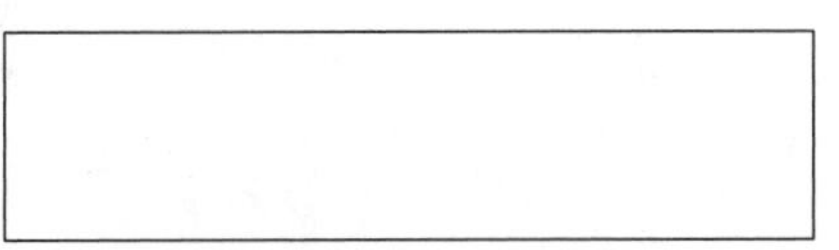

Le groupe du nom

1. Lis les phrases et écris les GN dans les boîtes correspondantes.

a) Jasmine a perdu sa bille.

1er GN

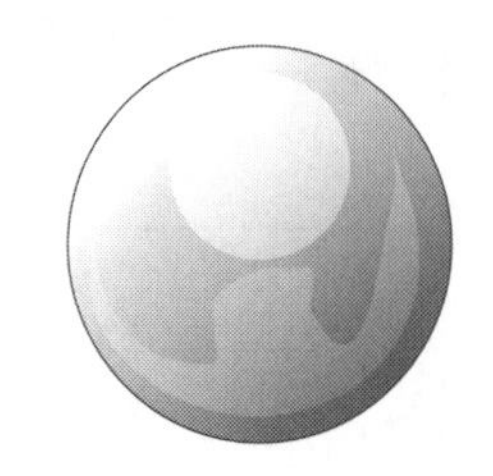

2e GN

b) Océanne adore la mer.

1er GN

2e GN

c) Ils ont pêché des truites.

1er GN

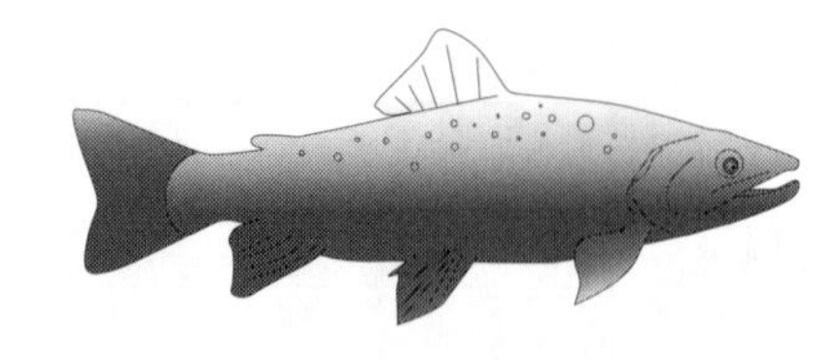

2e GN

c) Les requins mangent du poisson.

1er GN

2e GN

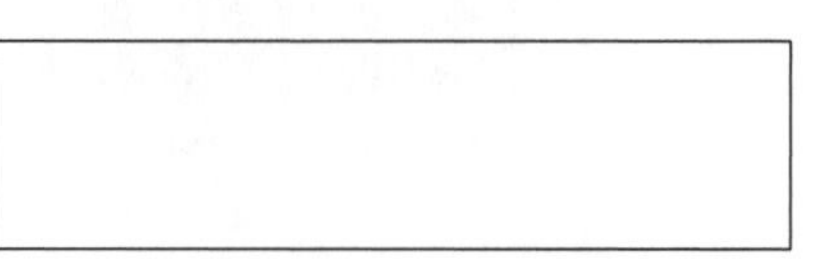

Le groupe du nom

1. Lis les phrases et écris les GN dans les boîtes correspondantes.

a) Nathan apporte son sac.

1er GN

2^e^ GN

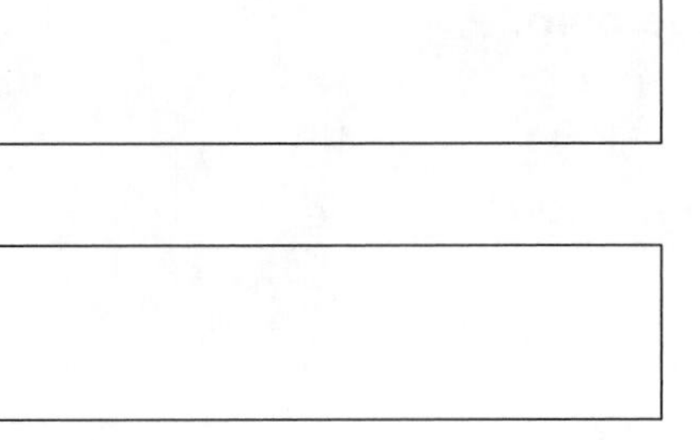

b) Sara gonfle un ballon.

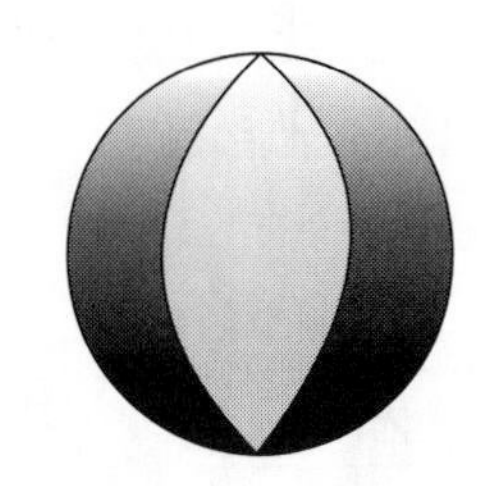

1er GN

2^e^ GN

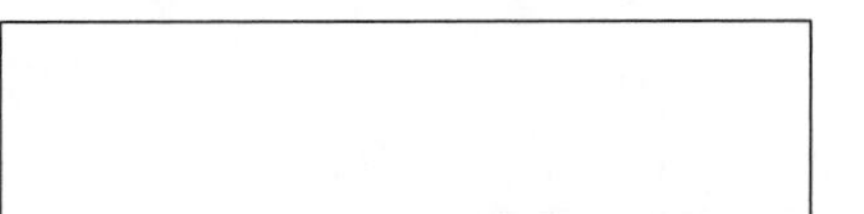

c) Ce matin Simon chante.

1er GN

2e GN

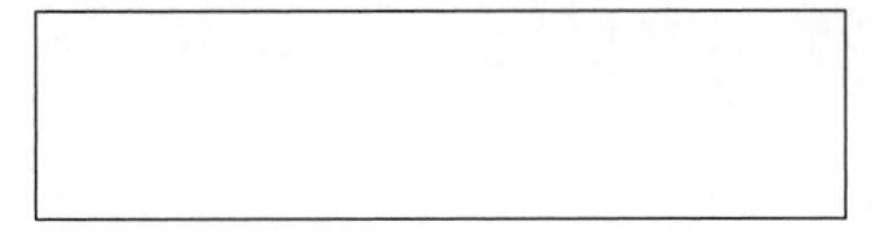

c) Mamie prépare des tartes.

1er GN

2e GN

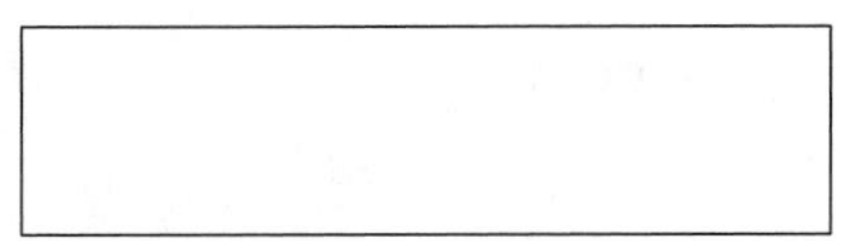

Les accords dans le groupe du nom (GN)

À l'intérieur du GN, le déterminant et l'adjectif s'accordent avec le nom. Cela veut dire qu'ils ont le même genre et le même nombre.

1. Colorie le déterminant qui s'accorde avec le nom.

a) [Les / La / Une] pommes rouges sont bonnes pour [un / le / la] santé.

b) Hier, j'ai goûté à [une / la / des] huîtres bouillies pour [un / la / les] première fois.

c) Julia a invité [son / sa / ses] amies pour [sa / la / les] fête.

d) Antoine et Coralie dansent [un / une / des] valse pour [la / les / un] compétition.

e) [Les / La / Un] prune est [des / le / la] fruit du prunier.

f) Est-ce que tu as plongé dans [les / Le / la] piscine [cette / cet / les] été ?

Les accords dans le groupe du nom (GN)

1. Écris le déterminant qui s'accorde avec le nom et l'adjectif.

Le	les	Les	des	Ta	mon	Mon	Mes
la	une	le	des	la	les	L'	Les
Les	cet	les	la	du	les	sa	Les

a) __________ fermier va traire __________ vaches brunes.

b) __________ enseignant explique __________ leçons de français.

c) Annie mange __________ gâteau à __________ vanille.

d) __________ soirs de __________ semaine, je ne peux pas sortir.

e) __________ filles et __________ garçons jouent ensemble.

f) Pour __________ anniversaire, j'ai reçu __________ auto téléguidée.

g) __________ sœur est très élégante dans __________ robe.

h) Regardez __________ oiseau dans __________ ciel, il transporte __________ brindilles.

i) __________ sandales sont brisées.

j) __________ ordinateur ne lit pas bien __________ nouveaux jeux.

k) __________ crapauds vivent dans __________ mare.

l) __________ jonquilles sont __________ fleurs du printemps.

Les accords dans le groupe du nom (GN)

1. Accorde les noms et les adjectifs dans les GN et complète les dessins.

a) Les jupe _____ blanc _____

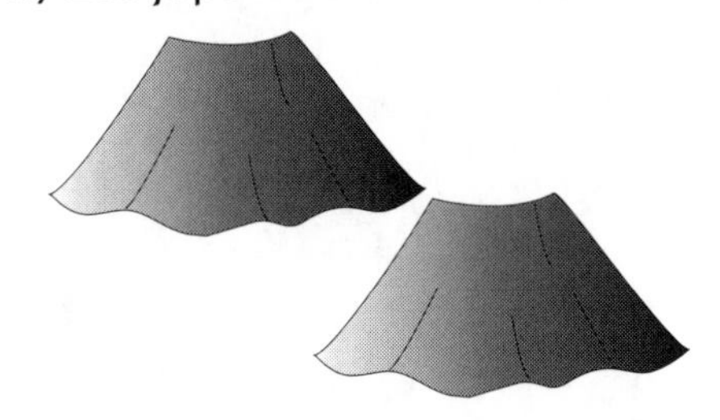

b) La nuit étoilé _____

c) La chat _____ gris _____

d) Les voiture _____ noir _____

e) Les rose _____ rouge _____

f) Les baleine _____ blessé _____

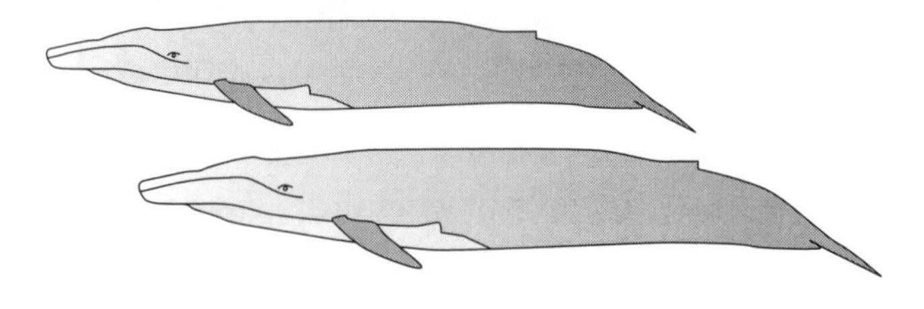

g) La voisin _____ fatigué _____

h) La bel _____ tulipe

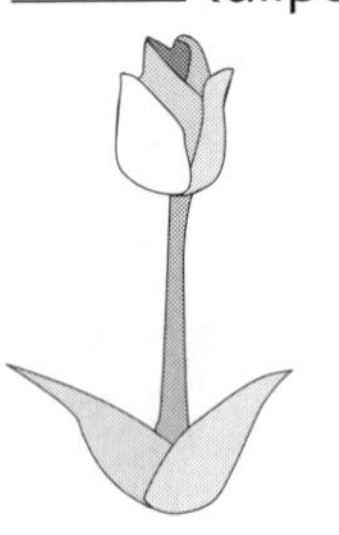

i) Les ballon _____ crevé _____

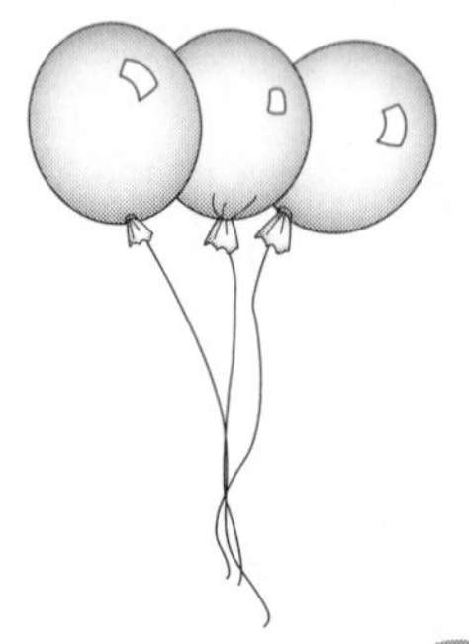

j) Les feuille _____ orangé _____

Les accords dans le groupe du nom (GN)

1. Accorde les noms et les adjectifs dans les GN et complète les dessins.

a) Les dent ______ jauni ______

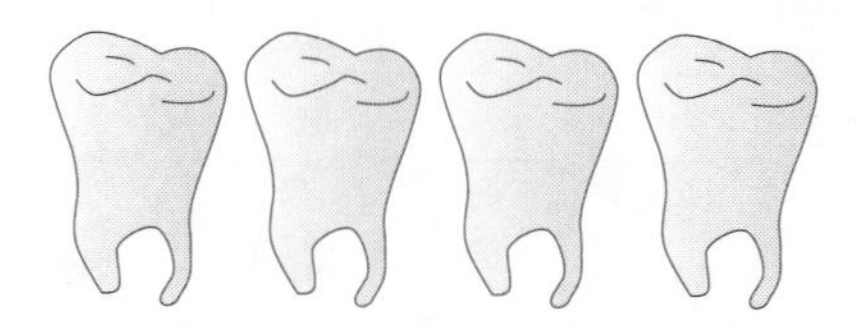

b) Les sac ______ vert ______

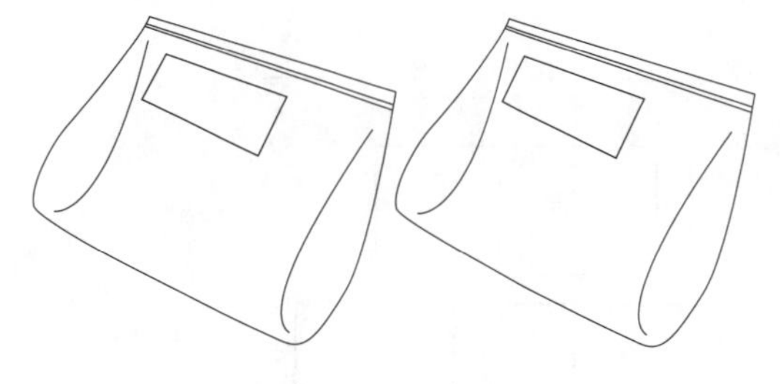

c) Les cœur ______ rouge ______

d) Les banane ______ moisi ______

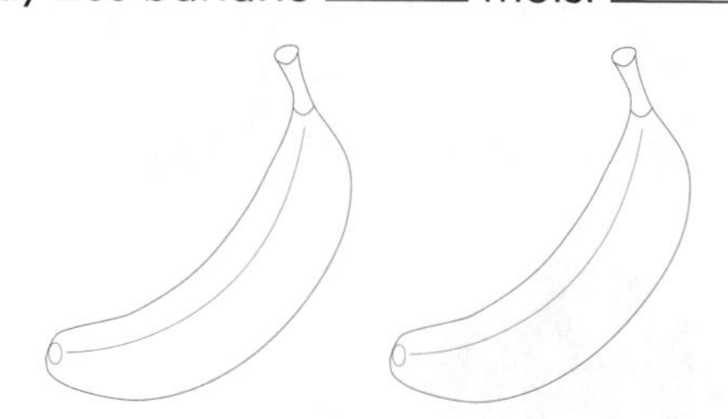

e) Des bouteille ______ rempli ______

f) La chien ______ brun ______

g) Des crayon ______ multicolore ______

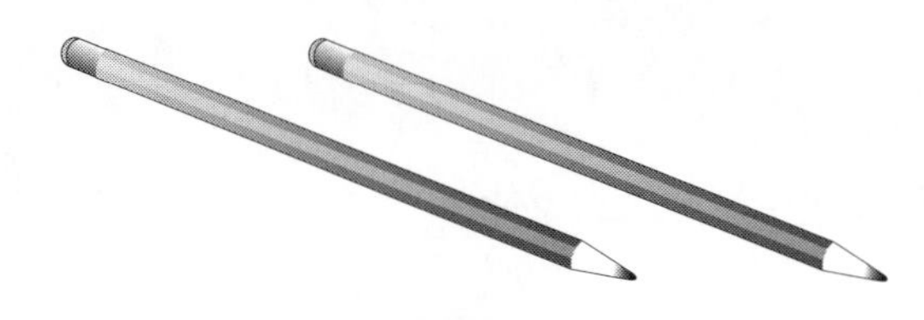

h) Les boucle ______ rose ______

i) Les lapin ______ noir ______

j) Une branche brun ______

Les accords dans le groupe du nom (GN)

1. Accorde les noms et les adjectifs dans les GN et complète les dessins.

a) Les tuile ______ quadrillé ______

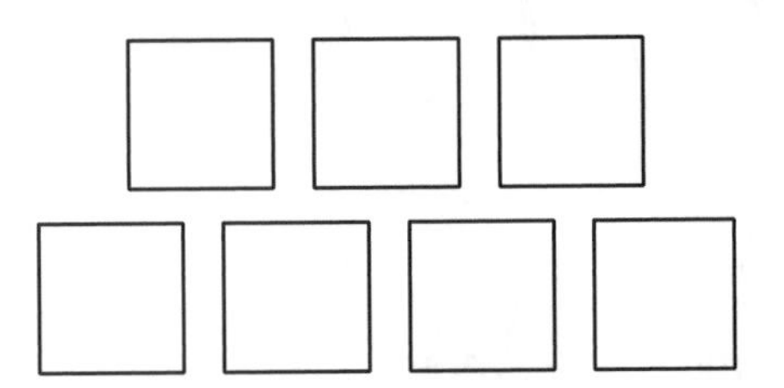

b) Les cercle ______ ligné ______

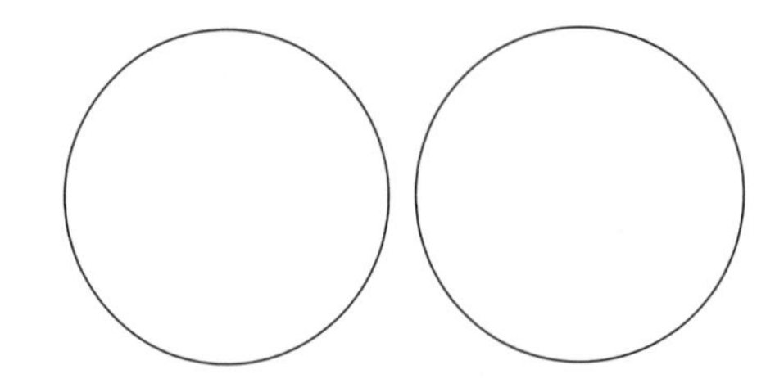

c) Une gros ______ tortue

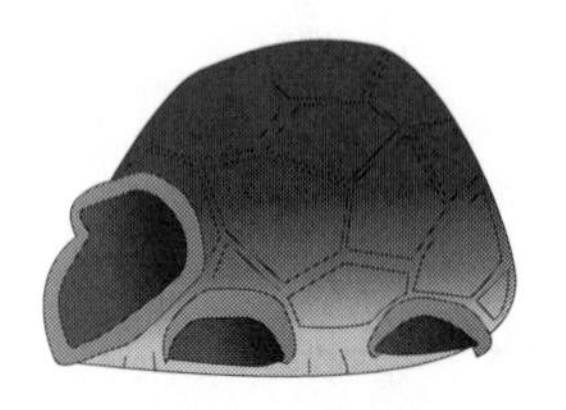

d) Une page vert ______

e) Des poivron ______ vert ______

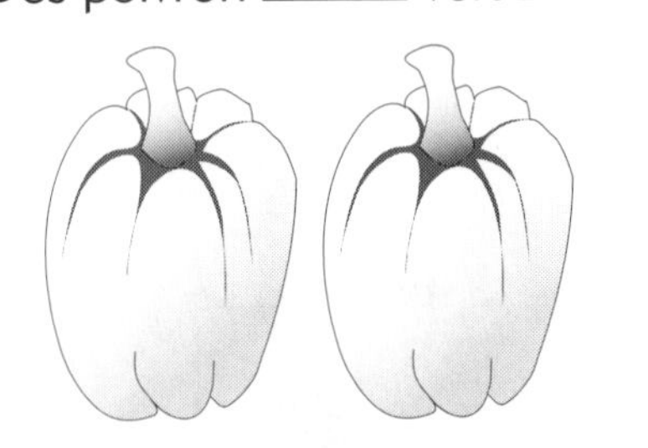

f) Des tomate ______ rosé ______

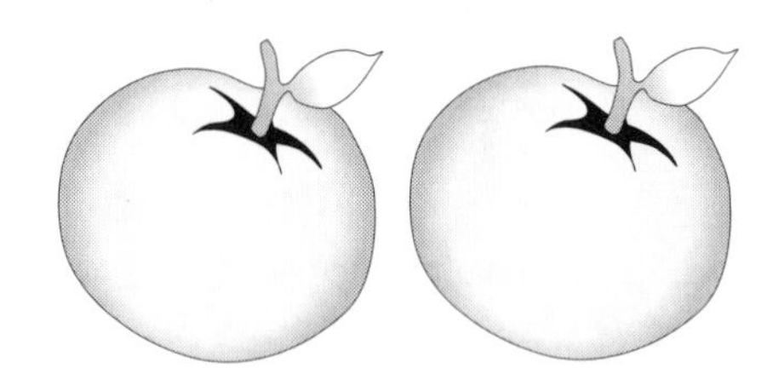

g) Des kiwi ______ brun ______

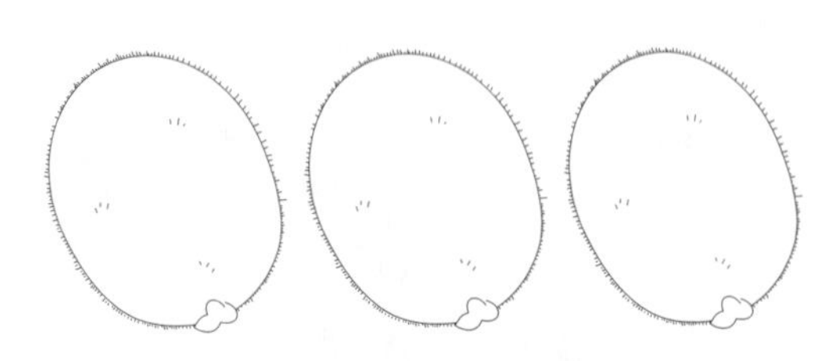

h) Des zèbre ______ zébré ______

Les accords dans le groupe du nom (GN)

1. Accorde les noms et les adjectifs dans les GN.

a) La fille intelligent _____ parle plusieurs langue _____.

b) Mes parent _____ vont en voyage.

c) Les majestueu _____ sirène _____ vivent dans notre imaginaire.

d) Les loup _____ hurlent à la lune.

e) Mon garçon ramasse des bleuet _____ et des framboise _____.

f) Les grand _____ fée _____ exaucent les vœu _____.

g) Demain, j'irai courir dix kilomètre _____ sur la piste abandonné _____.

h) Je fais mon lit tous les matin _____.

i) Les robe _____ taché _____ de peinture iront à la poubelle.

j) Mon chien adore ses biscuit _____.

k) Jérémie mange trois orange _____, deux pomme _____ et huit raisin _____.

l) Gabriel aime ses couverture _____ picoté _____.

m) Ce matin, les enfant _____ n'ont pas d'école.

n) Pourquoi aimes-tu les animau _____?

Les groupes qui constituent la phrase

Dans une phrase, il y a habituellement un groupe sujet (GS) et un groupe du verbe (GV). À l'intérieur du GS et du GV, on trouve le groupe nominal (GN).

Pour trouver le GS dans la phrase, tu dis : C'est… qui
Ce sont… qui
Qui est-ce qui ? pour une personne
Qu'est-ce qui ? pour une chose

C'est la fille gourmande **qui** mange trois pommes. Le GS : La fille gourmande.

Le verbe est le mot qui dit ce que fait une personne, un animal ou une chose.
Pour trouver le GV dans une phrase, tu dis : Que dit-on de ?
Qu'en dit-on ?

Que dit-on de la fille gourmande ? La fille gourmande **mange trois pommes**.
GV : mange trois pommes. Le GV contient le verbe et son complément.

1. Lis les phrases et écris le GS et le GV.

a) Suzanne mange une pomme.

GS : C'est ______________________ qui

GV : Que dit-on de ? ______________________

b) Jasmin nage dans la mer.

GS : C'est ______________________ qui

GV : Que dit-on de ? ______________________

c) Maxime raconte des blagues.

GS : C'est ______________________ qui

GV : Que dit-on de ? ______________________

Les groupes qui constituent la phrase

1. Lis les phrases et écris le GS et le GV.

a) Jérémie combat les dragons.

GS : C'est ______________________ qui

GV : Que dit-on de ? ______________________________________

b) Samuel joue à l'ordinateur.

GS : C'est ______________________ qui

GV : Que dit-on de ? ______________________________________

c) Alexane prépare sa compétition de gymnastique.

GS : C'est ______________________ qui

GV : Que dit-on de ? ______________________________________

d) Anne-Josée joue au tennis.

GS : C'est ______________________ qui

GV : Que dit-on de ? ______________________________________

Les groupes qui constituent la phrase

1. Lis les phrases et écris le GS et le GV.

a) Antoine et Justin cachent le lapin.

GS : Ce sont ______________________________ qui

GV : Que dit-on de? ______________________________

b) Anaïs et Delphine se maquillent en princesses.

GS : Ce sont ______________________________ qui

GV : Que dit-on de? ______________________________

c) Alexis et Dominique se déguisent en clowns.

GS : Ce sont ______________________________ qui

GV : Que dit-on de? ______________________________

d) Virginie et Philippe jouent à la cachette.

GS : Ce sont ______________________________ qui

GV : Que dit-on de? ______________________________

e) Félix et Rémi jouent au basket-ball.

GS : Ce sont ______________________________ qui

GV : Que dit-on de? ______________________________

Les groupes qui constituent la phrase

1. Lis les phrases et écris le GS et le GV.

a) Le rhinocéros est un animal féroce.

GS : C'est ______________________________ qui

GV : Que dit-on de ? ______________________________

b) La lionne et ses petits se sauvent du groupe.

GS : Ce sont ______________________________ qui

GV : Que dit-on de ? ______________________________

c) Je dors chez ma tante Nathalie.

GS : C'est ______________________________ qui

GV : Que dit-on de ? ______________________________

d) Nous allons en voyage.

GS : C'est ______________________________ qui

GV : Que dit-on de ? ______________________________

e) Le papa et son bébé dorment sur le divan.

GS : Ce sont ______________________________ qui

GV : Que dit-on de ? ______________________________

Les groupes qui constituent la phrase

1. Relie chaque groupe sujet (GS) au groupe du verbe (GV) correspondant.

GS	GV
a) La tortue	1. se promènent dans le parc.
b) Vous	2. est un garçon serviable.
c) Le bébé et sa maman	3. est charmante avec sa robe rose.
d) Je	4. dansent le mambo.
e) Océanne	5. marche lentement.
f) Louis	6. est un très bel oiseau.
g) Tu	7. aime nager dans la mer.
h) Juliette	8. était absent.
i) Nous	9. suis la fille la plus chanceuse.
j) La chaise	10. est construite avec un bois dur.
k) Ils	11. cuisine avec son papa.
l) David	12. dormez trop longtemps le matin.
m) Il	13. allons en bateau.
n) L'hirondelle	14. as de beaux cheveux.

Les groupes qui constituent la phrase

1. Relie chaque groupe sujet (GS) au groupe du verbe (GV) correspondant.

GS	**GV**
a) La coiffeuse	1. étiez au théâtre.
b) Vous	2. sont cassés.
c) Le hibou	3. sont des garçons intelligents.
d) Nicolas et Mathieu	4. collectionne les chenilles.
e) Je	5. a coupé mes cheveux trop court.
f) La dinde	6. ressemble à la poule.
g) La jupe et le veston	7. fait partie de la famille des félins.
h) La rose	8. sont des amoureux.
i) Mes crayons	9. hulule.
j) Mathis	10. arrête les voleurs.
k) Tes pantalons	11. est ma fleur préférée.
l) Le tigre	12. sont trop longs.
m) Victoria et Olivier	13. veux avoir du chocolat.
n) Le policier	14. sont des vêtements.

La conjugaison des verbes

Le verbe est un mot essentiel dans une phrase. Il sert à exprimer une action (danser, coudre, finir…) ou un état (être).

Les verbes se divisent en 3 groupes :

1er groupe

Les verbes se terminent en « **er** » à l'infinitif (aim**er**).

Les verbes se terminent par un « **e** » à la 1re p.s. de l'indicatif présent (j'aim**e**).

2e groupe

Les verbes se terminent en « **ir** » à l'infinitif (fin**ir**).

Les verbes se terminent en « **is** » à la 1re p.s. de l'indicatif présent (je fin**is**).

Les verbes se terminent en « **issant** » au participe présent (fin**issant**).

3e groupe

Ce groupe réunit tous les autres verbes.

Pour conjuguer un verbe, on sépare son radical et sa terminaison. Ensuite, on ajoute au radical la terminaison appropriée. Cette règle est vraie pour la majorité des verbes, mais certains verbes subissent des transformations lorsqu'on les conjugue.

Tableau à garder en mémoire pour les terminaisons des verbes

Mode indicatif

Présent

1er groupe	2e groupe	3e groupe
e	is	s/x (ex : pouvoir, vouloir)/e (ex : cueillir, offrir)
es	is	s/x/es
e	it	t/d/e
ons	issons	ons
ez	issez	ez
ent	issent	ent/ont (ex : faire, aller)

Futur simple

1er groupe	2e groupe	3e groupe
erai	irai	rai
eras	iras	ras
era	ira	ra
erons	irons	rons
erez	irez	rez
eront	iront	ront

Imparfait

1er groupe	2e groupe	3e groupe
ais	issais	ais
ais	issais	ais
ait	issait	ait
ions	issions	ions
iez	issiez	iez
aient	issaient	aient

La conjugaison des verbes

1. Réponds aux questions suivantes par vrai ou faux.

a) Le verbe **avoir** fait partie du 2e groupe. ____________________

b) Le verbe **pouvoir** fait partie du 3e groupe. ____________________

c) Le verbe **chanter** fait partie du 1er groupe. ____________________

2. Conjugue le verbe avoir.

a) Indicatif présent

je ____________

tu ____________

il/elle/on ____________

nous ____________

vous ____________

ils/elles ____________

b) Indicatif passé composé

j' ____________

tu ____________

il/elle/on ____________

nous ____________

vous ____________

ils/elles ____________

c) Indicatif futur simple

je ____________

tu ____________

il/elle/on ____________

nous ____________

vous ____________

ils/elles ____________

d) Indicatif imparfait

j' ____________

tu ____________

il/elle/on ____________

nous ____________

vous ____________

ils/elles ____________

La conjugaison des verbes

1. Réponds aux questions suivantes par vrai ou faux.

a) Le verbe **être** fait partie du 3e groupe. ____________________

b) Le verbe **chanter** fait partie du 2e groupe. ____________________

c) Le verbe **finir** fait partie du 2e groupe. ____________________

2. Conjugue le verbe être.

a) Indicatif présent

j' ____________

tu ____________

il/elle/on ____________

nous ____________

vous ____________

ils/elles ____________

b) Indicatif passé composé

j' ____________

tu ____________

il/elle/on ____________

nous ____________

vous ____________

ils/elles ____________

c) Indicatif futur simple

j' ____________

tu ____________

il/elle/on ____________

nous ____________

vous ____________

ils/elles ____________

d) Indicatif imparfait

j' ____________

tu ____________

il/elle/on ____________

nous ____________

vous ____________

ils/elles ____________

La conjugaison des verbes

1. Réponds aux questions suivantes par vrai ou faux.

a) Le verbe **parler** fait partie du 1er groupe. ____________________

b) Le verbe **agir** fait partie du 2e groupe. ____________________

c) Le verbe **aller** fait partie du 1er groupe. ____________________

2. Conjugue le verbe aimer.

a) Indicatif présent

j' ______________

tu ______________

il/elle/on ______________

nous ______________

vous ______________

ils/elles ______________

b) Indicatif passé composé

j' ______________

tu ______________

il/elle/on ______________

nous ______________

vous ______________

ils/elles ______________

c) Indicatif futur simple

j' ______________

tu ______________

il/elle/on ______________

nous ______________

vous ______________

ils/elles ______________

d) Indicatif imparfait

j' ______________

tu ______________

il/elle/on ______________

nous ______________

vous ______________

ils/elles ______________

La conjugaison des verbes

1. Réponds aux questions suivantes par vrai ou faux.

a) Le verbe **nourrir** fait partie du 2e groupe. ______

b) Le verbe **fleurir** fait partie du 3e groupe. ______

c) Le verbe **sauter** fait partie du 1er groupe. ______

2. Conjugue le verbe finir.

a) Indicatif présent

je ______

tu ______

il/elle/on ______

nous ______

vous ______

ils/elles ______

b) Indicatif passé composé

j' ______

tu ______

il/elle/on ______

nous ______

vous ______

ils/elles ______

c) Indicatif futur simple

je ______

tu ______

il/elle/on ______

nous ______

vous ______

ils/elles ______

d) Indicatif imparfait

je ______

tu ______

il/elle/on ______

nous ______

vous ______

ils/elles ______

La conjugaison des verbes

1. Réponds aux questions suivantes par vrai ou faux.

a) Le verbe **dire** fait partie du 3e groupe. ______________________

b) Le verbe **jouer** fait partie du 1er groupe. ______________________

c) Le verbe **grossir** fait partie du 2e groupe. ______________________

2. Conjugue le verbe sentir.

a) Indicatif présent

je ____________

tu ____________

il/elle/on ____________

nous ____________

vous ____________

ils/elles ____________

b) Indicatif passé composé

j' ____________

tu ____________

il/elle/on ____________

nous ____________

vous ____________

ils/elles ____________

c) Indicatif futur simple

je ____________

tu ____________

il/elle/on ____________

nous ____________

vous ____________

ils/elles ____________

d) Indicatif imparfait

je ____________

tu ____________

il/elle/on ____________

nous ____________

vous ____________

ils/elles ____________

La conjugaison des verbes

1. Conjugue les verbes à l'indicatif présent.

a) Elle __________ (jouer) au ballon.

b) Tu __________ (manger) une pomme.

c) Je __________ (vouloir) cette bille.

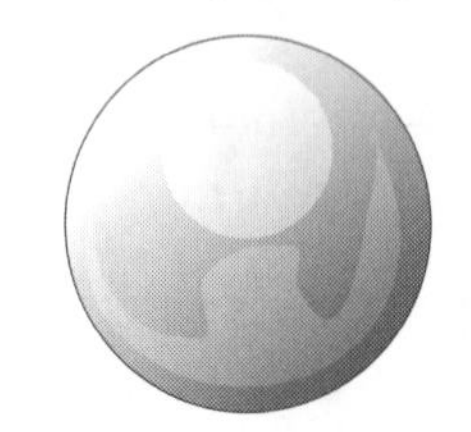

d) Je __________ (finir) mon repas.

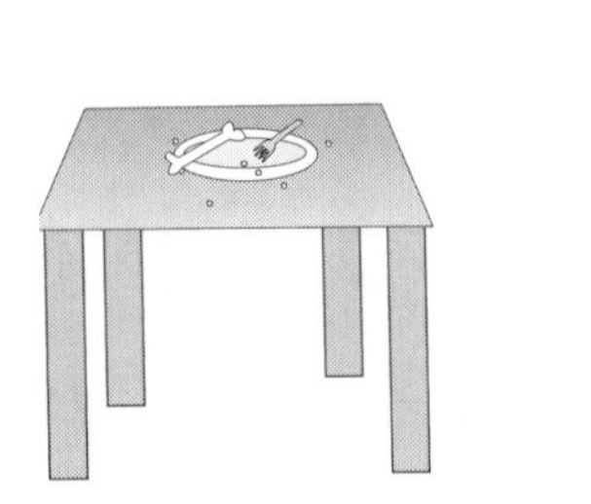

e) Nous __________ (chercher) le trésor.

f) Les fleurs __________ (fleurir).

g) Vous __________ (vendre) cette bague.

h) Ils __________ (pousser) la voiture.

La conjugaison des verbes

1. Conjugue les verbes à l'indicatif passé composé.

a) J' __________ (observer) l'oiseau.

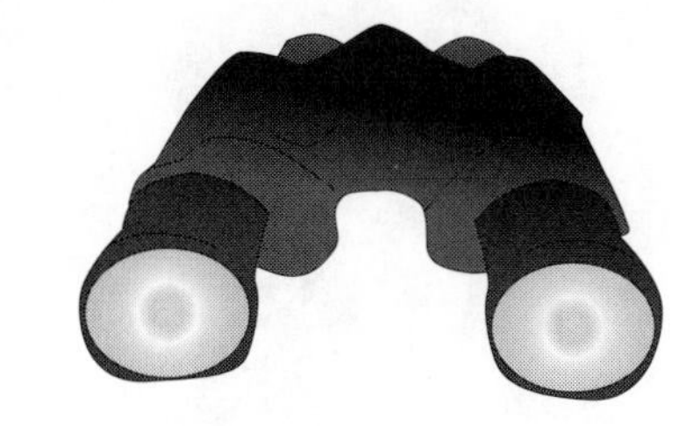

b) Les lapins __________ (bondir).

c) Tu __________ (moudre) le blé.

d) Hier, tu __________ (danser).

e) Le lion __________ (rugir).

f) La banane __________ (pourrir).

g) Nous __________ (rire) de toi.

h) Ils __________ (payer) les bas.

La conjugaison des verbes

1. Conjugue les verbes à l'indicatif futur simple.

a) Elle__________ (gravir) cette colline.

b) Vous __________ (coudre) la robe.

c) Je __________ (frapper) la balle.

d) Tu __________ (blondir) tes cheveux.

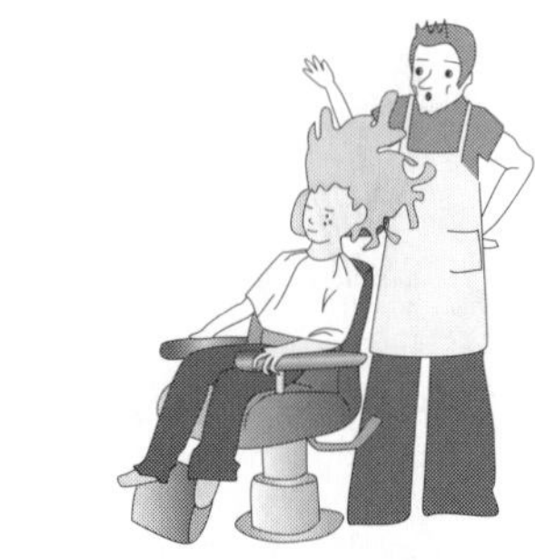

e) Nous __________ (aller) au cinéma.

f) Vous __________ (brûler) vos rôties.

g) Il __________ (bâtir) une cabane.

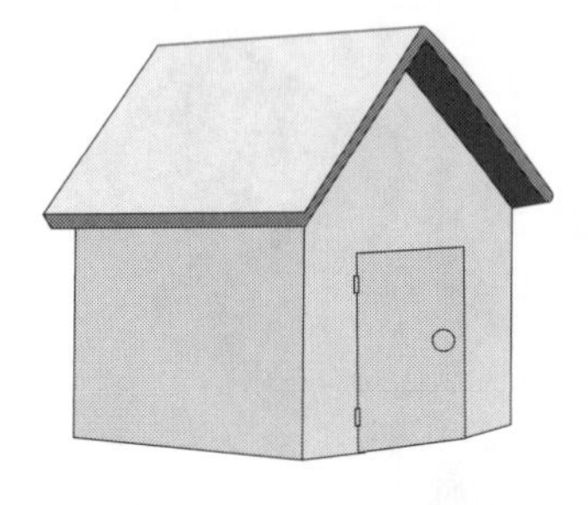

h) Nous __________ (ouvrir) la boîte.

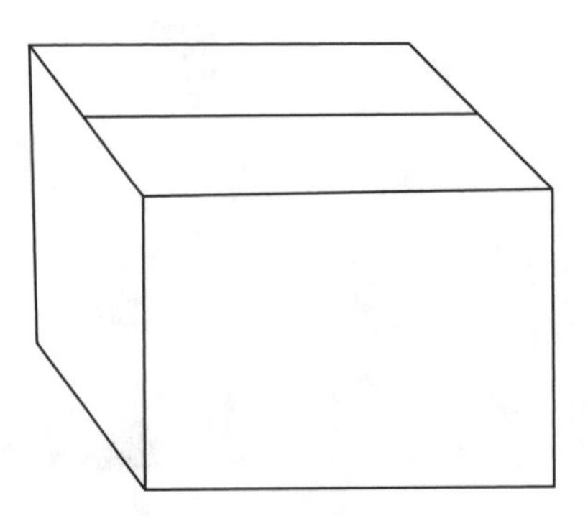

La conjugaison des verbes

1. Conjugue les verbes à l'indicatif imparfait.

a) Ils __________ (tenir) les roses.

b) Elle __________ (jouer) à la poupée.

c) Nous __________ (grandir) en santé.

d) Ils __________ (lancer) des cailloux.

e) Tu __________ (avoir) un sac d'école.

f) J' __________ (aimer) te faire des câlins.

g) Nous __________ (remplir) notre verre.

h) Il __________ (perdre) toujours ses clés.

Les accords dans la phrase

Le verbe s'accorde toujours avec son sujet.

1. Écris le GS et le GV. Conjugue le verbe à l'indicatif présent et accorde-le avec son sujet.

a) Élisabeth ______________ (voyager) autour du monde.

GS : C'est ____ qui

GV : Que dit-on de? ____

b) Les chiens ______________ (creuser) des trous dans la terre.

GS : Ce sont ____ qui

GV : Que dit-on de? ____

c) Vous ______________ (partir) tout de suite!

GS : C'est ____ qui

GV : Que dit-on de? ____

d) J' ______________ (avoir) beaucoup d'amis.

GS : C'est ____ qui

GV : Que dit-on de? ____

Les accords dans la phrase

1. Écris le GS et le GV. Conjugue le verbe à l'indicatif passé composé et accorde-le avec son sujet.

a) Tu ______________ (être) présente jusqu'à la fin.

GS : C'est ____ qui

GV : Que dit-on de ? ____

b) L'éléphant ______________ (boire) avec sa trompe.

GS : C'est ____ qui

GV : Que dit-on de ? ____

c) Toute la journée, les vaches ______________ (ruminer).

GS : C'est ____ qui

GV : Que dit-on de ? ____

d) Anthony et William ______________ (manger) douze biscuits.

GS : Ce sont ____ qui

GV : Que dit-on de ? ____

Les accords dans la phrase

1. Écris le GS et le GV. Conjugue le verbe à l'indicatif futur simple et accorde-le avec son sujet.

a) Cette nuit, la lune et les étoiles ______________ (éclairer) encore.

GS : Ce sont ____ qui

GV : Que dit-on de? ____

b) Les abeilles ______________ (butiner) les fleurs.

GS : Ce sont ____ qui

GV : Que dit-on de? ____

c) Tu ______________ (être) toujours ma meilleure amie.

GS : C'est ____ qui

GV : Que dit-on de? ____

d) Nous ______________ (avoir) les pommes de Papi.

GS : C'est ____ qui

GV : Que dit-on de? ____

Les accords dans la phrase

1. Écris le GS et le GV. Conjugue le verbe à l'indicatif imparfait et accorde-le avec son sujet.

a) Léa ______________ (donner) tous ses bonbons.

GS : C'est ____ qui

GV : Que dit-on de ? ________________________________

b) Philippe ______________ (marcher) seul dans la rue.

GS : C'est ____ qui

GV : Que dit-on de ? ________________________________

c) Nous ______________ (vouloir) deux ordinateurs.

GS : C'est ____ qui

GV : Que dit-on de ? ________________________________

d) Carl et Samuel ______________ (préparer) le carnaval.

GS : Ce sont ____ qui

GV : Que dit-on de ? ________________________________

Les accords dans la phrase

1. Écris le GS et le GV. Accorde le verbe avec son sujet.

a) Je ______________ (finir, indicatif présent) la tarte.

GS : C'est ____ qui

GV : Que dit-on de? ____

b) Il ______________ (aimer, indicatif imparfait) ton beurre d'érable.

GS : C'est ____ qui

GV : Que dit-on de? ____

c) Tu ______________ (acheter, indicatif passé composé) trois robes.

GS : C'est ____ qui

GV : Que dit-on de? ____

d) Nous ______________ (partir, indicatif futur simple) très tôt.

GS : Ce sont ____ qui

GV : Que dit-on de? ____

Les accords dans la phrase

1. Écris le GS et le GV. Accorde le verbe avec son sujet.

a) Toute la nuit, vous ______________ (danser, indicatif passé composé).

GS : Ce sont ____ qui

GV : Que dit-on de ? ____

b) Elles ______________ (dire, indicatif présent) des mensonges.

GS : Ce sont ____ qui

GV : Que dit-on de ? ____

c) Mathis et Rémi ______________ (polir, indicatif imparfait) la coutellerie.

GS : Ce sont ____ qui

GV : Que dit-on de ? ____

d) Camille ______________ (enrichir, indicatif futur simple) son vocabulaire.

GS : C'est ____ qui

GV : Que dit-on de ? ____

Compréhension de lecture

Des stratégies pour lire et comprendre **un mot que tu as déjà lu :**

- La reconnaissance globale est le mot que tu as photographié dans ta tête parce que tu l'as appris en classe.
- Décoder les mots par les relations lettres/sons, syllabes.
- Anticiper un mot à partir des autres mots que tu as lus dans cette phrase. Ensuite, vérifier la réponse avec ta stratégie du décodage des mots par les relations lettres/sons, syllabes.
- Garder en mémoire les mots qui sont porteurs de sens pour toi.

Des stratégies pour lire et comprendre **un mot nouveau :**
Pour identifier un mot nouveau, tu dois combiner les trois stratégies suivantes.

- Vérifier si le mot nouveau ressemble à un mot que tu as déjà photographié.
- Décoder les mots par les relations lettres/sons, syllabes
- Anticiper un mot à partir des autres mots que tu as lus dans cette phrase, ainsi que des illustrations disponibles.

Des stratégies pour comprendre **un texte :**

Avant la lecture

- Garder l'intention de lecture en tête. La façon de lire est différente si c'est pour une lecture libre ou un examen.
- Explorer la structure du texte pour t'aider à comprendre ce que tu vas lire.
- Planifier sa manière d'aborder le texte.
- Survoler le texte pour anticiper son contenu (titre, illustrations, intertitres, sections).
- Formuler des hypothèses, faire des prédictions sur la lecture et les réajuster au fur et à mesure que tu feras ta lecture.

Compréhension de lecture

Pendant la lecture

- Anticiper la suite du texte à partir de ce qui précède.
- Identifier les mots auxquels renvoient les pronoms, les synonymes et les autres mots de substitution.
- Te servir du contexte pour donner un sens aux expressions figées ou aux proverbes.
- Utiliser les indices relatifs à la ponctuation, la fin d'une phrase ou d'un paragraphe.
- Évoquer les liens établis par les connecteurs ou les marqueurs de relation.
- Regrouper les éléments d'information éloignés les uns des autres et prendre des notes dans la marge.
- Inférer les éléments d'information implicites à partir de divers indices.
- Retenir l'essentiel de l'information.
- Surmonter les obstacles de compréhension :
    1. Par la poursuite de la lecture.
    2. Par des retours en arrière (la relecture d'un mot, d'une phrase ou d'un paragraphe).
    3. Par la reformulation intérieure et le questionnement.
    4. Par l'ajustement de la vitesse de lecture (ralentir ou accélérer).
    5. Par la consultation d'outils de référence (dictionnaire).
    6. Par le recours aux illustrations, aux schémas et aux graphiques.
    7. Par la discussion avec ses pairs, si la situation le permet.

Après la lecture

- Expliquer la démarche suivie.
- Établir les liens entre la démarche utilisée et l'atteinte de son intention de lecture.
- Évaluer l'efficacité des stratégies que tu as utilisées, pour mieux préparer ta prochaine lecture.
- S'autoévaluer comme lecteur.

Compréhension de lecture

Les insectes

Leur apparence physique

Un insecte, c'est un très petit animal articulé qui a toujours six pattes. Parfois, l'insecte peut avoir une ou deux paires d'ailes, une carapace, une paire d'antennes et un corps divisé en trois parties. Il n'a pas de colonne vertébrale, donc pas d'os. Les insectes respirent par des trachées et certains d'entre eux piquent.

De l'œuf à l'insecte

Premièrement, un œuf est pondu dans un nid bien chaud ou dans un endroit ensoleillé, car pour éclore, l'œuf a besoin de chaleur.

Deuxièmement, la larve sort de l'œuf et se transforme tranquillement. Au fur et à mesure **qu'elle** grandit, elle subit le phénomène de la mue, c'est-à-dire qu'elle change de peau.

Troisièmement, vers la fin de sa croissance, la larve se fabrique une chrysalide. La larve restera immobile et sans manger dans cette enveloppe pour se transformer en nymphe.

Finalement, l'enveloppe se déchire et l'insecte adulte en sort. La transformation est réussie et terminée.

De quoi se nourrissent les insectes ?

Insectes	Herbivores	Carnivores	Omnivores	Nourriture
Le ver de terre	X			plantes mortes sous terre
Le papillon	X			nectar des fleurs
L'abeille	X			pollen et nectar des fleurs
La mouche	X			matières sucrées
La guêpe		X		insectes qu'elle tue
La coccinelle		X		pucerons
La libellule		X		insectes
Le cafard			X	débris animaux ou végétaux
La fourmi			X	insectes ou végétation

Compréhension de lecture

Questions

1. De quoi est-il question dans ce texte informatif? ______

2. Quelle caractéristique physique est toujours présente chez l'insecte?

______

3. Nomme trois caractéristiques physiques parfois présentes chez l'insecte.

______

4. Écris deux noms que l'on donne à l'insecte qui n'a pas terminé sa transformation.

______

5. Nomme un insecte carnivore. ______

6. signifie le mot « omnivore »? ______

7. Que remplace le pronom **celle-ci**, dans le deuxième paragraphe de la section **De l'œuf à l'insecte**? ______

8. De quoi se nourrit l'abeille? ______

9. Dans le tableau, combien y a-t-il d'insectes herbivores? ______

10. Réponds par vrai ou faux.

    a) L'insecte a toujours huit pattes. ______

    b) La guêpe est un insecte carnivore. ______

    c) La larve reste immobile et sans manger dans sa chrysalide. ______

Compréhension de lecture

Charlot le lièvre à trois pattes

Charlot est un superbe lièvre tout blanc. Il a un pelage soyeux et des yeux très perçants, il est généreux et intelligent. Malheureusement, il n'a pas d'amis. Aucun animal de la forêt ne veut jouer avec lui, car Charlot est un lièvre différent. Les animaux le rejettent, car il n'a que trois pattes.

Le méchant perroquet se moque toujours de lui. **Il** répète à qui veut bien l'entendre que Charlot est handicapé.

Pour se faire accepter, Charlot offre à madame Perdrix des perles dans un couvercle qu'il a trouvé sous une pierre. Madame Perdrix s'énerve et alerte tous les animaux de la forêt, car Charlot a voulu acheter son amitié.

Pour se faire aimer, Charlot nettoie toute la tanière de l'ourson. Ourson éternue en disant que Charlot n'est pas très vaillant, car il a laissé de la poussière.

Charlot est boulerversé ! Il décide de partir. Il n'en peut plus de vivre l'enfer.

— « C'est terminé, plus personne ne va me berner ! J'irai vivre là où on veut bien m'accepter comme je suis ! » se dit-il.

Charlot quitte la forêt, observé par les autres animaux. Il bondit doucement dans l'herbe, lorsqu'il entend le serpent crier :

— « Au secours ! Un enfant m'a enfermé dans une boîte de conserve ! Aidez-moi ! »

Sans perdre une seconde, Charlot lui répond :

— « Ne crains rien, je vais te sauver, Simon. »

Charlot ouvre la conserve énergiquement avec ses trois petites pattes. Les animaux de la forêt ont vu Charlot sauver la vie de Simon le serpent.

Simon remercie chaleureusement Charlot et le supplie de ne pas partir, car les animaux regrettent de ne pas avoir vu que Charlot est un lièvre courageux. Charlot accepte et reste dans la forêt avec eux.

Aujourd'hui, Charlot est ami avec le perroquet qui a toujours le hoquet, avec madame Perdrix qui a peur des souris, avec Ourson qui est toujours grognon et avec Simon le serpent qui n'a pas de dents. Après tout, ne sommes-nous pas tous différents ?

Compréhension de lecture

Questions

1. Qui est le personnage principal de l'histoire? ______

2. Nomme tous les animaux dont on parle dans cette histoire.

______

3. Trouve un autre titre à cette histoire.

______

4. Donne deux qualités que possède Charlot. ______

5. Qu'est-ce que Charlot a offert à madame Perdrix? ______

6. Qu'est-ce que Charlot a fait pour Ourson? ______

7. Que remplace le pronom **il**, dans le deuxième paragraphe? ______

8. Qui supplie Charlot de rester? ______

9. Qui a enfermé le serpent dans une boîte de conserve? ______

10. Réponds par vrai ou faux.

    a) Simon est un serpent. ______

    b) Charlot a quitté la forêt et il ne reviendra plus jamais. ______

    c) Tous les êtres vivants sont différents. ______

Compréhension de lecture

Mes amours

Mon petit Jérémie
Comme un grand bol de spaghettis
Tu es collant et tellement amusant
Pour toi, je combattrais tous les méchants

Mon petit Gabriel
Comme une lune de miel
Tu es un trésor qui nous donne des ailes
Pour toi, je décrocherais la lune du ciel

Ma petite Charlotte
Comme un potage à la carotte
Tu es chaleureuse et légèrement poivrée
Pour toi, je ferais exister les fées

Mon petit William
Comme un jeu de dames
Tu es complexe et rempli de stratégies
Pour toi, je donnerais ma vie

Ma grande Alexane
Comme une pelure de banane
Tu es si glissante qu'on doit toujours se méfier
Pour toi, je me transformerais en chevalier

Mon grand Samuel
Comme une galette au miel
Tu es une bénédiction du ciel
Pour toi, mon cœur bat d'un amour éternel

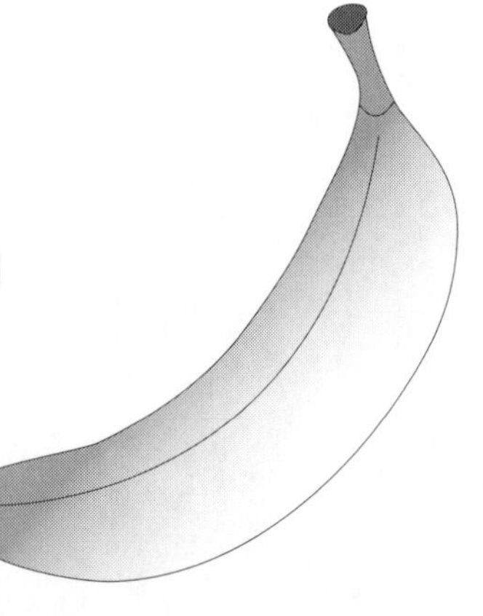

Compréhension de lecture

Questions

1. Qui est comme un bol de spaghettis ? ____________________

2. Combien y a-t-il de noms de filles ? ____________________

3. Combien y a-t-il de noms de garçons ? ____________________

4. À quoi compare-t-on Alexane ? ____________________

5. Quel est le jeu auquel William est comparé ? ____________________

6. De quel légume parle-t-on ? ____________________

7. De quel fruit parle-t-on ? ____________________

8. Qui est comme une lune de miel ? ____________________

9. En quoi me transformerais-je pour Alexane ? ____________________

10. Réponds par vrai ou faux.

   a) Jérémie est amusant. ____________________

   b) Dans la réalité, je peux décrocher la lune du ciel. ____________________

   c) Un jeu de dames est une sorte de poisson. ____________________

   d) Dans une lune de miel, il y a du caramel et du chocolat. ____________________

   e) Dans une galette au miel, il y a du miel. ____________________

   f) Je me transformerais en fée pour Gabriel. ____________________

Compréhension de lecture

Le castor

Le castor d'Amérique est un mammifère de l'ordre des rongeurs. Il n'hiberne pas. La fourrure du castor est brun foncé et elle est constituée de deux couches de poils. Ce qui caractérise sans doute le plus le castor, ce sont ses quatre longues incisives de 2,5 cm de longueur. Ses pattes avant ressemblent à des mains de cinq doigts munis de longues griffes et ses pattes arrière sont palmées. Le castor fait partie d'une société complexe basée sur la famille. Le poids de l'adulte varie de 15 à 35 kg et sa taille varie de 30 cm à 1,3 m avec la queue. La femelle a de un à huit bébés par portée. Sa période de gestation est de 103 à 107 jours. Le castor peut vivre jusqu'à 12 ans.

Le castor compte parmi ses prédateurs l'ours, le loup, le coyote, le pékan, le carcajou, la loutre et le lynx. Le castor est cependant bien à l'abri dans sa hutte de branchages figée avec de la boue.

En été, le castor mange des nénuphars, des plantes aquatiques, des herbes, des feuilles de plantes ligneuses, des fruits et des graminées. En hiver, il se nourrit de branches et d'écorce.

Le porc-épic

Le porc-épic est un mammifère de l'ordre des rongeurs. Il n'hiberne pas. Il est généralement noir et il possède environ 30 000 piquants de 15 cm ; ceux-ci se dressent en cas de danger. Sa taille peut varier de 65 à 100 cm et son poids est de 4,5 kg à 13,5 kg. Il a quatre doigts à ses pattes avant et le dessous de celles-ci est dur.

Le porc-épic vit au Québec, dans les forêts de conifères et de feuillus. Il est herbivore, il se nourrit en été de petits fruits et de feuilles d'arbre, plus particulièrement de peuplier. En hiver, il mange de l'écorce d'arbre. Il vit le plus souvent dans les arbres, mais en hiver il se protège du froid dans une tanière.

Pendant la saison des amours, le couple passe environ une semaine ensemble puis se sépare. La mère élève seule son bébé. La femelle a un bébé à la fois. Sa période de gestation est de 7 mois. Il peut vivre de 5 à 7 ans.

Le porc-épic est un animal solitaire. Son principal prédateur est le pékan, qui lui, fait partie de la famille des furets. Il a aussi comme prédateur le couguar, le lynx et le coyote.

Compréhension de lecture

1. Classe les informations en remplissant le tableau.

	Castor	Porc-épic
a) Sa couleur		
b) Sa taille		
c) Son poids		
d) Ses pattes avant		
e) Où vit-il ?		
f) Sa nourriture en hiver		
g) Sa nourriture en été		
h) Combien de petits a la femelle ?		
i) Sa période de gestation		
j) Hiberne t-il ?		
k) Ses prédateurs		
l) Sa longévité		

Compréhension de lecture

Mes parents veulent acheter une maison. Ils décident de lire les petites annonces. Voici les 4 annonces qu'ils ont retenues pour une éventuelle visite.

Maison N° 1 225 000$

Maison de construction récente sur le bord du lac St-Joseph. Vous serez charmé par cette maison en bois rond de deux chambres avec garage, foyer et deux salles de bain.

Idéale pour les gens qui recherchent la tranquillité qu'offre la vie à la compagne et qui possèdent plusieurs animaux de compagnie. Une visite vaut mille mots.

Maison N° 2 195 000$

Maison ancestrale située dans un quartier riche. Cette maison offre un garage double, quatre chambres à l'étage du haut, un foyer de pierre au salon et trois salles de bain.

Le terrain est très grand et possède plusieurs arbres fruitiers. Un jardin d'eau est aménagé dans la cour arrière Maison de rêve à prix abordable.

Maison N° 3 183 500$

Maison de 15 ans située dans un quartier résidentiel. Le terrain est clôturé avec piscine et terrasse. Au bout de la rue, il y a un parc pour les enfants.

À l'intérieur de la maison, vous trouverez trois chambres, deux salles de bain et un garage. En plus, il y a une entrée qui donne accès au sous-sol par le garage. Nous vous attendons !

Maison N° 4 154 500$

Maison de 50 ans complètement rénovée depuis trois ans. Elle est située dans les anciens quartiers résidentiels de la ville. Elle est proche de l'école secondaire.

À l'intérieur, ce bungalow offre deux chambres à l'étage et une au sous-sol, une salle de bain et une salle de lavage. Nous attendons votre visite. Toutes les offres raisonnables seront considérées.

Compréhension de lecture

Mes parents veulent acheter une maison et voici les critères qu'ils se sont donnés pour l'achat de celle-ci.

1. Remplis le tableau en faisant un X au bon endroit.

Critères de sélection	maison N° 1	maison N° 2	maison N° 3	maison N° 4
a) Terrain clôturé				
b) Piscine ou lac				
c) Garage				
d) Au moins deux chambres				
e) Au moins une salle de bain				
f) Près d'un parc				
g) Pas plus de 199 000 $				

2. Réponds aux questions suivantes.

a) À combien de critères de sélections correspond la maison N° 1 ? ___________

b) À combien de critères de sélections correspond la maison N° 2 ? ___________

c) À combien de critères de sélections correspond la maison N° 3 ? ___________

d) À combien de critères de sélections correspond la maison N° 4 ? ___________

e) Quelle maison correspond à ce que recherchent mes parents ? ___________

3. Dessine l'extérieur de la maison que mes parents devraient choisir.

Compréhension de lecture

1. Replace l'histoire dans l'ordre en écrivant les chiffres de 1 à 5 dans les carrés ci-dessous, 1 étant le premier paragraphe et 5, le dernier.

Monsieur William, l'inspecteur!

1) Monsieur William passe tout l'avant-midi à faire des recherches sur l'influence des marées, les sortes de poissons en voie d'extinction, sur la pollution des mers et même sur le réchauffement de la planète. Mais rien ne peut motiver une disparition complète et soudaine des poissons de la mer.

2) Monsieur William est le plus grand inspecteur de la ville de Matane. À l'aide de sa loupe, il scrute tous les moindres détails, rien ne lui échappe. Chaque matin, il enfile son imperméable gris, ses bottes noires, il prend son ordinateur portable et il part pour le bureau rencontrer ses clients, qui ont des énigmes à résoudre.

3) Un immense trou dans le filet du bateau! Un trou! Paul Omar est un peu gêné, il aurait pu y penser lui-même. Mais, monsieur William le rassure. Il n'est pas du tout contrarié, car l'inspection, c'est son métier!

4) Sur l'heure du midi, monsieur William apporte sa loupe et se rend au bateau de Paul Omar. Il inspecte tout le bateau, la cabine du pilote, le moteur, la proue, la poupe et finalement il découvre...

5) Arrivé à son bureau de la rue Sainte-Crevette, Monsieur William est attendu par Paul Omar, qui est pris de panique. Sans plus attendre, il dit :

— Monsieur William, je vous attendais avec impatience. J'ai un sérieux problème. Depuis une semaine, je reviens de la pêche sans aucun poisson dans mes filets. Bientôt, les réserves de poissons seront épuisées dans toute la ville, croyez-vous que la mer est vide ou peut-être...

Monsieur William ne le laisse pas terminer et poursuit :

— Calmez-vous, Paul, je vais vous aider. Je fais quelques recherches et je vous rejoins à votre bateau ce midi.

Compréhension de lecture

1. Replace l'histoire dans l'ordre en écrivant les chiffres de 1 à 5 dans les carrés ci-dessous, 1 étant le premier paragraphe et 5, le dernier.

Le rêve de Hugo, le saumon

1) Hugo nage très vite, c'est sa première journée d'expédition, mais soudainement il rencontre un pêcheur. Comme il a une très bonne mémoire, il reconnaît le filet de Paul Omar. Voilà déjà quelques jours que son filet est brisé, mais Paul ne s'en rend pas compte. Alors, Hugo nage sans même se soucier de ce pêcheur.

2) Après quelques jours de nage, Hugo se repose un peu et fait la sieste. Soudainement, un requin s'approche de lui pour le dévorer. Ce requin a tellement mauvaise haleine que Hugo se réveille. Il prend aussitôt la fuite, il nage si vite que le requin ne réussit pas à le rattraper.

3) Hugo le saumon caresse un rêve depuis très longtemps. Il rêve d'aller nager avec les manchots. Hugo a bien planifié son itinéraire, et aujourd'hui il est prêt à réaliser son rêve. Il part pour le pôle Sud rejoindre les manchots.

4) Tout à coup, une centaine de manchots apparaissent. Hugo est si heureux, ouf! Pendant un instant, il a eu chaud, il a cru qu'il devrait rebrousser chemin. Hugo leur demande s'il peut nager et jouer avec eux. Les manchots sont si ravis d'avoir de la visite qu'ils acceptent avec empressement. C'est ainsi que Hugo s'est fait des centaines d'amis pour la vie. Hugo est très fier de lui, car il a traversé le filet de Paul Omar, il a échappé à un requin et il a combattu le froid. Il n'a jamais abandonné la poursuite de son rêve.

5) Hugo commence à avoir froid, ses nageoires sont gelées. Heureusement, il avait tout prévu, il a apporté des mitaines de laine. Hugo est tout excité, car le froid lui indique qu'il est bientôt arrivé. Que dis-je, il est enfin arrivé au pôle Sud! Mais que se passe-t-il? Il regarde autour de lui et il ne voit aucun manchot. Hugo commence à penser qu'il s'est peut-être trompé de pôle!

Compréhension de lecture

Le stégosaure du lac Mégantic

On entend parler seulement de ça à la radio. Patrice, l'animateur, résume la situation avec son invitée, Sylvianne :

— Attention, attention, les ossements d'un stégosaure auraient été trouvés dans le lac Mégantic. J'ai avec moi madame Sylvianne, celle qui a trouvé les ossements. Bonjour Sylvianne ! Alors racontez-moi ce qui s'est passé depuis ce matin !

— Bonjour Patrice. Alors, je faisais de la plongée ce matin à l'aube vers 5 h 30 au lac Mégantic et j'ai aperçu au fond de l'eau des ossements de dinosaure. J'ai tout de suite averti les agents de la protection de la faune.

— Qu'est-ce qu'ils ont fait ?

— Ils n'en revenaient tout simplement pas de cette découverte. Alors, ils ont convoqué tous les plus grands spécialistes pour l'analyse de ceux-ci. Selon les eux, c'est le spécimen le plus rare jamais trouvé.

— C'est très intéressant, je vous écoute.

— Des dizaines de spécialistes, des scientifiques et même des étudiants sont arrivés vers 9 h 30 avec tous les objets nécessaires pour la fouille. Les habitants de la ville de Mégantic sont aussi arrivés par centaines. Depuis ce moment, nous attendons la suite des événements.

— Je vous remercie beaucoup Sylvianne pour toutes ces informations. Quant à vous, auditeurs, nous vous retrouverons dans 30 minutes en direct du lac Mégantic.

Trente minutes plus tard au lac Mégantic… On entend une voix qui crie : « Stop ! Stop ! » Un homme accourt pour arrêter les scientifiques. Le cinéaste explique aux centaines de curieux qu'ils voient une scène de son film et que le lac est son studio. Que dans quelques mois, ils pourront tous voir son film sur le stégosaure du lac Mégantic !

Compréhension de lecture

Questions

1. Qui a trouvé les ossements de stégosaure? ____________________

2. À quel moment de la journée se passe cette histoire? ____________________

3. Trouve un autre titre à cette histoire.____________________

4. Dans quel lac a-t-on trouvé des ossements de stégosaure? ____________________

5. Comment se nomme l'animateur de radio? ____________________

6. Qui est arrivé vers 9 h 30? ____________________

____

7. Que remplace le pronom **ceux-ci,** dans le quatrième paragraphe de dialogue?

____

8. Qui a dévoilé la vérité? ____________________

9. Quel est le studio du cinéaste? ____________________

10. Réponds par vrai ou faux.

a) Les ossements de stégosaure étaient vrais. ____________________

b) C'est très tôt le matin que Sylvianne a trouvé les ossements.____________________

c) Le cinéaste invite seulement Sylvianne à voir son film. ____________________

Compréhension de lecture

Les mammifères

On peut reconnaître un mammifère grâce à des caractéristiques communes :

- Les femelles allaitent les petits, car elles produisent du lait.
- Le corps des mammifères est recouvert de poils.
- Leur mâchoire inférieure est articulée.
- Leur sang est chaud, c'est-à-dire qu'ils sont capables de maintenir constante la température de leur corps.
- Leur oreille moyenne est constituée de trois paires d'os.
- Leur cerveau est volumineux et complexe.
- Leurs dents sont habituellement différenciées (les incisives, les canines, les prémolaires et les molaires).

Cependant, certaines caractéristiques sont absentes chez certains groupes de mammifères. Presque tous les petits ont besoin d'un parent qui les éduque, car ils ne sont pas autonomes à la naissance. Certains vivent seuls, alors que d'autres vivent en groupe. Pour beaucoup d'animaux, il existe des modes de vie organisés et hiérarchisés. Ceux-ci sont très variés.

Les mammifères sont herbivores (se nourrissent de végétaux), carnivores (se nourrissent de viande) ou omnivores (se nourrissent de viande et de végétaux).

De quoi se nourrissent les mammifères ?

Les mammifères	Herbivores	Carnivores	Omnivores	Nourriture
L'ours			X	plante, noix, insecte, orignal
Le lion		X		lièvre, buffle, girafe, zèbre
Le phoque		X		capelan, hareng, crevette
Le wapiti	X			plante, graminée
Le gorille	X			plante, feuille
La marmotte	X			plante, luzerne, légume, trèfle
Le sanglier			X	champignon, insecte, oiseau
Le guépard		X		gazelle, zèbre, lièvre

Compréhension de lecture

Questions

1. De quoi est-il question dans ce texte informatif? ______

2. Nomme deux caractéristiques des mammifères.

______

______

3. De quoi l'ours se nourrit-il? ______

______

4. Nomme deux mammifères herbivores. ______

5. Nomme deux mammifères omnivores. ______

6. Que signifie le mot « carnivore »? ______

7. Que remplace le pronom **ils**, dans le 2e paragraphe? ______

8. De quoi se nourrit le gorille? ______

9. Dans le tableau, combien y a-t-il de carnivores et d'herbivores? ______

10. Réponds par vrai ou faux.

a) Les mammifères femelles allaitent leurs petits. ______

b) Les mammifères ont le sang chaud. ______

c) Tous les mammifères vivent en groupe. ______

Compréhension de lecture

Les devinettes

1. Je suis un végétal.

   J'ai un tronc et des racines.

   Parfois, je donne des fruits.

   Je suis : ______________________________

2. Je suis un nom de fille et une fleur.

   Ma tige a des épines.

   Je peux être de différentes couleurs.

   Je suis : ______________________________

3. Je suis un reptile.

   Je porte ma maison sur mon dos.

   Je nage très bien dans l'eau de la mer.

   Je suis : ______________________________

4. Je suis un légume.

   Je pousse dans la terre.

   Je suis orangée et sucrée.

   Je suis : ______________________________

5. Je suis un vêtement.

   Je protège ta tête en hiver.

   Je suis fait de laine ou de fibre synthétique.

   Je suis : ______________________________

6. Je suis un animal de compagnie.

   J'aboie pour avertir que des gens arrivent.

   Je suis le meilleur ami de l'homme.

   Je suis : ______________________________

Compréhension de lecture

Les devinettes

1. Je suis un fruit.

   Je pousse sur le sol comme une citrouille.

   Ma pelure est verte et mon intérieur est rose ou rouge.

   Je suis : ______________________________

2. Je suis une couleur.

   Je suis la couleur des feuilles en été.

   Je suis le mélange du bleu et du jaune.

   Je suis : ______________________________

3. Je suis un animal.

   J'ai deux défenses en ivoire.

   J'habite la savane.

   Je suis : ______________________________

4. Je suis un moyen de transport.

   Je suis habituellement jaune.

   Je transporte des écoliers ou des voyageurs.

   Je suis : ______________________________

5. Je suis un vêtement.

   Tu me portes l'été pour te baigner.

   Je peux être de toutes les couleurs.

   Je suis : ______________________________

6. Je suis une partie de ton corps.

   Les orteils sont mes meilleurs amis

   Je sers à marcher et danser.

   Je suis : ______________________________

Écriture de phrases

1. Écris les mots dans le bon ordre pour former une phrase qui a un sens.

a) son le Julien veston mariage. porte pour

____

____

b) une Rose chantent et dans Victor chorale.

____

____

c) William vélo. est de champion un

____

____

d) le son Anthony avec prépare père. souper

____

____

e) loin J'aperçois au dans ciel. un le avion

____

____

Écriture de phrases

1. Écris les mots dans le bon ordre pour former une phrase qui a un sens.

a) très Marjorie fille est une intelligente.

____

____

b) parle Louis toujours classe. en

____

____

c) magiques. La pouvoirs possède belle des fée

____

____

d La immense habite château. reine un

____

____

e) Jasmine se René marient et samedi.

____

____

Écriture de phrases

1. Écris les mots dans le bon ordre pour former une phrase qui a un sens.

a) kayak Je du grand fais ce lac. sur

____

____

b) avec parachute. Amélie son saute grand

____

____

c) chante La bien. Océanne très pétillante

____

____

d) de est La Samuel désaccordée. guitare

____

____

e) Charlie premier d'amour. roman écrit son

____

____

Écriture de phrases

Compose une phrase avec les mots suivants en respectant le thème.

Le thème des fruits

Utilise les noms communs suivants :

Pomme

___

___

Poires

___

___

Banane

___

___

Ananas

___

___

Tomates

___

___

Écriture de phrases

Compose une phrase avec les mots suivants en respectant le thème.

Le thème de la cabane à sucre
Utilise les adjectifs suivants :

Sucrée 

Collant 

Délicieux 

Succulente 

Chaude 

Écriture de phrases

Compose une phrase avec les mots suivants en respectant le thème.

Le thème de l'été

Utilise les verbes suivants et conjugue-les au mode et au temps de ton choix :

Courir

____

____

Lancer

____

____

Jouer

____

____

Sauter

____

____

Baigner

____

____

Écriture de phrases

Compose une phrase avec les mots suivants en respectant le thème.

Le thème des sports
Utilise les noms communs suivants :

Raquettes 

Vélo 

Ballon 

Ski alpin 

Patin 

Écriture de phrases

Compose une phrase avec les mots suivants en respectant le thème.

Le thème de la Saint-Valentin

Utilise les verbes suivants et conjugue-les au mode et au temps de ton choix :

Aimer

____

____

Danser

____

____

Chanter

____

____

Souper

____

____

Aller

____

____

Écriture de phrases

Compose une phrase avec les mots suivants en respectant le thème.

Le thème des personnes
Utilise les adjectifs suivants :

Belle 

____

____

Grand 

____

____

Ricaneuse 

____

____

Enjoué 

____

____

Aimable 

____

____

Écriture de phrases

Compose une phrase qui va avec chacune des situations suivantes.

Écriture de phrases

Compose une phrase qui va avec chacune des situations suivantes.

Écriture de phrases

Compose une phrase qui va avec chacune des situations suivantes.

____

____

____

____

____

____

____

____

Écriture de textes

Voici des stratégies que tu peux utiliser pour t'aider à écrire un texte.

1. Les stratégies de planification

- Rappelle-toi les expériences d'écriture que tu as déjà vécues.
- Utilise un déclencheur pour stimuler ton imagination (une photo, un objet, une œuvre d'art...).
- Précise ton but d'écriture et garde-le toujours dans ta tête (J'écris pour un loisir, pour un examen, pour un concours...).
- Pense au destinataire du texte à produire.
- Pense à un contenu possible. Explore et choisis les bonnes idées.
- Anticipe le déroulement ou l'organisation du texte.
- Fais une carte d'exploration, un schéma ou un plan de ton texte.

2. Les stratégies de mise en texte

- Rédige une première version à partir de tes idées.
- Consulte les informations fournies pour le projet d'écriture (feuille d'examen, dépliant d'un concours...).
- Relis souvent la partie rédigée pour mieux enchaîner la suite.
- Ajoute au fur et à mesure les idées qui surviennent.

3. Les stratégies de révision

- Demande-toi si ce que tu écris correspond à ce que tu veux dire.
- Repère en soulignant les passages que tu veux reformuler.
- Réfléchis à des modifications possibles.
- Lis ton texte à voix haute à une personne ou demande à une autre personne de te lire pour avoir des suggestions d'amélioration au niveau de la structure, du contenu ou du vocabulaire.
- Choisis, parmi les suggestions que tu as obtenues, celles qui te semblent les plus appropriées.
- Modifie ton texte en enlevant, en déplaçant ou en remplaçant des mots ou des phrases.
- Relis ton texte plusieurs fois.

4. Les stratégies de correction

- Inscris des marques, des traces ou des symboles qui peuvent te servir d'aide-mémoire.
- Utilise ta procédure de correction.
- Consulte les outils de références (grammaire, dictionnaire...).
- Demande de l'aide d'un autre élève ou d'un adulte.
- Utilise le correcteur d'un traitement de texte à l'ordinateur.

5. Les stratégies d'évaluation de sa démarche

- Décris et explique ta démarche à un adulte afin de voir si elle est efficace.
- Vérifie si l'intention d'écriture est atteinte.
- Évalue l'efficacité des stratégies que tu utilises.

Écriture de textes

Décris la situation en suivant l'ordre des quatre illustrations.

Le lavage des cheveux.

1.

2.

3.

4.

Écriture de textes

Décris la situation en suivant l'ordre des quatre illustrations.

Faire une rôtie.

1.

2.

3.

4.

Écriture de textes

Décris la situation en suivant l'ordre des quatre illustrations.

Aller jouer avec son amie.

1.

2.

3.

4.

Écriture de textes

Décris la situation en suivant l'ordre des quatre illustrations.

Déneiger après la tempête.

1.

2.

3.

4.

Écriture de textes

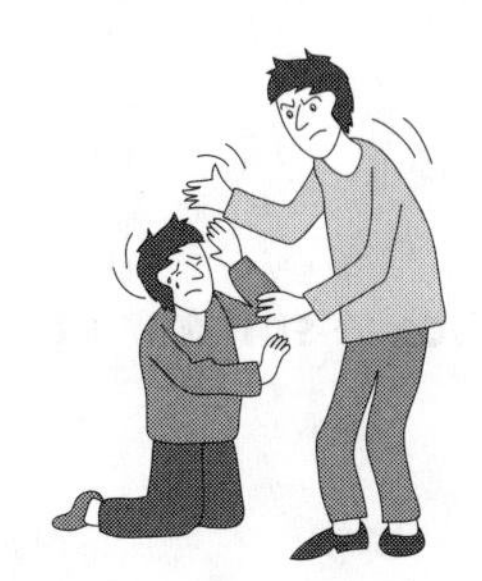

Lis le texte suivant et écris la fin de cette petite histoire.

Aujourd'hui, Max est encore très craintif, car plus les journées avancent, plus il a peur ! À chaque récréation, le grand Julien l'attend pour lui voler son argent du midi. Cela fait plusieurs midis que Max ne mange pas, car il ne veut pas en parler à ses parents. Mais ce matin, c'est différent, Max décide de…

Écriture de textes

Lis le texte suivant et écris la fin de cette petite histoire.

Justine adorait son chien Félix. C'était un gros husky affectueux et intelligent. Mais ce matin, Félix est décédé, car il était très vieux. Justine a beaucoup de chagrin, mais elle sait toujours quoi faire lorsqu'elle a de la peine. Elle…

Écriture de textes

Lis le texte suivant et écris la fin de cette petite histoire.

Alexis est un garçon très serviable, poli et toujours de bonne humeur. Il ne pense même plus à cette différence qui le rend si unique. Un jour, Sacha lui dit qu'elle ne veut pas jouer avec lui, car il lui manque un bras. Alexis lui dit…

Écriture de textes

Lis le texte suivant et écris la fin de cette petite histoire.

Aujourd'hui, c'est une journée très spéciale pour Rosalie ! Elle va enfin réaliser son plus grand rêve ! Elle en rêve depuis des années ! Chaque fois qu'elle y pense, elle en a des frissons. Sa mère et son père l'accompagnent aujourd'hui pour qu'elle puisse enfin réaliser ce si grand rêve. Rosalie va...

Écriture de textes

Lis le texte suivant et écris la fin de cette petite histoire.

Guylaine est seul dans sa chambre et elle réfléchit à tout ce que sa famille fait pour elle. Sa mère lui prépare de si bons repas et l'aide toujours à faire ses leçons. Son père est présent à toutes ses parties de soccer et elle peut jouer avec lui sans qu'il se fatigue. Sa sœur la conseille quotidiennement sur son habillement. Guylaine aimerait à son tour faire quelque chose pour eux. Tout à coup, elle a une idée...

p. 18 1. a) 5686 b) 4107 c) 8079 d) 7852 e) 8211 f) 2993 g) 1431 h) 9016 i) 4287 j) 3148

p. 19 1. a) 5760 b) 3305 c) 7324 d) 1540 e) 2425 f) 6934 g) 1563 h) 6878 i) 9689 j) 2752

p. 20 1. a) 31 973 b) 65 434 c) 53 463 d) 29 242 e) 35 301 f) 82 198 g) 87 017 h) 16 814 i) 52 565 j) 67 642

p. 21 1. a) 44 350 b) 78 209 c) 26 999 d) 14 580 e) 28 026 f) 49 755 g) 10 186 h) 93 877 i) 90 728 j) 71 631

p. 26 1. a) 6 b) 5 c) 8 d) 2 e) 8652
2. a) 6 b) 3 c) 2 d) 0 e) 6320
3. a) 4 b) 1 c) 1 d) 9 e) 1149
4. a) 3 b) 7 c) 0 d) 5 e) 3075

p. 27 1. a) 0 b) 7 c) 0 d) 0 e) 7000
2. a) 0 b) 8 c) 9 d) 3 e) 9803
3. a) 6 b) 5 c) 2 d) 1 e) 2651
4. a) 3 b) 4 c) 2 d) 8 e) 4328

p. 28 1. a) 1 b) 8 c) 5 d) 2 e) 6 f) 28 516
2. a) 0 b) 4 c) 4 d) 7 e) 3 f) 47 403
3. a) 8 b) 2 c) 3 d) 6 e) 2 f) 36 822
4. a) 6 b) 0 c) 2 d) 9 e) 7 f) 62 097

p. 29 1. a) 7 b) 1 c) 3 d) 5 e) 8 f) 53 178
2. a) 1 b) 5 c) 3 d) 5 e) 2 f) 15 352
3. a) 2 b) 3 c) 4 d) 2 e) 9 f) 24 239
4. a) 4 b) 1 c) 6 d) 3 e) 0 f) 31 640

p. 34 1. a) 6 b) 4 c) 2 d) 8 e) 8624
2. a) 1 b) 0 c) 3 d) 1 e) 1301
3. c) 0 a) 9 b) 0 c) 5 d) 5900

p. 35 1. a) 9 b) 8 c) 6 d) 2 e) 2968
2. a) 0 b) 2 c) 6 d) 4 e) 4620
3. a) 0 b) 0 c) 5 d) 7 e) 7005
4. a) 3 b) 7 c) 0 d) 1 e) 3701

p. 36 1. a) 8 b) 0 c) 0 d) 0 e) 3 f) 30 800
2. a) 3 b) 8 c) 6 d) 5 e) 6 f) 65 683
3. a) 0 b) 0 c) 7 d) 9 e) 1 f) 71 009
4. a) 2 b) 4 c) 3 d) 1 e) 0 f) 24 310

p. 37 1. a) 7 b) 8 c) 0 d) 3 e) 9 f) 93 708
2. a) 3 b) 6 c) 8 d) 0 e) 5 f) 50 863
3. a) 0 b) 0 c) 3 d) 9 e) 2 f) 32 009
4. a) 4 b) 8 c) 6 d) 0 e) 4 f) 48 604

p. 38 1. a) 0 unité, 0 dizaine, 4 centaines, 3 unités de mille, 2 dizaines de mille b) 9 unités, 8 dizaines, 6 centaines c) 4 unités, 3 dizaines, 5 centaines, 6 unités de mille d) 3 unités, 5 dizaines e) 0 unité, 8 dizaines, 2 centaines, 3 unités de mille f) 2 unités, 5 dizaines, 3 centaines, 7 unités de mille g) 3 unités, 5 dizaines, 7 centaines, 9 unités de mille, 8 dizaines de mille h) 4 unités, 2 dizaines, 7 centaines i) 3 unités, 2 dizaines, 1 centaine, 5 unités de mille j) 0 unité, 0 dizaine, 0 centaine, 6 unités de mille k) 0 unité, 0 dizaine, 9 centaines, 7 unités de mille, 5 dizaines de mille l) 9 unités, 7 dizaines, 3 centaines, 1 unité de mille, 2 dizaines de mille m) 8 unités, 6 dizaines, 9 centaines, 3 unités de mille

p. 39 1. a) 7 centaines, 1 unité, 8 dizaines b) 0 unité, 9 dizaines c) 5 dizaines de mille, 3 centaines, 0 unité de mille, 6 unités, 5 dizaines d) 9 centaines, 8 unités de mille, 4 unités, 2 dizaines e) 5 centaines, 1 unité de mille, 7 unités, 9 dizaines f) 7 unités, 3 dizaines g) 6 dizaines de mille, 8 centaines, 9 unités de mille, 4 unités, 5 dizaines h) 7 centaines, 4 unités, 2 dizaines i) 3 centaines, 1 unité de mille, 7 unités, 9 dizaines j) 6 centaines, 5 unités de mille, 4 unités, 8 dizaines k) 4 dizaines de mille, 8 centaines, 6 unités de mille, 5 unités, 2 dizaines l) 9 dizaines de mille, 3 centaines, 7 unités de mille, 1 unité, 5 dizaines m) 5 centaines, 9 unités de mille, 1 unité, 3 dizaines

p. 40 1. a) 58 351 b) 300 c) 24 200 d) 20 000 e) 76 000 f) 0

p. 41 1. a) 86 326 b) 6 c) 52 103 d) 2000 e) 71 336 f) 300 g) 62 707 h) 60 000

p. 42 1. a) 62 809 b) 800 c) 12 134 d) 30 e) 45 930 f) 5000 g) 80 852 h) 2

p. 43 1. a) 69 512 b) 60 000 c) 42 500
d) 500 e) 78 986 f) 80
g) 92 504 h) 2000

p. 44 1. a) 50, 700, 3 b) 90, 500, 8
c) 40, 500, 1 d) 20, 400, 3
e) 30, 500, 1 f) 30, 200, 1
g) 60, 700, 2 h) 30, 0, 1
i) 40, 0, 4 j) 0, 800, 3
k) 50, 900, 8 l) 30, 800, 9
m) 80, 900, 6

p. 45 1. a) 0, 500, 90 000 b) 5, 0, 30 000
c) 4, 200, 60 000 d) 5, 300, 40 000
e) 3, 0, 60 000 f) 4, 200, 40 000
g) 0, 300, 70 000 h) 9, 900, 60 000
i) 3, 0, 80 000 j) 3, 500, 90 000
k) 4, 200, 80 000 l) 7, 0, 90 000
m) 2, 600, 50 000

p. 46 1. a) < b) < c) > d) > e) >
f) = g) > h) < i) < j) <
k) > l) > m) > n) > o) <
p) < q) < r) > s) < t) =

p. 47 1. a) 20 386 > 1298
b) 19 204 < 26 001 c) 87 513 < 87 713
d) 56 901 > 16 843 e) 3600 = 3600
f) 7012 < 7112 g) 6986 > 6968

p. 48 1. a) 21, 91, 115, 3699, 21 304, 43 608
b) 32, 72, 626, 4375, 6300, 24 853
c) 65, 413, 740, 5140, 7108, 53 124
d) 76, 454, 813, 4014, 8630, 98 127

p. 49 1. a) 40 136, 13 308, 9316, 589, 537, 98
b) 60 132, 6010, 1650, 916, 65, 10
c) 24 361, 4758, 2040, 134, 70, 54
d) 99 342, 58 326, 3067, 845, 206, 43

p. 50 1. 87, 654, 4300, 6432, 9345, 82 346
a) 87 b) 82 346 c) 4300 et 6432
2. 328, 842, 1306, 3640, 54 301, 67 513
a) 328 b) 67 513 c) 842 et 1306
3. 409, 950, 7402, 9938, 51 100, 60 040
a) 409 b) 60 040 c) 7402 et 9938

p. 51 1. 64 981, 38 581, 6208, 5470, 913, 134
a) 134 b) 64 981
c) 913 et 5470
2. 83 211, 58 124, 3570, 1130, 662, 620
a) 620 b) 83 211
c) 662 et 1130
3. 63 248, 63 100, 8120, 6399, 824, 751
a) 751 b) 63 248
c) 6399 et 8120

p. 52 1. a) 66, 68, 70, 72, 74, 76, 78, 80, 82
b) 89, 91, 93, 95, 97, 99, 101, 103, 105
c) 132, 134, 136, 138, 140, 142, 144, 146, 148
2. a) 68, 66, 64, 62, 60, 58, 56, 54, 52
b) 113, 111, 109, 107, 105, 103, 101, 99, 97
c) 137, 135, 133, 131, 129, 127, 125, 123, 121

p. 53 1. a) 1010, 1015, 1020, 1025, 1030
b) 765, 770, 775, 780, 785
c) 2545, 2550, 2555, 2560, 2565
2. a) 770, 760, 750, 740, 730
b) 220, 210, 200, 190, 180
c) 1345, 1335, 1325, 1315, 1305
3. a) 456, 453, 450, 447, 444
b) 739, 736, 733, 730, 727
c) 312, 309, 306, 303, 300

p. 54 1. a) 810, 805, 800, 795, 790
b) 680, 675, 670, 665, 660
c) 735, 730, 725, 720, 715
2. a) 3730, 3740, 3750, 3760, 3770
b) 277, 287, 297, 307, 317
c) 1015, 1025, 1035, 1045, 1055
3. a) 394, 397, 400, 403, 406
b) 210, 213, 216, 219, 222
c) 869, 872, 875, 878, 881

p. 55 1. a) 588, 592, 596, 600, 604
b) 333, 337, 341, 345, 349
c) 704, 708, 712, 716, 720
2. a) 753, 749, 745, 741, 737
b) 212, 208, 204, 200, 196
c) 476, 472, 468, 464, 460
3. a) 4663, 4665, 4667, 4669, 4671
b) 2460, 2462, 2464, 2466, 2468
c) 139, 141, 143, 145, 147

p. 56 1. a) vrai b) faux c) vrai d) faux e) faux
f) vrai g) vrai h) vrai i) vrai

p. 57 1. a) 4 et 9 en rouge b) 16 en bleu
c) 3, 5 et 7 en jaune d) 2 en vert
e) 6 et 8 en mauve f) 10 et 15 en brun g) 11 et 13 en noir
h) 14 en rose i) 12 en orangé

p. 58 1. a) 2 est un nombre premier
b) 3 est un nombre premier
c) 4 est un nombre composé et carré
d) 5 est un nombre premier
e) 6 est un nombre composé
f) 7 est un nombre premier
g) 8 est un nombre composé
h) 9 est un nombre composé et carré
i) 10 est un nombre composé

p. 59 1. a) 11 est un nombre premier
b) 12 est un nombre composé
c) 13 est un nombre premier
d) 14 est un nombre composé
e) 15 est un nombre composé
f) 16 est un nombre composé et carré
g) 17 est un nombre premier
h) 18 est un nombre composé
i) 19 est un nombre premier

p. 61 1. a) 13 b) 15 c) 9 d) 11
e) 16 f) 8

p. 62 1. a) 9 b) 4 c) 6 d) 15 e) 10
f) 5 g) 13 h) 10 i) 12 j) 13
k) 8 l) 20 m) 17 n) 10 o) 12
p) 10 q) 8 r) 2 s) 15 t) 11
u) 18 v) 19 w) 11 x) 10
y) 8 z) 14

p. 63 1. a) 6 b) 14 c) 16 d) 16 e) 12
f) 13 g) 17 h) 11 i) 18 j) 9
k) 14 l) 9 m) 9 n) 12 o) 7
p) 7 q) 11 r) 6 s) 12 t) 4
u) 4 v) 5 w) 7 x) 14
y) 3 z) 9

p. 64 **1.** a)

+	5	6	1
8	13	14	9
4	9	10	5
3	8	9	4

b)

+	3	4	9
5	8	9	14
9	12	13	18
0	3	4	9

c)

+	2	8	7
2	4	10	9
1	3	9	8
6	8	14	13

d)

+	8	5	3
7	15	12	10
4	12	9	7
9	17	14	12

e)

+	7	6	1
2	9	8	3
8	15	14	9
6	13	12	7

f)

+	9	2	4
3	12	5	7
1	10	3	5
5	14	7	9

p. 65 1. a) 14 b) 9 c) 13 d) 15 e) 15
f) 6 g) 15 h) 24 i) 12 j) 15
k) 18 l) 17 m) 13 n) 8 o) 23
p) 19 q) 7 r) 11

p. 66 1. a) 5595 b) 9956 c) 8911
d) 7349 e) 9387 f) 2790
g) 3855 h) 9549 i) 8825

p. 67 1. a) 5865 b) 10 399 c) 9067
d) 6989 e) 8323 f) 3063
g) 5557 h) 9981 i) 9488
j) 12 665 k) 6783 l) 8898
m) 6659 n) 10 217
o) 11 387

p. 68 1. a) 5376 b) 6319 c) 8398
d) 6803 e) 13 337 f) 9326
g) 6285 h) 12 566 i) 9318
j) 5637 k) 10 559 l) 9378
m) 7019 n) 9377 o) 8747

p. 69 1. a) 10 245 b) 9075
c) 15 048 d) 6839 e) 9237
f) 3017 g) 5795 h) 9659
i) 10 078 j) 5704 k) 9999
l) 16 150 m) 7507 n) 9177
o) 10 147

p. 71 1. a) 4 b) 1 c) 2 d) 2
e) 8 f) 3

p. 72 1. a) 6 b) 2 c) 3 d) 2
e) 1 f) 6

p. 73 1. a) 6 b) 0 c) 0 d) 4 e) 1
f) 0 g) 2 h) 1 i) 5 j) 1
k) 4 l) 9 m) 4 n) 1 o) 5
p) 4 q) 6 r) 0 s) 3 t) 10
u) 0 v) 5 w) 9 x) 7
y) 7 z) 2

p. 74 1. a) 0 b) 2 c) 0 d) 3 e) 2
f) 0 g) 4 h) 3 i) 3 j) 3
k) 3 l) 0 m) 1 n) 4 o) 7
p) 2 q) 8 r) 5 s) 8 t) 1
u) 0 v) 0 w) 1 x) 5
y) 6 z) 1

p. 75 1. a)

–	9	4	0
20	11	16	20
17	8	13	17
10	1	6	10

b)

–	9	6	1
11	2	5	10
18	9	12	17
16	7	10	15

c)

-	10	11	9
19	9	8	10
13	3	2	4
15	5	4	6

d)

–	8	7	4
12	4	5	8
14	6	7	10
9	1	2	5

e)

–	3	1	5
9	6	8	4
14	11	13	9
11	8	10	6

f)

–	4	2	6
10	6	8	4
12	8	10	6
13	9	11	7

p. 76 1. a) 7531 b) 1905 c) 7722
d) 782 e) 3421 f) 1476
g) 4766 h) 7835 i) 4524

p. 77 1. a) 6811 b) 6438 c) 5800
d) 5252 e) 1635 f) 7133
g) 2212 h) 1520 i) 675
j) 5207 k) 1680 l) 3304
m) 1306 n) 6211 o) 5331
p) 2279 q) 5469 r) 2344

p. 78 1. a) 2059 b) 808 c) 2104
d) 5653 e) 2680 f) 1195
g) 1902 h) 6139 i) 2385
j) 2609 k) 2033 l) 3240
m) 129 n) 1353 o) 2908
p) 2128 q) 140 r) 8225

p. 79 1. a) 2094 b) 3037 c) 2308
d) 7422 e) 4434 f) 2812
g) 3112 h) 1554 i) 3534
j) 3063 k) 406 l) 5277
m) 2281 n) 5033 o) 2111
p) 2369 q) 4623 r) 3154

p. 81 1. a) 2 x 9 b) 3 x 10 c) 4 x 4
d) 2 x 7 e) 4 x 5 f) 6 x 3

p. 82 1. a) 4 x 1 = 4 b) 9 x 5 = 45
c) 3 x 7 = 21 d) 2 x 5 = 10
e) 3 x 8 = 24 f) 6 x 5 = 30
g) 8 x 1 = 8

p. 83 1. a) (2 x 4) x 3 = 24 b) (4 x 1) x 3 = 12
c) (3 x 2) x 3 = 18 d) 5 x (2 x 2) = 20
e) 4 x (3 x 3) = 36 f) 5 x (5 x 2) = 50
g) 1 x (6 x 2) = 12

p. 84 1. a) 2 b) 12 c) 6 d) 15
e) 12 f) 9

p. 85 1. a) 7 b) 12 c) 6 d) 16
e) 4 f) 9

p. 86 1. a) 32 b) 36 c) 27 d) 56 e) 35
f) 54 g) 72 h) 0 i) 20 j) 9
k) 63 l) 100 m) 49 n) 24 o) 0
p) 25 q) 70 r) 1 s) 40 t) 48
u) 81 v) 90 w) 28 x) 80 y) 40
z) 0

p. 87 1. a) 0 b) 24 c) 42 d) 8 e) 64
f) 4 g) 50 h) 9 i) 36 j) 20
k) 60 l) 12 m) 10 n) 18 o) 21
p) 30 q) 15 r) 45 s) 14 t) 30
u) 18 v) 8 w) 5 x) 12 y) 16
z) 10

p. 88 1.

a)

x	9	2	1
4	36	8	4
2	18	4	2
7	63	14	7

b)

x	6	3	8
3	18	9	24
1	6	3	8
9	54	27	72

c)

x	4	0	5
0	0	0	0
6	24	0	30
5	20	0	25

d)

x	7	4	2
8	56	32	16
2	14	8	4
3	21	12	6

e)

x	8	3	5
6	48	18	30
5	40	15	25
1	8	3	5

f)

x	6	1	9
7	42	7	63
4	24	4	36
9	54	9	81

p. 89 1. a) 86 b) 190 c) 312 d) 216 e) 259
f) 364 g) 128 h) 168 i) 256 j) 94
k) 366 l) 130

p. 90 1. a) 144 b) 564 c) 105 d) 664 e) 168
f) 380 g) 564 h) 140 i) 400 j) 567
k) 288 l) 168 m) 57 n) 126 o) 287
p) 136 q) 56 r) 39

p. 91 1. a) 140 b) 483 c) 60 d) 752 e) 114
f) 498 g) 184 h) 205 i) 204 j) 141
k) 76 l) 540 m) 64 n) 117 o) 85
p) 192 q) 399 r) 456

p. 92 1. a) 1467 b) 4592 c) 6545
d) 768 e) 2961 f) 6736
g) 3762 h) 1812 i) 755
j) 1252 k) 1405 l) 2280
m) 4032 n) 3120 o) 904
p) 1158 q) 1845 r) 1792

p. 93 1. a) 2415 b) 2096 c) 1466
d) 740 e) 1668 f) 1080
g) 2856 h) 1173 i) 5661
j) 4128 k) 1422 l) 2928
m) 2968 n) 342 o) 4560
p) 6195 q) 8586 r) 3241

p. 95 1. a) 10 b) 7 c) 4 d) 9
e) 6 f) 3 g) 5 h) 2

p. 96 1. a) $21 \div 3 = 7$ ou $21 \div 7 = 3$
b) $30 \div 3 = 10$ ou $30 \div 10 = 3$
c) $12 \div 3 = 4$ ou $12 \div 4 = 3$
d) $18 \div 6 = 3$ ou $18 \div 3 = 6$
e) $45 \div 9 = 5$ ou $45 \div 5 = 9$
f) $10 \div 2 = 5$ ou $10 \div 5 = 2$
g) $60 \div 10 = 6$ ou $60 \div 6 = 10$

p. 97 1. a) $36 \div 4 = 9$ ou $36 \div 9 = 4$
b) $18 \div 2 = 9$ ou $18 \div 9 = 2$
c) $56 \div 7 = 8$ ou $56 \div 8 = 7$
d) $20 \div 2 = 10$ ou $20 \div 10 = 2$
e) $12 \div 2 = 6$ ou $12 \div 6 = 2$
f) $28 \div 4 = 7$ ou $28 \div 7 = 4$
g) $32 \div 4 = 8$ ou $32 \div 8 = 4$

p. 98 1. a) 8 b) 10 c) 4 d) 6 e) 5
f) 1 g) 6 h) 0 i) 9 j) 8
k) 7 l) 2 m) 3 n) 5 o) 9
p) 3 q) 4 r) 8 s) 8 t) 5
u) 10 v) 6 w) 3 x) 1 y) 7
z) 7

p. 99 1. a) 5 b) 9 c) 3 d) 3 e) 5
f) 4 g) 7 h) 10 i) 9 j) 5
k) 6 l) 1 m) 1 n) 4 o) 0
p) 6 q) 3 r) 3 s) 4 t) 6
u) 1 v) 2 w) 3 x) 8 y) 2
z) 3

p. 100 1.

a)

÷	2	3	1
6	3	2	6
12	6	4	12
18	9	6	18

b)

÷	1	2	4
16	16	8	4
8	8	4	2
20	20	10	5

c)

÷	2	4	1
4	2	1	4
40	20	10	40
12	6	3	12

d)

÷	1	5	2
10	10	2	5
30	30	6	15
20	20	4	10

e)

÷	8	2	6
48	6	24	8
24	3	12	4
72	9	36	12

f)

÷	5	6	2
30	6	5	15
90	18	15	45
60	12	10	30

p. 101 1. a) 18, 12, 9 b) 30, 20, 15 c) 6, 4, 3
d) 54, 36, 27 e) 42, 28, 21
f) 24, 16, 12 g) 36, 24, 18
h) 48, 32, 24 i) 12, 8, 6

p. 103 1. a) 26 b) 45 c) 21 d) 19 e) 47
f) 32 g) 16 h) 37 i) 42 j) 13
k) 28 l) 49

p. 104 1. a) 16 b) 31 c) 46 d) 24 e) 12
f) 18 g) 19 h) 41 i) 14 j) 23
k) 15 l) 12

p. 105 1. a) 82 b) 163 c) 286 d) 124 e) 102
f) 463 g) 149 h) 113 i) 92 j) 248
k) 76 l) 139

p. 106 1. a) 142 b) 325 c) 210 d) 63 e) 96
f) 88 g) 327 h) 124 i) 97 j) 198
k) 232 l) 56

p. 107 1. a) 458 b) 141 c) 201 d) 102 e) 225
f) 237 g) 69 h) 58 i) 52 j) 46
k) 74 l) 83

p. 108 1. a) 1, 2, 4 b) 1, 5 c) 1, 2, 3, 6
d) 1, 7 e) 1, 2, 4, 8 f) 1, 3, 9
g) 1, 2, 5, 10 h) 1, 11

p. 109 1. a) 1, 2, 3, 4, 6, 12 b) 1, 13
c) 1, 2, 7, 14 d) 1, 3, 5, 15
e) 1, 2, 4, 8, 16 f) 1, 17
g) 1, 2, 3, 6, 9, 18 h) 1, 19
i) 1, 2, 4, 5, 10, 20 j) 1, 3, 7, 21
k) 1, 2, 11, 22

p. 110 1. a) 2 x 3 x 2 x 3 b) 2 x 3 x 3
c) 2 x 2 x 2 x 5 d) 2 x 2 x 5
e) 2 x 2 x 7 f) 2 x 3 x 5
g) 2 x 2 x 2 x 2 h) 5 x 7

p. 111 1. a) 5 x 3 x 3 b) 2 x 2 x 3 x 3
c) 2 x 2 x 13 d) 2 x 2 x 3 x 2 x 2
e) 2 x 3 x 7 f) 2 x 5 x 5
g) 2 x 2 x 11 h) 7 x 7

p. 112 1. a) 2 x 2 x 2 x 7 b) 2 x 2 x 17
c) 5 x 11 d) 3 x 2 x 11
e) 2 x 3 x 3 x 3 f) 2 x 2 x 3 x 5
g) 2 x 2 x 2 x 2 x 2 x 2 h) 5 x 13

p. 113 1. a) 3 x 7 b) 2 x 3 x 3 x 2 x 2
c) 2 x 3 x 13 d) 5 x 3 x 5
e) 3 x 3 x 3 f) 2 x 2 x 2
g) 5 x 2 x 7 h) 2 x 2 x 2 x 2 x 5

p. 114 1. a) 0, 3, 6, 9, 12... b) 0, 4, 8, 12, 16...
c) 0, 5, 10, 15, 20.....
d) 0, 6, 12, 18, 24... e) 0, 7, 14, 21, 28...
f) 0, 8, 16, 24, 32... g) 0, 9, 18, 27, 36...

p. 115 1. a) multiple de 2 b) multiple de 2, multiple de 3, multiple de 4 c) multiple de 2 d) multiple de 3 e) multiple de 2, multiple de 4 f) multiple de 2, multiple de 3 g) multiple de 2, multiple de 4 h) multiple de 3 i) multiple de 2

p. 116 1. a) multiple de 2, multiple de 6
b) multiple de 5 c) multiple de 2
d) multiple de 2 e) multiple de 2, multiple de 5, multiple de 6 f) multiple de 2
g) multiple de 2 h) multiple de 5
i) multiple de 2, multiple de 6

p. 117 1. a) multiple de 7 b) multiple de 8
c) multiple de 9 d) multiple de 8
e) multiple de 9 f) multiple de 7
g) multiple de 7 h) multiple de 9
i) multiple de 8

p. 118 1. a) 1, 23 b) 1, 2, 3, 4, 6, 8, 12, 24
c) 1, 5, 25 d) 1, 2, 13, 26

p. 119 1. a) se divise par 2
b) se divise par 3, se divise par 5
c) se divise par 2, se divise par 5
d) se divise par 2, se divise par 3, se divise par 5 e) se divise par 2
f) se divise par 2, se divise par 5
g) se divise par 2, se divise par 3
h) se divise par 5
i) se divise par 2, se divise par 3

p. 120 1. a) se divise par 5 b) se divise par 9
c) se divise par 5, se divise par 9, se divise par 10 d) se divise par 9
e) se divise par 5, se divise par 10
f) se divise par 9 g) se divise par 5
h) se divise par 5, se divise par 10
i) se divise par 5, se divise par 9

p. 121 1. a) se divise par 2, se divise par 3, se divise par 9
b) se divise par 3, se divise par 9
c) se divise par 2
d) se divise par 3, se divise par 9
e) se divise par 2
f) se divise par 3, se divise par 9
g) se divise par 2, se divise par 3, se divise par 9
h) se divise par 3, se divise par 9
i) se divise par 2

p. 125 1. a) 1/2 b) 3/4 c) 2/5 d) 6/8 e) 2/3
f) 4/5 g) 1/3 h) 7/10

p. 126 1. Plusieurs réponses sont possibles.
a) 6/12 b) 3/6 c) 2/4 d) 1/2 e) 4/12
f) 3/5 g) 4/10 h) 2/6 i) 4/24 j) 10/20
k) 4/6 l) 8/10 m) 6/8 n) 8/16 o) 1/3
p) 3/4 q) 1/5 r) 2/6

p. 127 1. a) 1/4 b) 1/6 c) 3/4 d) 2/9 e) 1/2
f) 3/5 g) 1/8 h) 5/6 i) 2/3 j) 3/8
k) 1/3 l) 1/9 m) 2/5 n) 2/7 o) 4/5
p) 1/2 q) 1/5 r) 1/3

p. 128 1. a) vingt-trois et cinquante-six centièmes
b) cent soixante-treize et huit dixièmes
c) huit cent quarante-cinq et quatre-vingt-douze centièmes
d) trois cent quarante et un et deux centièmes
e) quatre-vingt-douze et six dixièmes
f) soixante-deux et sept dixièmes
2. a) 46,5 b) 238,71 c) 29,08

p. 129 1. a) 0,2 b) 0,5 c) 0,8 d) 0,3 e) 0,9
f) 0,4 g) 0,6 h) 0,1

p. 131 1. a) 0,1 b) 0,6 c) 0,4 d) 0,9 e) 0,8
f) 0,3 g) 0,7 h) 0,5 i) 0,2 j) 1

p. 132 1. 23,91 – 46,5 – 189,67 – 246,8 – 894,18
a) 23,91 b) 894,18 c) 246,8
2. 14,06 – 47,21 – 67,09 – 472,10 – 902,9
a) 14,06 b) 902,9 c) 67,09
3. 923,01 – 845,82 – 104,5 – 39,6 – 38,18
a) 38,18 b) 923,01 c) 39,6

p. 133 1. a) 109,76 b) 59,75
c) 1157,74 d) 6069,63
e) 8609,61 f) 2607,3

2. a) 144,21 b) 119,34
c) 3331,20 d) 2052,36
e) 5612,15 f) 6751,71

p. 134 1. a) 26+39+17=82 tartes
b) 21–7=14 éléphants

p. 135 1. a) 100+100=200 $ 42+42=84 $
35+35=70 $ 84+70=154 $
200-154=46 $
b) 71-16=55 années de plus
c) 46+23=69 fois

p. 136 1. a) 46+39=85 375-85=290 timbres
b) 27-19=8 truites
c) 237+85+62=384 $

p. 137 1. a) 5 m=50 dm 63-50=13 dm
13 dm=130 cm
b) 213+178=391 749-391=358 billes
c) 95+108=203 246-203=43 perles jaunes

p. 138 1. a) 231+347=578 96+164=260
578-260=318 pommes
b) 8x13=104 104-3= 101 personnes
c) 28+86=114 114÷6=19 élèves

p. 139 1. a) 5x6=30 bonbons b) 42÷7= 6 vases c) 48÷4=12 livres

p. 140 1. a) 63÷3=21 pommes b) 29x5=145 $
c) 18x4=72 kilomètres

p. 141 1. a) 9x4=36 poires b) 12÷2=6 œufs
c) 24÷4=6 3x6=18 pâtés

p. 142 1. a) A (6) B(12) C(18) D(22)
b) A (20) B(30) C(50) D(60)
c) A (12) B(28) C(48) D(60)
d) A (12) B(24) C(30) D(45)
e) A (30) B(80) C(110) D(140)

p. 146 1. a)

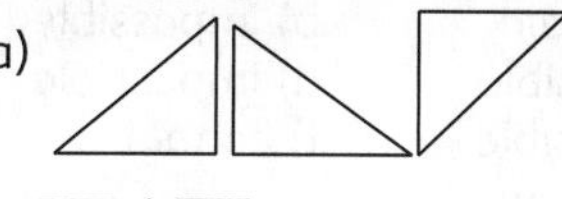

b)

c)

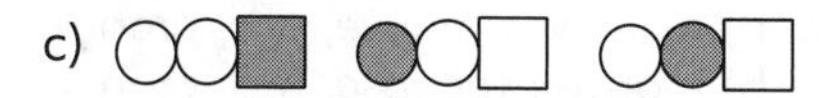

d)

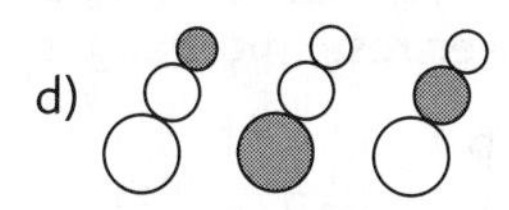

e)

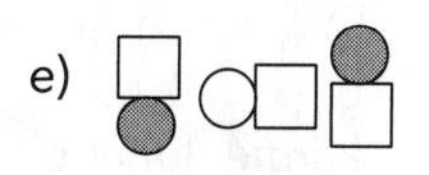

f)

p. 147 1. a)

b)

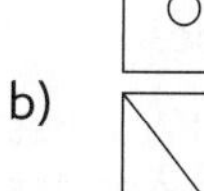

c)

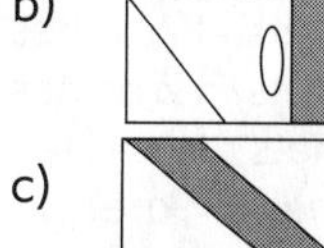

d)

e)

p. 148 1. a)

b)

c)

d)

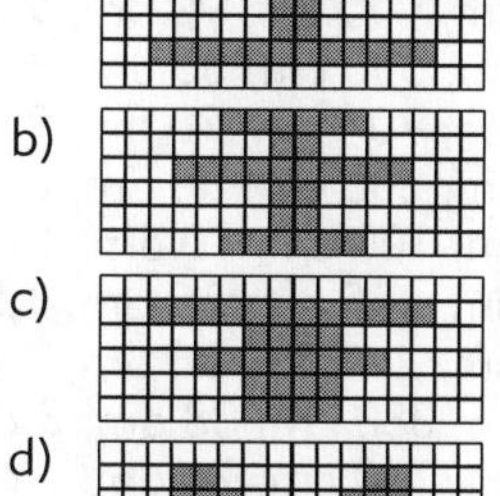

p. 149 1. a)

b)

c)

d)

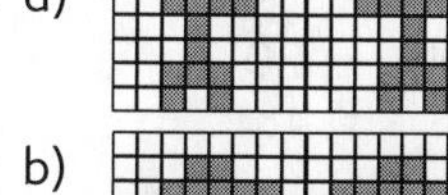

p. 151 1. a) 4 b) 7 c) 2 d) 6
e) 1 f) 5 g) 3

p. 153 1. a) parallélogramme, lignes parallèles
b) trapèze, lignes parallèles
c) parallélogramme, lignes parallèles, lignes perpendiculaires
d) trapèze, lignes parallèles, lignes perpendiculaires
e) parallélogramme, lignes parallèles, lignes perpendiculaires
f) parallélogramme, lignes parallèles
g) trapèze, lignes parallèles

p. 155 1. a) 2, parallélogramme
b) 5, droites perpendiculaires
c) 3, trapèze d) 1, droites parallèles
e) 4, carré

p. 157 1. a) 4 b) 2 c) 5
d) 3 e) 6 f) 1

p. 158 1. a) 2 carrés, 4 rectangles
b) 6 rectangles c) 6 carrés

d) 3 rectangles, 2 triangles
e) 4 triangles f) 1 carré, 4 triangles
g) 1 rectangle, 4 triangles

p. 159 1. a) 6 faces, 8 sommets, 12 arêtes
b) 6 faces, 8 sommets, 12 arêtes
c) 6 faces, 8 sommets, 12 arêtes
d) 5 faces, 6 sommets, 9 arêtes
e) 4 faces, 4 sommets, 6 arêtes
f) 5 faces, 5 sommets, 8 arêtes
g) 5 faces, 5 sommets, 8 arêtes

p. 160 1. a) cm b) m c) dm
d) mm e) cm f) mm

p. 161 1. a) 5000 mm, 500 cm, 50 dm, 5 m
b) 9000 mm, 900 cm, 90 dm, 9 m
c) 3000 mm, 300 cm, 30 dm, 3 m
d) 7000 mm, 700 cm, 70 dm, 7 m
e) 8000 mm, 800 cm, 80 dm, 8 m
f) 1000 mm, 100 cm, 10 dm, 1 m
g) 1500 mm, 150 cm, 15 dm, 1,5 m
h) 2600 mm, 260 cm, 26 dm, 2,6 m
i) 3800 mm, 380 cm, 38 dm, 3,8 m
j) 7600 mm, 760 cm, 76 dm, 7,6 m
k) 9100 mm, 910 cm, 91 dm, 9,1 m
l) 2300 mm, 230 cm, 23 dm, 2,3 m
m) 6000 mm, 600 cm, 60 dm, 6 m

p. 162 1. a) 28 b) 34 c) 30
d) 28 e) 28 f) 48

p. 165 1. a) aigu b) droit c) obtus
d) aigu e) droit f) obtus
g) droit

p. 166 1. a) 4 angles droits
b) 2 angles aigus, 2 angles obtus
c) 2 angles aigus, 2 angles obtus
d) 3 angles aigus
e) 2 angles droits, 1 angle aigu, 1 angle obtus f) 5 angles obtus
g) 4 angles droits

p. 167 1. 20 angles droits 2 angles obtus
6 angles aigus

p. 168 1. a) 32 b) 29 c) 48
d) 36 e) 28 f) 40

p. 169 1. a) 42 b) 16 c) 36
d) 48 e) 28 f) 40

p. 170 1. a) 55 b) 30 c) 36
d) 48 e) 61 f) 33

p. 171 1. a) 46 b) 34 c) 44
d) 22 e) 36 f) 26

p. 172 1. a) 75 b) 24 c) 110
d) 23 e) 9 f) 11

p. 172 1. a) 32 b) 46 c) 15
d) 24 e) 38 f) 24

p. 174 1. a) 28 b) 19 c) 20
d) 34 e) 33 f) 30

p. 175 1. a) 29 b) 32 c) 19
d) 18 e) 54 f) 20

p. 177 1. a) 4 h 40 min b) 14 h 35 min
c) 10 h 30 min d) 21 h 10 min
e) 7 h 25 min f) 17 h 50 min
g) 11 h 05 min h) 22 h 45 min

p. 179 1. a) 30 b) 52 c) 10 d) oui, car il y a 29 jours dans le mois de février 2008

p. 180 1. a) chat b) lapin c) chien
d) 79 + 82 = 161 enfants
e) 57 + 71 = 128 enfants

p. 181 1. Quel est ton fruit préféré ?
kiwi 93 banane 117 pomme 119
orange 49 poire 39
a) 93 + 117 + 119 + 49 = 378 417 – 378 = 39 b) pomme c) poire

p. 182 1. a) juillet b) décembre
c) 8 mm + 14 mm + 25 mm + 28 mm = 75 mm d) janvier e) juin

p. 183 1. a) soccer b) escalade de glace
c) 33 + 73 = 106 filles
d) 25 + 81 = 106 garçons
e) 35 + 73 + 13 + 25 + 37 + 18 + 33 + 6 + 23 + 9 + 34 + 41 = 347 filles
f) 42 + 17 + 22 + 36 + 25 + 81 + 14 + 11 + 38 + 6 + 26 + 56 = 374 garçons

p. 184 1. a) semaine 3 b) semaine 5
c) 5 + 5 + 0 = 10 cm
d) 5 + 5 + 25 + 10 + 0 + 20 + 10 + 15 = 90 cm
e) 15 cm f) semaine 4

p. 185 1. a) jeudi b) mardi
c) 54$ + 46$ + 50$ + 66$ + 62$ + 58$ + 58$ = 394$
d) 66 – 50 = 16$
e) 66 + 62 = 128$ f) 54 - 46 = 8$

p. 186 1. a) certain b) impossible
c) possible d) impossible
e) possible f) certain
g) certain

p. 187 1. a) 1 et 2 b) 3 c) 4
2. a) 2 et 4 b) 3 c) 1

p. 188 1. a) rose avec mauve, gris, orangé
b) mauve avec rose, gris, orangé
c) gris avec rose, mauve, orangé
d) orangé avec rose, mauve, gris

p. 223 1. a) e b) p c) l d) y
e) t f) q g) o h) r
2. a) z b) x c) w d) m
e) b f) d g) p h) u
3. a) abeille, hibou, karaté, lunette
b) bedaine, lama, nature, olive
c) gymnastique, tulipe, vendredi, wapiti

p. 226 1. a) k b) u c) a d) m
e) d f) s g) j h) f
2. a) accident, arbre, clémentine, jouet, nid, nuque, palmier, tunnel
b) bibliothèque, chaudron, forêt, habit, laine, querelle, quille, tunique

p. 225 1. a) l b) n c) e d) q
e) g f) s g) i h) t
2. a) framboise, jupe, lion, mitaine, planète, pyjama, toupie, wagon
b) école, feuille, fraise, garçon, kangourou, taxe, terre, zèbre

p. 227 1. a) a, e b) a, u c) i, é, e
d) o, e e) a, e f) e, o
g) a, e h) o, e i) e, e
2. a) V, c, t, r b) f, c, t, r c) f, r, c
d) p, r, t, r e) c, r, t f) c, h, r, m
g) l, c, t, r h) b, r, b i) m, r, t

p. 228 1. a) 2 b) 2 c) 2 d) 2 e) 2
f) 2 g) 2 h) 3 i) 3 j) 2
k) 2 l) 2
2. a) 4 b) 6 c) 5 d) 3 e) 2 f) 1

p. 229 1. a) serpent b) carte c) morse
d) larme e) cactus f) badge
g) cerceau h) marteau i) barbe
j) garde

p. 230 1. a) serpent b) facture
c) farce d) carte
e) charme f) badge
g) cactus h) dictée
i) forte j) garde
k) larme l) morse
m) poire n) lecture
o) barbe p) marteau
q) cerceau r) jonquille

p. 231 1. a) poisson b) marteau
c) hibou d) cerceau
e) serpent f) pantalon
g) cactus h) barbe
i) tarte j) étoile

p. 233 1. a) i, e b) e, i, e c) a, e
d) è, e e) a, u, i, a f) i, o, e
g) a, e h) a, i, e i) a, e

2. a) c, r, n b) b, l, t
c) b, r, n, c, h d) t, r, f, l
e) f, l, c, h f) b, r, c, l
g) c, h, v, r h) d, r, g, n i) r, b, r

p. 234 1. a) 2 b) 2 c) 2 d) 2 e) 3
f) 2 g) 2 h) 2 i) 3 j) 2
k) 3 l) 2
2. a) 4 b) 6 c) 5
d) 3 e) 2 f) 1

p. 235 1. a) crayon b) fraise
c) plante d) bleuet
e) branche f) trèfle
g) flèche h) brocoli
i) chèvre j) crocodile

p. 236 1. a) crocodile b) cravate
c) arbre d) dragon
e) chèvre f) brocoli
g) grasse h) flèche
i) trèfle j) branche
k) bleuet l) Claudia
m) frère n) blanche
o) premier p) plante
q) tricoter r) crayon

p. 237 1. a) crocodile b) cravate c) arbre
d) dragon e) chèvre f) brocoli
g) flèche h) branche i) plante
j) fraise

p. 238 1. a) 2 b) 3 c) 2 d) 3 e) 4
f) 4 g) 4 h) 2 i) 3

p. 239 1. a) 3 b) 6 c) 8 d) 1 e) 7
f) 4 g) 2 h) 5

p. 240 1. a) 2 b) 3 c) 3 d) 3 e) 2
f) 3 g) 3 h) 2 i) 3

p. 241 1. a) cygne b) mouche
c) baignoire d) ornithorynque
e) vaches f) orignal
g) enseignante h) beignets

p. 242 1. a) 1 b) 2 c) 5 d) 1 e) 1
f) 2 g) 2 h) 1 i) 2

p. 244 1. a) 3 b) 3 c) 3 d) 2 e) 2
f) 4 g) 2 h) 5 i) 2

p. 245 1. a) addition b) soustraction
c) permission d) fraction
e) section f) télévision
g) champion h) multiplication
i) infraction j) vision
k) berger l) imperméable
m) cygne n) araignée
o) photo p) éléphant
q) orignal r) compagnon

p. 246 1. a) 2 b) 1 c) 3 d) 3 e) 3
f) 1 g) 1 h) 2 i) 1

p. 247 1. a) coin, 4 b) conjoint, 6
c) point, 1 d) jointure, 8
e) poing, 2 f) foin, 7
g) dragon, 3 h) cravate, 5

p. 248 1. a) 5 b) 3 c) 4
d) 6 e) 1 f) 2

p. 249 1. a) 5 b) 8 c) 1 d) 3
e) 7 f) 2 g) 4 h) 6

p. 250 1. a) 3 b) 4 c) 1
d) 6 e) 5 f) 2

p. 251 1. a) maillet b) épouvantail
c) chandail d) cailloux

e) médaille f) marmaille
g) tailleur h) poulailler

p. 252 1. a) 6 b) 5 c) 4
d) 1 e) 3 f) 2

p. 255 1. a) abeille b) corneille
c) groseille d) oreille
e) corbeille f) soleil
g) bouteille h) orteil
i) réveil j) conseil
k) chevreuil l) fauteuil
m) feuille n) feuillet
o) chandail p) médaillon
q) phrase r) agneau

p. 256 1. a) 4 b) 5 c) 6
d) 1 e) 2 f) 3

p. 257 1. a) bille, 3 b) fille, 8
c) chenille, 1 d) espadrilles, 2
e) papillons, 5 f) cheville, 7
g) quilles, 4 h) coquillages, 6

p. 258 1. a) 3 b) 6 c) 1
d) 5 e) 2 f) 4

p. 259 1. a) 2 b) 6 c) 8 d) 1
e) 4 f) 3 g) 7 h) 5

p. 260 1. a) 4 b) 2 c) 1
d) 6 e) 5 f) 3

p. 261 1. a) Amérindien b) chien
c) chienne d) magicien
e) mécanicien

p. 262 1. a) 2 b) 5 c) 1
d) 4 e) 6 f) 3

p. 264 1. a) 6 b) 4 c) 5
d) 2 e) 3 f) 1

p. 265 1. a) cœur b) sœur
c) docteur d) chanteur
e) facteur f) fleur
g) inspecteur h) chou-fleur
i) voleur j) couleur
k) tournesol l) vautour
m) Canadien n) indien
o) ancien p) tourterelle
q) noisette r) chien

p. 266 1. a) 2 b) 4 c) 3
d) 1 e) 6 f) 5

p. 267 1. a) docteur, 5 b) noir, 3
c) nageoires, 8 d) arrosoir, 6
e) armoire, 7 f) miroir, 4
g) tiroir, 1 h) bouilloire, 2

p. 268 1. a). b)! c). d)?
e)? f). g)! h)?
i)! j). k)? l).

p. 269 1. a). b), c). d).
e). f). g). h).
i). j), k), l),
m), n). o)?

p. 270 1. a), b), c). d)! e),
f)! g). h), i), j).
k), l). m). n), o).
p)! q), r)?

p. 271 1. a), b). c), d), e).
f). g). h), i), j),
k). l). m), n)? o).
p), q), r). s). t)!
u). v), w), x)! y)?

p. 272 1. a) interrogative b) déclarative
c) exclamative d) déclarative
e) impérative f) interrogative
g) impérative h) exclamative
i) déclarative j) interrogative
k) impérative

p. 273 1. a) exclamative b) impérative
c) interrogative d) déclarative
e) déclarative f) interrogative
g) impérative h) exclamative
i) déclarative j) interrogative
k) impérative l) exclamative
m) impérative

p. 275 1. a) bleu b) rouge c) vert
d) bleu e) jaune f) rouge
g) vert h) bleu i) jaune
j) rouge k) jaune l) bleu
m) rouge

p. 276 1. a) positive b) négative
c) positive d) négative
e) négative f) positive
g) négative h) positive
i) négative j) positive
k) positive l) négative
m) positive

p. 278 1. a) Maxime n'aime pas les tartes aux fruits de sa mère. b) Pourquoi ne joues-tu pas au ballon à la récréation?
c) Gabrielle ne chante pas comme un pinson. d) L'hiver, ce n'est pas fantastique!
e) Ne mangez pas vos légumes.

p. 279 1. a) Juliette aime la jupe bleue de Coralie.
b) Pourquoi ton chien rapporte-t-il la balle?
c) Mon oncle est un bon dentiste.
d) Salissez vos vêtements en jouant dehors.
e) Partir, c'est toujours facile.

p. 280 1. a) in-, fini : qui est sans limites
b) dé-, coloration : disparition de la couleur
c) a-, phone : qui a perdu la voix
d) at-, tirer : tirer vers soi
e) ap-, porter : porter vers
f) dé-, tacher : faire disparaître une ou des taches g) mi-, lieu : centre
h) ad-, joindre : joindre à

i) bis-, cuit : petite galette dure
j) in-, actif : n'est pas actif
k) extra-, ordinaire : qui fait exception, qui sort de l'ordinaire
l) re-, venir : retourner à son point de départ
m) mal-, veillant : qui cherche à nuire

p. 281 1. Plusieurs réponses possibles, dont celles-ci.
a) décoration, démonter, défaire
b) infatigable, inflammable, insatisfait
c) revenir, retenir, rejoindre
d) admirer, adjoindre, admettre
e) milieu, mi-chemin, minuit
f) aversion, amovible, amorphe
g) malveillant, malpropre, maltraiter
h) accorder, accourir, accompagner

p. 282 1. a) cheval, -in : qui vient du cheval
b) drap, -eau : pièce de tissus qui porte l'emblème et les couleurs d'une nation.
c) courtois, -ie : la politesse raffinée
d) fier, -té : grande satisfaction
e) vi, -able : qui peut vivre
f) herb, -ier : collection de plantes
g) écol, -ier : enfant qui fréquente le primaire
h) chien, -ne : femelle du chien
i) lait, -ier : personne qui livre le lait
j) chocolat, -ine : pain au chocolat
k) pomm, -ier : arbre dont le fruit est la pomme
l) lit, -erie : ensemble des objets qui garnissent le lit
m) port, -able : qui se transporte facilement

p. 283 1. Plusieurs réponses possibles, dont celles-ci.
a) facteur, docteur, chanteur
b) chienne, magicienne, électricienne
c) courage, garage, mariage
d) pommier, fermier, charpentier
e) sagesse, politesse, petitesse
f) directrice, agricultrice, apicultrice
g) chanteuse, danseuse, chanceuse
h) policière, fermière, ouvrière

p. 284 1. a) Le (vert) chat (jaune) Café (rouge)
b) La (vert) directrice (jaune) Pauline (rouge)
c) La (vert) cathédrale (jaune) Saint-Basile (rouge) d) Québec (rouge) ma (vert) province (jaune) e) Laurie (rouge) ma (vert) voisine (jaune) f) Le (vert) bébé (jaune) Justin (rouge)

p. 285 1. a) La (vert) belle (bleu) fille (rouge)
b) Une (vert) grosse (bleu) abeille (rouge)
c) L' (vert) oiseau (rouge) multicolore (bleu)
d) Ce (vert) souriant (bleu) garçon (rouge)
e) Les (vert) roses (rouge) rouges (bleu)
f) Une (vert) fleur (rouge) fanée (bleu)
g) Les (vert) nouvelles (bleu) amies (rouge)
h) Des (vert) crayons (rouge) aiguisés (bleu)
i) La (vert) balle (rouge) rebondissante (bleu)
j) Une (vert) vieille (bleu) grand-mère (rouge)

p. 286 1. a) La (dét.) talentueuse (adj.) Simone (nom pr.) enseigne (v.) le (dét.) ballet (nom c.).
b) Alicia (nom pr.) est (v.) ma (dét.) meilleure (adj.) amie (nom c.).
c) Nous (pron.) lançons (v.) les (dét.) ballons (nom c.).
d) L' (dét.) araignée (nom c.) tisse (v.) sa (dét.) toile (nom c.).
e) Mon (dét.) père (nom c.) aime (v.) ma (dét.) mère (nom c.).

p. 287 1. a) Je (pron.) parle (v.) le (dét.) français (nom c.).
b) Virginie (nom pr.) danse (v.) le (dét.) tango (nom c.).
c) Je (pron.) fais (v.) des (dét.) gros (adj.) biscuits (nom c.).
d) Vous (pron.) ramassez (v.) des (dét.) feuilles (nom c.) mortes (adj.).
e) Mon (dét.) grand (adj.) Samuel (nom Page) a (v.) la (dét.) rame (nom c.).

p. 288 1. a) La (dét.) belle (adj.) Catherine (nom pr.) cuisine (v.) des (dét.) tartes (nom c.). b) Tu (pron.) es (v.) un (dét.) homme (nom c.) formidable (adj.).
c) Mon (dét.) chat (nom c.) gris (adj.) est (v.) obèse (adj.).
d) La (dét.) fille (nom c.) a (v.) les (dét.) cheveux (nom c.) roux (adj.).
e) Le (dét.) papillon (nom c.) rouge (adj.) bouge (v.) ses (dét.) ailes (nom c.).

p. 289 1. a) Julie (nom pr.) travaille (v.) ce (dét.) matin (nom c.).
b) Ils (pron.) sont (v.) splendides, (adj.) vos (dét.) chevaux (nom c.).
c) Cette (dét.) femme (nom c.) lit (v.) son (dét.) livre (nom c.) magnifique (adj.).
d) Le (dét.) gâteau (nom c.) au (dét.) chocolat (nom c.) est (v.) délicieux (adj.).
e) La (dét.) reine (nom c.) porte (v.) sa (dét.) belle (adj.) robe (nom c.) rose (adj.).

p. 290 **1.** a) pousse b) ressemblent
c) aimes d) marche
e) ira f) chantera
g) pouvez h) suis
i) finiront j) sautent
k) Écouter l) coud
m) cueille

p. 291 1. a) grosse b) jaune c) longue
d) coûteux e) meilleure f) drôle
g) multicolores h) bruns
i) amoureux j) longue k) petit
l) flamboyante m) bel

p. 292 1. a) tente b) sapin
c) chienne d) ordinateur
e) ballon f) blocs
g) agenda h) moutarde i) île

j) pharmacie k) trampoline
l) école m) vélo

p. 293 1. a) Elle b) Ils c) tu d) Nous
e) Elles f) Je g) Il h) vous
i) celles-ci j) elle k) ceux-ci
l) eux m) lui

p. 294 1. a) masculin, pluriel b) féminin, singulier
c) féminin, pluriel d) féminin, pluriel
e) masculin, pluriel f) masculin, singulier

p. 295 1. a) féminin, singulier b) masculin, singulier
c) masculin, pluriel d) féminin, pluriel
e) masculin, pluriel f) masculin, singulier
g) féminin, singulier

p. 296 1. a) pompier courageux b) grand lapin
c) vilain tour d) petit ourson
e) grand jardin f) ciel noir
2. a) lions roux b) traits gris
c) cadres vieillis d) doux cheveux
e) couteaux dorés f) savons spéciaux

p. 297 1. a) citrouille orangée b) longue balade
c) couverture rouge d) pantoufle bleue e) vaisselle sale f) tendre épouse
2. a) braves policières b) ordures puantes c) bottes jaunes d) disquettes carrées e) musiciennes talentueuses
f) roches chaudes

p. 298 1. a) 1er GN (tu), 2e GN (les fleurs)
b) 1er GN (Sylvie), 2e GN (son cerf-volant)
c) 1er GN (Les garçons), 2e GN (les plongeons)

p. 299 1. a) 1er GN (je), 2e GN (la galerie)
b) 1er GN (Le chameau), 2e GN (Paul)
c) 1er GN (Tu), 2e GN (l'escalade)
d) 1er GN (Le garçon), 2e GN (du chocolat)

p. 300 1. a) 1er GN (Jasmine), 2e GN (sa bille)
b) 1er GN (Océanne), 2e GN (la mer)
c) 1er GN (Ils), 2e GN (des truites)
d) 1er GN (Les requins), 2e GN (du poisson)

p. 301 1. a) 1er GN (Nathan), 2e GN (son sac)
b) 1er GN (Sara), 2e GN (un ballon)
c) 1er GN (Ce matin), 2e GN (Simon)
d) 1er GN (Mamie), 2e GN (des tartes)

p. 302 1. a) Les, la b) des, la c) ses, sa
d) une, la e) La, le f) la, cet

p. 303 1. a) Le, les b) L', les
c) du, la d) Les, la
e) Les, les f) mon, une
g) Ta, sa h) cet, le, des
i) Mes j) Mon, les
k) Les, la l) Les, des

p. 304 1. a) Les jupes blanches
b) La nuit étoilée c) La chatte grise
d) Les voitures noires
e) Les roses rouges
f) Les baleines blessées
g) La voisine fatiguée
h) La belle tulipe
i) Les ballons crevés
j) Les feuilles orangées

p. 305 1. a) Les dents jaunies b) Les sacs verts
c) Les cœurs rouges d) Les bananes moisies e) Des bouteilles remplies
f) La chienne brune
g) Des crayons multicolores
h) Les boucles roses i) Les lapins noirs
j) Une branche brune

p. 306 1. a) Les tuiles quadrillées
b) Les cercles lignés
c) Une grosse tortue
d) Une page verte
e) Des poivrons verts
f) Des tomates rosées
g) Des kiwis bruns
h) Des zèbres zébrés

p. 307 1. a) e, s b) s c) ses, s
d) s e) s, s f) es, s, x
g) s, e h) s i) s, es
j) s k) s, s, s
l) s, es m) s n) x

p. 308 1. a) GS = Suzanne, GV = mange une pomme b) GS = Jasmin, GV = nage dans la mer c) GS = Maxime, GV = raconte des blagues

p. 309 1. a) GS = Jérémie, GV = combat les dragons b) GS = Samuel, GV = joue à l'ordinateur c) GS = Alexane, GV = prépare sa compétition de gymnastique
d) GS = Anne-Josée, GV = joue au tennis

p. 310 1. a) GS = Antoine et Justin, GV = cachent le lapin b) GS = Anaïs et Delphine, GV = se maquillent en princesse c) GS =Alexis et Dominique, GV = se déguisent en clowns d) GS = Virginie et Philippe, GV = jouent à la cachette e) GS = Félix et Rémi, GV = jouent au basket-ball

p. 311 1. a) GS = Le rhinocéros, GV = est un animal féroce b) GS = La lionne et ses petits, GV = se sauvent du groupe
c) GS = Je, GV = dors chez ma tante Nathalie d) GS = Nous, GV = allons en voyage e) GS = Le papa et son bébé, GV = dorment sur le divan

p. 312 1. a) 5 b) 12 c) 1 d) 9 e) 7
f) 2 g) 14 h) 3 i) 13 j) 10
k) 4 l) 11 m) 8 n) 6

p. 313 1. a) 5 b) 1 c) 9 d) 3 e) 13
f) 6 g) 14 h) 11 i) 2 j) 4
k) 12 l) 7 m) 8 n) 10

p. 315 1. a) faux b) vrai c) vrai

2. a) j'ai, tu as, il/elle/on a, nous avons, vous avez, ils/elles ont b) j'ai eu, tu as eu, il/elle/on a eu, nous avons eu, vous avez eu, ils/elles ont eu c) j'aurai, tu auras, il/elle/on aura, nous aurons, vous aurez, ils/elles auront d) j'avais, tu avais, il/elle/on avait, nous avions, vous aviez, ils/elles avaient

p. 316 1. a) vrai b) faux c) vrai
2. a) je suis, tu es, il/elle/on est, nous sommes, vous êtes, ils/elles sont b) j'ai été, tu as été, il/elle/on a été, nous avons été, vous avez été, ils/elles ont été c) je serai, tu seras, il/elle/on sera, nous serons, vous serez, ils/elles seront d) j'étais, tu étais, il/elle/on était, nous étions, vous étiez, ils/elles étaient

p. 317 1. a) vrai b) vrai c) faux
2. a) j'aime, tu aimes, il/elle/on aime, nous aimons, vous aimez, ils/elles aiment b) j'ai aimé, tu as aimé, il/elle/on a aimé, nous avons aimé, vous avez aimé, ils/elles ont aimé c) j'aimerai, tu aimeras, il/elle/on aimera, nous aimerons, vous aimerez, ils/elles aimeront d) j'aimais, tu aimais, il/elle/on aimait, nous aimions, vous aimiez, ils/elles aimaient

p. 318 1. a) vrai b) faux c) vrai
2. a) je finis, tu finis, il/elle/on finit, nous finissons, vous finissez, ils/elles finissent b) j'ai fini, tu as fini, il/elle/on a fini, nous avons fini, vous avez fini, ils/elles ont fini c) je finirai, tu finiras, il/elle/on finira, nous finirons, vous finirez, ils/elles finiront d) je finissais, tu finissais, il/elle/on finissait, nous finissions, vous finissiez, ils/elles finissaient

p. 319 1. a) vrai b) vrai c) vrai
2. a) je sens, tu sens, il/elle/on sent, nous sentons, vous sentez, ils/elles sentent b) j'ai senti, tu as senti, il/elle/on a senti, nous avons senti, vous avez senti, ils/elles ont senti c) je sentirai, tu sentiras, il/elle/on sentira, nous sentirons, vous sentirez, ils/elles sentiront d) je sentais, tu sentais, il/elle/on sentait, nous sentions, vous sentiez, ils/elles sentaient

p. 320 1. a) joue b) manges c) veux d) finis e) cherchons f) fleurissent g) vendez h) poussent

p. 321 1. a) ai observé b) ont bondi c) as moulu d) as dansé e) a rugi f) a pourri g) avons ri h) ont payé

p. 322 1. a) gravira b) coudrez c) frapperai d) blondiras e) irons f) brûlerez g) bâtira h) ouvrirons

p. 323 1. a) tenaient b) jouait c) grandissions d) lançaient e) avais f) aimais g) remplissions h) perdait

p. 324 1. a) GS = Élisabeth, GV = **voyage** autour du monde b) GS =Les chiens, GV = **creusent** des trous dans la terre c) GS = Vous, GV = **partez** tout de suite d) GS = J', GV = **ai** beaucoup d'amis

p. 325 1. a) GS = Tu, GV = **as été** présente jusqu'à la fin b) GS = L'éléphant, GV = **a bu** avec sa trompe c) GS = Les vaches, GV = **ont ruminé** d) GS = Anthony et William, GV = **ont mangé** douze biscuits

p. 326 1. a) GS = La lune et les étoiles, GV = **éclaireron**t encore b) GS = Les abeilles, GV = **butineront** les fleurs c) GS = Tu, GV = **seras** toujours ma meilleure amie d) GS = Nous, GV = **aurons** les pommes de Papi

p. 327 1. a) GS = Léa, GV = **donnait** tous ses bonbons b) GS = Philippe, GV = **marchait** seul dans la rue c) GS = Nous, GV = **voulions** deux ordinateurs d) GS = Carl et Samuel, GV = **préparaient** le carnaval

p. 328 1. a) GS = Je, GV = **finis** la tarte b) GS = Il, GV = **aimait** ton beurre d'érable c) GS = Tu, GV = **as acheté** trois robes d) GS = Nous, GV = **partirons** très tôt

p. 329 1. a) GS = Vous, GV = **avez dansé** b) GS = Elles, GV = **disent** des mensonges c) GS = Mathis et Rémi, GV = **polissaient** la coutellerie d) GS = Camille, GV = **enrichira** son vocabulaire

p. 333
1. Des insectes.
2. L'insecte a toujours 6 pattes.
3. Une ou deux paires d'ailes, une carapace, une paire d'antennes ou un corps divisé en trois parties.
4. Larve et nymphe.
5. La guêpe, la coccinelle ou la libellule.
6. Qui se nourrit de matière animale et végétale.
7. La larve.
8. De pollen et nectar des fleurs.
9. 4
10. a) Faux b) Vrai c) Vrai

p. 335
1. Charlot le lièvre.
2. Lièvre, perroquet, perdrix, ourson, serpent.
3. Réponse personnelle.
4. Généreux, intelligent, courageux.
5. Des perles.

6. le ménage de sa tanière.
7. Le perroquet.
8. Simon le serpent.
9. Un enfant.
10. a) Vrai b) Faux c) Vrai

p. 337 1. Jérémie.
2. Deux.
3. Quatre.
4. Une pelure de banane.
5. Jeu de dames.
6. Carotte.
7. Banane.
8. Gabriel.
9. En chevalier.
10. a) Vrai b) Faux c) Faux
d) Vrai e) Vrai f) Faux

p. 339 1.

	Castor	Porc-épic
a) Sa couleur	brun foncé	noir
b) Sa taille	30 cm à 1,3 m	65 à 100 cm
c) Son poids	15 à 35 kg	4, 5 kg à 13,5 kg
d) Ses pattes avant	main à 5 doigts avec de longues griffes	main à 4 doigts
e) Où vit-il?	en Amérique	au Québec
f) Sa nourriture en hiver	branches et écorce	écorce
g) Sa nourriture en été	des nénuphars, des plantes aquatiques, des herbes, des feuilles de plantes ligneuses, des fruits et des graminées	des petits fruits, des feuilles de peuplier
h) Combien de petits a la femelle?	1 à 8	1
i) Sa période de gestation	103 à 107 jours	7 mois
j) Hiberne t-il?	non	non
k) Ses prédateurs	l'ours, le loup, le coyote, le pékan, le carcajou, la loutre et le lynx	le pékan, le couguar, le lynx et le coyote
l) Sa longévité	12 ans	5 à 7 ans

p. 341 1. a) 3 b) 1, 3
c) 1, 2, 3 d) 1, 2, 3, 4
e) 1, 2, 3, 4 f) 3 g) 2, 3, 4
2. a) 4 b) 4 c) 7
d) 3 e) La maison N°3.

p. 342 1. 2 – 5 – 1 – 4 – 3

p. 343 1. 3 – 1 – 2 – 5 – 4

p. 345 1. Sylvianne.
2. L'avant-midi.
3. Réponse personnelle.
4. Le lac Mégantic.
5. Patrice.
6. Des spécialistes, des scientifiques, des étudiants et les habitants de la ville de Mégantic.
7. Les ossements de stégosaure.
8. Le cinéaste.
9. Le lac Mégantic.
10. a) Faux b) Vrai c) Faux

p. 347 1. Des mammifères.
2. Deux caractéristiques parmi les suivantes. Les femelles allaitent les petits. Le corps des mamifères est recouvert de poils. Leur mâchoire inférieure est articulée. Leur sang est chaud. Leur oreille moyenne est constituée de trois paires d'os. Leur cerveau est volumineux et complexe. Leurs dents sont habituellement différenciées.
3. De plantes, de noix, d'insectes et d'orignaux.
4. Wapiti, gorille, marmotte.
5. Ours, sanglier.
6. Se nourrit de viande.
7. Les petits.
8. De plantes et de feuilles.
9. Six.
10. a) Vrai b) Vrai c) Faux

p. 348 1. arbre 2. rose 3. tortue
4. carotte 5. tuque 6. chien

p. 349 1. melon d'eau 2. vert
3. éléphant 4. autobus
5. maillot de bain 6. pied

p. 350 1. a) Julien porte son veston pour le mariage. b) Rose et Victor chantent dans une chorale. c) William est un champion de vélo. d) Anthony prépare le souper avec son père. e) J'aperçois un avion au loin dans le ciel.

p. 351 1. a) Marjorie est une fille très intelligente. b) Louis parle toujours en classe. c) La belle fée possède des pouvoirs magiques. d) La reine habite un immense château. e) René et Jasmine se marient samedi.

p. 352 1. a) Je fais du kayak sur ce grand lac. b) Amélie saute avec son grand parachute. c) La pétillante Océanne chante très bien. d) La guitare de Samuel est désaccordée. e) Charlie écrit son premier roman d'amour.

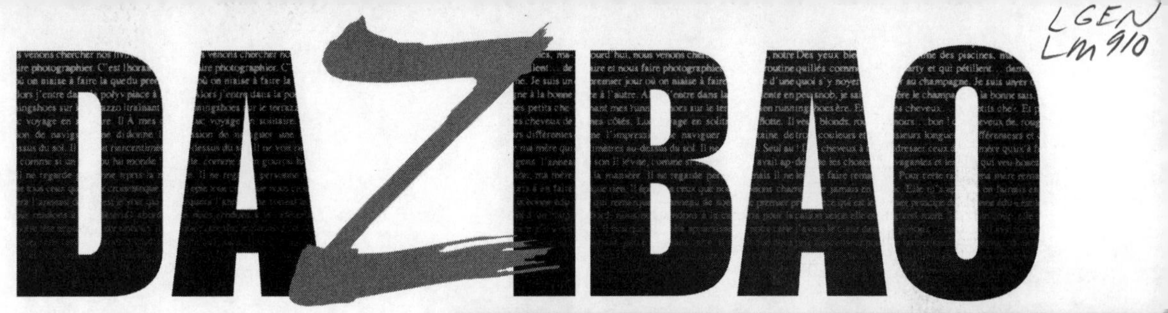

Claude Roussin

THOMSON
GROUPE MODULO

Australie Canada Espagne États-Unis Mexique Royaume-Uni Singapour

Nous reconnaissons l'aide financière du gouvernement du Canada par l'entremise du Programme d'Aide au Développement de l'Industrie de l'Édition (PADIÉ) pour nos activités d'édition.

Équipe de production

Chargée de projet : Dolène Schmidt
Révision : Michel Therrien
Correction d'épreuves : Katie Delisle
Maquette et couverture : Marguerite Gouin
Montage : Dominique Chabot, Chantal St-Julien, Sylvie Tétreault
Recherche photos : Chantal St-Julien, Sylvie Tétreault
Photos : p. 28 : © Bibliothèque et Archives nationales du Québec 2002-2006 ; p. 32 : © Musée de la civilisation, fonds d'archives du Séminaire de Québec. *Arthur Buies*. Jules-Isaïe Livernois. 1865. N° Ph1988-0732 ; p. 129 : © Archives La Presse.

Dazibao — Cahier d'activités AB

233, avenue Dunbar
Mont-Royal (Québec)
Canada H3P 2H4
Téléphone : 514 738-9818 / 1 888 738-9818
Télécopieur : 514 738-5838 / 1 888 273-5247
Site Internet : www.groupemodulo.com

Dépôt légal — Bibliothèque et Archives nationales du Québec, 2007
Bibliothèque et Archives Canada, 2007
ISBN 978-2-89593-841-5

Imprimé au Canada
1 2 3 4 5 11 10 09 08 07

Lgen

TABLE DES MATIÈRES

PARTIE 1
La grammaire de la phrase

LES PHRASES

LES GROUPES SYNTAXIQUES

LES ACCORDS

LA COORDINATION ET LA JUXTAPOSITION

LA SUBORDINATION DE PHRASES

LA PONCTUATION

LA CONJUGAISON

PARTIE 2

Le lexique

LA FORMATION DES MOTS

LE SENS DES MOTS

LES RELATIONS DE SENS ENTRE LES MOTS

ORTHOGRAPHE D'USAGE ET TYPOGRAPHIE

Nom : ______________________________ Groupe : ______________

FICHE 1 LA PHRASE DE BASE

EN BREF

› La phrase de base est un **modèle** qui sert à analyser les autres phrases.

› La phrase de base comporte **deux constituants obligatoires** qui remplissent, dans l'ordre, les fonctions de **sujet** et de **prédicat**. Elle peut également comprendre un ou plusieurs **constituants facultatifs** qui ont la fonction de **complément de phrase**.

› La phrase de base est de type **déclaratif** et de formes **positive**, **active**, **neutre** et **personnelle**.

PARTIE 1 La grammaire de la phrase

EXERCICES

1 Dans chacune des phrases suivantes :

a placez entre crochets les constituants obligatoires ;

b indiquez au-dessus de chacun sa fonction (Sujet ou Prédicat) ;

c soulignez les compléments de phrase, s'il y a lieu.

A Hans Selye était un chercheur canadien d'origine autrichienne .

B Ce scientifique fut le premier à étudier le stress au début des années 1940 .

C À partir de son observation de certaines manifestations biologiques, il définissait le stress comme une réponse du corps à une agression .

D Face à un danger réel ou imaginaire, le cerveau déclenche une poussée d'adrénaline .

E Cette réaction violente sert à préparer le corps à l'agression .

F Le stress serait l'expression première de l'instinct de survie .

G Devant l'agression, le combat ou la fuite sont les deux seules réponses possibles .

Nom : ______________________ Groupe : ______________

H Tout comme les animaux, l'être humain doit affronter diverses agressions .

I Quand le stress est trop grand ou permanent, l'individu est dans l'impossibilité de réagir .

J Ce stress entraîne toute une série de problèmes physiques et psychologiques au moment même où l'individu est le plus vulnérable .

K L'angoisse installée, plusieurs types de maladie, tels des troubles digestifs et cardiovasculaires, de l'insomnie, une dépression grave et même diverses formes de cancer peuvent apparaître .

L Aujourd'hui, avec l'accélération du rythme de vie, les occasions de stress sont de plus en plus fréquentes .

2 Dans le tableau suivant :

a écrivez, dans la première colonne, les compléments de phrase que vous avez soulignés dans les phrases de l'exercice précédent ;

b dans la deuxième colonne, vis-à-vis de chaque complément de phrase, indiquez s'il est formé d'un groupe nominal (GN), d'un groupe prépositionnel (GPrép), d'un groupe adverbial (GAdv) ou d'une subordonnée circonstancielle (Sub. circ.).

Compléments de phrase	GN, GPrép, GAdv ou Sub. circ.

Nom: ______________________ Groupe: ______________

Nom : ______________________________ Groupe : ______________

3 Dans le texte suivant, soulignez les phrases qui sont construites sur le modèle de la phrase de base.

À la pharmacie

À la pharmacie, au comptoir des médicaments sur ordonnance, la pharmacienne et ses assistantes couraient en tous sens. Quelle cohue ! Rien d'étonnant à 17 h. Près de la caisse, plusieurs personnes attendaient plus ou moins patiemment de recevoir leurs « petites bouteilles ». Si je n'avais pas sagement décidé d'aller m'asseoir dans un petit recoin aménagé pour les longues attentes, je n'aurais rien vu du spectacle offert par une jeune dame en état avancé de stress.

En consultation depuis plus de cinq minutes avec la pharmacienne, un vieux monsieur ne comprenait toujours pas les explications de celle-ci.

La conversation devenait de plus en plus pénible. Fallait-il en rire ou en pleurer ? Je préférais en rire. Mais, ce n'était pas le cas pour tous, et encore moins pour la jeune cliente, de toute évidence, fort pressée.

Elle commença par se balancer sur un pied, puis sur l'autre. C'est son langage corporel exacerbé qui attira mon attention. Le souffle de plus en plus court et le visage de plus en plus empourpré, elle se ventilait frénétiquement d'un mouvement de la main. Tantôt la droite, tantôt la gauche. Nos regards se croisèrent un instant. Malgré cela, elle laissa libre cours à son exaspération sans la moindre gêne. Les yeux au ciel, la moue dégoûtée, elle semblait même sur le point d'éclater.
Je me préparais à assister à l'explosion. C'est à ce moment précis que le vieux monsieur prit enfin congé et qu'une technicienne prononça mon nom.
Ai-je besoin de dire que j'expédiai mes petites affaires à la vitesse de l'éclair ?

En me retournant, je me retrouvai face à face avec la jeune femme en question. Incapable de me retenir, je lui glissai gentiment à l'oreille : « Prenez garde, madame ! Le stress, ça peut causer de l'hypertension... » Interloquée, elle resta muette un instant avant d'éclater de rire. Un rire nerveux et sonore. Est-ce que le rire peut combattre le stress ? Peut-être bien, après tout...

Nom : ______________________ Groupe : ______________

4 Dans le tableau suivant, indiquez le noyau du GN sujet ou le pronom sujet et le noyau du GV prédicat des phrases que vous avez soulignées dans le texte *À la pharmacie*.

Noyau du GN sujet ou pronom sujet	Noyau du GV prédicat

Nom : ______________________ Groupe : __________

PARTIE 1 La grammaire de la phrase

FICHE 2 LES TYPES ET LES FORMES DE PHRASES

EN BREF

› Il existe **quatre types** de phrases : la phrase **déclarative**, la phrase **interrogative**, la phrase **exclamative** et la phrase **impérative**.

› La phrase peut également avoir diverses **formes**. Il existe **huit formes** de phrases qui peuvent être regroupées par paires.

› La phrase peut être de forme **positive** ou **négative**, de forme **active** ou **passive**, de forme **neutre** ou **emphatique** et de forme **personnelle** ou **impersonnelle**.

› Toutes les **formes** de phrases peuvent être combinées avec les différents **types** de phrases.

EXERCICES

1 Indiquez le type de chacune des phrases suivantes.

A L'habit ne fait pas le moine. ______

B Quel message ce vieux proverbe tente-t-il de nous livrer ? ______

C La sagesse populaire veut nous mettre en garde contre les jugements hâtifs sur les autres à partir de leur apparence. ______

D Quel jugement hâtif tu as porté ! ______

E Évidemment, tout le monde est pour la vertu. ______

F Toute personne intelligente ne veut pas être accusée de manquer de jugement. ______

G Êtes-vous en mesure d'affirmer hors de tout doute que vous ne jugez jamais les autres sur leur apparence ? ______

H Lorsqu'il vous arrive de porter un tel jugement, vous sentez-vous coupable ? ______

I Vous ne devriez peut-être pas. ______

J Lisez attentivement ce qui suit. ______

K Parfois, nous pouvons avoir une très bonne raison de nous méfier de quelqu'un à partir de son allure vestimentaire. ______

Nom : ______________________ Groupe : __________

Ⓛ Si vous êtes dans un dépanneur et qu'un individu surgit derrière vous la tête recouverte d'une cagoule, avez-vous raison de craindre le pire ? __________

Ⓜ Si vous êtes dans un dépanneur d'un quartier louche, au mois de juillet à 22 h, la réponse est oui. __________

Ⓝ Par contre, si vous êtes dans un dépanneur, au pied d'une pente de ski, en plein mois de janvier à – 20 °C, ne croyez-vous pas que le cagoulard risque fort de n'être qu'un simple skieur ? __________

Ⓞ N'est-il pas tentant de conclure qu'effectivement l'habit ne fait pas le moine ?

____

2 L'exercice précédent vous a permis d'identifier six phrases de type interrogatif. Dans la première colonne du tableau suivant, indiquez la lettre qui correspond à ces phrases interrogatives. Dans la deuxième colonne, indiquez vis-à-vis de chacune des lettres s'il s'agit d'une phrase interrogative totale ou d'une phrase interrogative partielle.

Phrase interrogative	Type d'interrogation

3 Quelle est la différence entre une phrase interrogative totale et une phrase interrogative partielle en ce qui a trait à la réponse attendue ?

____

____

____

____

____

PARTIE 1 La grammaire de la phrase

Nom : ______ Groupe : ______

4 Transformez chacune des phrases suivantes en phrase interrogative partielle en faisant porter la question sur le groupe de mots souligné.

A Les gens accordent une importance exagérée à leur apparence parce qu'ils ont subi l'influence de la publicité. ______

B Les publicitaires utilisent les nouvelles technologies pour véhiculer leur message efficacement. ______

C La dictature de l'image est solidement implantée dans nos sociétés. ______

5 Indiquez, dans les parenthèses, les quatre formes de chacune des phrases du texte suivant.

La dictature de l'image

Vivons-nous sous la dictature de l'image ? (______)

Nous pourrions le croire. (______)

Aujourd'hui, il est essentiel de faire bonne impression. (______) À l'école, au travail et même dans nos loisirs, l'image que nous voulons projeter est dictée par le regard des autres. (______) N'est-il pas exagéré de croire que seule l'image est importante ? (______) En pensant ainsi, nous nous enfermons dans un cercle vicieux et coûteux. (______)

Nom : ______________________ Groupe : __________

Ce sont les publicitaires qui ont le mieux compris l'importance du culte de l'image. (______________________) Leur travail est régi par une loi immuable, celle de la comparaison. (______________________) Qui possède la plus belle voiture ? (______________________) Qui est la plus en forme ? (______________________) Qui est la mieux habillée ? (______________________) La publicité est un miroir aux alouettes. (______________________)

C'est l'industrie des produits de beauté qui abuse le plus de la crédulité des gens. (______________________) Sous le prétexte de prendre soin de notre corps, elle tente de nous imposer des modèles de beauté complètement factices. (______________________)

L'industrie des produits de beauté est suivie de près par l'industrie vestimentaire. (______________________) Soyons honnêtes. (______________________)

Qui d'entre nous est insensible à la mode ? (______________________)

Que d'astuces utilise cette industrie pour conquérir les consommatrices et les consommateurs ! (______________________)

Pourquoi est-il nécessaire de s'habiller à la mode du jour ?

PARTIE 1 La grammaire de la phrase

Nom : ______________________ Groupe : __________

(______________________) Pourquoi sommes-nous si subjugués par la mode ? (______________________) Notre esprit grégaire y est sans doute pour quelque chose. (______________________) C'est cet esprit qui, en société, nous pousse à adapter le même comportement que nos semblables. (______________________) Devons-nous tous pour autant projeter la même image ? (______________________) La question mérite d'être débattue. (______________________)

6 Dans le texte *La dictature de l'image* :

A Quelle préposition vous a permis de reconnaître les phrases de forme passive ?

____

B Quelles marques d'emphase vous ont permis de repérer chacune des phrases de forme emphatique ?

____

7 Dans les phrases de forme impersonnelle que vous avez relevées dans le texte *La dictature de l'image* :

A Quel est le sujet et à quelle personne appartient-il ?

____

____

B Les verbes de ces phrases sont-il occasionnellement ou toujours impersonnels ? Justifiez votre réponse.

____

____

____

____

____

Nom : ______________________ Groupe : ____________

8 Dans le texte *La dictature de l'image* :

A Quelle phrase est de type impératif ?

B Quelle phrase est de type exclamatif ?

9 Transformez les phrases suivantes, tirées du texte *La dictature de l'image*, selon le type et les formes indiqués entre parenthèses.

A Vivons-nous sous la dictature de l'image ? (Type déclaratif, formes positive, active, neutre et personnelle)

B À l'école, au travail et même dans nos loisirs, l'image que nous voulons projeter est dictée par le regard des autres. (Type interrogatif, formes négative, passive, neutre et personnelle)

C N'est-il pas exagéré de croire que seule l'image est importante ? (Type exclamatif, formes positive, active, neutre et impersonnelle)

D La question mérite d'être débattue. (Type interrogatif, formes négative, active, neutre et personnelle)

Nom : ______________________ Groupe : ______________

10 Lisez les phrases contenues dans les deux premières colonnes du tableau ci-dessous.

a Indiquez, sous chaque phrase transformée, le ou les changements qu'elle présente par rapport à la phrase de base (changement de type, changement d'une ou de plusieurs formes).

b Dans la troisième colonne, décrivez les manipulations syntaxiques que l'on a effectuées pour transformer la phrase de base ; indiquez, s'il y a lieu, les modifications apportées à la ponctuation.

Phrases de base	Phrases transformées	Manipulations syntaxiques et modifications à la ponctuation
L'estime de soi repose uniquement sur l'image que nous projetons. Type : déclaratif Forme : positive, active, neutre et personnelle	Est-ce que l'estime de soi repose uniquement sur l'image que nous projetons ? Changement de type : Changement de formes :	
Le regard que les autres portent sur nous ébranle souvent notre estime de soi. Type : déclaratif Forme : positive, active, neutre et personnelle	Notre estime de soi est souvent ébranlée par le regard que les autres portent sur nous. Changement de type : Changement de formes :	

Nom : ______________________ Groupe : __________

Résister aux pressions de notre entourage est parfois difficile. Type : déclaratif Forme : positive, active, neutre et personnelle	Il est parfois difficile de résister aux pressions de notre entourage. Changement de type : ______ ______ Changement de formes : ______ ______	______
Une belle occasion s'offre à nous de faire montre de cran. Type : déclaratif Forme : positive, active, neutre et personnelle	Quelle belle occasion s'offre à nous de faire montre de cran ! Changement de type : ______ ______ Changement de formes : ______ ______	______

PARTIE 1
La grammaire de la phrase

Nom : ______________________ Groupe : __________

11 Lisez le texte *L'estime de soi*, où certaines phrases de forme active ont été soulignées. Répondez ensuite aux questions.

L'estime de soi

L'estime de soi dépend de l'opinion que nous portons sur nous-mêmes. Cette opinion n'est pas toujours consciente. Au fond, nous évaluons nos actions selon notre propre jugement. L'évaluation que nous faisons de nos comportements détermine notre estime de soi. Quand nous faisons quelque chose de valable à nos yeux, nous augmentons notre estime de soi. Dans le cas contraire, nous la diminuons. Cette appréciation subjective marque notre vie quotidienne. Il est donc tout à fait normal que notre estime de soi varie selon les circonstances. Nous ne pouvons pas toujours être fiers de nous-mêmes.

Pourquoi l'estime de soi est-elle si importante ? Une bonne estime de soi détermine le degré d'accomplissement de l'être humain. Si nous nous estimons bien, nous aurons tendance à mettre nos aspirations de l'avant et à nous développer. Au contraire, si notre estime est faible, nous éviterons de nous affirmer. Nous renoncerons à faire face à la vie. Nous nous sentirons incapables de relever des défis. Cette situation entraînera de lourdes conséquences.

La perte de l'estime de soi sur de très longues périodes provoque souvent un état dépressif. Cet état nous isole des autres, particulièrement des personnes qui seraient le plus en mesure de nous aider. Tout individu recherche la compagnie de son semblable. Celui ou celle qui a une faible estime de soi recherchera le plus souvent la compagnie d'une personne qui a également peu d'estime d'elle-même. Une fois cet engrenage mis en marche, il est très difficile de s'en sortir.

Au contraire, si nous avons une estime de soi plutôt forte, nous serons portés à rechercher la compagnie de personnes que nous respectons et qui nous respectent. Ainsi notre estime de soi sera renforcée.

Nom : ______________________ Groupe : __________

a Transformez les phrases soulignées à la forme passive.

A ______________________

B ______________________

C ______________________

D ______________________

E ______________________

F ______________________

b Quelles manipulations syntaxiques avez-vous effectuées pour transformer ces phrases de la forme active à la forme passive ?

A ______________________

B ______________________

C ______________________

PARTIE 1
La grammaire de la phrase

Nom : ______________________________ Groupe : ______________

12 Transformez les phrases neutres suivantes en phrases emphatiques, en mettant l'accent sur le groupe de mots qui vous est indiqué. Soulignez les marques d'emphase que vous avez utilisées.

A) Quand nous faisons quelque chose de valable à nos yeux, nous augmentons notre estime de soi. (Accent sur le complément de phrase)

____

____

____

____

B) Ainsi, notre estime de soi sera renforcée. (Accent sur le sujet)

____

____

Nom : ______________________ Groupe : ______________

FICHE 3 LES PHRASES À CONSTRUCTION PARTICULIÈRE

EN BREF

› Les **phrases à construction particulière** ne sont pas des **phrases transformées**. Il est impossible de les analyser à partir du modèle de la phrase de base.

› Il existe **quatre sortes** de phrases à construction particulière : la phrase **essentiellement impersonnelle**, la phrase **non verbale**, la phrase **infinitive**, la phrase **à présentatif**.

› La phrase **essentiellement impersonnelle** est formée à l'aide du **pronom sujet *il* impersonnel** et d'un **verbe toujours impersonnel**.

› La phrase **non verbale**, comme son nom l'indique, ne comporte pas de groupe verbal. La phrase non verbale peut être formée, entre autres, d'un GN, d'un GPrép, d'un GAdj, d'un GAdv ou d'une interjection.

› La phrase **infinitive** est formée uniquement d'un **groupe verbal à l'infinitif** (GInf) et ne comporte pas de sujet.

› La phrase **à présentatif** est formée à l'aide d'un **présentatif** comme ***voici***, ***voilà***, ***il y a*** et ***c'est***.

EXERCICES

1 Dans le tableau suivant, vis-à-vis de chaque phrase, indiquez si le verbe en caractères gras est un verbe essentiellement impersonnel ou occasionnellement impersonnel.

Il **advint** une chose étonnante.	
Il **est apparu** une nouvelle mode.	
Il ne **faut** pas exagérer.	
Il **existe** des revues de mode pour les jeunes.	
Il **s'agit** de faire preuve de jugement.	
Il **suffisait** d'y penser.	
Il **est arrivé** une chose incroyable.	
Il **se produit** souvent des imprévus.	

Nom : ______________________ Groupe : ______________

2 Dans le texte suivant, soulignez les phrases non verbales.

Quinze minutes de célébrité

Le célèbre artiste Andy Warhol a prédit qu'un jour chaque individu pourrait avoir ses quinze minutes de célébrité. La pop célébrité ! La célébrité instantanée ! Ce peintre et cinéaste américain, chef de file du *pop art*, était aussi un visionnaire. Il a senti que le vedettariat, même très éphémère, était un rêve inavoué que caressaient la plupart de ses contemporains. Bonne façon de rehausser l'estime de soi. Évidemment. Mais après, qu'arrive-t-il lorsque les projecteurs s'éteignent ? Qu'arrive-t-il quand la personne retourne dans l'anonymat le plus complet ?

Aujourd'hui, les multiples émissions de téléréalité offrent à plusieurs l'occasion de vivre leurs quinze minutes de célébrité. Doit-on les envier ou les plaindre ? Croyez-vous que l'on peut bâtir sa confiance en soi sur quelques instants de télévision ? Plus que douteux. Qu'en pensez-vous ?

Nom : ______________________ Groupe : ____________

3 Dans la deuxième colonne du tableau qui suit, formez des phrases infinitives qui expriment la même idée que les phrases de la première colonne.

Phrases	Phrases infinitives
Faites-nous part de vos commentaires.	
Ne craignez pas d'émettre votre opinion.	
Appuyez-vous sur des arguments solides.	
Tenez compte de tous les aspects.	
Vous devez éviter les attaques personnelles.	
Exprimez-vous clairement.	
Les pseudonymes ne sont pas acceptés.	
Indiquez votre adresse de courriel.	
Inscrivez votre numéro d'abonné.	

Nom : ______________________ Groupe : ______________

PARTIE 1 La grammaire de la phrase

4 Dans le texte suivant, soulignez les phrases à présentatif.

La téléréalité, un divertissement fou, fou, fou !

Je suis une téléspectatrice friande de téléréalité. Voilà un aveu gênant. Un aveu qui risque de me faire passer pour une idiote aux yeux de plusieurs. Il y a tellement d'émissions plus intelligentes à la télévision, me diront certains. Je suis entièrement d'accord. Mais pourquoi me priverais-je de me payer une pinte de bon sang aux dépens des autres ?

C'est que je suis incapable de prendre au sérieux la téléréalité. Mêmes les moments les plus dramatiques me font rire aux larmes. Pourquoi ? Parce que, pour moi, rien ne s'éloigne plus de la réalité que la téléréalité. Toutes ces jeunes personnes, qui tentent de projeter une image factice d'elles-mêmes sous le regard de vingt caméras, ne semblent pas se rendre compte à quel point elles ressemblent à des pantins malhabiles manipulés par les réseaux de télévision qui veulent augmenter leurs cotes d'écoute.

Jadis, il y avait une sorte de pudeur qui suggérait de ne pas importuner les autres avec ses problèmes personnels, ses travers et ses velléités. Les concepteurs et les conceptrices des émissions de téléréalité ont compris que ce temps était bien révolu. Voilà qu'est venu le temps du tout à l'écran. Eh bien, tant pis pour celles et ceux qui participent à la mascarade.

Moi, je me bidonne, bien cachée dans l'anonymat de mon salon.

Nom : ______ Groupe : ______

5 Dans le tableau suivant, écrivez dans la première colonne les phrases à présentatif que vous avez soulignées. Dans la deuxième colonne, indiquez si ces présentatifs sont complétés par un groupe nominal (GN), un pronom (Pron), un groupe infinitif (GInf) ou une subordonnée complétive (Sub. complétive).

Phrases à présentatif	Complément du présentatif : GN, Pron, GInf ou Sub. complétive

Nom : ______________________ Groupe : __________

6 a Lisez le texte suivant en prêtant attention à la structure de chaque phrase.

Les habits neufs de l'empereur

(1) C'est Andersen, un auteur danois du 19e siècle, qui a écrit le célèbre conte *Les habits neufs de l'empereur*. (2) Beaucoup d'adultes virent dans ce conte ironique, qui n'était pas uniquement destiné aux enfants, une subtile satire sociale. (3) Dans ce récit, Andersen démontre combien les gens qui tiennent à tout prix au monde des apparences peuvent être amenés à se couvrir de ridicule.

(4) Voici l'histoire qu'il nous raconte. (5) Dans un temps très lointain vivait un empereur qui aimait plus que tout les habits neufs. (6) Tout le reste importait peu. (7) Rien du tout, en fait.

(8) Beaucoup de visiteurs affluaient chaque jour dans la grande ville où habitait l'empereur. (9) La folie vestimentaire du monarque était un sujet de dérision. (10) Comment ne pas rire de tant de vanité ? (11) Comment ne pas tenter de tirer profit de ce travers ? (12) Deux escrocs, nouvellement arrivés en ville, le comprirent très vite. (13) Se faisant passer pour deux tisserands, ils promirent à l'empereur de lui fabriquer des habits dans les plus beaux tissus qui soient. (14) De plus, ces tissus posséderaient l'étonnante propriété d'être invisibles aux yeux des gens incompétents ou idiots.

(15) L'empereur vit là une occasion extraordinaire de départager ses meilleurs sujets. (16) Quelle aubaine ! (17) Les escrocs profitèrent de la vanité de l'empereur et de la soumission de ses ministres pour ne rien tisser du tout. (18) Comme personne ne voulait passer pour un incompétent ou un idiot, tous firent semblant d'admirer les nouveaux habits que leur présentèrent les faux tisserands, après plusieurs semaines de faux labeur. (19) Il advint ce qu'il devait advenir…

(20) Lors d'une grande cérémonie, l'empereur, vêtu de ses nouveaux habits, alla se pavaner devant son peuple. (21) Puisque toute la population était au courant de la situation, tout le monde loua les nouveaux habits de l'empereur. (22) Quels magnifiques habits ! (23) Quelle beauté et quelle élégance dans ce manteau avec sa traîne ! (24) Jamais un habit neuf de l'empereur n'avait connu un tel succès. (25) C'est que personne n'osait rire. (26) Soudain, dans la foule, s'éleva la voix d'un enfant : (27) « Mais, il n'a pas d'habit du tout ! » (28) Puis, la foule entière se mit à crier que l'empereur n'avait pas d'habit. (29) L'empereur frissonna. (30) Comment ne pas être confus ? (31) L'empereur ordonna au cortège de poursuivre sa route. (32) Et c'est ainsi que les serviteurs continuèrent à porter une traîne qui n'existait pas.

Nom : ______________________ Groupe : ____________

b Dans le tableau qui suit, classez, à l'aide de leur numéro, chacune des phrases du texte *Les habits neufs de l'empereur*, selon sa structure : phrase de base ou phrase transformée et phrase à construction particulière. Dans le cas d'une phrase à construction particulière, indiquez s'il s'agit d'une phrase essentiellement impersonnelle, d'une phrase non verbale, d'une phrase infinitive ou d'une phrase à présentatif.

Phrases de base ou phrases transformées
Numéros : ______________________

Phrases à construction particulière
Phrases essentiellement impersonnelles
Numéros : ______________________
Phrases non verbales
Numéros : ______________________
Phrases infinitives
Numéros : ______________________
Phrases à présentatif
Numéros : ______________________

Nom : ______________________ Groupe : __________

7 La première colonne du tableau suivant présente une série de phrases conformes au modèle de la phrase de base. Pour chacune de ces phrases, formez une phrase à construction particulière qui exprime la même idée et qui correspond aux spécifications mentionnées entre les parenthèses dans la deuxième colonne.

Phrases de base	Phrases à construction particulière*
Le monde des apparences est souvent un piège.	(P à présentatif avec *C'est* + sub. complétive)
On doit éviter d'être victime de l'opinion dominante.	(P essentiellement impersonnelle)
Chacun a sa vérité.	(P non verbale)
Le conte d'Andersen comporte une bonne dose d'humour.	(P à présentatif avec *il y a*)
La conclusion est qu'il vaut mieux en rire qu'en pleurer.	(P infinitive)

Nom : ________________ Groupe : ________

FICHE 4 LE GROUPE NOMINAL

EN BREF

- Le **groupe nominal** (GN) est un groupe de mots dont le **noyau** est un **nom**. Le noyau peut être un **nom commun** ou un **nom propre**.
- Le **GN minimal** est composé d'un **nom noyau sans expansion**. Le nom commun est habituellement précédé d'un déterminant, qui n'est pas considéré comme une expansion du nom.
- Le **GN étendu** est composé d'un **nom noyau** accompagné d'une ou de plusieurs **expansions**. Ces expansions remplissent la fonction de **complément du nom**. Elles peuvent être formées d'un **GAdj**, d'un **GN**, d'un **GPrép**, d'un **GPart**, d'une **Sub. complét.** ou d'une **Sub. rel.**
- Le **GN** peut remplir **différentes fonctions**. Il peut avoir la fonction de **sujet**, d'**attribut du sujet**, de **complément du nom**, de **complément direct du verbe** ou de **complément de phrase**.

EXERCICES

1 Lisez le texte *Les débuts de la presse écrite francophone en Amérique* et réalisez les activités qui suivent.

a Soulignez le noyau de chaque groupe nominal placé entre crochets.

b Indiquez au-dessus de chaque groupe s'il s'agit d'un GN minimal ou d'un GN étendu.

Les débuts de la presse écrite francophone en Amérique

En Nouvelle-France, [la presse écrite] n'existait pas pour une raison bien simple : [l'administration française] refusait [l'implantation de presses typographiques].

Aussi étrange que cela puisse paraître, c'est un an après la conquête, soit en 1764, que [deux imprimeurs de Philadelphie] lancèrent à Québec [le premier journal bilingue, *La Gazette de Québec*]. À partir de 1780, Fleury Mesplet commença à publier *La Gazette de Montréal*. [Ce premier journal francophone, qui existe encore de nos jours], est cependant devenu anglophone. C'est au 19e siècle que [les journaux de langue française] se multiplièrent.

Nom : ______________________ Groupe : ____________

PARTIE 1 La grammaire de la phrase

Le Canadien (1806) et *La Minerve* (1826) marquèrent [les véritables débuts du journalisme d'expression française en Amérique].

[L'essor d'une nouvelle classe ouvrière dans les grandes villes] favorisa [l'apparition de journaux différents]. [Ces journaux] mirent [l'accent] sur les nouvelles locales, sur les petites annonces et dans certains cas sur les scandales. Il y avait toutefois un obstacle majeur. [La croissance des journaux] fut limitée par [le faible taux d'alphabétisation]. Il faut se rappeler qu'en 1871 seulement la moitié de [la population francophone adulte du Québec] savait lire et écrire. Malgré cela, c'est en 1884 que sera lancée [*La Presse*, qui est devenue le plus grand quotidien francophone d'Amérique].

2 **a** Dans le tableau suivant, transcrivez dans la première colonne les groupes nominaux étendus que vous avez identifiés.

b Soulignez l'expansion ou les expansions du noyau du GN.

c Indiquez dans la deuxième colonne, vis-à-vis de chaque GN étendu, de quoi est formée chacune des expansions (GAdj, GN, GPrép, GPart, Sub. complét., Sub. rel.).

GN étendu	Expansions

Nom : ____________________ Groupe : ____________

Nom : ______________________________ Groupe : ______________

3 Dans le texte suivant, indiquez entre les parenthèses la fonction des groupes nominaux soulignés (sujet, attribut du sujet, complément du nom, complément direct du verbe ou complément de phrase).

En ce temps-là

Il est intéressant d'aller consulter dans les archives certains journaux anciens comme *La Minerve*. (______________________________) Ces journaux, bien différents de ceux d'aujourd'hui, (______________________________) nous révèlent une partie de notre passé. (______________________________) En 1867, *La Minerve* était un journal de quatre pages montées sur sept colonnes très compactes. (______________________________) Il n'y avait aucune photo. Tous les sujets étaient abordés sans distinction, les uns à la suite des autres, séparés uniquement par un trait noir, tout comme les colonnes d'ailleurs.

L'intérêt de cette presse ne réside donc pas dans sa présentation, mais bien dans ce qu'elle raconte. Les petites annonces de l'époque (______________________________) nous apprennent des faits dont parlent rarement les livres d'histoire, comme en témoigne l'exemple suivant.

Le samedi, 7 septembre 1867, (______________________________) *La Minerve* (______________________________) annonçait que Monsieur Goulden, droguiste de la rue Saint-Laurent, (______________________________) venait de recevoir un nouvel arrivage de produits de beauté dont : des savons de toilette et éponges, de la poudre de violette, des brosses à cheveux, de l'eau de Floride, de la crème de rose pour faire disparaître les rougeurs de la peau, de l'eau de Cologne et de l'eau de lavande.

Nom : ______________________ Groupe : ____________

FICHE 5 LE GROUPE VERBAL

EN BREF

- Le **groupe verbal** (GV) est un groupe de mots dont le **noyau** est un **verbe conjugué** à un mode personnel.
- Le **GV** n'a qu'**une seule fonction** : celle de **prédicat** de la phrase.
- Le **GV minimal** est composé d'un **verbe noyau sans expansion**.
- Le **GV étendu** est composé d'un verbe noyau accompagné d'une ou de plusieurs **expansions** qui servent à le compléter.
- Les expansions du GV étendu peuvent être : un **groupe nominal** (GN), un **groupe adjectival** (GAdj), un **groupe prépositionnel** (GPrép), **un pronom** (Pron), un **groupe infinitif** (GInf), une **subordonnée complétive** (Sub. complét.) ou un **groupe adverbial** (GAdv).
- Ces expansions peuvent remplir **la fonction** de **complément direct**, de **complément indirect**, d'**attribut du sujet** ou de **modificateur du verbe**.

PARTIE 1
La grammaire de la phrase

EXERCICES

1 Dans chacune des phrases du texte suivant :

a soulignez le verbe noyau du groupe verbal ;

b placez entre parenthèses chacune des expansions du groupe verbal.

Un pamphlétaire : Arthur Buies (1840-1901)

Dans l'histoire de la presse écrite au Québec, les pamphlétaires occupent une place importante . À l'origine, le pamphlet était un écrit satirique et virulent . C'était également un texte de dénonciation . Les pamphlétaires estimaient que c'était leur devoir de dénoncer tout ce qui leur semblait faux, injuste ou contraire à leurs convictions . Ils attaquaient indifféremment les institutions, les groupes et les individus opposés à leurs idées .

Arthur Buies fut un des plus célèbres pamphlétaires du 19e siècle . Ce journaliste québécois était un anticlérical notoire . Toutefois, il adhérera au mouvement de colonisation des régions du Nord entrepris par le curé Labelle . Possédant une plume élégante et acerbe, il publia de nombreux articles engagés .

Nom : ______ Groupe : ______

2 Dans la première colonne du tableau suivant, transcrivez chacune des expansions des verbes que vous avez placées entre parenthèses. Dans la deuxième colonne, indiquez la composition de chacune de ces expansions. Dans la troisième, donnez-en la fonction.

Expansions du GV	Composition des expansions	Fonction des expansions

Nom : ______________________ Groupe : ____________

3 Dans les phrases suivantes inspirées du texte *Un pamphlétaire : Arthur Buies (1840 - 1901)*, soulignez l'expansion du verbe dans le GV, puis donnez sa composition et sa fonction.

A. Arthur Buies combattait pour la liberté d'opinion.

B. Ce pamphlétaire était frondeur.

C. Il croyait que toute vérité est bonne à dire.

D. Las des polémiques, il devint un supporteur du curé Labelle.

E. Arthur Buies voulait écrire des articles scientifiques.

F. Durant les années 1880, il arpenta le Québec.

G. Il écrivit de nombreux opuscules faisant l'apologie de la colonisation.

H. Les injustices le révoltaient.

Nom : ______________________ Groupe : __________

4 Complétez chacune des phrases suivantes en ajoutant une expansion au groupe verbal dans l'espace prévue à cette fin. Choisissez parmi les expansions mentionnées ci-dessous en tenant compte des indications données entre parenthèses et du sens des phrases.

assurément ▪ essentielle au progrès de la société
que l'État et l'Église soient séparés ▪ sa principale préoccupation
sur le jeune Arthur

A À l'âge de seize ans, Arthur Buies s'installa à Paris et étudia au lycée Saint-Louis. Ces études outre-mer ont ______________ (GAdv) marqué sa pensée.

B Les idées républicaines eurent ______________ (GPrép) une influence certaine.

C En raison de cette influence, le pamphlétaire a toujours souhaité ______________ (Sub. complét.).

D Arthur Buies était très en avance sur son époque ; féministe avant son temps, il soutenait que l'instruction des femmes était ______________ (GAdj).

E Le développement de la société québécoise était ______________ (GN).

Arthur Buies

Nom : ______________________ Groupe : ____________

FICHE 6 LE GROUPE ADJECTIVAL

EN BREF

› Le **groupe adjectival** (GAdj) est un groupe de mots dont le **noyau** est un **adjectif**.

› Le **GAdj minimal** est composé d'un **adjectif noyau sans expansion**.

› Le **GAdj étendu** peut contenir une ou plusieurs **expansions**.

› Les expansions de l'adjectif peuvent être : un **groupe prépositionnel** (GPrép) ou une **subordonnée complétive** (Sub. complét.), placés à droite de l'adjectif, qui ont la fonction de **complément de l'adjectif** ; un **groupe adverbial** (GAdv), placé à gauche de l'adjectif, qui a la fonction de **modificateur de l'adjectif**.

› Dans un groupe nominal, le GAdj remplit la fonction de **complément du nom** ; dans un groupe verbal, le GAdj peut remplir la fonction d'**attribut du sujet** ou d'**attribut du complément direct**.

PARTIE 1 La grammaire de la phrase

EXERCICES

1 Lisez le texte suivant.

a Placez entre crochets tous les groupes adjectivaux.

b Soulignez l'adjectif noyau.

Les défis de la presse écrite

Dans les pays occidentaux , la presse écrite subit globalement une diminution de ses ventes et de ses recettes publicitaires . Avec la venue des quotidiens gratuits , entre autres dans les transports publics , et surtout à cause de la révolution numérique et d' Internet , les propriétaires des quotidiens doivent faire face à d' énormes défis .

Nom : ______________________ Groupe : ____________

En plus de rajeunir leur maquette et leur présentation pour rendre leurs produits plus attrayants pour les lecteurs et les lectrices, les journaux tentent de revoir en profondeur leurs contenus rédactionnels, l'organisation de la rédaction et même la formation des journalistes pour s'adapter aux nouveaux médias. Doit-on croire ceux qui prédisent la mort presque imminente de la presse sur papier au profit de la presse électronique ?

Il est trop tôt pour affirmer que la bonne vieille presse est moribonde. Les quotidiens sont combatifs à plus d'un égard. Ici au Québec, comme ailleurs dans le monde, les journaux ne sont pas restés inactifs. À ce jour, toutes les grandes entreprises de presse ont développé, parallèlement à leur version papier, des sites Internet qui reprennent les grands titres de leurs journaux, tout en offrant de nombreux liens interactifs. On peut consulter son quotidien préféré en temps réel sur le Web et lire des articles et des reportages plus approfondis dans son journal imprimé. Plusieurs lecteurs et lectrices demeurent convaincus qu'ils ne pourront jamais se passer complètement de leur journal papier.

2 Dans le tableau suivant :

- **a** transcrivez dans la première colonne les GAdj étendus que vous avez relevés dans le texte précédent ;
- **b** dans la deuxième colonne, indiquez la composition de chacune des expansions de l'adjectif noyau ;
- **c** dans la troisième colonne, donnez la fonction de chaque expansion.

GAdj étendus	Composition des expansions	Fonction des expansions

Nom : ______________________ Groupe : ____________

3 Dans les phrases suivantes, soulignez tous les groupes adjectivaux et inscrivez au-dessus de chacun leur fonction.

A Le monde des communications est vraiment fascinant.

B Depuis le développement de l'ère industrielle, la multiplication rapide des moyens de communication a bouleversé nos habitudes de vie.

C Lorsque l'on regarde les innombrables inventions qui sont apparues depuis le premier message télégraphique de Samuel Morse, en 1844, on reste estomaqué.

D Pendant que les médias électroniques comme la radio, la télévision et Internet connaissaient des progrès fulgurants, la presse écrite subissait elle aussi de profondes transformations moins spectaculaires, mais tout aussi importantes.

E L'évolution des presses typographiques, l'apparition de nouvelles machines, comme la linotype, l'impression en quadrichromie et enfin l'arrivée des ordinateurs ont complètement changé l'approche journalistique.

F Aujourd'hui, grâce à Internet, une journaliste située à l'autre bout du monde peut transmettre directement son texte à son chef de pupitre. Si ce dernier juge le reportage pertinent, il le mettra aussitôt en page électroniquement.

G Désormais, les distances sont abolies.

H Pour de nombreux lecteurs et lectrices, le papier demeure toutefois un support essentiel.

PARTIE 1 La grammaire de la phrase

Nom : ______________________ Groupe : ____________

PARTIE 1 La grammaire de la phrase

FICHE 7 LE GROUPE PRÉPOSITIONNEL

EN BREF

› Le **groupe prépositionnel** (GPrép) est un groupe de mots dont le **noyau** est une **préposition**. Parfois, le noyau du GPrép est formé d'un déterminant défini contracté (*au*, *aux*, *du*, *des*), appelé aussi préposition contractée.

› Dans le GPrép, le noyau est accompagné d'une **expansion** généralement placée à sa droite.

› Les expansions de la préposition peuvent être : un **groupe nominal** (GN), un pronom (Pron), un **groupe infinitif** (GInf), un **groupe adverbial** (GAdv) ou un autre **groupe prépositionnel** (GPrép).

› Le GPrép peut remplir diverses **fonctions**. Il peut être **complément de phrase** (Compl. de P), **complément du nom** (Compl. du N), **complément du pronom** (Compl. du Pron), **complément de l'adjectif** (Compl. de l'Adj), **attribut du sujet** (Attr. du sujet), **attribut du complément direct** (Attr. du compl. dir.), **complément indirect du verbe** (Compl. indir. du V) ou **modificateur du verbe** (Modif. du V).

EXERCICES

1 Dans les phrases suivantes :

a placez entre crochets tous les groupes prépositionnels ;

b soulignez les expansions de la préposition.

A Pendant sa longue histoire , la presse écrite s'est peu à peu spécialisée.

B Les grands quotidiens ont subdivisé l'information ; ils ont créé divers cahiers ou sections portant sur des sujets particuliers .

C C'est ainsi que sont apparues des sections comme les nouvelles nationales et internationales, le monde artistique, les sports et l'économie .

D Des journaux plus spécialisés sont également apparus afin de satisfaire un public lecteur particulier .

E Les journaux et les magazines à potins ont depuis longtemps compris qu'une clientèle friande de mondanités et de détails plus ou moins scabreux pouvait constituer un lectorat fort rentable .

Nom : ______________________ Groupe : __________

F Toutefois, des éditeurs plus sérieux ont lancé des publications à caractère scientifique très populaires .

G Les revues traitant de l'économie , de la géographie et de l'histoire ont connu un grand succès qui perdure .

H Des éditeurs de chez nous ont multiplié les revues et les magazines destinés à un jeune public .

2 Dans la première colonne du tableau ci-dessous, transcrivez chacune des expansions des prépositions que vous avez relevées dans l'exercice précédent. Dans la deuxième colonne, indiquez la composition de chaque expansion.

Expansions des prépositions	Composition de l'expansion

Nom : ______________________________ Groupe : ______________

3 Lisez le texte *Les chroniqueurs*. Soulignez tous les groupes prépositionnels et indiquez au-dessus de chacun la fonction qu'il remplit, en utilisant les abréviations appropriées.

Les chroniqueurs

Les chroniqueurs occupent une place particulière dans la presse écrite. Les chroniqueurs sont habituellement des journalistes chevronnés qui possèdent un style personnel apprécié par les lecteurs. Certains journaux recrutent aussi des personnalités qui n'appartiennent pas au monde journalistique pour écrire des chroniques spécifiques.

Pour être intéressante, la chronique doit obéir avec rigueur à certaines règles particulières.

Une chronique neutre et insipide peut être celle de n'importe qui. Une bonne chronique, elle, porte toujours la marque distinctive de son auteur. Le bon chroniqueur doit entretenir une relation privilégiée avec ses lecteurs. Le lecteur d'une chronique se prend pour un complice. Il connaît l'esprit du chroniqueur, il s'attend à être interpellé.

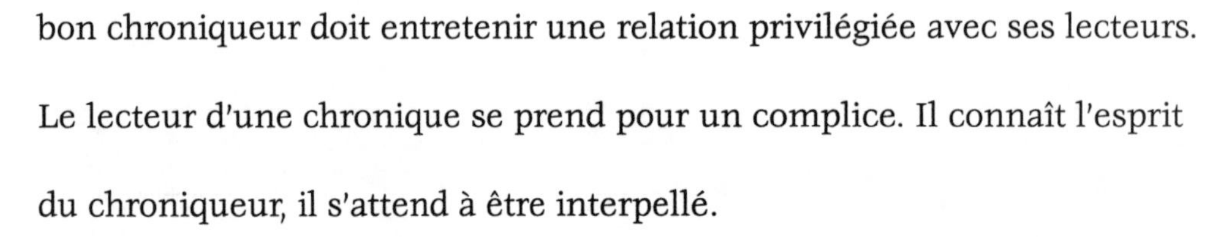

Depuis quelques années, les chroniques d'humeur occupent une place de choix dans les journaux. Lorsque l'on parle d'humeur, on se rapporte bien sûr à la façon dont on aborde les faits divers ou les actualités. Ce ne sont pas tant les faits rapportés que la façon de les présenter, de les commenter et de les interpréter qui a de l'importance. Si une chronique arrive à faire sourire le lecteur ou à le faire réfléchir, c'est que le chroniqueur a écrit un bon papier.

Nom : ______________________ Groupe : ______________

FICHE 8 LE GROUPE ADVERBIAL

EN BREF

- Le **groupe adverbial** (GAdv) est un groupe de mots dont le **noyau** est un **adverbe**.
- Le GAdv **minimal** ne contient **aucune expansion**.
- Le GAdv **étendu** contient une **expansion** qui se place **avant** l'adverbe noyau. Cette expansion est habituellement un autre **adverbe**.
- Le groupe adverbial peut remplir diverses fonctions. Il peut être : **complément de phrase** (Compl. de P), **modificateur de l'adjectif** (Modif. de l'Adj), **modificateur du verbe** (Modif. du V), **modificateur de l'adverbe** (Modif. de l'Adv) ou **attribut du sujet** (Attr. du sujet).

EXERCICES

1 Lisez le texte *Les pages éditoriales* et soulignez tous les groupes adverbiaux.

Les pages éditoriales

Dans la presse écrite moderne, les pages éditoriales jouent habituellement un rôle important. Elles reflètent généralement l'opinion politique et les valeurs défendues par le groupe dirigeant du journal.

De nos jours, dans la majorité des pays démocratiques, les pages éditoriales de la presse représentent encore deux grandes tendances. Ces tendances sont surtout d'ordre économique et politique. La presse de droite est plutôt encline à défendre le libéralisme économique, les libertés individuelles, les valeurs établies, la loi et l'ordre. La presse de gauche, forcément socialisante, préconise l'égalité et la justice sociales en donnant au gouvernement un plus grand rôle dans la répartition des richesses. Elle prône la coopération, le syndicalisme et s'oppose presque toujours aux forces brutes du marché. Elle mise surtout sur la solidarité sociale.

Dans ce contexte, les partis politiques cherchent évidemment à obtenir la faveur des organes de presse qui partagent leurs orientations. Cela signifie-t-il que les éditorialistes en chef et les membres des équipes éditoriales doivent obligatoirement défendre un seul point de vue ? La question est beaucoup plus complexe que cela. Aujourd'hui, les éditorialistes possèdent bien souvent une

Nom : ______________________ Groupe : __________

marge de manœuvre qui leur permet d'exercer leur esprit critique, même si leur opinion va à l'encontre de certaines lignes éditoriales de leur journal. Cependant, lors d'enjeux importants, comme les élections, l'éditorialiste en chef soutiendra nécessairement les orientations fondamentales de son journal.

Existe-t-il plus spécifiquement une presse non-alignée et complètement indépendante ? Dans notre monde soumis aux impératifs économiques, quelques journaux prétendent encore être les chiens de garde de la liberté de presse, jusque dans leurs pages éditoriales. Toutefois, les éditorialistes, ayant pour métier d'émettre leur opinion, ne peuvent pas faire abstraction de leurs convictions et croyances. Tout texte éditorial porte conséquemment une grande part de subjectivité, même si l'argumentation se veut rationnelle.

2 **a** Transcrivez les groupes adverbiaux étendus que vous avez soulignés dans le texte précédent ;

b soulignez l'adverbe noyau de chaque groupe ;

c indiquez la fonction de chaque groupe.

____

____

____

____

d À quelle classe de mots appartiennent les expansions dans les GAdv étendus ?

____

____

e Quelle est la fonction de ces expansions ?

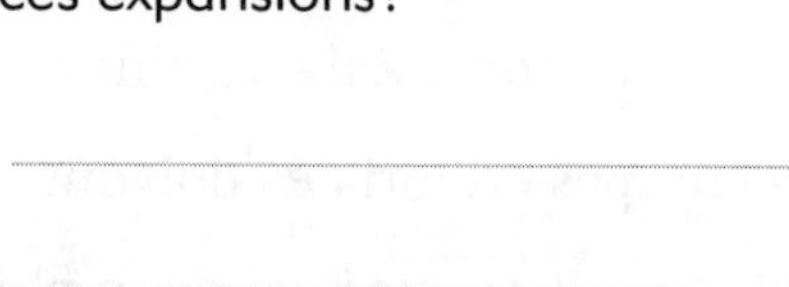

Nom : ______________________ Groupe : __________

3 Dans la première colonne du tableau suivant, transcrivez tous les GAdv minimaux que vous avez soulignés dans le texte *Les pages éditoriales*. Dans la deuxième colonne, indiquez la fonction de chacun de ces GAdv.

GAdv minimaux	Fonction

Nom : ____________________ Groupe : ____________

4 Complétez les phrases suivantes à l'aide des groupes adverbiaux ci-dessous en tenant compte des indications données entre parenthèses et du sens des phrases.

aujourd'hui ▪ autrefois ▪ mieux ▪ souvent ▪ très peu

A ____________________ (Compl. de P), à la cour du roi, il y avait le fou ;

____________________ (Compl. de P), dans les pages éditoriales, c'est le caricaturiste qui joue ce rôle.

B ____________________ (Compl. de P), la caricature éditoriale a plus d'impact que l'éditorial lui-même.

C Un célèbre caricaturiste a dit en riant que lorsqu'une de ses victimes lui donne une bonne poignée de main il a l'impression qu'elle aimerait ____________________ (Modif. du V) lui couper la main.

D Il arrive que certaines caricatures soient ____________________ (Modif. de l'Adj) appréciées. Cela fait partie des risques du métier !

Nom : ______________________ Groupe : ____________

FICHE 9 LES ACCORDS DANS LE GN

EN BREF

› Dans le groupe nominal (GN), le **nom noyau** est **donneur d'accord**. Il détermine les accords en **genre** et en **nombre** des déterminants, des adjectifs ou des participes adjectifs qui l'accompagnent.

Remarque :
Un nom non précédé d'un déterminant prend la marque du **singulier** ou du **pluriel** selon le contexte et le sens du mot.

une boîte de crayons, un bout de crayon

› **Cas particuliers d'accord du déterminant**

- Certains déterminants ne varient qu'en **genre** : *nul / nulle*.
- Certains déterminants ne varient qu'en **nombre** : *leur / leurs*.
- Certains déterminants sont **invariables** : *chaque, plusieurs*.
- Les déterminants numéraux sont **invariables**, à l'exception de *vingt* et *cent*. Ces derniers prennent la marque du pluriel uniquement s'ils ne sont pas suivis d'un nombre et s'ils sont multipliés par un autre nombre : *deux cent dix soldats, cinq cent**s** militants, quatre-vingt-quinze blessés, quatre-vingt**s** victimes*.

› **Cas particuliers d'accord de l'adjectif**

- L'adjectif complément de plusieurs noms de même genre coordonnés ou juxtaposés reçoit le genre de ces noms et se met au **pluriel** : *des mères et des épouses **éplorées***.
- L'adjectif complément de plusieurs noms de genres différents coordonnés ou juxtaposés se met au **masculin pluriel** : *des régions et des pays **dévastés***.

Attention ! L'adjectif qui suit plusieurs noms coordonnés par **et**, ***ni***, ***ainsi que***, ***de même que***, ***comme***, ***ou***, prend la marque du **pluriel** s'il se rapporte à tous ces noms. Si l'adjectif se rapporte au dernier de ces noms seulement, il se met au **singulier**.

*Voici une tomate **et** du maïs génétiquement **modifiés**.*

*La ville **ou** la campagne **éloignée** attirent une clientèle touristique différente.*

EXERCICES

1 Dans les phrases suivantes, certains noms non précédés d'un déterminant sont soulignés. Ajoutez la marque du pluriel à la fin du nom lorsque son sens et le contexte l'exigent.

A. Pendant la guerre froide, l'URSS et les États-Unis se livraient une chaude lutte au Moyen-Orient par nation_ interposées.

B. Les pays sans pétrole_ ont échappé à cette lutte de pouvoir.

C. C'est avec soulagement_ que les pays du globe ont accueilli la fin de la guerre froide.

Nom : ______________________ Groupe : __________

D Les conflits au Moyen-Orient ont des répercussions outre-frontière .

E Dans toutes les religions, l'intégrisme est source de conflits.

2 Complétez les phrases en choisissant, parmi les déterminants ci-dessous, celui qui convient au contexte.

aucun ▪ aucune ▪ chaque ▪ nul ▪ plusieurs

A ______________ conflits ont secoué les pays pétroliers du Moyen-Orient.

B ______________ doute que la présence d'énormes quantités de pétrole au Moyen-Orient a amené les grandes puissances à s'ingérer dans les affaires internes de ces pays pétroliers et à créer des tensions et des bouleversements.

C ______________ superpuissance était prête à fournir du matériel militaire à ses alliés en échange de l'or noir.

D ______________ grande puissance consommatrice de pétrole ne voulait être en reste.

E Les tensions entre frères musulmans, les luttes de pouvoir ainsi que la montée de l'islamisme radical ont aussi été le ferment de bien des guerres qu'______________ dirigeant modéré ne souhaitait provoquer.

3 Écrivez en toutes lettres les déterminants numéraux indiqués entre parenthèses.

A Il existe (1 000) ______________ bonnes raisons de s'intéresser au Proche-Orient.

B L'histoire de la Palestine remonte à plus de (3 500) ______________ ______________ ans.

Nom : ______________________ Groupe : __________

C Il est intéressant de savoir que l'État d'Israël compte (2) __________ langues officielles : l'hébreu et l'arabe.

D Plus de (80) __________ pour cent de la population israélienne est juive.

E (82) __________ pour cent des Arabes israéliens sont musulmans et (18) __________ pour cent sont chrétiens.

4 Dans le texte *Une région déchirée*, soulignez parmi les adjectifs écrits entre parenthèses celui qui est correctement accordé, compte tenu du contexte.

Une région déchirée

Avant même la fondation d'Israël en 1948, l'implantation et le développement (accélérés – accélérées) de colonies juives en Palestine créèrent plusieurs affrontements entre Arabes et Juifs. Malgré ce fait, entre les deux grandes guerres, grâce au Fonds national juif ainsi qu'aux contributions (généreux – généreuses) de la Diaspora, de nombreux colons juifs continuèrent à acheter des terres à très bas prix et à s'établir dans cette région. L'augmentation rapide de la population juive et sa progression économique suscitèrent une vague de violence chez la population arabe, qui se sentait menacée.

Lorsque Adolf Hitler prit le pouvoir en Allemagne, de nombreux Juifs européens, fuyant les persécutions et les exactions (nazis – nazie – nazies), vinrent s'établir en Palestine, au point où leur nombre décupla. Bientôt une milice arabe ainsi qu'une milice juive (clandestine, clandestines) furent créées. Les attentats entre les deux groupes extrémistes se multiplièrent.

Après la Seconde Guerre mondiale, l'ONU, déchirée devant la situation inextricable de la Palestine, proposa un plan de partage du territoire palestinien en deux États, l'un arabe et l'autre juif. Le plan fut accepté par les dirigeants juifs, mais ni l'autorité palestinienne ni la Ligue arabe, (insatisfaite – insatisfaites) des nouvelles frontières proposées, n'acceptèrent le partage.

Nom : ______________________ Groupe : ______________

Dès la proclamation unilatérale d'indépendance de l'État d'Israël, la première guerre israélo-arabe éclata. Mais la coalition arabe (cinq pays) et la résistance palestinienne (réunis – réunie – réunies) ne parvinrent pas à triompher de l'armée israélienne.

Malgré quatre armistices, le monde arabe et la population palestinienne (humilié – humiliés – humiliée) refusèrent de reconnaître le droit à l'existence du nouvel État. Cette situation ou cette défaite (totale – totales) provoqua l'exode de 800 000 Arabes palestiniens, qui se retrouvèrent pour la plupart dans des camps de réfugiés en Syrie, au Liban et en Jordanie.

Tout était en place pour un long et inextricable conflit marqué par la violence, le terrorisme, et même la mort presque toujours (omniprésents – omniprésente).

Malgré les guerres, plusieurs tentatives ont été faites pour réconcilier les deux parties. Des accords partiels et des ententes officielles ont été signés par divers dirigeants du monde arabe et par les autorités palestinienne et israélienne, mais personne n'est encore parvenu à conclure une paix ou un partage (satisfaisant – satisfaisants) du territoire.

Nom : ______________________ Groupe : ____________

FICHE 10 L'ACCORD DU VERBE

EN BREF

› Le verbe reçoit la **personne** et le **nombre** du nom noyau du GN sujet, ou du pronom sujet.

› **Cas particuliers d'accord du verbe**

- Avec un sujet constitué du pronom ***on***, le **verbe** se met à la **troisième personne du singulier**.
- Avec des sujets constitués de noms et de pronoms de **personnes différentes**, le verbe prend la marque du **pluriel** et se conjugue à la personne qui a la priorité : la 1re personne a priorité sur la 2e et la 3e, et la 2e personne sur la 3e.
- Avec un sujet constitué d'un nom précédé de ***plus de***, ***moins de***, ***peu de***, ***la plupart des***, le verbe s'accorde avec le nom sujet.
- Avec un sujet formé d'un **groupe infinitif**, le verbe se met à la 3e personne du singulier.

Attention !

- Lorsque le nom noyau du GN sujet a un complément qui contient un GN (Prép + GN), il faut s'assurer de faire l'accord avec le nom qui est le sujet.

  Les troupes de l'Irak ***subirent*** *finalement la défaite.*

- Dans certains cas, le sujet peut être très éloigné du verbe.

  Les chiites, appartenant à une religion moins égalitaire et plus élitiste dans son fonctionnement que le sunnisme, ***acceptent*** *l'existence d'un clergé et de niveaux d'initiation qui ne sont pas forcément accessibles à tous les fidèles.*

- De plus, le sujet n'est pas toujours placé avant le verbe.

  Voici le résumé de la lutte que se ***livrèrent*** *ces deux pays.*

EXERCICES

1 Dans les phrases suivantes, mettez les verbes entre parenthèses au présent de l'indicatif et accordez-les correctement.

A On (pouvoir) ______________ difficilement saisir la complexité de la situation politique au Moyen-Orient.

B Certains commentateurs et nous-mêmes (avoir) ______________ parfois une vision tronquée de ce monde en ébullition.

C Peu de gens (posséder) ______________ une connaissance approfondie de l'histoire très ancienne des peuples perse et arabe.

PARTIE 1 La grammaire de la phrase

Nom : ______________________ Groupe : __________

D Avouer sa méconnaissance (démontrer) ______________ une attitude humble.

E Les erreurs de jugement qu'(engendrer) ______________ cette méconnaissance (être) ______________ inévitables.

2 a Dans la première colonne du tableau suivant, transcrivez les GN sujets ou les pronoms sujets des verbes que vous avez accordés dans les phrases du numéro 1 ;

b dans la deuxième colonne, indiquez la personne grammaticale de chaque sujet ;

c dans la troisième colonne, indiquez le verbe qui s'accorde avec chaque sujet.

GN ou pronoms sujets	Personne grammaticale	Verbe

3 Dans les phrases suivantes, soulignez le sujet des verbes en italique.

A Est-ce que l'histoire du Moyen-Orient vous *intéresse* ?

B *Connaissez*-vous la différence entre l'islamisme chiite et l'islamisme sunnite ?

C En fait, le chiisme et le sunnisme *sont* les deux grandes sectes de la religion musulmane qui ont vu le jour au moment où il fallut assurer la succession du prophète Mahomet.

D Les chiites croient que Ali *a été désigné* par Mahomet comme son successeur et qu'il est le Guide spirituel des musulmans.

Nom : ______________________ Groupe : __________

E De leur côté, les sunnites reconnaissent le califat. Plusieurs califats ont existé depuis la fondation de l'islam, à la suite de la lutte que *se livrèrent* les différents prétendants au titre de successeur du Prophète.

4 **Lisez le texte *La Perse ancienne, l'Iran moderne et l'Irak* et accordez correctement tous les verbes entre parenthèses au mode et au temps demandés.**

La Perse ancienne, l'Iran moderne et l'Irak

On (apprendre, *indicatif présent*) ______________________ dans les livres d'histoire que la Perse tire son nom d'une région du sud de l'Iran appelée Perside ou Parsa. La plupart des historiens (s'accorder, *indicatif présent*) ______________________ à dire que le nom « Perse » désigne un pays de l'Antiquité situé entre la mer Caspienne et le golfe Persique, qui (s'étendre, *passé simple*) ______________________ progressivement pour finalement englober tout le plateau iranien.

Depuis longtemps, les Perses eux-mêmes appelaient leur pays « Iran » et, en 1935, le gouvernement demanda l'adoption officielle de ce nom. Ni vous ni moi ne (devoir, *indicatif présent*) ______________________ donc nous étonner que la langue officielle des Iraniens soit le persan moderne (ou farsi), et non l'arabe.

Toutefois, en 632, la Perse fut envahie par les Arabes et la religion islamique y (remplacer, *passé simple*) ______________________ peu à peu la religion ancienne du zoroastrisme.

Connaître l'histoire de la Perse ancienne (permettre, *indicatif présent*) ______________________ de comprendre la rivalité qui existe aujourd'hui entre l'Iran et l'Irak. Même si la majorité de la population de ces deux pays (être, *indicatif présent*) ______________________ de religion islamique chiite, il n'en demeure pas moins que l'appartenance ethnique, la culture et la langue de ces pays ne sont pas les mêmes.

PARTIE 1 La grammaire de la phrase

Nom : ______ Groupe : ______

Les origines de la guerre Iran-Irak (1980-1988) (être, *passé simple*) ______ multiples. On (savoir, *indicatif présent*) ______ qu'une rivalité ancienne entre Arabes et Perses (exister, *indicatif imparfait*) ______ depuis longtemps. De plus, il s'agissait, entre autres, d'une lutte pour la suprématie territoriale entre deux dirigeants qui, chacun à leur façon, (exercer, *indicatif imparfait*) ______ un pouvoir dictatorial sur leur peuple.

Pendant cette guerre, les alliances traditionnelles que (maintenir, *indicatif imparfait*) ______ l'Iran avec certains pays occidentaux et les autres pays du Moyen-Orient (se modifier, *passé simple*) ______ considérablement. En 1988, l'Iran, incapable de poursuivre les combats, (accepter, *passé simple*) ______ le cessez-le-feu demandé par l'ONU un an plus tôt. Les deux pays sortirent exsangues d'une guerre qui avait fait plus de 1 200 000 morts. L'Irak apparut alors comme un joueur majeur dans l'échiquier politique du Moyen-Orient. Cette suprématie allait le conduire à l'invasion du Koweït, qui (entraîner, *passé simple*) ______ la guerre du Golfe de 1990-1991.

L'Irak, désormais stigmatisé par les États-Unis et soumis à un embargo de l'ONU, (connaître, *passé simple*) ______ ensuite des années catastrophiques. En 2003, une coalition alliée des États-Unis et du Royaume-Uni, soutenue par cinq autres pays, (attaquer, *passé simple*) ______ l'Irak et (renverser, *passé simple*) ______ le régime en place.

Trois ans après la fin officielle de la guerre, on (constater, *indicatif présent*) ______ que le nouveau gouvernement de l'Irak est fragile. Les violences quotidiennes, dans un contexte de guerre civile entre les chiites et les sunnites, entre le pouvoir en place et les groupes islamistes, (faire, *indicatif présent*) ______ toujours la manchette des nouvelles télévisées, pendant que l'invasion américaine est de plus en plus critiquée.

Nom : ______________________ Groupe : ____________

FICHE 11 L'ACCORD DE L'ADJECTIF ATTRIBUT DU SUJET ET DU PARTICIPE PASSÉ EMPLOYÉ AVEC *ÊTRE*

EN BREF

› L'adjectif attribut du sujet s'accorde en **genre** et en **nombre** avec le nom noyau du GN sujet ou avec le pronom sujet. L'adjectif attribut accompagne le verbe *être* ou un autre verbe attributif.

› En règle générale, le participe passé employé avec l'auxiliaire ***être*** s'accorde en **genre** et en **nombre** avec le nom noyau du GN sujet ou avec le pronom sujet.

EXERCICES

1 Dans les phrases suivantes :

a soulignez les adjectifs attributs du sujet et les participes passés employés avec l'auxiliaire *être* ;

b soulignez de deux traits le nom ou le pronom donneur d'accord de chaque adjectif ou de chaque participe passé soulignés.

A Les grands conflits qui se poursuivent au 21e siècle sont parfois difficiles à analyser.

B Ils sont souvent issus de la guerre froide qui a divisé le monde en deux blocs idéologiques au siècle dernier.

C La chute du communisme en Europe a entraîné de multiples bouleversements dont les effets sont encore palpables aujourd'hui.

D Après l'effondrement de l'URSS, de vieilles tensions ethniques et religieuses sont réapparues.

E La guerre meurtrière qui a provoqué l'éclatement de l'ancienne Yougoslavie est probante à cet égard.

F Après une série de guerres civiles sanglantes, les six anciennes républiques de la Yougoslavie, soit la Bosnie-Herzégovine, la Croatie, la Macédoine, le Monténégro, la Serbie et la Slovénie, sont aujourd'hui devenues indépendantes.

PARTIE 1
La grammaire de la phrase

Nom : ______________________ Groupe : ______________

2 Dans le texte suivant, accordez les adjectifs attributs du sujet et les participes passés soulignés avec le sujet donneur d'accord.

Une ville frappée par la fureur guerrière

La ville de Sarajevo, capitale de la Bosnie-Herzégovine, est devenu__ le symbole de l'absurdité des guerres. Lorsqu'elle fut choisi__ pour accueillir les Jeux olympiques d'hiver, en 1984, cette magnifique ville de 500 000 habitants était perçu__ par tous comme un modèle d'intégration culturelle et économique. Les œuvres artisanales qu'on pouvait y admirer, ainsi que les produits haut de gamme dans le domaine du tapis, de la soie et de la joaillerie étaient fort prisé__ par les touristes qui affluaient de partout.

Ville aux multiples visages, avec sa cité ancienne d'inspiration orientale qui fut fondé__ par les Turcs et sa partie moderne qui était fort occidentalisé__, Sarajevo abritait plusieurs institutions éducatives et culturelles qui étaient réputé__ dans le monde entier.

Sarajevo est devenu__ l'enjeu de conflits sanglants entre les Serbes, les Croates et les Musulmans bosniaques lorsque la Bosnie-Herzégovine a déclaré son indépendance en 1992. Après qu'elle eut été assiégé__ et bombardé__ pendant plus de quatre ans, la ville se retrouva déserté__ et en ruine à la fin de la guerre, en 1995. Plus de 35 000 bâtiments, dont des hôpitaux, des centres de communication et des complexes industriels, avaient été complètement détruit__. Le Musée national, l'université et même la bibliothèque nationale n'avaient pas été épargné__, entraînant ainsi la disparition d'une grande partie du patrimoine culturel de la ville.

Depuis ces années sombres, Sarajevo est heureusement parvenu__ à panser une partie de ses plaies. Si certaines pertes semblent irremplaçable__, la majeure partie des dommages faits aux bâtiments pendant la guerre ont été réparé__. Les ruines et les impacts de balles sont pratiquement disparu__. Aujourd'hui, de nombreux projets de construction en font une des villes de l'ex-Yougoslavie à très forte croissance.

Nom : ______________________ Groupe : ______________

FICHE 12 L'ACCORD DU PARTICIPE PASSÉ EMPLOYÉ AVEC *AVOIR*

EN BREF

› Le participe passé employé avec l'auxiliaire ***avoir*** s'accorde avec le **complément direct** (Compl. dir.) si ce complément est **placé avant le verbe**. C'est le nom noyau du GN ou le pronom complément direct qui donne son genre et son nombre au participe passé.

› Lorsque le complément direct est placé **après le verbe**, le participe passé employé avec *avoir* est **invariable**.

› Le participe passé employé avec *avoir* est également **invariable** si le verbe n'a pas de complément direct.

EXERCICE

1 Dans les phrases suivantes :

a accordez les participes passés soulignés ;

b soulignez, s'il y a lieu, le nom noyau ou le pronom des compléments directs donneurs d'accord.

A Les actes terroristes d'al-Qaida, et particulièrement ceux du 11 septembre 2001 contre les tours jumelles du World Trade Center, ont replongé___ l'Afghanistan dans la guerre.

B Pour contrer les Soviétiques qui, dans les années 1980, avaient envahi___ l'Afghanistan, une organisation moudjahidine de résistance fut créée.

C Financée par de multiples dons en provenance des pays islamiques, cette organisation que les États-Unis avaient appuyé___ pour combattre le communisme fut fondée par Oussama Ben Laden, aidé d'un militant palestinien.

D Après le retrait de l'armée soviétique en 1989, beaucoup de moudjahidines ont voulu___ étendre leurs luttes islamistes dans d'autres régions du monde.

E C'est à cette époque qu'al-Qaida a développé___ un réseau d'influence mondial et que les attentats terroristes ont commencé à se multiplier.

PARTIE 1 La grammaire de la phrase

Nom : ______________________ Groupe : ______________

F Or, c'est en Afghanistan et auprès du régime des talibans que Ben Laden et ses lieutenants, chassés du Soudan, ont trouvé refuge, dans les années 1990.

G Les nombreux camps d'entraînement terroriste qu'al-Qaida avait installé dans ce pays et l'influence grandissante de Ben Laden firent que les talibans eux-mêmes devinrent fortement assujettis à al-Qaida.

H Après les attentats du 11 septembre 2001, les États-Unis, à la poursuite de Ben Laden et de ses principaux complices, ont expédié leur armée en Afghanistan et ont renversé le régime taliban en quelques mois, sans toutefois parvenir à capturer leur ennemi numéro un.

I Les difficultés que le nouveau régime afghan a affronté depuis ce temps s'expliquent surtout par les divisions ethniques et les luttes de pouvoir entre les différents clans religieux modérés et extrémistes qui ont toujours divisé le pays.

J L'assistance que les forces de l'OTAN, comportant 37 pays dont le Canada, a apporté au nouveau gouvernement demeure encore insuffisante pour contrer les attaques terroristes des talibans, qui ont réussi à fuir et à se retrancher dans les montagnes à la frontière du Pakistan.

K Pire encore, la traque des membres d'al-Qaida a démontré que ce mouvement terroriste était beaucoup plus une nébuleuse islamique diffuse qu'une organisation fortement structurée.

L Bref, n'importe quelle cellule islamique terroriste peut se réclamer d'al-Qaida, et tant que le Moyen-Orient n'aura pas retrouvé un certain équilibre, la possibilité d'autres attentats terroristes demeure, hélas, bien réelle.

Nom : ______________________ Groupe : ____________

FICHE 13 L'ACCORD DE *TOUT*

EN BREF

› Le mot ***tout*** employé comme **déterminant** s'accorde en genre et en nombre avec le nom qu'il accompagne. Il peut se placer devant d'autres déterminants qui accompagnent le nom.

tout individu, toute personne, tous les journalistes, toutes les pages

› Lorsqu'il est **pronom**, le mot **tout** prend le genre et le nombre du groupe de mots qu'il représente. Au singulier, il est toujours masculin.

Tout a été dit. Tous sont d'accord. Toutes ont accepté.

› Placé devant un adjectif, le mot ***tout*** est **adverbe** et invariable, sauf lorsqu'il est placé devant un adjectif féminin commençant pas une consonne ou un ***h*** aspiré.

Elles sont tout emballées. Elles sont toutes fraîches.

Attention ! Le mot ***tout*** devant ***autre*** peut être **déterminant** ou **adverbe**. Lorsqu'il a le sens de « n'importe quel », il est déterminant et variable. Lorsqu'il signifie « tout à fait », il est adverbe et invariable.

Toute autre demande sera refusée. C'est une tout autre attitude.

PARTIE 1 La grammaire de la phrase

EXERCICES

1 Indiquez dans la deuxième colonne du tableau à quelle classe de mots appartient le mot *tout* employé dans les phrases suivantes.

Phrases	Classes des mots
Il est impossible de *tout* savoir.	
Toute personne censée le reconnaîtra.	
Il importe plutôt de savoir trouver les renseignements qui nous manquent en consultant *toutes* les sources qui sont mises à notre disposition.	
Quelles sources ? *Toutes* n'ont pas la même valeur.	
Elles ne sont pas *toutes* fiables.	
Tout confiant que vous soyez, il faut quand même bien vérifier la qualité et la fiabilité de vos sources.	
Dans Internet, vous trouverez réponse à presque *toutes* vos questions.	
Mais nous savons *tous* que certains sites manquent de sérieux.	
Le Web, *tout* précieux qu'il soit, n'est pas infaillible.	

Nom : ______________________________ Groupe : ____________

2 **Complétez le texte suivant en ajoutant le mot *tout* dans les espaces prévus à cette fin. Accordez le mot *tout*, s'il y a lieu.**

Tout, vraiment tout ?

Ma sœur, ____________ fébrile, venait de terminer ____________ son travail de recherche sur les conflits qui font rage dans ____________ le Moyen-Orient. « J'ai trouvé ____________ mes informations dans Internet », me dit-elle, ____________ énervée. ____________ autre personne que moi aurait apprécié sa rapidité. Mais j'étais méfiante au sujet de la provenance de ses sources de renseignements. « As-tu bien vérifié la fiabilité de ____________ les sites que tu as consultés ? » lui demandai-je.

Elle me regarda ____________ étonnée. « Que veux-tu dire par ____________ *les sites* ? J'ai pris ____________ mes renseignements dans un seul site encyclopédique en ligne. Je n'avais pas besoin de chercher ailleurs. ____________ était là ! »

Je ne voulais pas la décourager, mais mes doutes étaient bien fondés.

— Tu ne peux pas, lui dis-je, te fier à une seule encyclopédie en ligne où tout un chacun apporte des renseignements difficiles à vérifier. Il peut s'y glisser ____________ sortes d'erreurs.

— Veux-tu dire que je dois ____________ recommencer ? me demanda-t-elle ____________ penaude.

— Pas du ____________ ! Mais tu dois contre-vérifier les informations qui te semblent obscures ou trop subjectives en consultant d'autres sites plus officiels. Allez, je vais t'aider. Un pour ____________. ____________ pour un !

Nom : ______________________ Groupe : ____________

FICHE 14 L'ACCORD DE *POSSIBLE*

EN BREF

› Lorsque le mot ***possible*** est employé comme **nom**, il est précédé d'un déterminant et il est au singulier : *J'ai fait mon possible.*

› Lorsque ***possible*** est employé comme **adjectif**, il s'accorde généralement soit avec le nom dont il est le complément dans le GN, soit avec le noyau du GN sujet s'il est attribut du sujet : *Il y a deux solutions possibles. Quatre réponses sont possibles.*

› L'adjectif ***possible*** demeure invariable lorsqu'il est employé après une **expression** de **comparaison** ou de **degré** comme *le plus (de), le moins (de), les plus, les moins, le mieux, les meilleurs, les pires, etc.* : *Donnez le plus de réponses possible.*

Remarque :
Si un nom précédé d'une expression de comparaison ou de degré est introduit par *des*, l'adjectif ***possible*** se met généralement au pluriel : *C'est la meilleure des solutions possibles.*

EXERCICE

1 Dans les phrases ci-dessous, accordez correctement l'adjectif *possible* au pluriel et, s'il y a lieu, soulignez les expressions de comparaison ou de degré.

A. Il existe plusieurs sources d'information possible____.

B. Les sources d'information doivent cependant être les plus fiables possible__.

C. Dans le meilleur des mondes possible__, seule l'objectivité aurait sa place.

D. Les renseignements erronés ne seraient plus possible__.

E. Il faut s'efforcer de faire le moins d'erreurs possible__.

F. Depuis que le monde est monde, il n'a jamais été possible__ d'éviter complètement la désinformation.

G. Les meilleurs médias possible__ transmettent parfois, malgré eux, de fausses informations.

H. Ces erreurs sont toujours possible__.

I. Il est donc important, tant pour eux que pour nous, d'avoir accès à toutes les sources possible__.

Nom : ______________________ Groupe : ____________

FICHE 15 L'ACCORD DE *MÊME*

EN BREF

› Le mot ***même*** est **déterminant** et variable lorsqu'il est placé devant un nom et qu'il désigne l'identité ou la ressemblance. Dans ce cas, il est souvent précédé de l'un des déterminants *le*, *la* ou *les* : *Nous n'avons pas les mêmes idées.*

› Le mot ***même*** est **pronom** quand il est précédé de l'un des déterminants *le*, *la* ou *les* et qu'il n'accompagne aucun nom ; dans ce cas, il est généralement attribut : *Ce sont toujours les mêmes qui parlent.*

› ***Même*** est **adverbe** et invariable lorsqu'il a le sens de « aussi », « de plus », « jusqu'à ». Il peut modifier un nom, un adjectif ou un verbe : *Même ses meilleurs amis ne sont pas d'accord avec lui.*

EXERCICE

1 Complétez les phrases suivantes à l'aide du mot *même*, accordez-le s'il y a lieu et indiquez entre les parenthèses à quelle classe de mots il appartient.

A La liberté d'expression n'est pas la ____________ (____________) dans tous les pays.

B Dans certains pays, ____________ (____________) les médias indépendants sont censurés.

C Sous les dictatures militaires, les opinions les plus inoffensives peuvent ____________ (____________) conduire les journalistes en prison.

D ____________ (____________) certains pays supposément démocratiques pratiquent la censure.

E Les gouvernements sont tous les ____________ (____________) : ils reprochent aux médias d'abuser de la liberté d'expression.

F L'histoire récente comporte les ____________ (____________) histoires d'horreur que l'histoire ancienne.

G Des centaines de journalistes ont été assassinés au cours des dix dernières années pour les ____________ (____________) raisons que jadis.

H Défendre la liberté d'expression demeure, ____________ (____________) de nos jours, un geste courageux.

Nom : ______________________ Groupe : ______________

FICHE 16 L'ACCORD DE *TEL*

EN BREF

› Le mot ***tel*** employé comme **déterminant** s'accorde en genre et en nombre avec le nom qu'il accompagne dans le GN.

La nouvelle sera diffusée tel jour, à telle heure.

› Employé comme **adjectif**, le mot ***tel*** s'accorde généralement soit avec le nom dont il est le complément dans le GN, soit avec le noyau du GN sujet s'il a la fonction d'attribut du sujet.

Telle est mon opinion.

Remarques :

– Lorsque l'adjectif ***tel*** introduit une comparaison ou un exemple, l'accord se fait différemment selon que ***tel*** est suivi de ***que*** ou non. Lorsqu'il est suivi de ***que***, le mot ***tel*** s'accorde avec le nom qui le précède, sinon il s'accorde avec le nom qui suit.

Les sources d'information telles qu'Internet transforment notre vie. Les médias électroniques tel Internet procurent un accès instantané à l'information.

– Dans la locution ***tel quel***, les deux mots s'accordent avec le nom auquel ils se rapportent.

La nouvelle a été publiée telle quelle dans tous les grands journaux.

EXERCICE

1 Dans les phrases suivantes, accordez correctement les mots *tel*, *tel que* et *tel quel* écrits entre parenthèses.

A J'ai appris à me méfier d'une certaine presse, (tel) ______________ les journaux à potins.

B Les manchettes rédigées au conditionnel, (tel que) ______________ « des chercheurs auraient découvert un remède miracle contre la grippe », me laissent perplexe.

C Il faut toujours se méfier des rumeurs, (tel) ______________ est ma devise.

D Même des personnes sérieuses (tel) ______________ les scientifiques ont été victimes de canulars.

PARTIE 1
La grammaire de la phrase

Nom : ______________________ Groupe : ____________

E Accepter l'information (tel quel) ______________, sans questionnement, relève de la naïveté.

F Combien de fois avons-nous entendu des personnes de bonne foi répéter, (tel) ______________ des perroquets, d'énormes faussetés ?

G Les médias électroniques (tel que) ______________ la radio et la télévision vivent dans l'instantanéité.

H Comment se retrouver devant un (tel) ______________ fatras d'informations ?

I Plusieurs croient que les médias écrits (tel) ______________ le journal et la revue sont plus fiables.

J Ses propos ont été rapportés (tel quel) ______________ par la journaliste.

K Les journaux annoncent que la grève sera déclenchée (tel) ______________ jour, à (tel) ______________ heure.

L Il vaut mieux exercer son jugement critique plutôt que d'adopter aveuglément (tel) ______________ opinion émise par (tel) ______________ journaliste.

M Certains articles d'opinion (tel que) ______________ les lettres des lecteurs nous permettent d'avoir accès à des points de vue variés sur un sujet d'actualité.

Nom : ______________________________ Groupe : ______________

FICHE 17 L'ACCORD DE *QUELQUE*

EN BREF

› ***Quelque*** est **déterminant** et s'écrit en un seul mot lorsqu'il a le sens de « un certain » au singulier et de « un petit nombre » au pluriel.

Nous éprouvons quelque méfiance à son endroit. J'ai exprimé quelques réticences à propos de son projet.

› ***Quelque*** est **adverbe**, donc invariable, lorsqu'il est placé devant un déterminant numéral. Il a le sens de « environ ».

Nous avons répertorié quelque deux cents sites se rapportant à ce sujet.

› ***Quel que*** s'écrit en **deux mots** lorsqu'il est immédiatement suivi d'un verbe attributif au subjonctif comme *être* (parfois précédé de verbes comme *devoir*, *pouvoir*). Dans ce cas, ***quel que*** signifie « peu importe » ; le mot ***quel*** est alors attribut et s'accorde avec le nom noyau sujet du verbe.

Quelles que soient les informations, il faut faire preuve d'esprit critique.

› Dans l'expression ***quelque... que***, toujours suivie du subjonctif, ***quelque*** s'écrit en un seul mot. *Quelque* est **adverbe** et invariable devant un adjectif ou un autre adverbe s'il a le sens de « si » ou de « aussi ».

Quelque *longues* ***qu'****elles soient, nous publions intégralement les lettres de nos lecteurs.*

Quelque *rapidement* ***que*** *je lise, je n'ai jamais le temps de lire plus d'un journal chaque jour.*

› Il est **déterminant** et variable devant un nom, que ce nom soit précédé ou non d'un adjectif, s'il a le sens de « peu importe ».

Quelques *sujets* ***qu'****elle aborde, cette éditorialiste écrit toujours des articles percutants.*

Quelques *sérieux sujets* ***qu'****il aborde, ce chroniqueur réussit toujours à nous faire sourire.*

EXERCICE

1 Complétez les phrases suivantes avec *quelque* ou *quel que* et accordez-les s'il y a lieu.

A ______________________ soient les opinions, il faut toujours s'attarder aux arguments.

B Seules les opinions tranchées semblent susciter ______________________ intérêt chez les lecteurs.

PARTIE 1 La grammaire de la phrase

Nom : ______________________ Groupe : ____________

C ______________ journaux refusent les lettres trop longues, mais la plupart les abrègent.

D Les quotidiens reçoivent parfois ______________ centaines de courriels en quelques heures.

E Quand ______________ mille lecteurs frustrés menacent d'annuler leur abonnement, la personne responsable du courrier des lecteurs publie habituellement un rectificatif.

F ______________ soit l'heure de tombée, un journal est toujours à l'affût d'une nouvelle de dernière minute.

G Les journaux tiennent de plus en plus compte de l'opinion de leurs lecteurs, ______________ soit l'orientation politique exprimée.

H Il n'en fut pas toujours ainsi ; il y a ______________ dix ans, les pages réservées aux lecteurs étaient beaucoup plus réduites.

I ______________ journaux que je lise, j'y retrouve les mêmes nouvelles, souvent les mêmes opinions.

J ______________ controversés que soient les débats, ils ne doivent pas être évités.

K ______________ rarement qu'elles lisent les journaux, elles sont bien informées.

Nom : ______________________ Groupe : ____________

FICHE 18 L'ACCORD DES ADJECTIFS DE COULEUR

EN BREF

› Les adjectifs de couleur formés d'**un seul mot** s'accordent avec le nom auquel ils se rapportent.

des tulipes jaunes

› Les adjectifs de couleur formés de **deux ou plusieurs mots** demeurent invariables.

des robes bleu foncé, une tunique vert olive

› Les adjectifs de couleur **provenant d'un nom** sont généralement invariables, à l'exception de *écarlate, fauve, mauve, pourpre, rose* et de quelques autres.

des étiquettes orange, des rubans roses

EXERCICE

1 Dans le texte suivant, accordez s'il y a lieu les adjectifs de couleur.

Des couleurs, des opinions et des femmes

Les opinions ont-elles une couleur ? Il semble bien que oui. Les partis politiques ont été sans doute les premiers à s'approprier une couleur identitaire. Nous savons tous que les conservateurs sont bleu___, que les libéraux sont rouge___ et que le parti vert___ défend les grandes causes environnementales. Avant eux, plusieurs mouvements, à travers l'histoire, ont utilisé la couleur comme symbole de ralliement : les communistes soviétiques avaient leur drapeau rouge___, les supporteurs de Mao brandissaient leurs petits livres rouge___, tandis que Hitler avait son commando de chemises brun___ et que son allié Mussolini appelait sa milice les chemises noir___.

Il est beaucoup plus agréable de se rappeler qu'en 1980 des Québécoises ont fondé une revue intitulée *La Vie en rose*. Ce titre se voulait ironique, puisqu'il s'agissait d'un magazine voué à la cause du féminisme. Les petites filles dans leurs belles robes rose___ étaient devenues rouge___ pour ne pas dire écarlate___ de colère. Elles revendiquaient à l'encre noir___ dans leurs pages blanc___ leur émancipation et l'égalité entre les sexes. Elles en avaient assez des magazines féminins qui ne parlaient que de mode et de produits de beauté, allant des talcs orange brûlé___ aux mascaras noir charbon___, en passant par les rouges à lèvres carmin___ ou marron___.

PARTIE 1 La grammaire de la phrase

Nom : ______________________________ Groupe : ______________

FICHE 19 L'ACCORD DE *DEMI* ET *NU*

EN BREF

› L'adjectif ***demi*** est **invariable** et s'écrit avec un **trait d'union** quand il précède le nom. Dans l'expression **et *demi***, l'adjectif ***demi*** prend le **genre** du nom qui le précède mais reste au **singulier**.

une demi-bouteille, une heure et demie

› Le mot ***demi*** est **adverbe** et **invariable** quand il précède un adjectif, et il se joint à celui-ci par un trait d'union.

les volets demi-ouverts

› L'adjectif ***nu*** est **invariable** et s'écrit avec un **trait d'union** quand il précède le nom. Placé après le nom, l'adjectif ***nu*** s'accorde en **genre** et en **nombre** avec le nom qui le précède.

Elle est sortie nu-tête. Il travaille bras nus.

EXERCICE

1 Dans les phrases suivantes, accordez correctement les adjectifs *demi* et *nu* écrits entre parenthèses, en utilisant, s'il y a lieu, le trait d'union.

A *Pieds (nu)* ______________ *dans l'aube* est le titre du premier roman que publia Félix Leclerc, en 1946.

B Lorsque le soleil d'été brûlait les champs, les fermiers suaient sous leurs chapeaux de paille, car personne n'allait faucher les foins (nu) ______________ tête.

C C'était l'époque où, à quatre heures et (demi) ______________ du matin, les hommes se rendaient à l'étable pour traire les vaches.

D Dans ce Québec rural, les familles nombreuses étaient la norme ; les enfants tête (nu) ______________ et pieds (nu) ______________ s'amusaient avec des (demi) ______________ riens.

E Les vieux assis sur leur balcon, les yeux (demi) ______________ fermés, fumaient la pipe en rêvant de récoltes abondantes.

F Le temps s'écoulait lentement, tandis que la grande horloge du salon sonnait les (demi) ______________ heures.

Nom : ______________________________ Groupe : ______________

FICHE 20 L'ACCORD DES ADJECTIFS QUI SE TERMINENT PAR *-ET* ET *-C*

EN BREF

› La majorité des adjectifs qui se terminent par ***-et*** au masculin changent ***-et*** en ***-ette*** au féminin.

coquet/coquette, cadet/cadette

Exceptions : Seuls les neuf adjectifs en ***-et*** suivants se terminent par ***-ète*** au féminin : *complet/ète, incomplet/ète, concret/ète, désuet/ète, discret/ète, indiscret/ète, inquiet/ète, replet/ète* et *secret/ète*.

› Les adjectifs qui se terminent par ***-c*** au masculin changent ***-c*** en ***-que*** au féminin.

public/publique, turc/turque

Exceptions : L'adjectif ***grec*** fait exception à cette règle puisque le ***-c*** n'est pas supprimé au féminin (*gre**c**que*) ; l'adjectif ***laïque*** est lui aussi une exception puisque cette forme vaut aussi bien pour le féminin que pour le masculin. De plus, les adjectifs ***blanc***, ***sec*** et ***franc*** remplacent le ***-c*** par ***-che*** au féminin.

EXERCICE

1 Dans les phrases suivantes, accordez correctement les adjectifs écrits entre parenthèses.

A Est-ce que les confessions (public) ______________ vous intéressent ?

B Écoutez-vous les tribunes téléphoniques à la radio où l'on pénètre dans la vie des gens d'une façon (indiscret) ______________ ?

C Méfiez-vous des animateurs qui ont carte (blanc) ______________ et qui traitent les auditeurs comme des imbéciles (complet) ______________.

D Dans bien des régions du Québec, des radios « poubelles » polluent les ondes en répandant leurs calomnies et leurs idées (simplet) ______________.

E La retenue verbale serait-elle devenue (caduc) ______________ ?

F Une grande partie de la population demeure (muet) ______________ devant un tel abus de l'espace sonore (public) ______________.

G Fermons la radio et retrouvons les vertus (secret) ______________ du silence.

Nom : ______________________ Groupe : ______________

FICHE 21 RECONNAÎTRE LES ÉLÉMENTS COORDONNÉS OU JUXTAPOSÉS

EN BREF

› Les phrases de **même niveau syntaxique** et les groupes de mots de **même fonction** peuvent être coordonnés ou juxtaposés. Toutefois, ils doivent être **liés par le sens**.

› La **coordination** consiste à joindre des phrases ou des groupes de mots à l'aide d'un **coordonnant** tel que *et, aussi, de plus, ainsi, car, en effet, mais, puis, ou*, etc.

› La **juxtaposition** consiste à joindre des phrases ou des groupes de mots uniquement par un **signe de ponctuation** (virgule, point-virgule, deux-points).

EXERCICES

1 Dans le texte suivant, soulignez les phrases et les groupes de mots juxtaposés, et encerclez le signe de ponctuation qui les joint.

La mondialisation et le monde de l'emploi

Depuis que le commerce s'est mondialisé, le monde de l'emploi dans les pays industrialisés et développés subit de multiples changements, de rapides bouleversements et de rapides mutations. Qui aurait pu prévoir que l'industrie du textile et du vêtement, jadis si florissante en Amérique du Nord, allait migrer aussi rapidement vers les pays en voie de développement comme l'Inde, la Chine, les pays du Sud-Ouest asiatique et certains pays de l'Amérique latine ?

Le monde de l'emploi change, le milieu du travail évolue et il faut s'ajuster à cette nouvelle réalité. Revenons à l'industrie du textile, du vêtement ou de la mode. Si la fabrication traditionnelle nous échappe, cela veut-il dire qu'il n'y a plus aucun avenir dans ce secteur industriel ? Lorsque nous voyons le nombre grandissant de designers de mode québécois en train de conquérir le marché international, lorsque nous constatons que des PME de pointe inventent des types de tissus révolutionnaires dans le domaine des vêtements de plein air, nous devons reconnaître que de nouveaux débouchés sont à notre portée. Le savoir-faire, la création, l'innovation et le développement de nouveaux créneaux offrent en effet d'excellentes possibilités d'emploi aux travailleurs et travailleuses de demain.

Nom : ______________________ Groupe : ____________

2 Dans cette suite du texte *La mondialisation et le monde de l'emploi*, soulignez d'un trait les phrases et les groupes de mots coordonnés, et de deux traits les coordonnants.

Il devient de plus en plus pressant de s'intéresser aux nouvelles technologies, car ce sont elles qui nous permettront d'assurer notre développement économique. Notre économie ne peut plus reposer uniquement sur l'exploitation de matières premières et sur l'industrie lourde. Notre secteur manufacturier traditionnel, c'est-à-dire celui de la fabrication reposant sur une main-d'œuvre non spécialisée, est même sur le point de disparaître au profit des pays en voie de développement.

La nouvelle économie est synonyme de nouveaux défis. Pour relever ceux-ci, il faudra être bien outillé et bien préparé. Ceux et celles qui refusent de voir la vérité en face se retrouveront dans les secteurs des services les moins bien rémunérés ou perdront leur emploi. Cela est vrai pour l'ensemble du monde du travail.

Même dans le domaine de l'informatique, l'avenir n'est pas dans la fabrication des composantes électroniques, mais dans la conception de logiciels. Les sociétés de pointe qui progressent le plus vite font de plus en plus appel à de jeunes gens compétents et créatifs, capables d'autonomie et d'adaptation.

Les travailleurs de demain devront être spécialisés, toutefois ils devront être prêts à réorienter leur carrière selon la conjoncture économique.

Les futurologues n'ont pas toujours raison, cependant nous devons prêter foi à leur prédiction selon laquelle il faudra se préparer à la polyvalence. Exercer un métier unique toute sa vie durant ne sera plus possible. C'est pour cette raison que, pour l'ensemble de la main-d'œuvre, on parle de plus en plus de formation continue ou de retour aux études.

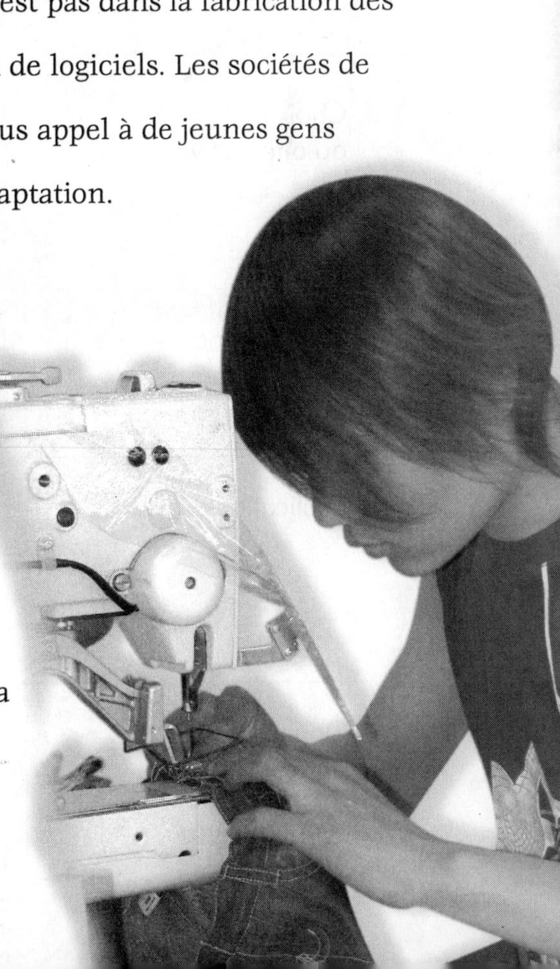

Nom : ______________________ Groupe : ______________

FICHE 22 CHOISIR LE BON COORDONNANT

EN BREF

- Les **coordonnants** jouent un rôle **sémantique**, car ils indiquent le sens de la relation qui est établie entre deux phrases ou entre deux groupes de mots.
- Les coordonnants peuvent indiquer les sens suivants : l'addition, la cause, le choix ou l'alternative, la conséquence, l'explication, l'opposition ou la restriction, le temps ou la succession.

EXERCICE

1 Dans la deuxième colonne du tableau suivant, ajoutez le bon coordonnant selon le sens indiqué dans la première colonne. Au besoin, consultez une grammaire pour connaître la liste et le sens des principaux coordonnants.

Sens de la relation	Phrases à compléter en choisissant le bon coordonnant
Addition	De bonnes études ______________ la polyvalence seront gages de succès.
Choix ou alternative	Personne ne désire être condamné à travailler toute sa vie au salaire minimum ______________ dans un emploi médiocre.
Conséquence	La mondialisation a bousculé le monde du travail ; ______________, plusieurs emplois sont disparus.
Explication	La robotique industrielle a frappé en premier lieu les travailleurs non spécialisés, ______________ ceux qui effectuaient des tâches répétitives et mécaniques.
Opposition ou restriction	Certains pensent que le monde change pour le pire ; ______________, il est utopique de penser qu'on peut revenir en arrière.

Nom : ______________________ Groupe : ______________

Sens de la relation	Phrases à compléter en choisissant le bon coordonnant
Temps ou succession	L'ère de l'automation a bouleversé l'ère de l'industrialisation, ______________ elle l'a supplantée.
Cause	Le travail manuel n'est plus valorisé, ______________ il est de moins en moins bien rémunéré.
Addition	Les raisons qui ont amené la mondialisation sont complexes ; ______________, elles ne sont pas interprétées par tous de la même façon.
Opposition ou restriction	Les altermondialistes sont parfois extrémistes ; ______________, leur combat exprime le sentiment d'impuissance de bien des gens.
Explication	La mondialisation des marchés remet bien des choses en question, ______________ elle est à la fois dénigrée et louangée.

PARTIE 1 La grammaire de la phrase

Nom : ______________________ Groupe : ____________

FICHE 23 ÉVITER LA RÉPÉTITION DANS LA COORDINATION ET LA JUXTAPOSITION

EN BREF

› Lorsque des éléments identiques se retrouvent dans des phrases ou des groupes coordonnés ou juxtaposés, on **efface** généralement les éléments qui se répètent.

L'exploitation des enfants constitue un problème grave et ~~un problème~~ difficile à résoudre.

› Une **virgule** marque l'effacement du verbe identique dans des phrases coordonnées ou juxtaposées.

Certains enfants souffrent du manque de sommeil ; d'autres, du manque de nourriture.

EXERCICES

1 Dans le texte suivant, biffez les répétitions d'éléments dans les phrases et les groupes de mots coordonnés ou juxtaposés.

L'exploitation des enfants

Depuis quelques années, de grandes compagnies internationales de fabrication de vêtements, de fabrication de chaussures et de fabrication d'équipement sportifs sont dénoncées par plusieurs groupes de pression, car elles emploient des jeunes de 13 ans et parfois même des jeunes de 11 ou 12 ans dans leurs usines du Sud-Est asiatique comme main-d'œuvre bon marché.

On dénonce ces multinationales, car on considère qu'elles exploitent de façon éhontée des enfants en les obligeant à travailler plus de soixante heures par semaine. Ces enfants travaillent dans des conditions qui frisent l'esclavage et ces enfants sont payés le centième du prix d'un travailleur nord-américain dans le même domaine.

Nom : ______________________ Groupe : ____________

Ces compagnies visent principalement le marché des jeunes consommateurs et elles sont perçues comme le pire exemple du capitalisme sauvage, voire le pire exemple du néolibéralisme.

L'indignation des groupes de pression a forcé certaines compagnies à modifier leur politique d'emploi. Cependant, plusieurs travailleurs humanitaires ont fait remarquer que la mise à pied de ces enfants les forçait à retourner mendier dans la rue. Même exploités, ces enfants apportaient un maigre soutien mais nécessaire soutien à leur famille.

Il faut par conséquent se rendre compte que la situation économique dans les pays en voie de développement commande une approche particulière, à la fois une approche réaliste et une approche innovatrice.

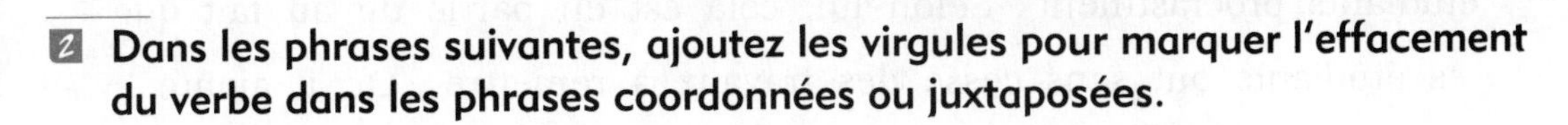

2 Dans les phrases suivantes, ajoutez les virgules pour marquer l'effacement du verbe dans les phrases coordonnées ou juxtaposées.

- Ⓐ Certains enfants travaillent soixante heures par semaine; d'autres davantage.
- Ⓑ Les jeunes filles avaient environ 13 ans et les garçons pas plus de 10 ans.
- Ⓒ Les plus âgés gagnaient deux dollars par jour; les plus jeunes un dollar.
- Ⓓ Certains enfants mangent à leur faim tous les jours; mais d'autres très rarement.

Nom : ______________________________ Groupe : ______________

FICHE 24 LA SUBORDONNÉE COMPLÉTIVE

EN BREF

› La **subordonnée complétive** est habituellement introduite dans une phrase par la **conjonction *que*** ou ***qu'*** qui joue le rôle de **subordonnant**. Cette conjonction est parfois précédée par ***à ce*** ou ***de ce***.

› La subordonnée complétive peut remplir diverses **fonctions** : elle peut être **complément direct du verbe, complément indirect du verbe, complément de l'adjectif** ou **complément du nom**. Elle peut aussi être **sujet** de la phrase.

EXERCICES

1 Dans le texte suivant, repérez les subordonnées complétives et placez-les entre crochets, puis soulignez le subordonnant qui introduit chacune d'elles.

La procrastination

Ces dernières années, plusieurs psychologues ont étudié le phénomène de la procrastination . La procrastination est la tendance à remettre au lendemain les choses que l'on doit faire . La procrastination n'est pas une maladie moderne, elle a toujours existé . Aujourd'hui encore, on constate qu'un nombre croissant de personnes en sont affectées .

Timothy Pychyl, psychologue à l'Université Carleton à Ottawa, affirme que le degré de procrastination est directement lié au nombre d'échéances que nous devons respecter . Il soutient que 90 % des étudiants procrastinent . Selon lui, cela est en partie dû au fait que les étudiants ont sans cesse des travaux à remettre . Or, il ajoute qu'une échéance est un facteur de stress et qu'il est tentant de repousser ce stress .

De plus, avec les progrès des télécommunications, on s'attend à ce que tout doive être exécuté en accéléré . L'idée qu'il faut réfléchir un certain temps avant de prendre une décision est aujourd'hui perçue comme négative . On est désormais convaincu que les décisions doivent se prendre instantanément .

Que la procrastination soit si répandue encore aujourd'hui n'a donc rien d'étonnant ...

Nom : ____________________ Groupe : __________

2 Dans la première colonne du tableau suivant, transcrivez les subordonnées complétives que vous avez relevées dans le texte précédent. Dans la deuxième colonne, indiquez la fonction de chacune.

Subordonnées complétives	Fonction de la subordonnée

Nom : ______________________ Groupe : __________

3 Complétez les phrases de l'exercice en employant une des subordonnées complétives de l'encadré ci-dessous. Vous devez tenir compte de la fonction indiquée entre parenthèses et du contexte.

- à ce que toutes les réponses nous soient données instantanément
- que l'on doive respecter de multiples échéances à tout prix
- que la procrastination disparaisse
- que les décisions doivent se prendre rapidement, sans réflexion préalable
- que plusieurs types de peurs peuvent pousser les gens à procrastiner

A. Des études ont démontré (Complément direct du verbe) ______________________

______________________.

B. De nos jours, on s'attend (Complément indirect du verbe) ______________________

______________________.

C. Dans notre monde moderne, nous sommes persuadés (Complément de l'adjectif)

______________________.

D. La seule pensée (Complément du nom) ______________________

______________________ est une importante source de stress.

E. Des psychologues doutent (Complément indirect du verbe) ______________________

______________________.

Nom : ______________________ Groupe : ______________

FICHE 25 LA SUBORDONNÉE COMPLÉTIVE INTERROGATIVE ET EXCLAMATIVE

EN BREF

› La **subordonnée complétive interrogative**, ou **subordonnée interrogative indirecte**, est une subordonnée complément d'un verbe comme *apprendre*, *chercher*, *dire*, *demander*, *se demander*, *s'informer*, *ignorer*, *se souvenir*, etc. Elle est introduite par un subordonnant qui est un **marqueur interrogatif** tel que *si*, *quand*, *qui*, *où*, *combien (de)*, *comment*, *ce que*, *ce qui*, *quel*, *à quel*, *lequel*, etc.

› La **subordonnée complétive exclamative** est une subordonnée complément d'un verbe comme *s'imaginer*, *constater*, *remarquer*, *savoir*, etc. Elle est introduite par un **subordonnant** qui est un **marqueur exclamatif** (marqueur d'intensité) tel que *combien*, *comme*, *si*, *quel*, etc.

PARTIE 1 La grammaire de la phrase

EXERCICE

1 Dans les phrases suivantes :

a mettez entre crochets les subordonnées complétives interrogatives ;
b mettez entre parenthèses les subordonnées complétives exclamatives ;
c soulignez chaque subordonnant qui introduit ces complétives.

A Nous ignorons souvent combien la productivité est un facteur essentiel d'enrichissement collectif .

B La majorité des chefs d'entreprise savent à quel point elle est synonyme de survie .

C À l'ère de la mondialisation, les économistes remarquent comme il est difficile pour les pays qui ont un faible taux de productivité d'affronter la concurrence .

D Plusieurs se demandent si l'augmentation du temps de travail, l'amélioration du processus de production et l'apport de technologies nouvelles sont des réponses adéquates aux problèmes de faible productivité .

Nom : ____________________ Groupe : ____________

E Il faut sans doute que nous apprenions pourquoi certains pays, ailleurs dans le monde, sont devenus plus compétitifs que d'autres .

F Voir les nouvelles technologies comme un facteur d'inégalités sociales et de perte d'emplois est une erreur, car nous constatons combien elles sont davantage un complément qu'un substitut au travail qualifié .

G On sait combien certains logiciels de plus en plus perfectionnés sont devenus des outils irremplaçables dans la gestion de tâches complexes .

H Mais nous ne savons pas quand l'intelligence artificielle pourra prendre des décisions à notre place .

I Nous nous demandons ce que cela signifie et nous ignorons où cela nous conduira .

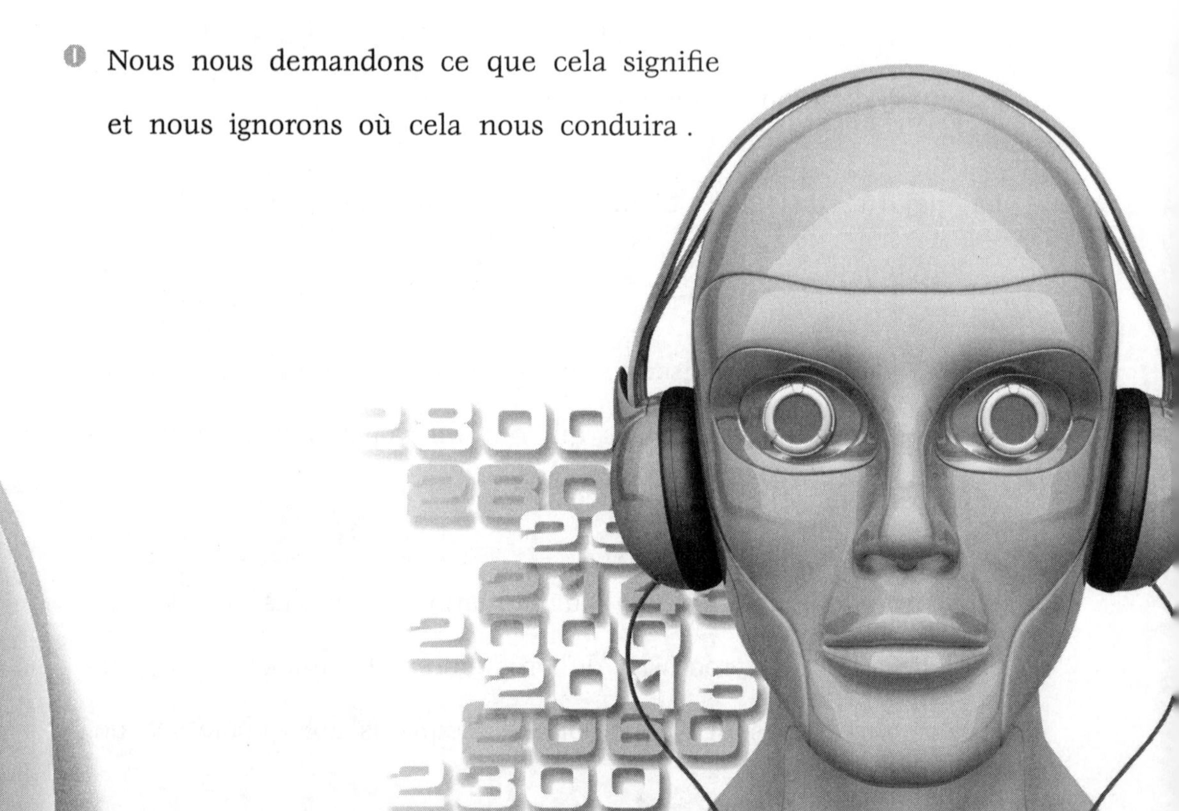

Nom : ______________________________ Groupe : ______________

FICHE 26 LES SUBORDONNÉES CIRCONSTANCIELLES DE TEMPS ET DE BUT

EN BREF

› La **subordonnée circonstancielle de temps** est introduite dans une phrase par un subordonnant qui peut exprimer la **simultanéité** (*alors que*, *au moment où*, *lorsque*, *pendant que*, *tandis que*, *quand*), **l'antériorité** (*avant que*, *en attendant que*, *jusqu'à ce que*) ou la **postériorité** (*après que*, *dès que*, *lorsque*, *quand*, *une fois que*).

› La **subordonnée circonstancielle de but** est introduite dans une phrase par un subordonnant qui peut exprimer un **but à atteindre** (*afin que*, *pour que*, etc.) ou **à éviter** (*de crainte que*, *de peur que*, etc.).

› Les subordonnées circonstancielles de temps et de but remplissent la fonction de **complément de phrase** (compl. de P).

EXERCICES

1 Dans le texte suivant :

a mettez entre parenthèses les subordonnées circonstancielles de temps ;

b mettez entres crochets les subordonnées circonstancielles de but ;

c soulignez leurs subordonnants.

Quel type de consommateur suis-je ?

Avant que le marketing ne devienne une science économique très complexe , le comportement des consommateurs était déjà une source de préoccupation pour les producteurs de biens et de services . Pendant que les consommateurs magasinaient dans leur établissement , les vendeurs observaient que l'attrait envers la nouveauté variait énormément d'un client à l'autre .

Alors que certains consommateurs étaient fascinés par un nouvel objet , plusieurs autres s'intéressaient davantage à des produits existant depuis longtemps . Les vendeurs en conclurent qu'il y avait des « consommateurs précoces » et des « consommateurs tardifs » .

Nom : ______________________ Groupe : ____________

Entre l'acheteur précoce et l'acheteur tardif , il y a bien sûr plusieurs autres types d'acheteurs . Vous considérez-vous comme un acheteur prudent ? Vous en êtes un lorsque vous vous renseignez sur les caractéristiques , le prix et la fiabilité d'un produit avant de l'acheter . Mais vous pouvez également être un acheteur compulsif si vous vous retrouvez les bras pleins de CD en attendant que le commis vienne vous répondre au sujet du fameux disque compact que vous recherchez depuis longtemps . Êtes-vous prêt à faire la file pendant des heures de crainte que tous les billets du spectacle de votre groupe favori ne soient vendus ? C'est donc que vous êtes aussi un consommateur fidélisé . Ainsi , selon les circonstances , nous pouvons être des consommateurs d'un type différent . Et c'est exactement ce que cherchent à connaître ceux dont le métier est de décortiquer nos habitudes de consommation au moment où elles se manifestent .

2 Dans la première colonne du tableau qui suit, écrivez les subordonnants de temps que vous avez soulignés dans le texte précédent. Dans la deuxième colonne, indiquez si ce subordonnant exprime la simultanéité, l'antériorité ou la postériorité.

Subordonnants de temps	Ce qu'ils expriment

3 Quel est le mode des verbes des subordonnées circonstancielles de temps quand elles sont introduites par un subordonnant qui exprime l'antériorité ?

____

Nom : ______________________ Groupe : ____________

4 Complétez les phrases du texte suivant en choisissant le bon subordonnant parmi ceux de la liste ci-dessous. Vous devez tenir compte du type de subordonnant indiqué entre parenthèses et du contexte.

afin que ▪ de peur que ▪ lorsque ▪ pour qu' ▪ une fois que

La décision d'achat

____________ (Temps, marquant la simultanéité) nous décidons d'acheter un produit, plusieurs facteurs entrent en jeu. Le premier est évidemment le type de produit que nous désirons nous procurer ____________ (But) l'un de nos besoins soit satisfait. L'achat de nourriture est un geste souvent spontané, alors que l'achat d'un bien durable est en général beaucoup plus réfléchi.

Le prix joue souvent un rôle déterminant dans la décision d'acheter. Malgré que l'accès au crédit soit devenu de plus en plus facile, plusieurs personnes hésiteront à se procurer un bien coûteux ____________ (But) leur budget ne se retrouve lourdement grevé.

____________ (Temps, marquant la postériorité) le prix n'est plus un obstacle d'achat, les relations interpersonnelles deviennent un important facteur décisionnel. Les bons vendeurs savent intuitivement déterminer le moment où une personne est prête à conclure un achat et se gardent bien de presser un acheteur hésitant. Ainsi, si votre décision d'achat n'est pas encore prise, vous avez tout avantage à consulter un vendeur ____________ (But) il vous fasse des suggestions.

5 Dans le texte précédent :

a relevez les verbes employés dans les subordonnées circonstancielles de but ;

b indiquez à quel mode et à quel temps sont conjugués ces verbes.

____

____

PARTIE 1 La grammaire de la phrase

Nom : ______________________ Groupe : ____________

FICHE 27 LES SUBORDONNÉES CIRCONSTANCIELLES DE CAUSE ET DE CONSÉQUENCE

EN BREF

› La **subordonnée circonstancielle de cause** est introduite dans une phrase par un subordonnant qui exprime une **relation de cause**. Les principaux subordonnants marquant la cause sont *comme, attendu que, étant donné que, parce que, puisque, vu que*, etc.

› La **subordonnée circonstancielle de conséquence** est introduite dans une phrase par un subordonnant qui marque une **relation de conséquence** ou **de résultat**. Les principaux subordonnants marquant la conséquence sont *au point que, de (telle) façon que, de manière que, de (telle) sorte que, si bien que*, etc.

› Les subordonnées circonstancielles de cause et de conséquence remplissent la fonction de **complément de phrase** (Compl. de P). Cependant, ce complément n'est pas toujours déplaçable.

EXERCICES

1 Dans le texte suivant :

a mettez entre parenthèses les subordonnées circonstancielles de cause ;

b mettez entre crochets les subordonnées circonstancielles de conséquence ;

c soulignez leurs subordonnants.

Le marketing et les consommateurs

Le marketing est une discipline de plus en plus sophistiquée qui cherche à déterminer les offres de biens et services en fonction des attitudes des consommateurs . Son rôle fondamental est d'influencer et de persuader , de sorte que plusieurs groupes de défense des consommateurs n'y voient que manipulation et propagande . De là à dire que le marketing contrôle le moindre de nos gestes est grandement exagéré parce que nous avons toujours la possibilité d'exercer notre esprit critique en matière de consommation .

Le grand public est souvent porté à confondre marketing et publicité, si bien qu'il en arrive à croire que seule la publicité fait vendre . Pourtant , rien n'est moins sûr , puisque l'histoire récente nous montre que plusieurs compagnies et commerces ont fait faillite , malgré d'énormes dépenses publicitaires .

Nom : ______________________ Groupe : ____________

2 Complétez les phrases suivantes en choisissant le bon subordonnant parmi ceux de la liste ci-dessous. Vous devez tenir compte du type de subordonnant demandé entre parenthèses et du contexte.

au point que ▪ comme ▪ parce qu' ▪ parce que ▪ si bien qu'

A Les chaînes de restauration rapide sont beaucoup plus fréquentées que les restaurants haut de gamme ______________ (Cause) les propriétaires de ces chaînes ont ciblé une clientèle moins fortunée.

B La popularité d'Internet a conduit des gens à mettre en place une foule de moyens pour tenter de connaître nos champs d'intérêt, ______________ (Conséquence) les « cookies » sont devenus omniprésents.

C ______________ (Cause) la population des pays industrialisés est fortement vieillissante, on voit de plus en plus d'entrepreneurs en construction se tourner vers le lucratif marché des résidences pour retraités.

D Les sondages téléphoniques, les questionnaires commerciaux et beaucoup d'autres moyens sont déployés afin de connaître nos habitudes de consommation, ______________ (Conséquence) il est presque impossible de vivre dans l'anonymat complet.

E La société de consommation dans laquelle nous vivons est souvent remise en question ______________ (Cause) elle est source de gaspillage et d'endettement.

Nom : ______________________ Groupe : ____________

FICHE 28 LA VIRGULE

EN BREF

› La **virgule** est le signe de ponctuation le plus fréquemment utilisé. Elle sert à marquer le **détachement**, la **juxtaposition**, l'**effacement** et la **coordination**.

EXERCICES

1 Dans les phrases suivantes, indiquez si la virgule sert à marquer le détachement (D), la juxtaposition (J), l'effacement (E) ou la coordination (C).

A Aujourd'hui, ________ il est de plus en plus difficile d'échapper à la consommation.

B L'évolution des besoins, ________ le rythme de la vie moderne, ________ la multiplication des activités et les transformations du marché du travail nous ont graduellement entraînés vers une société de consommation.

C Il est presque impossible, ________ admettent de nombreux consommateurs, ________ d'éviter la surconsommation.

D Nos besoins sont sans doute illimités, ________ mais nos ressources financières ne le sont pas.

E Certaines consommatrices dressent un budget ; d'autres, ________ une interminable liste d'achats.

F Tout est dans le comportement, ________ car aucune personne n'est contrainte d'acheter un produit qu'elle juge superflu.

G La publicité a très bien compris que l'esprit grégaire, ________ le besoin de bien paraître et la reconnaissance de ses pairs sont de puissants facteurs qui influent sur le comportement des consommateurs.

H Le règne de l'image, ________ tout le monde le subit.

I Certaines compagnies, ________ qui abusent de la confiance du consommateur, ________ sont aujourd'hui sous haute surveillance.

J Nous sommes libres d'acheter ou pas. Pourtant, ________ plusieurs consommateurs se sentent obligés de se procurer les produits à la mode.

Nom : ______________________ Groupe : __________

2 Relisez vos réponses de l'exercice précédent et indiquez, par la lettre appropriée (A, B, C…), les phrases où la virgule sert à marquer :

A le détachement d'un complément de phrase : ________

B le détachement d'un complément du nom : ________

C le détachement d'un groupe de mots mis en emphase : ________

D le détachement d'une phrase incise : ________

3 Dans le texte suivant, toutes les virgules ont été effacées ; ajoutez-les aux endroits appropriés.

La virgule et la publicité

Vous êtes-vous demandé pourquoi les messages publicitaires comportent rarement des virgules ? La publicité préfère les phrases courtes les points d'exclamation les points d'interrogation mais elle n'a que faire de la virgule et cela est fort compréhensible. La virgule celle qui marque une pause n'a pas sa place en publicité car la publicité n'a que faire des pauses. Faire une pause même une toute petite pause cela peut porter à réfléchir et le rôle de la publicité n'est pas de faire réfléchir mais bien de faire agir.

PARTIE 1 La grammaire de la phrase

Nom : ______________________ Groupe : ______________

FICHE 29 LE DEUX-POINTS

EN BREF

> Lorsque le **deux-points** sépare des **phrases juxtaposées** étroitement liées par le **sens**, la deuxième phrase peut énoncer une **explication** de ce qui est exprimé dans la première phrase.

> Le **deux-points** peut aussi servir à introduire une **énumération** ou une **citation**.

EXERCICE

1 Dans les phrases suivantes, indiquez si le deux-points sert à introduire une explication, une énumération ou une citation.

A Internet offre une panoplie de services : information, documentation, messagerie, communication, divertissement, publicité, achats, etc.

(______________________)

B Chez certains, le besoin constant de rester en contact avec le reste du monde frise l'obsession : une panne de leur serveur informatique les plongerait dans un profond désarroi. (______________________)

C Internet, le cyberespace et le monde virtuel ne sont pas sans danger : ils peuvent conduire à la perte de contact avec le monde réel, selon des psychologues.

(______________________)

D Nous en sommes même rendus à parler de cyber-intimidation : harcèlement, insultes et menaces répétées dans de faux blogues.

(______________________)

E Une de mes amies m'a dit : « Je préfère m'acheter un ordinateur portable. Je pourrai l'utiliser pour faire mes travaux à la bibliothèque. »

(______________________)

Nom : ______________________ Groupe : ____________

FICHE 30 LA PONCTUATION DANS LE DISCOURS RAPPORTÉ DIRECT

EN BREF

› Des signes de ponctuation marquent le **discours rapporté direct**, c'est-à-dire les paroles telles qu'elles ont été dites ou écrites par leur émetteur.

- Un **deux-points** précède les paroles rapportées introduites par un verbe de parole et des **guillemets** les encadrent.

  La représentante a déclaré **:** **«** *Voici un produit qui révolutionnera votre vie.* **»**

- Deux **virgules** détachent la phrase incise à l'intérieur d'une phrase rapportée.

  « Voici un produit, *déclara-t-elle*, *qui révolutionnera votre vie. »*

- Une **virgule** précède la phrase incise placée à la suite d'une phrase rapportée entre guillemets.

  « Voici un produit qui révolutionnera votre vie », *a déclaré la représentante*.

  Cependant, si la phrase rapportée entre guillemets se termine par un point d'interrogation, un point d'exclamation ou des points de suspension, l'emploi de la virgule devant l'incise est facultatif.

  « Voici un produit qui révolutionnera votre vie **!** *» a déclaré la représentante*.

  ou

  « Voici un produit qui révolutionnera votre vie **!** *»*, *a déclaré la représentante*.

- Dans un **dialogue**, un **tiret** précède chaque réplique pour indiquer le changement d'interlocuteur. Dans ce cas, les guillemets pour encadrer les paroles sont facultatifs.

La représentante lui demanda :	*La représentante lui demanda :*
– Connaissez-vous notre produit ?	**«** *Connaissez-vous notre produit ?*
– Pas du tout, répondit-il.	*– Pas du tout, répondit-il.*
– Aimeriez-vous l'essayer ?	*– Aimeriez-vous l'essayer ?*
– D'accord, je veux bien.	*– D'accord, je veux bien.* **»**

EXERCICES

1 Dans les phrases suivantes, ajoutez la ponctuation qui devrait marquer le discours rapporté direct. Soulignez les phrases incises. Encadrez les verbes qui introduisent les paroles rapportées ou le texte cité.

A. Nous allons lancer notre campagne publicitaire dès le mois prochain , a annoncé la présidente .

B. J'ai une idée géniale pour cette pub! m'a confié notre conceptrice .

Nom : ______________________ Groupe : ____________

C Avant de refermer la porte , elle a lancé Vous verrez, ce slogan les convaincra tous .

D Il faut dit-elle trouver des idées innovatrices . Il faut étonner les consommateurs .

E Quand je lui ai annoncé que nous avions engagé un nouveau représentant, elle a répliqué J'espère que vous avez fait un bon choix .

F Dans un courriel reçu ce matin, il était écrit La prochaine réunion du service des ventes aura lieu lundi prochain .

2 Dans le texte *Les dessous de la pub*, ajoutez la ponctuation qui devrait marquer le discours rapporté direct.

Les dessous de la pub

Martine suivait un cours de gestion en marketing et devait, comme travail pratique, monter une campagne publicitaire pour une marque de margarine peu connue. Elle décida donc de se rendre dans l'industrie où elle était fabriquée afin de bien connaître le produit. La propriétaire l'accueillit avec une certaine méfiance.

– Donc, c'est vous, l'étudiante qui veut vendre ma margarine dit-elle en insistant sur le mot *vendre*.

Vendre est un bien grand mot, disons plutôt *mettre en valeur* votre produit répliqua Martine quelque peu interloquée.

Nom : ____________________ Groupe : ____________

Est-ce que vous connaissez la margarine ?

Heu, pas vraiment balbutia Martine.

Mais aimez-vous la margarine ?

Martine prit son courage à deux mains.

Non, pas vraiment...

Vous ne connaissez pas la margarine, vous n'aimez pas la margarine et vous voulez faire une campagne de publicité sur *ma* margarine ?

Vous savez, madame... madame...

DEBEST, comme ma margarine ! annonça fièrement la propriétaire.

Vous savez, madame Debest, il n'est pas nécessaire d'aimer un produit pour en vanter les mérites. Il suffit de cibler une clientèle qui désire acheter de la margarine, de mettre en valeur ses principales caractéristiques, de...

Mademoiselle, est-ce que vous êtes venue ici pour me donner un cours de marketing ou pour vendre ma margarine ? hurla madame Debest. Ici, tout le monde aime ma margarine, tous mes employés, toute ma famille, tous mes voisins.

Elle était rouge de colère. Martine resta sans voix. Elle recula jusqu'à la porte, puis s'enfuit .

Nom : ______________________ Groupe : ______________

FICHE 31 CONJUGUER LES VERBES RÉGULIERS ET IRRÉGULIERS USUELS

EN BREF

› Une forme verbale comprend deux éléments : un **radical** et une **terminaison**. Le radical exprime le sens du verbe. En règle générale, il change peu dans la conjugaison.

__aim__er, j'__aim__e, j'__aim__ais, j'__aim__erai, etc. (1 radical : ***aim-***)

__craind__re, je __crain__s, je __craign__ais, etc. (3 radicaux : ***craind-***, ***crain-***, ***craign-***)

› La terminaison, c'est la finale du verbe. Elle change selon le mode, le temps et la personne du verbe.

j'aim__e__, tu aim__es__, il aim__era__, etc.

› Voici un tableau présentant les **terminaisons** des verbes aux temps simples de l'indicatif, du subjonctif et de l'impératif.

Modes et temps	Verbes	1re pers. s.	2e pers. s.	3e pers. s.	1re pers. pl.	2e pers. pl.	3e pers. pl.
INDICATIF							
Présent	Les verbes en **-er** La plupart des autres verbes	e s	es s	e t	ons ons	ez ez	ent ent
Imparfait	Tous les verbes	ais	ais	ait	ions	iez	aient
Futur simple	Les verbes en **-er** Les autres verbes	erai rai	eras ras	era ra	erons rons	erez rez	eront ront
Passé simple	Les verbes en **-er** Les autres verbes	ai is OU us	as is us	a it ut	âmes îmes ûmes	âtes îtes ûtes	èrent irent urent
Conditionnel présent	Les verbes en **-er** Les autres verbes	erais rais	erais rais	erait rait	erions rions	eriez riez	eraient raient
SUBJONCTIF							
Présent	Tous les verbes sauf *avoir* et *être*	e	es	e	ions	iez	ent
IMPÉRATIF							
Présent	Les verbes en **-er** La plupart des autres verbes		e s		ons ons	ez ez	

Remarques :

– Les verbes *être*, *avoir* et *aller* ont plusieurs irrégularités dans leurs radicaux et leurs terminaisons. De plus, il n'est pas toujours possible de distinguer le radical et la terminaison des verbes *être* et *avoir* : *j'ai, tu es, il a*, etc.

Nom : ______________________ Groupe : ______________

– Certains verbes comme *accueillir, cueillir, recueillir, assaillir, couvrir, offrir* et *souffrir* prennent les terminaisons des verbes en *-er* au singulier de l'indicatif présent et de l'impératif présent : *je cueil**le**, tu ouvr**es**, il off**re**, cueil**le**, ouv**re**, off**re***.

– Les verbes *pouvoir, valoir* et *vouloir* prennent un x à la 1re et à la 2e personne du singulier de l'indicatif présent : *je peux, tu peux, je vaux, tu vaux, je veux, tu veux*.

– Les verbes *dire* et *faire* se terminent par *-es* à la 2e personne du pluriel de l'indicatif présent et de l'impératif présent : *vous dites, vous faites, dites, faites*.

– Le verbe *faire* s'écrit *font* à la 3e personne du pluriel de l'indicatif présent : *ils/elles font*.

Les temps simples et les temps composés

› Les verbes conjugués à un **temps simple** sont formés d'un seul mot : *je compare, je comparais*, etc. Les verbes conjugués à un **temps composé** sont formés de deux mots, l'auxiliaire *avoir* ou *être* et le participe passé du verbe : *j'ai comparé, elle est arrivée*.

› Les verbes *avoir* et *être*, les verbes transitifs, la plupart des verbes intransitifs et des verbes essentiellement impersonnels se conjuguent avec l'auxiliaire *avoir* : *j'ai eu, tu as été, il a écrit, nous avons dormi, il a plu*.

› Certains verbes intransitifs exprimant un mouvement ou un changement d'état (*aller, arriver, décéder, devenir, entrer, mourir, naître, partir, repartir, rentrer, rester, retourner, sortir, tomber, retomber, venir, parvenir, revenir, survenir*) se conjuguent avec l'auxiliaire *être* : *je me suis trompé, il est devenu, il est entré, nous sommes nés, vous êtes sortis, ils sont venus*, etc.

PARTIE 1
La grammaire de la phrase

EXERCICES

1 **Dans le tableau ci-dessous, conjuguez les verbes au mode et au temps indiqués, en faisant les accords appropriés. Accordez le participe passé avec *être* au masculin si le genre du sujet n'est pas précisé.**

Présent de l'indicatif	Futur simple	Passé composé	Présent de l'impératif
Verbe à conjuguer Tu (aller) à bicyclette.			
Tu ______ à bicyclette.	Tu ______ à bicyclette.	Tu ______ à bicyclette.	______ à bicyclette.
Verbe à conjuguer Nous (arriver) à bon port.			
Nous ______ ______ à bon port.	Nous ______ ______ à bon port.	Nous ______ ______ à bon port.	______ à bon port.
Verbe à conjuguer Tu (accueillir) tes invités à bras ouverts.			
Tu ______ tes invités à bras ouverts.	Tu ______ tes invités à bras ouverts.	Tu ______ tes invités à bras ouverts.	______ tes invités à bras ouverts.

PARTIE 1 La grammaire de la phrase

Nom : ______ Groupe : ______

Présent de l'indicatif	Futur simple	Passé composé	Présent de l'impératif
Verbe à conjuguer Elle (devenir) célèbre rapidement.			
Elle ______ célèbre rapidement.	Elle ______ célèbre rapidement.	Elle ______ célèbre rapidement.	
Verbe à conjuguer Nous (manger) avec appétit.			
Nous ______ ______ avec appétit.	Nous ______ ______ avec appétit.	Nous ______ ______ avec appétit.	______ avec appétit.
Verbe à conjuguer Ils (entrer) en scène à midi.			
Ils ______ en scène à midi.	Ils ______ en scène à midi.	Ils ______ en scène à midi.	
Verbe à conjuguer Il (falloir) agir rapidement.			
Il ______ agir rapidement.	Il ______ agir rapidement.	Il ______ agir rapidement.	
Verbe à conjuguer Tu (juger) avec objectivité.			
Tu ______ avec objectivité.	Tu ______ avec objectivité.	Tu ______ avec objectivité.	______ avec objectivité.
Verbe à conjuguer Vous (naître) à une vie plus stimulante.			
Vous ______ ______ à une vie plus stimulante.	Vous ______ ______ à une vie plus stimulante.	Vous ______ ______ à une vie plus stimulante.	______ à une vie plus stimulante.
Verbe à conjuguer Tu (oublier) tes soucis.			
Tu ______ tes soucis.	Tu ______ tes soucis.	Tu ______ tes soucis.	______ tes soucis.
Verbe à conjuguer Elle (partir) du bon pied.			
Elle ______ du bon pied.	Elle ______ du bon pied.	Elle ______ du bon pied.	
Verbe à conjuguer Il (pleuvoir) à torrents.			
Il ______ à torrents.	Il ______ à torrents.	Il ______ à torrents.	

Nom : ______________________ Groupe : ____________

2 Conjuguez les verbes placés entre parenthèses en tenant compte des indications données. Assurez-vous de bien accorder les verbes. Au besoin, consultez une grammaire ou un guide de conjugaison.

Le crapaud

Le puits était profond, on avait du mal à actionner le treuil quand il (falloir, *imparfait de l'indicatif*) ______________ ramener le seau d'eau au-dessus de la margelle. Le soleil ne (parvenir, *imparfait de l'indicatif*) ______________ jamais à se refléter dans l'eau. (Vivre, *imparfait de l'indicatif*) ______________ là une famille de crapauds qui (arriver, *plus-que-parfait*) ______________ au début du printemps. Les grenouilles vertes, habitant ce puits depuis très longtemps, (accueillir, *passé simple*) ______________ leurs cousins avec beaucoup d'amitié, de sorte que ces derniers (vouloir, *passé simple*) ______________ rester. Ils (tomber, *plus-que-parfait*) ______________ amoureux des lieux. Ils (apprécier, *imparfait de l'indicatif*) ______________ le confort qu'(offrir, *présent de l'indicatif*) ______________ les vieilles pierres vermoulues. Depuis ce temps, ils (rester, *plus-que-parfait*) ______________ dans le puits avec les grenouilles.

Les grenouilles vertes ne (pouvoir, *passé simple*) ______________ cependant s'empêcher de trouver que les petits crapauds étaient affreux. « C'est bien possible, mais il (paraître, *présent de l'indicatif*) ______________ qu'il y en a un qui a une pierre précieuse dans la tête », (préciser, *passé simple*) ______________ la mère crapaud.

PARTIE 1
La grammaire de la phrase

Nom : ______________________ Groupe : ______________

Les grenouilles vertes (ouvrir, *passé simple*) ______________ de grands yeux, et comme cela ne leur (plaire, *imparfait de l'indicatif*) ______________ pas, elles se (retourner, *passé simple*) ______________ et (aller, *passé simple*) ______________ au fond. À ce moment, chacun des petits crapauds (croire, *imparfait de l'indicatif*) ______________ avoir la pierre précieuse, et tous (tenir, *imparfait de l'indicatif*) ______________ la tête bien immobile, mais ils (finir, *passé simple*) ______________ par demander à leur mère ce qu'était cette fameuse pierre.

— C'est une chose tellement splendide, (commencer, *passé simple*) ______________ la mère crapaud, que je ne (pouvoir, *présent de l'indicatif*) ______________ la décrire, mais ne me (questionner, *présent de l'impératif*) ______________ pas, je ne (répondre, *présent de l'indicatif*) ______________ pas à ceux qui m'(assaillir, *présent de l'indicatif*) ______________ de questions sur ce sujet.

— Bon, ce n'est pas moi qui (avoir, *présent de l'indicatif*) ______________ la pierre précieuse ! (philosopher, *passé simple*) ______________ le plus petit crapaud. Je ne (valoir, *présent de l'indicatif*) ______________ pas plus que les autres. Pourquoi (avoir, *conditionnel présent*) ______________ je une pareille splendeur ? Non, tout ce que je (vouloir, *présent de l'indicatif*) ______________, c'est parvenir un jour sur la margelle et voir au-dehors. Cela (devoir, *présent de l'indicatif*) ______________ être formidable !

— (Rester, *présent de l'impératif*) ______________ plutôt où tu (être, *présent de l'indicatif*) ______________ ! dit la vieille ; tu (connaître, *présent de l'indicatif*) ______________ les lieux ! (Prendre, *présent de l'impératif*) ______________ garde au seau, il t'(écraser, *futur simple*) ______________. Et si le seau te

Nom : ______________________________ Groupe : ______________

(cueillir, *présent de l'indicatif*) ______________ par hasard, tu (pouvoir, *conditionnel présent*) ______________ tomber et te blesser.

Il (nourrir, *imparfait de l'indicatif*) ______________ un tel désir de monter et de voir la verdure là-haut ! Alors, le matin suivant, lorsque le seau plein d'eau fut remonté et qu'il (rester, *passé simple*) ______________ immobile, un instant, devant la pierre où se trouvait le crapaud, la petite bête (frémir, *passé simple*) ______________ intérieurement, puis elle (bondir, passé simple) ______________ dans le seau plein d'eau qui fut remonté à la surface et versé.

« Pouah ! Quelle horreur ! » (ricaner, *passé simple*) ______________ l'homme qui l'(apercevoir, *passé simple*) ______________. C'était bien le plus affreux crapaud jamais vu dans ce puits, et il donna un coup de pied à la bête qui (faillir, *passé simple*) ______________ être estropiée.

Cependant, elle en (sortir, *passé simple*) ______________ indemne, et elle se sauva à toute vitesse dans de hautes orties. « Il (faire, *présent de l'indicatif*) ______________ bien meilleur ici qu'en bas dans le puits ! Ici, on (vouloir, *conditionnel présent*) ______________ pouvoir rester toute sa vie ! » dit le petit crapaud. Il rampa aussi vite qu'il (pouvoir, *passé simple*) ______________ et (parvenir, *passé simple*) ______________ à un chemin où le soleil brillait et où il (être, *passé simple*) ______________ saupoudré de poussière en traversant la grand-route. Il se réjouissait d'être vraiment au sec.

C'est alors qu'il atteignit le fossé. Toutes sortes de fleurs y (pousser, *imparfait de l'indicatif*) ______________. Un papillon (voler, *imparfait de l'indicatif*) ______________ aussi par là. Le crapaud (croire, *passé simple*) ______________ que c'était une fleur qui s'était détachée pour mieux regarder autour d'elle. « Si seulement on (pouvoir, *imparfait de l'indicatif*) ______________ prendre son essor comme elle, (faire, *passé simple*) ______________ le crapaud.

Nom : ______________________ Groupe : __________

Côa ! Ah ! Quelles délices ! C'est merveilleux de vivre ! Remonter du puits, coucher dans les orties, ramper sur la route poussiéreuse, se reposer dans le fossé humide ! Mais (aller, *présent de l'impératif*) ______________ plus loin ! (Essayer, *présent de l'impératif*) ______________ de trouver des grenouilles ou un petit crapaud. »

Il reprit sa marche. Il arriva dans un champ, près d'une grande mare entourée de joncs.

— Ce doit être trop mouillé pour vous ? (dire, *passé simple*) ______________ les grenouilles. Mais vous êtes le bienvenu !

— Merci, mais il (falloir, *présent de l'indicatif*) ______________ que je (continuer, *présent du subjonctif*) ______________ ! (répondre, *passé simple*) ______________ le petit crapaud. Je (devoir, *présent de l'indicatif*) ______________ être dans un puits plus grand, il faut que je (monter, *présent du subjonctif*) ______________ davantage ! Oh ! Comme ça brille dans ma tête ! Je ne crois pas que la pierre précieuse (pouvoir, *présent du subjonctif*) ______________ briller mieux !

Et il se (mettre, *passé simple*) ______________ en route, comme (pouvoir, *présent de l'indicatif*) ______________ le faire un pareil animal rampant, et il se trouva alors sur le grand chemin des humains. Il y avait des jardins fleuris et des potagers. Il s'arrêta et se reposa.

— Comme il y a de créatures que je ne (connaître, *présent de l'indicatif*) ______________ pas ! Et comme je (souffrir, *présent de l'indicatif*) ______________ d'ignorer un monde si grand ! Mais il (valoir, *présent de l'indicatif*) ______________ mieux ne pas rester en un seul endroit. (Aller, *présent de l'impératif*) ______________ dans ce potager, là, tout près, se (dire, *passé simple*) ______________ il. Comme c'est vert ici ! Comme c'est beau !

Nom : ______________________ Groupe : ____________

— Je le (savoir, *présent de l'indicatif*) ______________ bien ! dit la chenille sur la feuille de chou. Il n'y a rien d'aussi merveilleux que son chez-soi ! Mais il faut que je monte plus haut !

— C'est ça, plus haut, plus haut ! Elle a les mêmes sentiments que moi ! Tous, nous (vouloir, *présent de l'indicatif*) ______________ monter plus haut, (faire, *passé simple*) ______________ le petit crapaud.

Et il regarda vers le haut. Le père cigogne trônait dans son nid, sur le toit du paysan. Il bavassait avec la mère cigogne. « Comme ils habitent haut ! pensa le crapaud. Comment faire pour arriver là-haut ? Si seulement la cigogne (pouvoir, *imparfait de l'indicatif*) ______________ m'emporter, (espérer, *imparfait de l'indicatif*) ______________ le crapaud. Tout ce désir et toute cette envie que j'ai, c'est vraiment mieux que d'avoir une pierre précieuse dans la tête ! »

Or il l'avait précisément, cette pierre précieuse : l'éternel désir de monter toujours plus haut ! Il en était illuminé, il rayonnait de désir ! À ce moment (surgir, *passé simple*) ______________ le père cigogne. Il (voir, *plus-que-parfait*) ______________ le crapaud dans l'herbe. Il se posa et s'empara de la petite bête, pas précisément avec douceur. Le crapaud se mit à monter, à monter encore plus haut ! Ses yeux brillaient comme une étincelle. Puis on (croire, *passé simple*) ______________ entendre un cri : « Côa ! Ah ! » Puis, plus rien : le crapaud était mort.

Qu'(advenir, *passé simple*) ______________ il de l'étincelle de ses yeux ? De la pierre précieuse dans la tête du crapaud ? (Chercher, *présent de l'impératif*) ______________ la dans le soleil ! (Tâcher, *présent de l'impératif*) ______________ de la voir si vous le (pouvoir, *présent de l'indicatif*) ______________, non avec un œil de naturaliste, mais avec un regard de poète.

Hans Christian Andersen, *Le Crapaud* (adaptation)

PARTIE 1 La grammaire de la phrase

Nom : ______________________ Groupe : ____________

FICHE 32 CONJUGUER LES VERBES QUI DOUBLENT LE *R* AU FUTUR SIMPLE ET AU CONDITIONNEL PRÉSENT

EN BREF

› Les verbes *courir*, *mourir*, *acquérir*, *conquérir*, *requérir*, *voir* et *envoyer* (et leurs dérivés) doublent le *r* au futur simple et au conditionnel présent : *je cou**rr**ai*, *tu acque**rr**ais*, etc.

Remarques :

– Le verbe *pourvoir* se conjugue comme *voir*, sauf au passé simple, au futur simple et au conditionnel présent : *je pourvus*, *je pourvoirai*, *je pourvoirais*.

– Le verbe *prévoir* se conjugue également comme *voir*, sauf au futur simple et au conditionnel présent : *je prévoirai*, *je prévoirais*.

EXERCICES

1 Dans le tableau ci-dessous, conjuguez les verbes de la colonne de gauche au mode et au temps indiqués, en faisant les accords appropriés.

Verbes à conjuguer	Présent de l'indicatif	Futur simple	Conditionnel passé
Je (courir) un grand danger.			
Tu (parcourir) la campagne à vélo.			
La bête blessée (mourir) de faim.			
Nous (acquérir) des manuscrits anciens.			
Vous (conquérir) l'estime d'autrui.			
Les condamnés (requérir) la grâce du roi.			
Je (voir) au respect des lois.			
Tu (entrevoir) de grandes difficultés.			
Les généraux (revoir) leur stratégie.			
Nous (envoyer) une délégation aux Nations unies.			

Nom : ______________________ Groupe : ______________

2 Dans le tableau ci-dessous, conjuguez les verbes de la colonne de gauche au mode et au temps indiqués, en faisant les accords appropriés.

Verbes à conjuguer	Imparfait de l'indicatif	Conditionnel présent	Passé simple
J'(apercevoir) au loin un incendie.			
Tu (décevoir) la confiance de tes supérieurs.			
Les parents (pourvoir) aux besoins de leurs enfants.			
Nous (prévoir) être absents deux mois.			
Les écologistes (discourir) sur la fonte des glaciers.			
Les manifestants (accourir) de tous les quartiers de la ville.			
J'(entrevoir) dans l'ombre un gros oiseau de proie.			
Les chasseurs (mourir) de fatigue.			
Nous (envoyer) les résultats de notre analyse.			

3 Dans les phrases suivantes, conjuguez les verbes entre parenthèses au mode et au temps indiqués, en faisant les accords appropriés.

A Dans la campagne, le soleil (se mourir, *imparfait de l'indicatif*) ______________ . (d'après Zola)

B À son grand étonnement, le romancier (se voir, *passé composé*) ______________ citer en justice. (d'après Duhamel)

C Je (pourvoir, *conditionnel présent*) ______________ donc moi-même aux besoins de la maison. (d'après Duhamel)

D Il (prévoir, *futur simple*) ______________ l'avenir par la profonde sagesse qui lui a fait connaître les hommes. (d'après Fénelon)

PARTIE 1 La grammaire de la phrase

Nom : ______________________ Groupe : ____________

FICHE 33 CONJUGUER LES VERBES IRRÉGULIERS EN *-IR* ET EN *-RE*

EN BREF

› Les verbes irréguliers *dormir, mentir, partir, servir, sortir, suivre* et *vivre* perdent la consonne finale du radical au singulier de l'indicatif présent et de l'impératif présent : *je dors, tu mens, il vit*.

EXERCICES

1 Dans le tableau ci-dessous, conjuguez les verbes de la colonne de gauche au mode et au temps indiqués, en faisant les accords appropriés.

Verbes à conjuguer	Présent de l'indicatif	Futur simple	Présent de l'impératif
Je (dormir) d'un profond sommeil.			
Tu (mentir) effrontément.			
Tu (partir) en douce.			
Vous (servir) vos propres intérêts.			
Nous (sortir) discrètement.			
Tu (suivre) un cours de musique.			
Elle (vivre) confortablement.			

Nom : ______________________ Groupe : __________

2 Dans le tableau ci-dessous, conjuguez les verbes de la colonne de gauche au mode et au temps indiqués, en faisant les accords appropriés.

Verbes à conjuguer	Imparfait de l'indicatif	Passé composé	Présent du subjonctif
Il (dormir) à la belle étoile.			
Tu (mentir) par intérêt.			
Il (partir) sans laisser d'adresse.			
Personne ne (sortir) par ce temps.			

3 Dans les phrases suivantes conjuguez les verbes entre parenthèses au mode et au temps indiqués, en faisant les accords appropriés.

A Les morts (dormir, *présent de l'indicatif*) ______________ en paix dans le sein de la terre.
(Musset)

B Ne me regardez pas, je sens que je (partir, *conditionnel présent*) ______________ à rire.
(Aymé)

C Rien ne (servir, *présent de l'indicatif*) ______________ de courir, il faut partir à point.
(La Fontaine)

D Les propriétés des choses naturelles ne (suivre, *présent de l'indicatif*) ______________ elles pas la loi des nombres ?
(Senancour)

E À qui (vivre, *présent de l'indicatif*) ______________ de fiction la vérité est infecte.
(Hugo)

PARTIE 1 La grammaire de la phrase

Nom : ______________________________ Groupe : ____________

F Le remords (s'endormir, *présent de l'indicatif*) ______________ durant un destin prospère.
(Rousseau)

G Elle avait des traits d'une extrême douceur, que ne (démentir, *imparfait de l'indicatif*) ______________ pas la belle nuance grise de ses yeux.
(Balzac)

H Nous (repartir, *présent de l'indicatif*) ______________ vers sept heures du matin.
(Gide)

I Il (s'ensuivre, *présent de l'indicatif*) ______________ que le morceau le plus applaudi passe toujours pour le plus beau.
(Berlioz)

J À droite de l'entrée, une petite porte (desservir, *imparfait de l'indicatif*) ______________ la cuisine et ses dépendances.
(Romains)

K Je vous (poursuivre, *futur simple*) ______________ en justice pour des dommages-intérêts.
(Zola)

L Grâce à l'odorat, ce mystérieux aide-mémoire, tout un monde (revivre, *passé simple*) ______________ en lui.
(d'après Hugo)

M La bonhomie cordiale dont elle ne se (départir, *imparfait de l'indicatif*) ______________ jamais décourageait l'ironie.
(d'après Gide)

André Gide

Nom : ____________________ Groupe : ____________

FICHE 34 CONJUGUER LES VERBES EN *-INDRE* ET EN *-SOUDRE*

EN BREF

› Les verbes en *-indre* comme *atteindre*, *plaindre*, *joindre*, etc., et les verbes en *-soudre* comme *absoudre*, *dissoudre* et *résoudre* perdent la consonne finale du radical au singulier de l'indicatif présent et de l'impératif présent : *j'atteins*, *tu résous*, *joins*.

› Dans les verbes en *-indre*, les consonnes *nd* se changent en *gn* devant une voyelle : *nous atteignons*, *joignant*.

EXERCICES

1 Dans le tableau ci-dessous, conjuguez les verbes de la colonne de gauche au mode et au temps indiqués, en faisant les accords appropriés.

Verbes à conjuguer	Présent de l'indicatif	Passé composé	Futur simple
J'(absoudre) le coupable.			
La douleur (atteindre) son paroxysme.			
Ils (contraindre) le témoin au silence.			
Je (craindre) la défaite.			
La psychologue (dépeindre) ton comportement.			
Les dirigeants (dissoudre) la compagnie.			
Elles (enfreindre) les règles de sécurité.			

La grammaire de la phrase — PARTIE 1

Nom : ______________________ Groupe : ____________

2 Dans le tableau ci-dessous, conjuguez les verbes de la colonne de gauche au mode et au temps indiqués, en faisant les accords appropriés.

Verbes à conjuguer	Imparfait de l'indicatif	Passé simple	Présent de l'impératif
Tu (feindre) de ne rien comprendre.			
Vous (joindre) cette pièce au dossier.			
Tu (se plaindre) de ta situation.			
Nous (se rejoindre) devant le cinéma.			
On (résoudre) le conflit par des négociations.			
Elles (restreindre) le champ de leurs recherches.			
À l'automne, les champs de blé (se teindre) d'or.			

3 Dans les phrases suivantes, mettez les verbes entre parenthèses au mode et au temps indiqués, en faisant les accords appropriés.

A Pendant que la bouche accuse, le cœur (absoudre, *présent de l'indicatif*) ______________ . (Musset)

B Qu'ils me haïssent pourvu qu'ils me (craindre, *présent du subjonctif*) ______________ . (Racine)

C L'orgue gémissait, (geindre, *imparfait de l'indicatif*) ______________ lamentablement. (Gautier)

D Corneille (peindre, *présent de l'indicatif*) ______________ les hommes comme ils devraient être. (La Bruyère)

E Je te (plaindre, *présent de l'indicatif*) ______________ de tomber dans ses mains redoutables. (Racine)

F L'amour l'(étreindre, *passé simple*) ______________ et le troubla. (d'après Aymé)

Nom : ______________________ Groupe : ______________

FICHE 35 CONJUGUER LES VERBES EN *-DRE* ET EN *-TRE*

EN BREF

› Les verbes en *-dre* et en *-tre* comme *perdre*, *prendre*, *vendre*, *répandre*, *fondre*, *coudre*, *moudre*, *battre* et *mettre* conservent la consonne finale du radical (lettre *d* ou *t*) au singulier de l'indicatif présent et de l'impératif présent : *je perds*, *tu prends*, *il bat*, *mets*.

EXERCICES

1 Dans le tableau ci-dessous, conjuguez les verbes de la colonne de gauche au mode et au temps indiqués, en faisant les accords appropriés.

Verbes à conjuguer	Présent de l'indicatif	Passé simple	Présent de l'impératif
Je (perdre) mon temps.			
Tu (prendre) un bon bain chaud.			
Il (vendre) ses complices.			
Nous (répandre) une bonne nouvelle.			
Ils (coudre) de nouveaux boutons.			
Tu (moudre) ton café tous les jours.			
Elle (battre) en retraite.			
Tu (mettre) la main à la pâte.			

PARTIE 1 La grammaire de la phrase

Nom : ______________________ Groupe : ____________

2 Dans le tableau ci-dessous, conjuguez les verbes de la colonne de gauche au mode et au temps indiqués, en faisant les accords appropriés.

Verbes à conjuguer	Imparfait de l'indicatif	Passé composé	Conditionnel présent
La mer (battre) la falaise.			
Vous (mettre) tous vos œufs dans le même panier.			
On (moudre) le blé pour en faire de la farine.			
Tu (vendre) la peau de l'ours avant de l'avoir tué.			
La cordonnière (coudre) de nouvelles semelles à mes souliers.			
Qui (répandre) cette rumeur ?			
Il (prendre) son temps.			
Elles (perdre) leur temps.			
La cavalerie (fondre) sur l'ennemi.			

3 Dans les phrases suivantes, conjuguez les verbes entre parenthèses au mode et au temps indiqués, en faisant les accords appropriés.

A Où cette femme si timide (prendre, *présent de l'indicatif*) ______________ elle tant de courage ? (Stendhal)

B Tu (répandre, *présent de l'indicatif*) ______________ des parfums comme un soir orageux. (Baudelaire)

Charles Baudelaire

Nom : ______________________ Groupe : ____________

C Le sanglier vient à lui, lui déchire le ventre, c'est-à-dire le (découdre, *présent de l'indicatif*) ______________. (d'après La Fontaine)

D Un romancier (fondre, *présent de l'indicatif*) ______________ ensemble divers éléments empruntés à la réalité pour créer un personnage imaginaire. (Proust)

Jean de La Fontaine

E La table sentait le café fraîchement (moudre, *participe passé*) ______________. (Bosco)

F Il y (mettre, *passé simple*) ______________ tout son talent, toute son âme. (Gautier)

G Des navires de guerre (battre, *participe présent*) ______________ pavillon britannique... (Martin du Gard)

H Il se (surprendre, *passé simple*) ______________ à défendre une autre opinion que la sienne. (d'après Stendhal)

I Ils se distinguaient, se (débattre, *imparfait de l'indicatif*) ______________, jugeaient, critiquaient. (d'après Sartre)

J Vingt fois sur le métier (remettre, *présent de l'impératif*) ______________ votre ouvrage. (Boileau)

K Du fond de cet abîme de tristesse, Beethoven (entreprendre, *présent de l'indicatif*) ______________ de célébrer la joie. (Rolland)

PARTIE 1 La grammaire de la phrase

Nom : ______ Groupe : ______

PARTIE 1 La grammaire de la phrase

FICHE 36 CONJUGUER LES VERBES EN *-OIR*

EN BREF

› Les verbes en *-oir* comme *apercevoir*, *concevoir*, *décevoir*, *percevoir* et *recevoir* changent le c en ç devant les voyelles o et *u* : *j'aperçois, nous perçûmes, j'ai reçu*.

Remarques :

– Le verbe *mouvoir*, contrairement aux verbes *émouvoir* et *promouvoir*, change le *u* du participe passé en *û* au masculin singulier : *mû*, mais *ému*, *promu*. Le verbe *promouvoir* ne s'emploie surtout qu'aux temps composés et à la forme passive : *le patron a promu quelques employés, quelques employés ont été promus*. Aux temps simples, on utilise souvant l'expression « faire la promotion de » à la place du verbe *promouvoir* : *il fait la promotion de ce nouveau produit*, plutôt que *il promeut ce nouveau produit*.

– Le verbe *asseoir* ou *s'asseoir* perd le e lorsqu'il est conjugué : *je m'assois, tu t'assoyais, il s'assoira, nous nous assîmes, assoyez-vous, qu'ils s'assoient*. La conjugaison du type *s'asseyant / je m'assieds* appartient au registre littéraire.

EXERCICES

1 Remplissez le tableau ci-dessous en conjuguant les verbes au mode et au temps indiqués, en faisant les accords appropriés.

Présent de l'indicatif	Imparfait de l'indicatif	Passé simple	Futur simple
Verbe à conjuguer Apercevoir			
J' ______	J' ______	J' ______	J' ______
Verbe à conjuguer Concevoir			
Tu ______	Tu ______	Tu ______	Tu ______
Verbe à conjuguer Décevoir			
Il ______	Il ______	Il ______	Il ______
Verbe à conjuguer Percevoir			
Nous ______	Nous ______	Nous ______	Nous ______
Verbe à conjuguer Recevoir			
Elles ______	Elles ______	Elles ______	Elles ______

Nom : ______________________ Groupe : ____________

2 Remplissez le tableau ci-dessous en conjuguant les verbes au mode, au temps et à la personne indiqués.

Personne	Passé composé de l'indicatif	Présent du subjonctif	Présent de l'impératif
Verbe à conjuguer Apercevoir			
Je			
Verbe à conjuguer Concevoir			
Tu			
Verbe à conjuguer Décevoir			
Il			
Verbe à conjuguer Percevoir			
Nous			
Verbe à conjuguer Recevoir			
Elles			

3 Transformez les phrases en conjuguant les verbes entre parenthèses au mode indicatif et au temps indiqué. Faites les accords qui s'imposent.

Présent	Passé composé	Futur simple	Futur antérieur
Phrase à transformer C'est la démocratie qu'il (promouvoir).			
Phrase à transformer Ce spectacle (émouvoir) les élèves.			
Phrase à transformer Ce soldat (être promu) colonel.			
Phrase à transformer Par ton attitude, tu (émouvoir) les témoins.			
Phrase à transformer Il (mouvoir) ses jambes avec difficulté.			
Phrase à transformer C'est la main droite qu'elle (mouvoir).			

Nom : ______________________ Groupe : ______________

4 Conjuguez les verbes suivants au mode et au temps indiqués, en faisant les accords appropriés.

A Nous (asseoir, *imparfait de l'indicatif*) ______________ notre raisonnement sur des bases solides.

B Cette élève (s'asseoir, *présent de l'indicatif*) ______________ avec nonchalance.

C (S'asseoir, *présent de l'impératif*) ______________ ! ordonna le professeur aux élèves turbulents.

D On la voyait courir dans la rue, (mouvoir, *participe passé*) ______________ comme par un ressort.

E Le commandant (se mouvoir, *imparfait de l'indicatif*) ______________ tout d'une pièce.

F Si une auteure m'(émouvoir, *présent de l'indicatif*) ______________, elle m'intéresse.

G Elle vient d'être (promouvoir, *participe passé*) ______________ directrice artistique de l'orchestre.

Nom : ______________________ Groupe : ____________

FICHE 37 CONJUGUER LES VERBES *VAINCRE, CONVAINCRE, ROMPRE, CORROMPRE* ET *INTERROMPRE*

EN BREF

› Comme les verbes en *-dre*, les verbes *vaincre*, *convaincre*, *rompre*, *corrompre* et *interrompre* conservent la consonne finale du radical au singulier de l'indicatif présent et de l'impératif présent : *je vaincs, je romps, interromps*.

› Les verbes *vaincre* et *convaincre* ne prennent pas de *t* à la 3e personne du singulier de l'impératif présent : *il vainc, elle convainc*. De plus, ces deux verbes changent le c en *qu* devant une voyelle, sauf devant *u* : *nous vainquons, que je vainques, j'ai vaincu*.

EXERCICES

1 Conjuguez les verbes des phrases du tableau au mode, au temps et à la personne indiqués.

a Vaincre

Présent de l'indicatif	Présent de l'impératif	Passé simple
Je ____ la peur de l'eau.		Je ____ ma timidité.
Tu ____ les difficultés une à une.	____ l'ennui par la lecture.	Tu ____ tous les obstacles.
Elle ____ sa colère.		Elle ____ sans péril.
Nous ____ notre paresse.	____ sans coup férir, si possible !	Nous ____ un ennemi acharné.
Vous ____ votre passion du jeu.	____ et rétablissez la paix.	Vous ____ grâce à vos alliés.
Ils ____ les adversaires les plus coriaces.		Ils ____ l'ennemi en peu de temps.

Nom : ______________________ Groupe : __________

b Rompre

Présent de l'indicatif	Présent de l'impératif	Futur simple
Je ______ le silence.		Je ______ avec mon amie.
Tu ______ tes engagements.	______ ce pacte diabolique.	Tu ______ cette folle promesse.
Elle ______ la paix.		La mer ______ les digues.
Nous ______ nos alliances.	______ ce marché injuste.	Nous ______ nos liens.
Vous ______ vos chaînes.	______ les rangs.	Vous vous ______ les os.
Ils ______ les ponts.		Ils se ______ le cou.

c Convaincre, interrompre, corrompre

Imparfait de l'indicatif	Passé composé	Présent du subjonctif
Verbe à conjuguer Convaincre		
Je ______ le juge de mon innocence.	J' ______ mes amis d'aller en Turquie.	Que je ______ mon amie de m'accompagner en Grèce est peu probable.
Verbe à conjuguer Convaincre		
Tu ______ ton ennemi de faire la paix sans tarder.	Tu ______ ton ami de l'urgence d'étudier.	Il faut que tu te ______ ______ d'aller voir un médecin.
Verbe à conjuguer Interrompre		
Il ______ son travail pour aller fumer à l'extérieur.	Il ______ son voyage, faute d'argent.	J'interdis qu'il ______ ______ son exposé pour consulter ses notes.

Nom : ______________________ Groupe : __________

Verbe à conjuguer Interrompre Nous ________ notre marche toutes les trente minutes.	Nous ________ ________ un guide qui parlait trop vite.	Est-il poli que nous ________ l'orateur discourtois ?
Verbe à conjuguer Corrompre Vous ________ le paysage en dispersant vos déchets dans la nature.	Vous ________ l'eau potable du lac en y vidant votre bidon d'essence.	Je déplore que vous ________ ________ le français avec des anglicismes.
Verbe à conjuguer Corrompre Elles ________ tous les objets qu'elles manipulaient.	Elles ________ les ondes par leurs propos démagogiques.	Je regrette qu'elles ________ les témoins.

PARTIE 1 La grammaire de la phrase

2 Dans les phrases suivantes, conjuguez les verbes entre parenthèses au mode et au temps indiqués, en faisant les accords appropriés.

A On obtient des succès plus durables en (convaincre, *participe présent*) ________________ par la raison plutôt que par l'émotion. (d'après Descartes)

B Je plie et ne (rompre, *présent de l'indicatif*) ________________ pas. (La Fontaine)

C Il est des situations où le verre ne se brise point sous le choc qui (rompre, *conditionnel passé*) ________________ l'acier.
(d'après Anatole France)

D Ils tirent sur la corde jusqu'à ce qu'elle (rompre, *présent du subjonctif*)
________________. (d'après Forget)

E Des marécages (corrompre, *plus-que-parfait de l'indicatif*) ________________ l'air.
(d'après Raynal)

Nom : ______________________ Groupe : ______________

FICHE 38 L'ÉTYMOLOGIE

EN BREF

› L'**étymologie** étudie l'origine ou la formation des mots et leurs significations à travers l'histoire. Les mots de la langue française ont en grande partie été formés à partir du latin et du grec.

› Pour comprendre l'origine ou la formation d'un mot, il faut parfois remonter au mot de base. Par exemple, pour connaître l'origine du mot *gouvernement*, il faut analyser le mot de base *gouverner*, dont il est dérivé.

EXERCICES

1 Lisez le texte *Bienvenue dans le futur*, puis, à l'aide d'un dictionnaire usuel ou spécialisé, répondez aux questions qui suivent le texte.

Bienvenue dans le futur

Il y a vingt ans, qui aurait pu imaginer l'existence de spécimens appelés *webmestres* ou *architectes de réseaux*? En 1994, un groupe de travail voyait Internet comme une technologie intéressante... mais qui ne changerait pas le monde. Aujourd'hui, les métiers liés à Internet sont essentiels à l'économie et le réseau lui-même fait partie intégrante de notre quotidien. Et on commence à peine à entrevoir ce que sera le marché du travail dans quelques années.

Les innovations technologiques créeront de nouvelles occupations. La *nanotechnologie*, entre autres, est un secteur où il y aura des besoins immenses. Cette science de l'infiniment petit permet de réduire presque n'importe quelle matière à l'échelle de l'atome. Plusieurs technologies sont basées sur la miniaturisation, ce qui va créer toutes sortes de nouvelles applications. On est encore à l'étape du développement, mais on parle déjà de *biosenseurs*, c'est-à-dire de systèmes de détection à l'aide de tissus ou de matériaux vivants, et de nanobiotechnologies thérapeutiques. Une foule de produits existeront, ou existent déjà dans les laboratoires, mais personne ne peut dire encore lesquels seront commercialisés.

Source : *Les jobs du futur*, Jobboom Magazine

Nom : ______ Groupe : ______

2 De quels mots latins sont issus les mots suivants ?

A existence ______
B spécimen ______
C monde ______
D métier ______
E marché ______

3 Indiquez si les mots suivants ont une origine latine ou grecque.

A architecte ______
B innovation ______
C technologique ______
D science ______
E atome ______
F miniature ______
G système ______
H thérapeutique ______

4 À l'aide d'un dictionnaire usuel ou spécialisé, retracez l'étymologie des mots suivants.

A groupe ______
B aujourd'hui ______
C besoins ______
D étape ______
E détecter ______

5 À l'aide d'un dictionnaire usuel ou spécialisé, indiquez la langue d'origine de chacun des mots suivants.

A bouc ______
B képi ______
C handicap ______
D matelot ______
E fiasco ______
F moustique ______
G acajou ______
H algèbre ______
I cosaque ______
J divan ______

Nom : ______________________ Groupe : __________

FICHE 39 LA DÉRIVATION ET LA COMPOSITION

EN BREF

› La **dérivation** consiste à former un mot nouveau en ajoutant un élément à un mot qui existe déjà, appelé **mot de base**.

On peut former un mot dérivé en ajoutant à un mot de base :

a) un **préfixe** : ***re**prendre*, ***im**possible*, ***dé**masquer*

b) un **suffixe** : *fata**liste***, *rouge**âtre***, *fin**esse***

c) un **préfixe** et un **suffixe** : ***im**personn**el***, ***dés**abus**er***, ***mé**contente**ment***

› La **composition** consiste à unir des mots existants pour former un mot nouveau. Les mots composés se présentent sous trois formes.

- Leurs éléments sont joints par un trait d'union.
  rouge-gorge, va-et-vient, boute-en-train
- Leurs éléments sont séparés par une espace.
  geai bleu, moulin à vent, chemin de fer
- Leurs éléments sont soudés.
  portemanteau, motoneige, malentendu

› On parle de **composition savante** lorsque le mot composé est formé d'éléments qui sont tous issus du grec ou du latin ; ces éléments ne peuvent, à eux seuls, former des mots.

acéri- + *-cole* = *acéricole* (éléments latins)

zoo- + *-logie* = *zoologie* (éléments grecs)

Remarques :

– Certains préfixes peuvent avoir des formes variées. Par exemple, le préfixe *in-* signifiant « le contraire de » peut prendre plusieurs formes : ***in**correct*, ***im**possible*, ***il**lisible*, ***ir**réel*.

– Certains préfixes peuvent avoir plus d'un sens. Par exemple, le préfixe *in-*, qui signifie « le contraire de » dans ***in**capable*, ***in**suffisant*, signifie « à l'intérieur de » dans ***in**humer*, ***in**carcérer*.

EXERCICES

1 **Lisez le texte *La fumée secondaire* puis, à l'aide d'un dictionnaire ou d'une grammaire, réalisez les exercices qui suivent.**

La fumée secondaire

La combustion du tabac produit deux types de fumées : la fumée principale, c'est-à-dire celle que le fumeur ou la fumeuse inspire et expire, et la fumée secondaire qui désigne celle qui s'échappe du bout allumé d'une cigarette, d'un cigare ou d'une pipe.

Nom : ______________________ Groupe : ____________

Bon nombre des substances chimiques dangereuses inhalées par un fumeur ou une fumeuse se retrouvent dans la fumée secondaire. Certaines d'entre elles, comme le benzène et le nickel, sont cancérigènes, alors que d'autres, comme le monoxyde de carbone et l'ammoniac, sont des poisons. Et il convient d'ajouter que plusieurs ingrédients néfastes sont invisibles ou même inodores. Il est faux de penser que les systèmes de ventilation et les purificateurs d'air, qui permettent de se débarrasser de l'odeur de la fumée, éliminent également les substances chimiques nocives.

Étonnamment, des études de l'Agence de santé publique du Canada ont établi que la fumée secondaire « contient deux fois plus de nicotine et de goudron, et cinq fois plus de monoxyde de carbone que la fumée inhalée directement par le fumeur ». Cette fumée est particulièrement dangereuse car elle contient, en plus grandes concentrations, les mêmes substances cancérigènes que la fumée principale. Il faut se rappeler qu'une cigarette déposée dans un cendrier brûle plus lentement et produit plus de fumée que lorsque le fumeur ou la fumeuse en fait usage. Environ 66 % de la fumée émanant d'une cigarette n'est pas inhalée par la personne qui fume et se retrouve par conséquent dans l'air ambiant.

Quand on respire la fumée secondaire, les substances chimiques néfastes aboutissent dans les poumons et sont absorbées par le sang, les organes et autres tissus. Soulignons que la santé sera affectée après seulement huit minutes dans une pièce enfumée. La fumée secondaire peut rapidement irriter les yeux, le nez et la gorge ; elle peut également donner des maux de tête, des étourdissements ou la nausée, aggraver l'asthme et même augmenter les risques d'infection respiratoire. Une exposition quotidienne à la fumée secondaire affectera de plus en plus la santé. À long terme, la fumée secondaire peut entraîner des maladies cardiaques, des maladies respiratoires et le cancer du poumon.

Données recueillies auprès de l'Agence de santé publique du Canada

Nom : ______________________ Groupe : __________

2 Complétez le tableau suivant en indiquant les suffixes utilisés pour former les mots de la colonne de gauche. Donnez également le sens de ces suffixes.

Mots du texte	Suffixes	Sens des suffixes
fumeur		
combustion		
cigarette		
purificateur		
cendrier		

3 Complétez le tableau suivant en indiquant quels préfixes ont été utilisés pour former les mots de la colonne de gauche. Donnez également le sens de ces préfixes.

Mots du texte	Préfixes	Sens des préfixes
concentrations		
aboutissent		
enfumée		
exposé		
entraîner		
respiratoires		

4 Complétez le tableau suivant en formant un adjectif et un verbe avec les mots de base mentionnés dans la colonne de gauche.

Mots de base	Adjectif	Verbe
air		
odeur		
espace		
environnement		
sang		
organe		
nez		
infection		

Nom : ______________________ Groupe : ____________

5 Dites si le préfixe *in-* signifie « le contraire de » ou « à l'intérieur de » dans les mots suivants :

A inspire ____________

B inhalées ____________

C invisibles ____________

D inodores ____________

6 Quels sont les deux éléments latins utilisés pour former le mot composé *cancérigène* ? Quel est le sens de chaque élément ? Qu'est-ce qu'une substance *cancérigène* ?

____

____

7 Lisez le texte *Le Haut-Arctique*, puis réalisez les activités qui suivent.

Le Haut-Arctique

Plusieurs pensent que le Haut-Arctique canadien est complètement dépourvu de vie animale, surtout en hiver, mais près de vingt espèces de mammifères vivent à longueur d'année dans ce milieu hostile et au printemps des milliers d'oiseaux migrateurs l'envahissent. Toutefois, on n'y trouve aucune espèce de reptiles ou d'amphibiens.

Trois grands mammifères vivant dans ces régions sont particulièrement fascinants. Dans la majeure partie de celles-ci qui englobent les Territoires du Nord-Ouest, on trouve des bœufs musqués avec leur épais lainage qui fréquentent les plaines et les plateaux ; des caribous de Peary, confinés dans les îles du Grand Nord ; et des ours polaires qui longent les régions côtières,

Nom : ______________________ Groupe : ______________

suivant la banquise, à la recherche de phoques qui constituent la base de leur alimentation.

Avec l'arrivée du printemps, le Haut-Arctique se transforme en terre d'accueil pour des milliers d'oiseaux migrateurs. Comme le temps leur est compté, ces oiseaux entreprennent aussitôt leurs fébriles activités afin de procéder à la nidification, à la reproduction et à l'élevage de leurs petits. Pendant que l'eider et le canard kakawi choisissent de nicher près des petits étangs sur la toundra, la bernache cravant et la bernache du Canada ainsi que l'oie des neiges construisent leurs nids dans les terres humides qui longent les côtes et les vallées fluviales.

Un nombre surprenant d'oiseaux de rivage tels le pluvier argenté, le tournepierre à collier et le phalarope roux s'établissent également dans les milieux humides. À l'intérieur des terres, des sizerins blanchâtres, des alouettes cornées et des bruants des neiges trouvent le moyen de survivre et de nicher dans les endroits plus clairsemés, puisqu'ils se contentent d'une faible couverture végétale en raison de leur petitesse.

Source : *Faune du Haut-Arctique*, Environnement Canada

Nom : ______________________ Groupe : __________

8 Relevez dans le texte précédent :

a deux mots composés joints par un trait d'union ;

b dix mots composés dont les éléments sont séparés par une espace ;

c deux mots composés dont les éléments sont soudés.

9 Relevez dans le texte précédent deux mots qui ont été formés par composition savante, indiquez les éléments qui ont servi à les créer et donnez le sens de chacun de ces éléments. Pour ce faire, complétez le tableau suivant.

Mots formés par composition savante	Éléments grecs ou latins qui ont formé ces mots	Sens des éléments grecs ou latins

10 À l'aide d'un dictionnaire, trouvez deux autres mots qui commencent par l'élément grec *amphi-* et qui contiennent l'idée de « double, deux côtés » ; donnez une définition de ces deux mots.

Nom : ______________________ Groupe : ____________

FICHE 40 LES FAMILLES DE MOTS

EN BREF

› On appelle **famille de mots** l'ensemble des mots dérivés et des mots composés construits à partir d'un mot de base. Ces mots peuvent appartenir à différentes classes grammaticales : noms, adjectifs, verbes, adverbes.

› Dans certaines familles de mots, le mot de base peut changer de forme. Par exemple :
- mot de base : *loi*, issu du latin *lex*, *legis*
- mots de même famille : *loyal*, *loyauté*, *loyaliste*, *légal*, *légalité*, *légitime*, etc.

EXERCICES

1 Lisez le texte *Le chauffage au bois*, puis réalisez les exercices qui suivent.

Le chauffage au bois

Selon des statistiques d'Environnement Canada, plus de trois millions de résidences au Canada utilisent encore le bois comme principale source de chauffage ou comme simple agrément. Dans plusieurs cas, les poêles à bois et les foyers ne servent pas seulement à chauffer les maisons, et ils sont surtout appréciés pour leur type de chaleur et l'atmosphère chaleureuse qu'ils créent. Or, les polluants contenus dans la fumée qui s'échappe des cheminées affectent grandement la qualité de l'air, même à des concentrations relativement faibles. Certaines recherches démontrent que ce type de chauffage constitue l'une des principales causes du smog en hiver, principalement dans les zones urbaines ou semi-urbaines, où il est largement utilisé.

Dans ce type de chauffage, la combustion du bois est toujours incomplète. Au dioxyde de carbone et à l'eau qui sont rejetés dans l'atmosphère s'ajoute un mélange de particules et de substances dangereuses telles que les oxydes d'azote, le monoxyde de carbone, les composés organiques volatils, les dioxines et les furanes ainsi que les hydrocarbures aromatiques polycycliques. De plus, lorsque certains gaz ne sont pas brûlés, ils adhèrent aux parois des cheminées et forment un résidu huileux, la créosote.

Nom : ______________________ Groupe : __________

Aujourd'hui, grâce à de nombreuses recherches scientifiques et à l'évolution technologique, les appareils de chauffage au bois sont à la fois plus sécuritaires, plus efficaces et moins polluants. Cependant, le chauffage au bois résidentiel demeure un sujet controversé et plusieurs écologistes l'accusent d'être un facteur non négligeable du réchauffement planétaire.

Données recueillies auprès d'Environnement Canada

a Dans ce texte, relevez tous les mots qui appartiennent à la famille de mots ayant comme mot de base *chaud*.

____

b À l'aide d'un dictionnaire usuel ou étymologique, dites si les paires de mots suivantes sont dérivées du même mot de base.

A brûler / combustion __________

B concentrations / centre __________

C constitue / contient __________

D hydrocarbures / carbone __________

E feu / foyer __________

2 Complétez les phrases suivantes à l'aide d'un mot de la même famille que le mot souligné et qui convient au contexte.

A Une chercheuse a avoué qu'elle avait manipulé les données relatives au réchauffement de la planète. Cet __________ a choqué la communauté scientifique.

B Au Salon de l'auto, quelques constructeurs ont présenté des modèles hybrides des plus novateurs. Ces __________ ont suscité beaucoup d'intérêt chez les visiteurs.

C Un citoyen a déclaré avoir vu de ses propres yeux un camionneur vider sa cargaison de déchets dans le fleuve ; ce témoin __________ sera interrogé par un officier de police.

D Beaucoup de pollueurs ne voient pas plus loin que le bout de leur nez ; leur __________ est faussée par la cupidité.

E Les gaz à effet de serre font augmenter la température terrestre ; selon les environnementalistes, cette __________ cause déjà de grandes catastrophes.

Nom : ____________ Groupe : ____________

FICHE 41 L'EMPRUNT

EN BREF

› L'***emprunt*** est un phénomène par lequel une langue, au cours de son histoire, intègre un mot, une expression ou un sens issu d'une autre langue.

EXERCICES

1 Le nom des habitations révèle souvent la langue des peuples qui les habitent. À l'aide d'un dictionnaire usuel ou spécialisé, indiquez quel peuple vit ou vivait à l'origine dans les habitations suivantes.

A Une isba ____________

B Un bungalow ____________

C Un tipi ____________

D Un cottage ____________

E Un igloo ____________

F Une datcha ____________

G Une hutte ____________

H Un mas ____________

I Une villa ____________

2 Trouvez le pays où les danses suivantes sont nées.

A cha-cha-cha ____________

B polka ____________

C valse ____________

D tango ____________

E tarentelle ____________

F flamenco ____________

G scottish ____________

H samba ____________

3 Chaque pays a sa cuisine, ses mets nationaux. Associez chacun des mets ci-dessous à sa définition.

couscous ▪ goulache ▪ muffin ▪ paella
pizza ▪ sagamité ▪ souvlaki ▪ strudel

A Tarte italienne de pâte à pain garnie de tomates, d'olives, d'anchois, etc. :

____

B Ragoût de bœuf à la hongroise : ____________

Nom : ______ Groupe : ______

C Plat espagnol composé de riz cuit à l'huile dans un poêlon avec des moules, des crustacés, des viandes, etc. : ______

D Plat arabe préparé avec de la semoule roulée en grains servie avec de la viande, des légumes, des sauces piquantes : ______

E Brochette de viande à la grecque : ______

F Petit pain anglais à pâte levée qu'on sert avec le thé : ______

G Pâtisserie viennoise faite d'une fine pâte roulée, fourrée de pommes à la cannelle, de raisins secs, de griottes ou de fromage blanc : ______

H Mets amérindien fait de farine de maïs et de viande, cuit à ciel ouvert dans un chaudron : ______

4 Pour nommer certains animaux qui appartiennent à la faune mondiale, la langue française a souvent eu recours aux emprunts. Associez chaque animal de la liste ci-dessous à sa définition. Au besoin, consultez un dictionnaire.

eider ▪ girafe ▪ grizzli ▪ kangourou ▪ pingouin ▪ wapiti

A Mot emprunté à l'islandais désignant un genre de grand canard des pays du Nord, fournissant un duvet très apprécié : ______

B Mot emprunté à l'algonquin désignant un grand cerf d'Amérique du Nord et de Sibérie : ______

C Mot emprunté au néerlandais désignant un oiseau marin palmipède à plumage blanc et noir, habitant les régions arctiques : ______

D Mot emprunté à l'anglais américain désignant l'ours brun des montagnes Rocheuses : ______

E Mot emprunté à l'arabe désignant un grand mammifère ongulé, à cou très long et à pelage roux marqué de raies claires : ______

F Mot emprunté à une langue australienne désignant un mammifère de l'ordre des marsupiaux, aux membres postérieurs très longs : ______

Nom: ______________________ Groupe: ____________

FICHE 42 LES ARCHAÏSMES, LES RÉGIONALISMES ET LES QUÉBÉCISMES

EN BREF

› Les **archaïsmes** sont des mots ou des expressions dont le sens a vieilli. Ils sont rarement utilisés soit parce qu'ils ont été remplacés par d'autres mots entrés dans l'usage, soit parce qu'ils désignent des réalités disparues. Par exemple: *aéroplane*.

› Les **régionalismes** sont des mots ou des expressions propres à un pays, à une région, et qui en traduisent l'originalité. Ainsi, les **québécismes** sont des mots ou des expressions propres à la langue française utilisée au Québec.

EXERCICES

1 Voici des extraits d'œuvres littéraires québécoises contenant des archaïsmes. Ce sont les mots soulignés. Remplacez-les par des mots ou des expressions en usage maintenant. Écrivez vos réponses dans les parenthèses.

A. Ah! L'on mangeait bien dans cette maison. Le déjeuner était le repas qu'Urgel préférait. Une assiette de soupane (____________), deux œufs frits.

A. Laberge, *La fin du voyage*, 1942

B. La picote (____________) avait outrageusement labouré ses traits et son teint était celui d'un homme souffrant de la jaunisse.

A. Laberge, *La Scouine*, 1918

C. Il avait aussi cru convenable de se coiffer pour la circonstance de son tuyau (____________) de noces. A. Laberge, *La Scouine*, 1918

D. Toujours pressés, ils semblaient chaque fois vouloir prendre la place d'assaut, heurtant l'huis (____________) à coup de pieds...

A. Laberge, *La Scouine*, 1918

E. Un dimanche, les premiers arrivants à la distribution reçurent avec leur gazette (____________) une enveloppe jaune. A. Laberge, *La Scouine*, 1918

Nom : ______________________ Groupe : ____________

2 Dans les parenthèses, donnez une brève définition ou un équivalent des québécismes qui sont soulignés dans les extraits suivants.

A Dans cette région, 600 érablières (______________________) ont été répertoriées et on compte beaucoup sur le potentiel acéricole (______________________) de cette région pour obtenir l'aide gouvernementale qui permettrait de rentabiliser les sucreries (______________________) pour en tirer des revenus suffisants. *Le Bulletin des agriculteurs*, 1986

B L'achigan (______________________) a tellement de force et de vitalité qu'il n'est réellement capturé que quand il repose dans le fond de l'embarcation.

M. Chamberland, *La pêche au Québec*, 1966

C La ville est mauvaise comme un champ d'herbe à puces (______________________). A. Hébert, *Le temps sauvage*, 1967

D Vers midi, ils aperçurent un gros orignal (______________________) brun qui longeait le sentier d'une petite clairière. D. Potvin, *Le Français*, 1925

E Tout le rang savait qu'elle était sa blonde (______________________) et qu'elle serait sa femme. Ringuet, *Trente arpents*, 1938

F Vous avez parlé de cipaille (______________________), pourriez-vous nous donner la recette ? J.-C. Dupont, *Saint-Séverin de Beauce*, 1963

G Il s'était réveillé avec le matin, avait pris le pain et les cretons (______________________) pendant que l'eau, dans la bombe (______________________), chauffait.

V.-L. Beaulieu, *Les grands-pères*, 1971

PARTIE 2 Le lexique

Nom : ____________________ Groupe : __________

FICHE 43 LES NÉOLOGISMES

EN BREF

› Les **néologismes** sont des mots nouvellement créés, ou déjà en usage mais employés dans un sens nouveau.

EXERCICES

1 Pour désigner des professions, des activités ou des métiers nouveaux, on recourt souvent à des néologismes. En voici quelques-uns. Donnez-en le sens.

A Profileur/profileuse : ____________________

B Blogueur/blogueuse : ____________________

C Webmestre : ____________________

D Ergonome : ____________________

E Internaute : ____________________

2 Plusieurs néologismes sont des adjectifs ; ils sont utilisés pour qualifier ou caractériser une personne, un objet, une idée. Expliquez le sens des adjectifs soulignés dans les expressions ci-dessous.

A un hélicoptère <u>biturbine</u> ____________________

B une personne <u>branchée</u> ____________________

C l'industrie <u>nanotechnologique</u> ____________________

Nom : ____________________ Groupe : __________

3 Le vocabulaire des nouvelles technologies regorge de néologismes. Associez chacun des mots suivants à sa définition.

cédérom ■ clavardage ■ courriel ■ cybermagazine
décodeur ■ pourriel ■ télétravail

A Conversation entre internautes, par clavier interposé : ____________

B Message transmis vers un ou plusieurs destinataires, d'ordinateur à ordinateur, par l'intermédiaire d'un réseau informatique : ____________

C Disque compact à lecture laser à grande capacité de mémoire, et qui stocke à la fois des textes, des images et des sons : ____________

D Organisation du travail à distance, grâce à l'utilisation de la télématique : ____________

E Dispositif de décodage automatique permettant de capter des émissions de télévision ou d'avoir accès à certains services : ____________

F Magazine diffusé sur un site Web : ____________

G Courrier électronique importun envoyé massivement à un grand nombre d'internautes : ____________

4 Trouvez les néologismes qui correspondent aux définitions suivantes. La première lettre du néologisme est donnée comme indice.

A Obtention, par voie de culture, de nombreuses cellules vivantes identiques à partir d'une cellule unique. c____________

B Transférer des programmes ou des données au moyen d'un réseau téléinformatique. t____________

C Québécisme qui désigne une maladie professionnelle qui attaque les poumons des personnes exposées de façon prolongée aux poussières d'amiante.
a____________

D Mauvaise nourriture sur le plan diététique, parce qu'elle a une faible valeur nutritive et est trop riche en calories. m____________

PARTIE 2 Le lexique

Nom : ______________________ Groupe : ____________

FICHE 44 LE TÉLESCOPAGE

EN BREF

› Le **télescopage** est un procédé qui consiste à fusionner des mots différents. On appelle **mots-valises** les néologismes ainsi obtenus. Les mots-valises créés dans un but fantaisiste ne sont pas consignés dans les dictionnaires.

› Il existe plusieurs façons de combiner des mots ou des parties de mots pour créer des mots-valises. En voici quelques-unes :

- fusionner la dernière syllabe d'un mot et la première syllabe d'un autre mot : *enfant + fantôme = enfantôme ;*
- réunir le début de deux mots : *courrier + électronique = courriel ;*
- réunir un mot complet et la fin d'un autre mot : *avion + électronique = avionique*.

EXERCICES

1 Décomposez les mots-valises soulignés dans les phrases ci-dessous en indiquant les deux mots qui ont servi à les créer. En tenant compte du contexte, donnez le sens de ces mots-valises.

A On entend souvent des parlementeries à l'Assemblée nationale.

______ + ______ : ______

B Le professeur nous a demandé d'écrire un petit proème.

______ + ______ : ______

C Au jardin zoologique, nous avons pu voir un primaturé.

______ + ______ : ______

2 Trouvez les mots-valises formés avec les mots suivants et donnez-en une courte définition.

A caméra-magnétoscope

______ : ______

B magnétophone-cassette

______ : ______

C publicité-reportage

______ : ______

Nom : ______________________________ Groupe : ____________

3 Les humoristes inventent fréquemment des mots-valises pour créer des effets comiques. Celui qui en a usé avec régularité, c'est le grand comédien Marc Favreau, mieux connu sous le nom de Sol. Voici quelques-uns de ses plus célèbres mots-valises. Dans les extraits qui suivent, ils ont été soulignés. Décomposez-les et donnez-en votre interprétation.

A Un jour, tu te retrouves dans l'école... et là, fini de faire tout ce que tu veux, c'est l'école brimaire !

________ + ________ : ________

B D'abord tu découvres une chose que tu ne connaissais pas : la discipipeline !

________ + ________ :

C tu cours les images sur un magnificoscope...

________ + ________ :

Marc Favreau, *Faut d'la fuite dans les idées*,
Les Éditions internationales Alain Stanké, 1993

Nom: ______________________ Groupe: ____________

FICHE 45 LA POLYSÉMIE

EN BREF

› La plupart des mots ont plusieurs sens. On dit qu'ils sont **polysémiques**.

*Toutes les salles de cours sont équipées de **tableaux** noirs.* (Panneau mural noir ou vert sur lequel on écrit à la craie)

*Le Musée des Beaux-Arts regorge de **tableaux** de grande valeur.* (Œuvres picturales)

*Notre manuel d'histoire contient beaucoup de renseignements présentés sous forme de **tableaux**.* (Série d'informations disposées de façon méthodique ou systématique)

› Pour attribuer à un mot polysémique un sens approprié, on doit tenir compte du **contexte de la phrase**. Ainsi, dans le premier exemple ci-dessus, le mot composé *salle de cours* désigne un lieu d'enseignement. C'est donc ce mot qui permet de dégager le sens de «panneau mural noir ou vert» au mot *tableau*.

EXERCICE

1 **Lisez le texte *L'empoisonnement par le plomb*, puis, à l'aide d'un dictionnaire, réalisez les exercices.**

L'empoisonnement par le plomb

Tous les ans, on découvre dans certaines régions du Canada des plongeons huards morts, empoisonnés après avoir avalé des pesées et des turluttes en plomb. Dans la région des Maritimes, cette forme d'empoisonnement représente la principale cause de mortalité dans les aires de reproduction des plongeons huards. Elle dépasse la mortalité due aux traumatismes, aux maladies et aux coups de fusil.

Au Canada, 5,5 millions de personnes pratiquent la pêche à la ligne chaque année. Beaucoup d'entre eux attachent des pesées à leur ligne pour que l'hameçon, l'appât ou le leurre s'enfonce dans l'eau; certains se servent même d'hameçons plombés, appelés turluttes. Il arrive fréquemment que ces pesées et ces turluttes tombent accidentellement au fond de l'eau lorsque les pêcheurs entremêlent leurs lignes ou que celles-ci se heurtent à

Nom : ______________________ Groupe : ____________

des obstacles tels des herbages, des troncs d'arbres, etc. On évalue à 500 tonnes la quantité de plomb qui disparaît chaque année dans les eaux canadiennes.

L'ingestion par les oiseaux aquatiques de pesées ou de turluttes perdues se produit lorsqu'ils s'alimentent. Certains oiseaux les confondent avec des invertébrés à coquille ou de petits escargots. Un oiseau piscivore comme le huard peut en ingérer en mangeant un poisson appât perdu ou encore accroché à une ligne. Le fait d'avaler une seule pesée ou une seule turlutte peut causer la mort d'un oiseau aquatique. Lorsqu'ils ne meurent pas d'empoisonnement, les oiseaux qui ont ingéré ces substances toxiques subissent souvent des modifications physiques et comportementales : ils perdent l'équilibre, sont incapables de voler, ont de la difficulté à se nourrir, à se reproduire, à nicher et à prendre soin de leurs petits.

Il est possible d'éviter de tels inconvénients pour les oiseaux aquatiques. On trouve maintenant dans les boutiques de pêche des pesées et des turluttes composées d'autres matériaux comme le bismuth, l'argile ou l'étain, qui ne sont pas nuisibles pour les oiseaux.

Source : *Pêchez sans plomb*, Service canadien de la faune

a Les quatre mots suivants, qui sont soulignés dans le texte, sont polysémiques. Indiquez le sens de chacun d'eux en tenant compte du contexte.

Ⓐ plomb : ______________________

Ⓑ aires : ______________________

Ⓒ coups : ______________________

Ⓓ ligne : ______________________

b Trouvez dans le dernier paragraphe trois mots qui ne sont pas polysémiques.

____

Nom: ______________________ Groupe: __________

FICHE 46 LE SENS PROPRE ET LE SENS FIGURÉ

EN BREF

› Le **sens propre** d'un mot est le sens premier ou le plus courant d'un mot, celui qui est le plus proche de son origine étymologique. Ce sens est mentionné en premier dans le dictionnaire.

› Le **sens figuré** est le sens imagé d'un mot; il donne au mot une valeur métaphorique. Dans la plupart des dictionnaires, ce sens est habituellement indiqué par l'abréviation ***fig***.

Étincelle n.f. (lat. *scintilla*)

1. Parcelle incandescente qui se détache d'un corps enflammé ou qui jaillit du choc ou du frottement de deux corps.
2. *Fig*. Manifestation brillante et fugitive: *une étincelle de génie*.

› Un mot polysémique a toujours au moins un sens propre et il peut avoir aussi un ou plusieurs sens figurés. C'est le contexte qui indique si le mot est utilisé au sens propre ou au sens figuré.

PARTIE 2 Le lexique

EXERCICES

1 Dans les phrases suivantes, indiquez si les noms soulignés sont employés au sens propre ou au sens figuré.

A Cette personne a un cœur de pierre: ______________

Les pierres précieuses servent à fabriquer des bijoux: ______________

B Comme nos relations étaient très difficiles, nous avons coupé les ponts:

____

L'armée a dû établir un pont aérien pour ravitailler une partie de ses troupes:

____

C Elle s'est fait voler son sac à main: ______________

Allez, dis ce que tu as sur le cœur, vide ton sac une fois pour toutes: ______________

D J'allais m'emparer du drapeau lorsqu'on m'a coupé l'herbe sous le pied:

____

La mauvaise herbe pousse vite; on n'arrive pas à s'en débarrasser:

____

Nom : ______________________ Groupe : ____________

2 Dans les phrases suivantes, soulignez les expressions qui ont un sens figuré. Au besoin, consultez un dictionnaire.

A Elle décline toute responsabilité : elle s'en lave les mains.

B Ce repas est difficile à digérer : il me pèse sur l'estomac.

C Félix m'a trahi, il m'a poignardé dans le dos.

D Il faisait un brouillard à couper au couteau.

E Avec mon petit salaire, je n'arrive pas à joindre les deux bouts.

3 Chacune des phrases suivantes contient un mot ou un groupe de mots employé au sens figuré. Soulignez-le et donnez-en une brève définition.

A Il faut éliminer le cancer de la drogue.

____

B Les prisonniers ont pris la clé des champs.

____

C Ces enfants ont été élevés en serre.

____

D Le rideau de fer érigé en Europe après la Deuxième Guerre a été détruit en 1989.

____

E Les relations sont tendues, il y a de l'orage dans l'air.

____

F Des montagnes de livres encombrent son bureau.

____

G La police a levé le voile sur cette mystérieuse affaire.

____

Nom : ______________________ Groupe : ____________

FICHE 47 LES PARONYMES

EN BREF

› On appelle **paronymes** les mots de sens différents qui ont une prononciation ou une orthographe presque semblable.

*Il n'a pas obtenu de **prolongation** de son congé.*
(**prolongation** : action de prolonger dans le temps)
*Le **prolongement** de l'autoroute a entraîné un vif débat parmi la population.*
(**prolongement** : action de prolonger dans l'espace)

EXERCICES (Utilisez un dictionnaire, au besoin.)

1 Complétez les phrases suivantes en utilisant le paronyme approprié.

A Allocution/allocation

La députée a prononcé une ______________ pour remercier ses partisans.

On nous propose une ______________ de 50 $ pour défrayer les repas pris à l'extérieur.

B Allusion/illusion

À quoi le professeur a-t-il fait ______________ ?

Il ne faut pas se faire d' ______________, les autres examens ne seront pas aussi faciles.

C Collision/collusion

Il y a eu ______________ entre les deux entraîneurs pour jouer un match nul.

Deux voitures sont entrées en ______________ à cette intersection.

D Éruption/irruption

Les policiers ont fait ______________ dans la maison d'un trafiquant de drogue.

Marie a mangé un aliment qui a provoqué une ______________ de boutons rougeâtres sur tout son corps.

Nom : ______________________ Groupe : ____________

E Écales/écailles

L'entraîneur grignote nerveusement des noix et jette les ____________ sous le banc des joueurs.

J'adore les huîtres, mais je déteste ouvrir leurs ____________.

2 Choisissez, parmi les paronymes entre parenthèses, celui qui convient au sens de la phrase.

A L'équipe victorieuse (abhorre/arbore) ____________ fièrement le drapeau de son pays.

B Le film sur la dernière guerre mondiale m'a (oppressé/opprimé) ____________.

C La culture de l'opium est (prescrite/proscrite) ____________ dans notre pays.

D Beaucoup de cargos sont (infestés/infectés) ____________ de rats.

E De nombreux vols à l'étalage ont été (perpétués/perpétrés) ____________ dans ce grand magasin.

3 Corrigez les phrases suivantes en remplaçant le mot entre parenthèses par un paronyme qui convient au contexte.

A Jadis, on soignait bien des maladies avec des plantes (médicales) ____________.

B Beaucoup de modes d'emploi ne sont pas (compréhensifs) ____________.

C Même si c'est difficile à croire, certaines plantes sont (carnassières) ____________.

D Nous avons reçu une (imminente) ____________ conférencière qui nous a parlé des métiers du futur.

E Mes revenus sont trop (modérés) ____________ : je ne peux acheter une telle voiture.

PARTIE 2 Le lexique

Nom : ________________ Groupe : ________________

4 Complétez les phrases suivantes en utilisant les paronymes appropriés. Les premières lettres des paronymes sont données à titre d'indices.

A Une revue qui paraît tous les deux mois est une revue bi________________ alors que celle qui paraît deux fois par mois est bi________________.

B Après à peine deux mois d'utilisation, mon ordinateur est déf________________ ; peut-être est-ce à cause d'un entretien déf________________.

C Les vitraux sont des compositions décoratives dont le verre est trans________________ alors qu'une vitre à travers laquelle on voit est trans________________.

D Mon travail passe en premier, il est pri________________ ; cependant, il ne doit pas m'empêcher de combler mes besoins pri________________, comme manger et dormir.

E Faire du bénévolat auprès des malades est un acte méri________________ ; les personnes qui consacrent ainsi une partie de leur temps à aider les autres sont bien méri________________.

Nom : ______________________________ Groupe : ______________

FICHE 48 LA CONNOTATION

EN BREF

› Dans un texte, le vocabulaire peut être **dénoté** ou **connoté**. Le vocabulaire dénoté est **précis**, **objectif** et **neutre**. Le vocabulaire connoté est **subjectif** ; il exprime le point de vue, favorable ou défavorable, de l'auteur sur une réalité.

› La connotation peut être **méliorative** ou **péjorative**. Elle est méliorative lorsqu'elle présente la réalité sous un aspect favorable, et péjorative lorsqu'elle la présente sous un aspect défavorable.

Vocabulaire dénoté	Vocabulaire connoté (mélioratif)	Vocabulaire connoté (péjoratif)
cheval	*pur-sang*	*picouille*
film	*chef-d'œuvre*	*navet*
habile	*talentueux*	*médiocre*

EXERCICES

1 Lisez le poème *Le nénuphar*. Portez une attention particulière au contraste que le poète établit entre le nénuphar et le marais et répondez aux questions qui suivent.

Le nénuphar

Le marais s'étend là, monotone et vaseux,
Plaine d'ajoncs rompus et de mousses gluantes,
Immonde rendez-vous où mille êtres visqueux
Croisent obscurément leurs légions fuyantes.

Or, parmi ces débris de corruptions lentes,
On voit, immaculé, splendide, glorieux,
Le nénuphar dresser sa fleur étincelante
Des blancheurs de la neige et de l'éclat des cieux.

Il surgit, noble et pur, en ce désert étrange,
Écrasant ces laideurs qui le montrent plus beau,
Et, pour lui faire un lit sans tache en cette fange,

Ses feuilles largement épandent leur rideau,
Et leur grand orbe vert semble être, au fil de l'eau,
Un disque d'émeraude où luit une aile d'ange.

Louis Dantin, *Le Coffret de Crusoé*

Nom : ______________________ Groupe : __________

Ⓐ Dans ce poème, relevez cinq adjectifs et quatre noms qui ont une connotation méliorative, c'est-à-dire qui donnent du nénuphar une image positive ou favorable.

Adjectifs	Noms
■	■
■	■
■	■
■	■
■	

Ⓑ Dans le même poème, relevez cinq adjectifs et cinq noms qui ont une connotation péjorative, c'est-à-dire qui donnent du marais une image négative ou défavorable.

Adjectifs	Noms
■	■
■	■
■	■
■	■
■	■

2 Lisez le texte *Le salon de la pension Vauquer*, puis répondez aux questions qui suivent.

Le salon de la pension Vauquer

Le rez-de-chaussée se compose d'une première pièce éclairée par les deux croisées de la rue. Rien n'est plus triste à voir que ce salon meublé de fauteuils en étoffe de crin. La cheminée en pierre est ornée de deux vases pleins de fleurs artificielles vieillies qui accompagnent une pendule bleuâtre du plus mauvais goût. Cette première pièce exhale une odeur sans nom dans la langue, et qu'il faudrait appeler une *odeur de pension*. Elle sent le renfermé, le moisi, le rance ; elle donne froid, elle est humide au nez, elle pénètre les vêtements ; elle pue le service, l'office, l'hospice. Eh bien, si vous le compariez à la salle à manger, qui lui est contiguë, vous trouveriez ce salon élégant et parfumé.

Honoré de Balzac, *Le Père Goriot* (adaptation)

Nom : ______ Groupe : ______

a Dans le texte précédent, l'auteur utilise abondamment un vocabulaire à connotation péjorative pour décrire les sensations que procure le salon de la pension Vauquer. Relevez dans le texte des passages qui dépeignent :

A une sensation tactile désagréable

B deux sensations visuelles désagréables

-
-

C cinq sensations olfactives désagréables

-
-
-
-
-

b Relevez dans le même texte :

A un adjectif qui exprime une sensation visuelle agréable

B un adjectif qui exprime une sensation olfactive agréable

C une phrase qui exprime une sensation visuelle neutre

Nom : ______________________ Groupe : ____________

FICHE 49 LES FIGURES DE STYLE

EN BREF

› Les **figures de style** sont des procédés de langage qui donnent du relief, de la couleur, du pittoresque à un message ou à un texte afin de le rendre plus expressif. Les principales figures de style sont les suivantes.

- La **comparaison** : elle consiste à faire, au moyen d'un mot de comparaison, un rapprochement entre deux réalités qui ont un aspect commun.

  Le cerf-volant (élément comparé) *s'élève* (aspect commun) *dans le ciel* ***comme*** (mot de comparaison) ***une hirondelle de mer*** (élément comparant).

- La **métaphore** : comme la comparaison, elle consiste à faire un rapprochement entre deux réalités qui ont un aspect commun, mais sans l'intermédiaire d'un mot de comparaison.

  Oiseau ivre de vent*, le cerf-volant s'élève dans le ciel.*

- La **métonymie** : elle consiste à désigner une réalité par un mot désignant une autre réalité avec laquelle elle entretient un lien logique. Ainsi la métonymie peut désigner :
  - un produit par son lieu d'origine : *Ma mère a bu un (vin de) bordeaux.*
  - le pluriel par le singulier : *L'homme blanc (Les hommes blancs) et l'Iroquois (les Iroquois) se sont réconciliés.*
  - le tout par une partie du tout : *Mon bras (Je) défendra ma patrie.*
  - les habitants par le lieu qu'ils habitent : *Québec (Les Québécois) a accueilli les visiteurs avec chaleur.*
  - l'objet par la matière : *Les deux ennemis ont croisé le fer (l'épée).*
  - l'abstrait par le concret : *Nous défendrons notre drapeau (pays).*

- La **répétition** : elle consiste dans l'emploi répété d'un élément (mot, idée) dans une phrase afin de créer un effet.

  Ô vent du Nord, vent de chez nous, vent de féerie (Alfred DesRochers)

- La **gradation** : elle consiste à disposer plusieurs mots ou expressions selon une progression de sens croissante ou décroissante.

  Des hommes s'agitent, s'impatientent, s'énervent, s'enflamment.

- L'**accumulation** : elle consiste à réunir dans une phrase ou un court texte un grand nombre de détails destinés à développer une idée.

  Tout le passé brutal de ces coureurs de bois :
  Chasseurs, trappeurs, scieurs de long, flotteurs de cages,
  Marchands aventuriers ou travailleurs à gages,
  M'ordonne d'émigrer par en haut pour cinq mois.

  (Alfred DesRochers)

Nom : ______________________ Groupe : ____________

EXERCICES

1 **Pour chacune des comparaisons citées dans la colonne de gauche, indiquez l'élément comparé, le mot de comparaison, l'élément comparant ainsi que l'aspect commun aux deux réalités comparées.**

Comparaison	Élément comparé	Mot de comparaison	Élément comparant	Aspect commun
[…] un héron bleu s'est figé, tel un jonc, sur le bord du lac. (D'après A. Ferland)				
L'horizon altier alignait les sapins comme une caravane. (D'après L.-J. Doucet)				
Ton âme autour de nous planait ainsi qu'un parfum. (D'après A. de Bussières)				
Le refrain qui passait sur leurs lèvres semblait un chant d'oiselets égayant les vergers fleuris. (D'après A. de Bussières)				
Un astre paraît, pareil à un rêve imprécis. (D'après L. Rainier)				

2 **Complétez les comparaisons contenues dans les phrases suivantes en utilisant un mot de comparaison approprié. Attention ! Le mot de comparaison doit être différent dans chacune des phrases.**

A La vieille goélette, ______________ un bouchon de liège, était ballottée par les flots.

B Notre amitié se rallume ______________ un feu couvant sous la cendre.

C La terre natale, ______________ une vieille amie, éveille en moi des souvenirs lointains.

D Nos rêves, ______________ des papillons nocturnes, s'élèvent dans la nuit étoilée.

E ______________ à une nuée de moustiques, la poussière du chemin planait au gré du vent.

Nom : ______________________ Groupe : ____________

3 Expliquez en vos propres mots les métaphores contenues dans les phrases suivantes.

A Hélas ! J'eus aussi mon printemps,
Mais déjà mon hiver commence ! (Joseph Quesnel)

____

B La nuit glaciale a dessiné sur ma vitre des fleurs de givre. (D'après A. Lozeau)

____

C Quand la mer sort ses griffes pour saisir la terre. (Pierre Trottier)

____

4 Lisez les vers suivants et indiquez s'ils contiennent une métaphore ou une comparaison.

A Comme un reptile immense au soleil engourdi,
(Le fleuve) Dépliait ses anneaux de rivage en rivage.
(Louis Fréchette) ______________________

B Puis, ivres, (abeilles) vous vous reposez
Au sein de vos palais de cire
(Moïse-Joseph Marsile) ______________________

C Et mes rêves altiers fondent comme des cierges.
(Émile Nelligan) ______________________

D Qu'est devenu mon cœur, navire déserté ?
(Émile Nelligan) ______________________

E Calmes parasols
Sveltes, dans une tranquille élégance
Les ormes sont seuls ou par petites familles.
(Hector de Saint-Denys Garneau) ______________________

Nom : ______________________ Groupe : __________

5 Expliquez en vos propres mots les métonymies soulignées dans les phrases suivantes.

A J'écoute du Mozart pour me détendre.

____

B L'acier dur fauchait les blés d'or.

____

C À l'école, je rougissais des poèmes que ma main écrivait.

____

6 Dites quel procédé stylistique on a utilisé dans les phrases suivantes. Choisissez parmi les procédés suivants : répétition, gradation, accumulation.

A La mer calme, la mer au murmure endormeur
La mer fauve, la mer vierge, la mer sauvage

(Nérée Beauchemin) ______________________

B Ah ! comme la neige a neigé !
Ma vitre est un jardin de givre.
Ah ! comme la neige a neigé !

(Émile Nelligan) ______________________

C (Cyrano décrivant son nez)
C'est un roc !... c'est un pic !... c'est un cap !
Que dis-je, c'est un cap ?... C'est une péninsule !

(Edmond Rostand) ______________________

D La marche des saisons, le silence, le bruit,
Le caprice des vents, la couleur des tempêtes,
Et l'imprévu des bois et l'empreinte des bêtes,
Tout pesait sur son cœur mobile et conquérant

(Albert Ferland) ______________________

E Nous sommes droits et debout
Liés par nos chevilles, nos poignets
Liés par nos bouches confondues
Liés par nos flancs soudés

(Alain Grandbois) ______________________

PARTIE 2 Le lexique

Nom : ______________________________ Groupe : ______________

FICHE 50 LES HOMOPHONES

EN BREF

› Les **homophones** ou **homonymes** sont des mots ou des ensembles de mots qui se prononcent de la même façon, mais qui ont une orthographe et un sens différents.

Ce joueur de hockey a été expulsé pour avoir donné un ***coup*** *de bâton au* ***cou*** *de son adversaire.*

Quand *commence-t-on à travailler?* ***Qu'en*** *penses-tu?*

Remarque :

Les homophones peuvent être constitués de mots appartenant à une même classe grammaticale (*cou/coup/coût*) ou à des classes grammaticales différentes (*quand*, adverbe interrogatif/*qu'en*, pronom interrogatif + pronom personnel).

EXERCICES

1 Complétez les phrases suivantes en utilisant les homophones appropriés et en faisant les accords nécessaires. Au besoin, utilisez un dictionnaire.

A censé/sensé

Une personne ______________ n'est pas ______________ courir autant de risques.

B mite/mythe

Ce n'est pas un ______________ : les ______________ mangent vraiment la laine des vêtements.

C foie/fois

Par deux ______________, j'ai été opéré au ______________.

D maire/mer/mère

La ______________ du ______________ demeure près de la ______________.

E saut/seau/sot

Un ______________ portant un ______________ fit un ______________ et tomba.

Nom : ______________________ Groupe : ______________

2 Complétez les phrases suivantes en utilisant les homophones appropriés.

A On leur servit du gibier, les convives firent bonne (chère, chair) ______________.

B La nouvelle année a commencé sous de bons (auspices, hospices) ______________.

C L'effet de (cerf, serf, serre) ______________ est un phénomène dont on ne nie plus la réalité.

D Au (cour, cours, court) ______________ du siècle actuel, les températures moyennes augmenteront.

E Le courlis esquimau est encore sur la liste des espèces d'oiseaux en (voie, voix) ______________ d'extinction.

3 Complétez le texte *Les méfaits de l'anarchie* à l'aide des homophones placés entre parenthèses.

Les méfaits de l'anarchie

Il y avait en Arabie un petit peuple, appelé Troglodyte, qui descendait de (ces/ses) ______________ anciens habitants des cavernes qui ressemblaient (sans/s'en) ______________ doute plus à des bêtes qu'à des hommes. (Quoique/Quoi que) ______________ prétendent certains historiens, ceux-ci n'étaient point velus comme des ours, ils ne sifflaient point et ils avaient deux yeux ; (mais/mes/mets) ______________ ils étaient (si/s'y) ______________ méchants et féroces qu'il (n'y/ni) ______________ avait parmi eux aucun principe de justice.

Ils avaient un roi qui les traitait sévèrement, car il voulait corriger (leur/leurs) ______________ méchanceté. Comme ils étaient (près/prêts) ______________ à (tout/tous) ______________ pour (sans/s'en) ______________ débarrasser, ils conspirèrent contre lui et ils le tuèrent. Quant à la famille royale, ils l'exterminèrent

Nom : ____________________ Groupe : ____________

(sans/s'en) ____________ plus attendre. Le coup étant fait, ils s'assemblèrent pour choisir un gouvernement. Après (quelque/quelques/quelles que) ____________ dissensions, ils choisirent des magistrats pour gouverner l'État. Cependant, à peine les eurent-ils élus qu'ils (leur/leurs) ____________ devinrent insupportables ; et ils (sans/s'en) ____________ débarrassèrent en les massacrant.

(Ce/Se) ____________ peuple, libéré de (ce/se) ____________ nouveau joug, ne consulta plus que son naturel sauvage. (Tous/Tout) ____________ les particuliers convinrent (plus tôt/plutôt) ____________ qu'ils n'obéiraient plus à personne ; que chacun veillerait uniquement à (ces/ses) ____________ intérêts, (sans/s'en) ____________ tenir compte de ceux des autres.

Arriva le mois où l'on ensemence les terres. Chacun dit : « Je ne labourerai ma terre que pour (quelle/qu'elle) ____________ me fournisse le blé qu'il me faut pour me nourrir. » Les terres de (ce/se) ____________ petit royaume n'étaient pas de même nature. Il y en avait d'arides et de montagneuses, et d'autres qui, dans un terrain bas, étaient arrosées de plusieurs ruisseaux. Malheureusement, (c'est/s'est) ____________ cette année-là que la sécheresse sévit (peut-être/peut être) ____________ avec le plus de rigueur, de sorte que les terres qui étaient dans les lieux élevés ne produisirent absolument rien, tandis que celles qui purent être arrosées furent très fertiles.

Ainsi les peuples des montagnes périrent presque de faim par la dureté des autres, qui (leur/leurs) ____________ refusèrent de partager la récolte. L'année suivante fut très pluvieuse ; les lieux élevés se trouvèrent d'une fertilité extraordinaire, et les terres basses, (quoique/quoi que) ____________ habituellement fertiles, furent submergées. (Quelle/Qu'elle) ____________ misère (ce/se) ____________ fut pour une partie du peuple qui cria famine ! (Mais/Mes) ____________ (ces/ses) ____________ misérables trouvèrent chez

Nom : ________________ Groupe : ________________

leurs voisins des montagnes des gens aussi durs qu'ils l'avaient été eux-mêmes et (peu/peux/peut) ________________ survécurent.

Cependant, une maladie cruelle ravageait la contrée. (C'est/S'est) ________________ alors qu'un médecin habile arriva du pays voisin et donna (ces/ses) ________________ propres remèdes aux malades. (Ces/Ses) ________________ remèdes-là furent très efficaces. (Quand/Qu'en) ________________ la maladie eut cessé, (ce/se) ________________ dernier alla chez (tout/tous) ________________ ceux qu'il avait traités pour demander son salaire ; (mais/mes) ________________ il ne trouva que des refus. Il retourna dans son pays, et il y arriva accablé des fatigues d'un très long voyage. Il apprit (quelques/quels que) ________________ mois plus tard que la même maladie (ce/se) ________________ faisait sentir de nouveau et affligeait plus que jamais cette terre ingrate. Cette fois, les Troglodytes (sans/s'en) ________________ allèrent à lui sans attendre qu'il vînt chez eux. « Allez, (leur/leurs) ________________ dit-il, hommes injustes ! Vous avez dans l'âme un poison plus mortel que celui dont vous voulez guérir. Vous ne méritez pas d'occuper une place sur la Terre parce que vous n'avez point d'humanité et que les règles de l'équité vous sont inconnues. Je croirais offenser les dieux qui vous punissent (si/s'y) ________________ je m'opposais à la justice de (leur/leurs) ________________ colère. (Ça/Çà/Sa) ________________ (mes/met/m'est) ________________ donc impossible de répondre à votre requête. »

Montesquieu, *Les lettres persanes, Lettre XI* (adaptation)

PARTIE 2
Le lexique

Nom : ______________________ Groupe : ____________

FICHE 51 LES GÉNÉRIQUES ET LES SPÉCIFIQUES

EN BREF

› On appelle **terme générique** un mot désignant une catégorie générale d'êtres ou de choses, et **terme spécifique** chacun des mots désignant les êtres et les choses qui font partie de cette catégorie générale.

Termes génériques	Termes spécifiques
instrument de musique	*piano, violon, accordéon,* etc.
véhicule	*automobile, camion, motocyclette,* etc.

Pour vérifier si deux mots sont des termes générique et spécifique, on tente de définir le mot spécifique à l'aide d'un générique. Par exemple, on peut dire que :

Terme spécifique		Terme générique
*Un **piano***	*est un type d'*	***instrument de musique***.
*Une **automobile***	*est un type de*	***véhicule***.

EXERCICES

Lisez le texte *La croissance accélérée des plantes aquatiques*, puis réalisez les exercices qui suivent.

La croissance accélérée des plantes aquatiques

La croissance et la reproduction des plantes aquatiques sont accrues par l'*eutrophisation*, un processus naturel qui transforme un lac en tourbière et finit par l'assécher. Aujourd'hui, à de nombreux endroits, ce processus est considérablement accéléré par la présence de fortes concentrations d'azote et de phosphore causée par l'utilisation abusive de phosphates, des engrais très employés en agriculture, ce qui favorise la prolifération des plantes aquatiques. Cette croissance excessive a pour effet de réduire énormément la quantité d'oxygène que les plantes partagent avec d'autres organismes qui vivent dans l'eau. Quand les plantes meurent, elles se décomposent en consommant encore plus d'oxygène. Par la suite, les poissons suffoquent et meurent, et l'activité bactérienne s'amenuise.

Cependant, si les apports de phosphore et d'azote sont réduits ou cessent, l'équilibre peut se rétablir de lui-même. Ainsi vers la fin des années 1960, le lac

Nom : ______________________ Groupe : ____________

Érié a connu une *eutrophisation* si forte que les poissons mouraient et que les algues en décomposition, qui s'accumulaient sur les plages, ont dû être enlevées à l'aide de machinerie lourde. Des recherches environnementales ont démontré que « le grand coupable était le phosphore (des phosphates) contenu dans les détergents à lessive rejetés dans le lac ». Par la suite, une loi fut adoptée pour réduire les concentrations de cette substance. En 1972, la teneur en phosphates des savons à lessive fut abaissée d'environ 90 %. Depuis ce temps, le lac Érié a retrouvé peu à peu un état de santé plus qu'acceptable.

Source : *La pollution de l'eau*, Environnement Canada

1 Dans chaque paire de mots ci-dessous, indiquez lequel est un terme générique et lequel est un terme spécifique.

Paire de mots	Terme générique	Terme spécifique
lac / plan d'eau		
marécage / tourbière		
poisson / truite		
poisson / vertébré		
oxygène / gaz		
algue / plante		
agriculture / céréaliculture		

2 Dans les phrases suivantes, toutes tirées du texte, indiquez quel terme est un générique du terme spécifique souligné.

A La croissance et la reproduction des plantes aquatiques sont accrues par l'eutrophisation, un processus naturel qui transforme un lac en tourbière et finit par l'assécher. ____________

B Aujourd'hui, à de nombreux endroits, ce processus est considérablement accéléré par la présence de fortes concentrations de phosphore causée par l'utilisation abusive de phosphates, des engrais très employés en agriculture [...].

____

Nom : ______________________ Groupe : __________

Ⓒ Cette croissance excessive a pour effet de réduire énormément la quantité d'oxygène que les <u>plantes</u> partagent avec d'autres organismes qui vivent dans l'eau. ______________________

Ⓓ [...] le grand coupable était le <u>phosphore</u> contenu dans les détergents à lessive rejetés dans le lac. Par la suite une loi fut adoptée pour réduire les concentrations de cette substance. ______________________

3 Complétez les phrases suivantes à l'aide d'un générique des mots soulignés.

Ⓐ Dans ce parc, on peut pratiquer la <u>randonnée pédestre</u>, le <u>jogging</u> et le <u>vélo</u> ; ces ______________ constituent d'excellentes façons de combattre le stress.

Ⓑ Nous avons observé des <u>fous de Bassan</u> à l'île Bonaventure ; ces magnifiques ______________ blancs à tête jaune nichent dans les falaises de l'île.

Ⓒ Le <u>charbon</u> est constitué presque entièrement de carbone ; en brûlant, ce ______________ produit du <u>monoxyde de carbone</u>, un ______________ qui rend l'air irrespirable.

Ⓓ On trouve dans cette réserve écologique des <u>poissons</u>, des <u>amphibiens</u>, des <u>reptiles</u>, des <u>oiseaux</u> et des <u>mammifères</u> ; la ______________ y est donc bien représentée.

Nom : ______________________ Groupe : ____________

FICHE 52 LES SYNONYMES ET LES ANTONYMES

EN BREF

› Les **synonymes** sont des mots qui ont à peu près le même sens et qui appartiennent à la même classe grammaticale (noms, adjectifs, verbes, etc.).

Cet accident d'avion est ***un drame/une tragédie****.*

On nous a confié une tâche ***difficile/ardue****.*

Avant de cultiver ce terrain, nous avons dû le ***déboiser/défricher****.*

› Les **antonymes** sont des mots qui s'opposent par le sens et qui appartiennent à la même classe grammaticale.

Il faut qu'une porte soit ***ouverte*** *ou* ***fermée****.*

Certains font ***aisément*** *ce que d'autres font* ***difficilement****.*

Remarque :

Les mots polysémiques peuvent avoir plusieurs synonymes et plusieurs antonymes. Pour trouver le synonyme ou l'antonyme d'un mot, il est donc nécessaire de connaître le contexte dans lequel il est employé.

Synonymes	Antonymes
Avoir les mains ***noires/sales***	*Avoir des idées* ***noires/joyeuses***
Se cacher dans un coin ***noir/sombre***	*Voir tout en* ***noir/rose***

EXERCICES

1 Donnez un synonyme pour chacun des mots placés entre parenthèses dans le texte suivant. N'oubliez pas de tenir compte du contexte et de faire les ajustements nécessaires (accords, choix du déterminant).

Changements climatiques

Notre planète est (suffisamment) ____________ chaude pour (permettre) ____________ la vie parce que les gaz à effet de serre dans l'atmosphère captent la chaleur du soleil. Cependant, un (excédent) ____________ de ces gaz a une (incidence) ____________ sur l'atmosphère, ce qui se traduit par la (hausse) ____________ des températures moyennes de la Terre. Certains (attribuent) ____________ l'augmentation des gaz à effet de serre aux activités (anthropiques) ____________, mais plusieurs hésitent encore à établir ce

Nom : ______________________________ Groupe : ______________

(rapport) ______________; selon eux, il est difficile de faire la (distinction) ______________ entre les influences de la nature et celles de l'homme.

À première vue, des températures plus élevées peuvent (sembler) ______________ avantageuses. Cependant, elles peuvent occasionner des phénomènes météorologiques violents tels que des orages, des pluies abondantes, de la grêle et des tornades. Les changements climatiques peuvent (aussi) ______________ entraîner des vagues de chaleur plus intenses et plus longues, susceptibles d'aggraver la pollution de l'air et de causer plus de sécheresses dans certaines régions et plus d'inondations dans d'autres.

On assiste déjà aux (conséquences) ______________ des changements climatiques sur la santé et le bien-être des collectivités nordiques ; ces (collectivités) ______________ voient leurs conditions de vie se détériorer, et cette situation va s'accentuer à mesure que les changements climatiques se produiront. Dans les zones urbaines, on verra s'accroître les épisodes de smog et les vagues de chaleur. Ces problèmes affecteront surtout les groupes vulnérables comme les enfants, les personnes âgées, les handicapés, les pauvres, les immigrants. De plus, des conditions météorologiques exceptionnelles pourraient affecter les infrastructures d'hygiène publique. Pour rendre ces systèmes moins fragiles, dans la mesure où cela sera possible, il faudra des investissements considérables.

Nom : ______________________ Groupe : ____________

2 À l'aide d'un dictionnaire de synonymes ou d'antonymes, complétez le tableau ci-dessous en donnant un synonyme et un antonyme pour chacun des mots de la colonne de gauche. N'oubliez pas de tenir compte du contexte de ces mots, tous soulignés dans le texte précédent.

Mots du texte	Synonymes	Antonymes
avantageuses		
abondantes		
entraîner		
aggraver		
se détériorer		
s'accentuer		
s'accroître		
vulnérables		
pauvres		
exceptionnelles		
fragiles		
possible		
considérables		

Nom : ______________________ Groupe : ____________

FICHE 53 LES CHAMPS LEXICAUX

EN BREF

› On appelle **champ lexical** un **ensemble de mots** se rapportant à un **même thème**. Ces mots peuvent être associés par différents rapports de sens : des rapports de synonymie, de générique à spécifique, de tout à partie, d'appartenance à un même domaine ou à une même famille de mots. Les mots d'un champ lexical peuvent appartenir à différentes classes grammaticales.

Ainsi, dans le champ lexical de l'**arbre**, on peut trouver :

- les spécifiques *bouleau, cerisier, érable, frêne*, etc.
- le générique *végétal*
- les mots de même famille que *arbre* : *arbrisseau, arbuste, arboricole, arboretum*, etc.
- les mots exprimant un rapport de tout à partie : *branche, tronc, feuille, écorce*, etc.
- des mots se rapportant au même domaine : *plante, sylviculture, déboisement*, etc.

EXERCICES

1 Dans le texte suivant, soulignez les mots qui font partie du champ lexical de l'*eau*. Au besoin, utilisez un dictionnaire analogique ou un dictionnaire de synonymes.

Un immense réservoir d'eau douce gelée

Dans les régions polaires, le Canada possède une immense réserve d'eau douce qui se trouve à l'état solide sous la forme de calottes glaciaires et d'inlandsis. C'est l'accumulation de la neige, à des altitudes élevées, pendant des centaines voire des milliers d'années qui s'est transformée en glace polaire. Celle-ci, sous la force de la gravité, descend doucement vers l'aval comme une rivière gelée et finit par fondre, à basse altitude, avant de rejoindre un cours d'eau. Lorsque sa fonte est plus rapide que son accumulation, le glacier diminue de volume et commence à reculer.

Comme ils ralentissent le passage de l'eau d'une étape à une autre, les glaciers exercent une importante influence sur le cycle hydrologique. En somme, les glaciers emmagasinent l'eau et forment des grands réservoirs naturels très utiles, tout comme les lacs et les réservoirs souterrains, puisqu'ils libèrent l'eau particulièrement en été quand la demande est plus forte.

Nom : ______________________________ Groupe : ______________

Les cours d'eau alimentés par les glaciers atteignent alors leur débit maximum durant cette période.

Quand la demande en eau est réduite, une débâcle glaciaire hivernale, provoquée par la rupture d'une poche glaciaire, est souvent catastrophique puisqu'elle provoque des inondations en raison des difficultés d'évacuation de grandes masses d'eau.

2 Complétez le texte ci-dessous en utilisant les mots suivants, qui appartiennent au champ lexical de l'*alimentation*.

alimentaire ▪ alimentation ▪ alimentés ▪ aliments ▪ calories
consomme ▪ diète ▪ énergétique ▪ faim
mangeaient ▪ nutrition ▪ nutritionniste

Une des stratégies les plus efficaces pour allonger la durée de la vie se trouve probablement dans la ______________. Non seulement dans le choix des ______________ que l'on ______________, mais surtout dans la quantité. Un régime ______________ amputé du tiers des ______________ prises normalement parvient à prolonger la vie de diverses espèces animales.

Soumis à une pareille ______________, des macaques ______________ à leur ______________ et étaient pétillants de santé. Contrairement aux singes ______________ normalement, les primates contraints à une ______________ à faible teneur ______________ étaient protégés du diabète et vivaient plus longtemps. C'est du moins ce qu'a observé Clive McCay, ______________ à l'Université Cornell.

3 De quel mot-thème les ensembles de mots suivants forment-ils le champ lexical ?

A blizzard, congère, froid, hivernal, neige, patinoire, ski, souffleuse, tempête, verglas, saison ______________

B chanson, compositeur, concert, disque, harmonie, mélodie, symphonie, violon, note ______________

Nom : ______________________ Groupe : ____________

FICHE 54 LES EXPRESSIONS FIGÉES

EN BREF

› Les **expressions figées** sont des groupes de mots (locutions) ou des phrases qui ont un sens d'ensemble et dont la composition ne peut pas être modifiée.

*Avoir **la conscience en paix**.* (N'avoir rien à se reprocher.)

*Être **dur d'oreille**.* (Être un peu sourd.)

Les expressions figées ont souvent un **sens figuré**, suggéré par une image ou une comparaison. Les dictons et les proverbes en sont un exemple.

Après la pluie, le beau temps. (La joie succède souvent à la tristesse.)

Les murs ont des oreilles. (On peut être épié sans qu'on s'en doute.)

Certaines expressions figées sont employées uniquement dans certaines régions, par exemple ces deux expressions figées propres au Québec :

Avoir une patate chaude dans la bouche. (Parler sans articuler.)

Être vite sur ses patins. (Agir, prendre des décisions rapidement.)

PARTIE 2 Le lexique

EXERCICES

1 À l'aide d'un dictionnaire usuel, donnez la signification de chacun des proverbes suivants.

Proverbes	Signification des proverbes
L'habit ne fait pas le moine.	
Il faut battre le fer quand il est chaud.	
Il n'y a pas de fumée sans feu.	
Qui sème le vent récolte la tempête.	
Ventre affamé n'a point d'oreilles.	

Nom : ______________________ Groupe : ______________

2 À l'aide d'un dictionnaire usuel, donnez le sens des expressions figées suivantes, contenant le mot *doigt*. Composez ensuite une phrase dans laquelle vous utiliserez cette expression.

A Se mordre les doigts.

Sens ______________________

Phrase ______________________

B Avoir des doigts de fée.

Sens ______________________

Phrase ______________________

C Être comme les deux doigts de la main.

Sens ______________________

Phrase ______________________

D Obéir au doigt et à l'œil.

Sens ______________________

Phrase ______________________

E Savoir quelque chose sur le bout des doigts.

Sens ______________________

Phrase ______________________

3 À l'aide d'un dictionnaire usuel, donnez l'expression figée, contenant le mot *pain*, qui correspond à chacun des énoncés suivants.

A Avoir beaucoup de travail à faire. ______________________

B Ne pouvoir s'enrichir à cause de sa pauvreté. ______________________

C Travailler pour sa subsistance. ______________________

D Se vendre très facilement. ______________________

E Priver quelqu'un de sa subsistance. ______________________

PARTIE 2 Le lexique

Nom : ______________________ Groupe : __________

FICHE 55 L'ÉLISION

EN BREF

› On appelle **élision** le remplacement d'une voyelle par l'apostrophe. L'apostrophe marque la suppression de la voyelle finale d'un mot lorsque celui-ci est suivi d'un mot commençant par une voyelle ou un ***h*** muet.

› Il y a élision de la voyelle **e** des mots *je, me, te, se, le, ce, de, ne* et *que* employé seul, dans une locution (*afin que, alors que, dès que, parce que,* etc.) ou lié à un autre mot (*lorsque, jusque, puisque, quoique*).

J'a*ccepte.*	*Il* ***m'i****nvite.*	***C'é****tait hier.*	***L'h****émisphère*
Un jour ***d'é****té*	*Ce* ***n'e****st rien.*	*Parce* ***qu'e****lle...*	*Lors****qu'o****n dit...*

Remarques :

– Le mot *presque* ne s'élide que dans un seul cas : *pres****qu'î****le.*

– Le mot *quelque* ne s'élide que devant *un* ou *une* : *quel****qu'u****n, quel****qu'u****ne.*

– La voyelle **e** du pronom personnel *te* est remplacée par une apostrophe devant *en* et *y*.

*Va-****t'****en !* *Est-ce que tu* ***t'****y fies ?*

› Il y a élision de la voyelle ***a*** du déterminant *la* et du pronom *la*.

Voici (la école) ***l'é****cole du village. Nous (la avons)* ***l'a****vons fréquentée il y a quelques années.*

› Il y a élision de la voyelle ***i*** du mot *si* devant le pronom *il/ils*.

Il s'entête comme ***s'il*** *avait toujours raison.*

EXERCICES

1 Récrivez les expressions de la première colonne du tableau suivant en faisant les élisions qui s'imposent.

Un bâton de hockey.	
Des coups de harpon.	
Des filets de hareng.	
La pointe de le hameçon.	
Un kilo de haricots.	
Le handicapé visuel.	
La couleur de la hermine.	

PARTIE 2 Le lexique

Nom : ______________________ Groupe : __________

Le huissier de justice.	
Le courage de la hyène.	
On le harcèle.	
On ne hurle pas.	
Elle ne fait que hésiter.	
Regarde le hippopotame.	
Il ne halète pas.	
Les esprits le hantent.	
Elles se haïssent.	
Ils se humectent les lèvres.	
Lentement, elles se habituent.	

2 Complétez le texte suivant en utilisant la forme complète ou la forme élidée des mots entre parenthèses.

Bamban

(Je/J') ______________ adressais chaque semaine au principal un rapport circonstancié sur (le/l') ______________ élève Bamban et les nombreux désordres que sa présence entraînait. Malheureusement, mes rapports étaient (presque/presqu') ______________ inutiles et, la plupart du temps, je devais me montrer dans les rues en compagnie de M. Bamban, plus sale et plus bancal que jamais, (de/d') ______________ où son surnom de « Bamban ».

Un dimanche entre autres, il (me/m') ______________ arriva pour la promenade dans un état de toilette tel que nous en fûmes tous (presque/presqu') ______________ épouvantés. Vous (ne/n') ______________ avez jamais rien rêvé de semblable : des mains noires, des souliers sans cordons, de la boue (jusque/jusqu') ______________ aux genoux, la culotte déchirée, un monstre ! Le plus risible, (puisque/puisqu') ______________ on était le dimanche, c'est (que/qu') ______________ évidemment on (le/l') ______________ avait fait

Nom : ______________________ Groupe : __________

très beau avant de me (le/l') __________ envoyer. Sa tête, mieux peignée (que/qu') __________ à l'ordinaire, était encore raide de pommade ; mais il y a tant de ruisseaux avant d'arriver au collège ! Bamban (se/s') __________ était roulé dans tous ceux qui étaient sur son chemin.

(Lorsque/Lorsqu') __________ il prit son rang parmi les autres, paisible et souriant comme si de rien (ne/n') __________ était, (je/j') __________ eus un mouvement (de/d') __________ horreur. (Je/J') __________ hésitai quelque peu, puis je lui criai : « Va-(te/t') __________ en ! »

Bamban pensa que je plaisantais, et il continua de sourire. Il se croyait très beau, ce jour-là, avec son costume du dimanche ! Je criai de nouveau après lui pour (que/qu') __________ il s'en aille. Son œil me suppliait, mais je fus inexorable et le groupe démarra, le laissant seul au milieu de la rue. Je me croyais délivré de lui pour toute la journée, (lorsque/lorsqu') __________ au sortir de la ville des rires et des chuchotements me firent retourner la tête. À quatre ou cinq pas derrière nous, Bamban suivait la promenade gravement. « Doublez le pas », dis-je aux deux premiers.

Nom : ______________________________ Groupe : ______________

Les élèves comprirent (que/qu') ______________ il s'agissait de jouer un tour à Bamban, et ils se mirent à filer un train (de/d') ______________ enfer. De temps en temps, on se retournait pour voir si Bamban pouvait suivre, et on riait de (le/l') ______________ apercevoir là-bas, trottant dans la poussière de la route, au milieu des marchands de gâteaux et de limonade. Cet enragé-là arriva à (le/l') ______________ hôtel de ville (presque/presqu') ______________ en même temps que nous. Seulement, il était pâle de fatigue et tirait la jambe à faire pitié.

(Je/J') ______________ en eus le cœur touché et, éprouvant (quelque/quelqu') ______________ honte, je (le/l') ______________ appelai près de moi doucement. Il avait une petite blouse fanée, à carreaux rouges, la blouse du petit Chose, au collège de Lyon. Je la reconnus tout de suite, cette blouse, et, dans moi-même, je me disais :

« Misérable, tu (ne/n') ______________ as pas honte ? Mais (ce/c') ______________ est toi, c'est le petit Chose que tu (te/t') ______________ amuses à martyriser ainsi. » Et, plein de larmes intérieures, je me mis à éprouver une grande affection pour ce pauvre déshérité. Bamban s'était assis par terre comme (si/s') ______________ il avait eu mal aux jambes. Je (me/m') ______________ assis près de lui. (Quoique/Quoiqu') ______________ épuisé, il me souriait. Je lui parlai... Je lui achetai une orange.

(Je/J') ______________ aurais tout fait pour faire oublier ma faute !

Alphonse Daudet, *Le petit Chose* (adaptation)

Nom : ______________________ Groupe : ____________

FICHE 56 LA MAJUSCULE INITIALE

EN BREF

› On met une **majuscule** à l'initiale des **noms propres** de personnes, de peuples et de lieux.

Samuel de Champlain, un Français, a fondé Québec en 1608.

Remarque :

Lorsque des noms désignant des peuples sont utilisés comme adjectifs, ils ne prennent pas de majuscule : *la culture québécoise, la cuisine française, un pays européen*, etc.

› On met une majuscule dans :

- les noms propres composés : *le Haut-Richelieu, le Bas-Saint-Laurent*
- les noms qui désignent des périodes historiques : *le Moyen Âge, la Révolution tranquille*
- les noms qui désignent des organisations : *la Confédération des syndicats nationaux*
- les noms qui désignent des journaux, des titres de textes ou d'ouvrages : *Le Journal de Québec, Le Devoir*
- les noms qui désignent les périodiques : *Protégez-vous, Chasse et Pêche*
- les noms qui désignent des activités culturelles : *le Salon de l'auto, le Carnaval de Québec*

EXERCICES

1 Dans l'extrait de journal suivant, des majuscules ont été oubliées. Ajoutez-les au-dessus des lettres minuscules correspondantes.

Dans un article intitulé *de l'argent jeté à l'eau*, le journal *le soleil* écrit : « Les citoyens de la région métropolitaine de québec qui achètent de l'eau en bouteille pour avoir une meilleure santé gaspillent leur argent. Celle qui coule dans les robinets est d'aussi bonne qualité. »

(29 novembre 1995)

Nom : ______________________________ Groupe : ______________

2 Lisez le texte suivant en mettant les majuscules qui ont été oubliées, au-dessus des lettres minuscules correspondantes.

Un pays d'Acadiens

En 1755, le destin des acadiens prend une tournure tragique : c'est la déportation. Cet événement, connu aussi sous le nom de grand dérangement, a marqué l'histoire de ce peuple. À cette occasion, la population acadienne fut déportée à travers l'amérique.

Quelques individus échappent à cette déportation et débarquent aux îles-de-la-madeleine alors sous la tutelle du marchand richard grindley, pour lequel ils pratiquent la chasse et la pêche. En 1763, quand prend fin le conflit, les français perdent presque toutes leurs colonies d'amérique. Les îles-de-la-madeleine sont d'abord annexées à terre-neuve avant de passer, en 1774, par l'Acte de Québec, sous la juridiction du Québec.

En 1789, à la suite de la révolution française, plusieurs familles acadiennes originaires de saint-pierre-et-miquelon migrent vers les îles-de-la-madeleine. C'est à cette époque que commence la véritable colonisation de cet archipel. Cependant, les misères et les injustices que subissent les madelinots expliquent leur émigration continuelle vers des terres nouvelles. Ils vont ainsi fonder plusieurs villages de la

Nom : ______________________ Groupe : __________

côte-nord dont blanc-sablon en 1854, havre-saint-pierre et natashquan en 1855, et sept-îles en 1872.

Les habitants de l'archipel, pêcheurs et navigateurs, ont certes connu les joies de la vie maritime, mais ils en ont également éprouvé les difficultés. Au-delà de 400 naufrages ont été rapportés aux îles. Avec le temps, l'amélioration des moyens de communication a largement atténué l'isolement des insulaires. En 2002, la population totalisait environ 13 000 habitants, dont cinq pour cent sont de langue anglaise, et majoritairement d'origine écossaise. Le port d'entrée du traversier maritime se trouve dans la municipalité la plus importante : cap-aux-meules.

Aujourd'hui les îles-de-la-madeleine sont devenues un endroit touristique très apprécié des québécois. Au cours de la saison touristique, on peut assister à plusieurs activités culturelles et sociales comme le symposium de peinture figurative et le festival acadien à havre-aubert.

Nom : ____________________ Groupe : ____________

FICHE 57 LE TRAIT D'UNION

EN BREF

› Le **trait d'union** s'emploie entre les **chiffres inférieurs à cent** des nombres composés, sauf s'ils sont unis par *et*.

vingt-trois, quatre-vingt-huit, trois cent dix-sept, trente et un

› Le trait d'union s'emploie entre un **pronom personnel** et ***même(s)***.

toi-même, nous-mêmes, elles-mêmes, eux-mêmes, lui-même

› Le trait d'union s'emploie avant et après ***ci*** ou ***là*** qui entrent dans la composition d'un mot.

celui-ci, ceux-là, ci-inclus, là-haut, ce livre-ci, ce livre-là

› Le trait d'union s'emploie dans plusieurs **mots composés** ; pour savoir si un mot composé s'écrit avec ou sans trait d'union, il faut souvent consulter un dictionnaire.

timbre-poste, arc-en-ciel, perce-neige, sous-louer, aigre-doux

› Le trait d'union s'emploie dans une **phrase incise**, entre le verbe et le pronom personnel sujet qui le suit.

Elles ne viendront pas ce soir, dit-elle.

› Le trait d'union s'emploie entre le **verbe à l'impératif** et le ou les pronoms personnels compléments qui le suivent ; lorsque le verbe a deux pronoms personnels compléments (l'un direct et l'autre indirect), on écrit en premier celui qui est complément direct.

Donne ce livre à David. Donne-le à David. Donne-le-lui.

› Le trait d'union s'emploie dans une **phrase interrogative** entre le verbe (ou l'auxiliaire si le verbe est à un temps composé) et le pronom personnel qui le suit.

Pourriez-vous me remettre mon livre ? A-t-elle terminé ses études ?

Remarques :

– On appelle ***t* euphonique** la lettre ***t*** ajoutée entre le **verbe** et le **pronom** sujet inversé *il*, *elle* ou *on*. Le ***t* euphonique** est obligatoire lorsque le verbe se termine par un **e**, un ***a*** ou un **c**. Le trait d'union précède et suit la lettre ***t***.

Parle-t-il français ? *Arrivera-t-elle à temps ?* *Vainc-t-on le cancer ?*

– Il ne faut pas confondre le ***t* euphonique** avec le pronom personnel **te**, dont la voyelle est remplacée par une apostrophe devant *en* et *y* (***t'***).

*Va-**t'**en.* *Ne **t'**y fie pas.*

PARTIE 2 Le lexique

Nom : ________________ Groupe : ________________

PARTIE 2 Le lexique

EXERCICES

1 Transformez les phrases de la colonne de gauche en phrases interrogatives totales contenant une inversion du sujet.

Phrases à transformer	Phrases interrogatives
Il vous faudra partir avant la nuit.	
Elle apprendra avec le temps.	
On pense faire un voyage en Italie.	
Il arrive trop souvent en retard.	
Elle pèle une pomme de terre.	
Il se convainc qu'il a raison.	
Il y a beaucoup de clients dans cette boutique.	
Elle y a pensé longtemps avant de se décider.	
Elle vainc le stress en se concentrant.	
On aura le temps de tout faire.	

2 Déplacez le groupe de mots souligné à la fin de la phrase et inversez le sujet, en respectant les règles du trait d'union, du *t* euphonique et de la ponctuation.

A <u>Il affirma</u> : « Ce travail ne me convient pas. » ________________

B <u>On dira de lui</u> : « Quel grand personnage ! » ________________

C <u>Elle ajouta</u> : « Vous avez trop parlé. » ________________

Nom : ________________________ Groupe : ____________

3 Transformez les phrases interrogatives suivantes en phrases interrogatives de même sens, contenant une inversion du sujet.

A Qu'est-ce qu'on fera sans vous ? ____________________

B Qu'est-ce qu'elle dira d'une telle proposition ? ____________________

C Est-ce qu'il viendra ? ____________________

D Est-ce qu'elle a tenu sa promesse ? ____________________

4 Transformez les phrases impératives suivantes en remplaçant les groupes de mots soulignés par le pronom personnel approprié.

A Parle <u>à ton entraîneur</u> avant le match.

B Relisez toutes <u>vos phrases</u>.

C Donnez <u>votre opinion</u> <u>à votre interlocuteur</u>.

D Versez immédiatement <u>le thé</u> <u>aux invitées</u>.

E Accordez <u>ces faveurs</u> <u>aux gagnantes</u>.

Nom : ______________________ Groupe : ____________

5 Dans les phrases suivantes, ajoutez les traits d'union nécessaires.

A Regarde moi un peu. Ne devines tu pas de quoi je veux te parler ? Pourquoi ne m'as tu pas parlé de ce microfilm qu'on nous a dérobé ? Je crois que là dessus, tu aurais beaucoup à dire ! Tôt ou tard, tu seras trahie par ceux là mêmes que tu veux protéger.

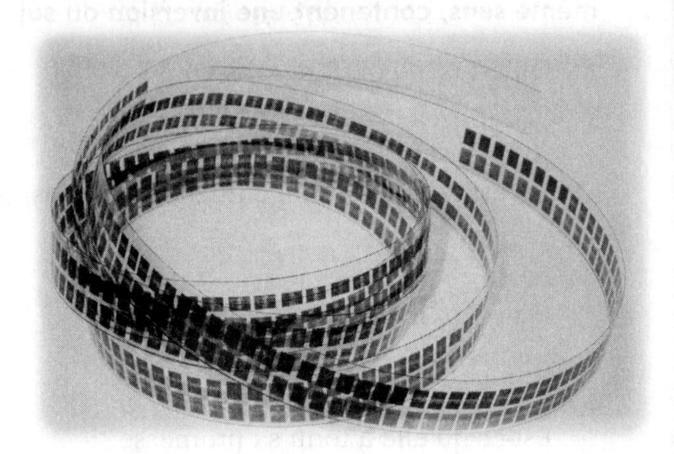

B Ce matin là, en dehors de la ville, par delà les prairies enneigées, il faisait un temps épouvantable. Les bêtes elles mêmes n'arrivaient pas à avancer. Là haut, dans la montagne, un vent déchaîné soufflait et écimait les arbres. Je vis apparaître tout à coup, entre deux rafales, un homme affublé d'un long pardessus ; il marchait lentement, courbé par la tempête. « Celui là n'ira pas loin ! », me dis je en moi même. Je l'invitai à entrer chez moi.

C Dans le rapport ci joint, vous trouverez tous les renseignements que vous m'avez demandés. Dans le tableau ci après, en bas de la page dix huit, j'ai illustré la croissance annuelle de nos dépenses et celle de nos revenus. Vous réaliserez vous mêmes que notre usine de véhicules tout terrain a généré un superprofit. Pourriez vous, s'il vous plaît, me faire part de vos commentaires ?

PARTIE 2 Le lexique

Nom : ______________________ Groupe : __________

EN BREF

Les coupures de mots en fin de ligne

› On utilise également le trait d'union pour marquer les **divisions** de mots en **fin de ligne** :
- entre deux syllabes : *di-/vi-/sion, rem-/pla-/ce-/ment, gar-/ni-/son, de-/man-/dent*
- entre deux consonnes identiques : *ton-/neau, let-/tra-/ge, al-/lumer*
- après un préfixe, sauf s'il n'a qu'une seule lettre : *pro-/me-/ner, ame-/ner*
- après le trait d'union d'un mot composé : *avant-/poste, garde-/pêche, sous-/estimer*

› Les divisions sont interdites :
- avant ou après une apostrophe : *aujour-/d'hui* (et non *aujourd-/'hui* ou *aujourd'-/hui*)
- avant ou après un x ou un y placé entre deux voyelles : *taxa-/tion* (et non *tax-/ation*), *crayon* (et non *cra-/yon*)
- dans les mots d'une seule syllabe : *ciel* (et non *ci-/el*)
- après la première lettre d'un mot : *abri-/bus* (et non *a-/bribus*)
- entre deux voyelles, sauf si la coupure se fait après un préfixe : *poé-/sie* (et non *po-/ésie*), mais *co-/équipier, pré-/avis, pro-/éminent*
- devant une syllabe finale de moins de trois lettres : *mule* (et non *mu-/le*), *bonté* (et non *bon-/té*), *fai-/ble, ar-/bre*
- dans le dernier mot d'un paragraphe ou d'une page.

6 Indiquez par un trait oblique tous les endroits où on peut diviser les mots suivants en fin de ligne.

coexistence ______________________

goéland ______________________

amoindrir ______________________

boxe ______________________

presqu'île ______________________

lieu ______________________

Nom : ______________________ Groupe : ____________

assez	pâté
envoyer	pommade
capable	après
planche	lexique
école	grand-mère
placement	officiel
masseur	agriculture